LE LABYRINTHE D'OSIRIS

DU MÊME AUTEUR
CHEZ LE MÊME ÉDITEUR

L'Armée des sables
Le Secret du Temple
L'Oasis sacrée

Paul Sussman

LE LABYRINTHE D'OSIRIS

Roman

Traduit de l'anglais par Santiago Artozqui

Titre original : *The Labyrinth of Osiris*

ISBN 978-2-258-10321-4

Presses de la Cité | un département **place des éditeurs**

place des éditeurs

Pour la team *Sussman*
– Alicky, Ezra, Jude et Layla.
Avec mon amour, toujours.

PROLOGUE

Louqsor,
Égypte (rive ouest du Nil), 1931

D'habitude, il s'installait plutôt derrière les roseaux géants, en aval du ponton où le ferry du Nil accostait. Ce soir-là, pourtant, il se dirigea vers l'amont, à cause d'un tuyau de Mehmet, son cousin, qui prétendait avoir vu d'énormes bancs de tilapias nager dans des méandres peu profonds du fleuve, non loin d'une langue de sable masquée par un bosquet de palmiers doum, derrière les champs de canne à sucre de Ba'irat. Dès qu'il arriva, l'endroit lui sembla prometteur, et il jeta sa ligne immédiatement. Son hameçon touchait à peine la surface lorsqu'il entendit la voix d'une jeune fille, ténue mais perceptible :

— Non ! S'il vous plaît !

Laissant filer sa ligne dans le courant, il leva la tête et tendit l'oreille.

— S'il vous plaît, arrêtez ! reprit la voix. J'ai peur !

Puis un rire. Un rire d'homme.

Le petit garçon posa sa canne, grimpa sur la berge boueuse et s'enfonça dans la palmeraie. Les sons provenaient de l'extrémité sud du bosquet. Il emprunta un sentier qui semblait s'orienter par là, en prenant soin de ne faire aucun bruit pour ne pas déranger les vipères à cornes cachées entre les herbes, capables de vous tuer d'une seule morsure.

— Par pitié ! Au nom de Dieu, je vous en supplie !

De nouveau, ce rire. Un rire cruel. Moqueur.

Il se baissa pour ramasser une pierre, prêt à se défendre si le besoin s'en faisait sentir. Le sentier faisait une courbe jusqu'au centre de la palmeraie. Par moments, sur sa gauche, les troncs semblaient tailler dans le fleuve à l'arrière-plan des formes argentées, comme des lamelles de mercure. En revanche, aucun signe de la jeune fille ou de son agresseur. Ce n'est qu'en arrivant à la lisière des arbres que le petit garçon vit clairement la scène.

Une moto était garée en face de lui, sur la route plutôt large qui reliait les champs de canne à sucre au fleuve. Derrière, deux silhouettes se découpaient sous la lumière de la lune. Malgré la chaleur, la plus grande était vêtue à l'occidentale : pantalon, bottes et manteau de cuir poussiéreux. De dos, agenouillée, elle tenait la plus petite, qui ne semblait pas opposer de résistance et demeurait prostrée, comme figée dans sa djellaba, le visage caché par le corps massif de son agresseur.

— S'il vous plaît, gémissait-elle. S'il vous plaît, ne jouez pas avec moi...

Le petit garçon aurait voulu crier, mais la peur l'en empêchait. Il s'avança un peu et s'accroupit derrière un laurier-rose, la pierre toujours serrée dans son poing. Maintenant qu'il pouvait voir le visage de la fille, il la reconnaissait : Iman el-Badri, la petite aveugle de Cheikh Abd el-Gournah. Ils se moquaient d'elle tout le temps, parce qu'au lieu de faire ce que les filles sont censées faire – la lessive, le ménage, la cuisine – elle passait des journées entières à arpenter les vieux temples en tapant partout avec sa canne, les doigts posés sur les hiéroglyphes gravés dans la pierre. Les gens prétendaient même qu'elle pouvait les lire rien qu'en les touchant. « Iman la sorcière », qu'ils l'appelaient. « Iman l'imbécile. »

A présent, dissimulé derrière les lauriers-roses, tout en scrutant l'homme qui l'agressait, il regrettait de s'être moqué d'elle, même si tous l'avaient fait, y compris les propres frères de la jeune fille.

— J'ai peur ! s'écria-t-elle. S'il vous plaît, ne jouez pas avec moi !

— Il faut faire comme je dis, ma petite chérie.

Ce furent ses premiers mots, du moins les premiers qu'il entendit l'homme prononcer, d'une voix rauque, gutturale, dans un arabe teinté d'un fort accent. Avec un nouvel éclat de rire, l'inconnu arracha le voile qui enveloppait la tête de la jeune aveugle et lui passa la main dans les cheveux. Elle se mit à sangloter.

Le petit garçon était terrifié, mais il savait qu'il fallait réagir. Il évalua la distance qui le séparait des deux silhouettes et, jetant le bras en arrière, se prépara à lancer sa pierre à la tête du violeur.

Avant qu'il en ait eu le temps, l'homme se releva et se tourna, le visage subitement baigné par la lumière de la lune.

Le petit garçon en eut le souffle coupé. C'était le visage d'une goule. Les yeux n'étaient pas des yeux, mais de simples trous noirs ! A l'endroit où le nez aurait dû se trouver, il n'y avait rien ! Pas de lèvres, juste des dents, anormalement grandes et blanches, comme une mâchoire d'animal. Une peau pâle, translucide, des joues creuses, comme figées dans une expression de dégoût devant l'image grotesque qu'elles contribuaient à façonner.

A présent, il savait qui c'était. Il avait entendu les rumeurs : un *hawaga*, un étranger, qui travaillait dans les tombes et n'avait qu'un grand vide à la place du visage. Un esprit maléfique, disaient les gens, qui rôdait la nuit, qui buvait du sang, qui disparaissait des semaines entières dans le désert pour communier avec d'autres démons comme lui. Le jeune garçon grimaça, résistant à l'envie de hurler qui le saisissait.

— Qu'Allah me protège, murmura-t-il. Cher Allah, éloigne cet homme...

L'espace d'un instant, il craignit d'avoir été entendu, car le monstre avait fait un pas en avant et regardait fixement en direction des lauriers-roses, l'air d'écouter avec attention. Quelques secondes passèrent, angoissantes. Puis, avec un gloussement rauque et grave comme le souffle d'un chien qui halète, l'homme retourna vers la moto. Sa victime, toujours en pleurs mais à présent plus calme, se relevait péniblement.

L'homme se planta devant sa machine, sortit une bouteille de son manteau, ôta le bouchon avec les dents et s'en siffla une bonne rasade. Il rota, s'en offrit une autre puis tira un objet de sa poche. De sa cachette, le jeune garçon ne distinguait pas bien ce que c'était. Des lanières et des boucles... Peut-être un casque de moto ? Cependant, au lieu de le poser au sommet de son crâne, l'homme s'en couvrit le visage, puis déplaça ses mains derrière la tête pour attacher des courroies. C'était un masque ! Un masque de cuir qui recouvrait l'espace entre son front et son menton, muni de trous pour la bouche et les yeux, et qui, étrangement, lui donnait l'air encore plus grotesque que les difformités qu'il était censé dissimuler. Terrorisé, le jeune garçon laissa échapper un autre soupir. L'homme regarda de nouveau vers lui. Derrière le morceau de cuir, ses yeux semblaient ceux d'une bête fauve tapie dans une grotte. Finalement, il se détourna et, saisissant sa moto par le guidon, posa le pied sur le kick.

— Il ne faut pas en parler ! cria-t-il à l'intention de la jeune fille, en s'exprimant de nouveau en arabe. A personne ! C'est notre petit secret...

D'un grand coup de talon, il ramena le moteur à la vie, le fit rugir une ou deux fois en tournant la manette des gaz, puis se mit à farfouiller dans les sacoches. Il en sortit un petit paquet, ou un petit livre, le garçon ne voyait pas bien. L'homme retourna vers la fille et glissa l'objet dans les plis de sa djellaba noire. Pour le plus grand dégoût du jeune observateur, il passa la main derrière la tête de sa victime et l'attira contre son visage cauchemardesque. Elle se débattit, apparemment écœurée par le contact du masque contre sa peau. Enfin, l'homme la laissa aller et s'éloigna vers sa moto. Il enfila une paire de lunettes, ôta les béquilles avant et arrière, enfourcha son engin et embraya.

— Notre petit secret ! hurla-t-il à nouveau, avant de disparaître dans un nuage de poussière.

Le garçon était tellement effrayé qu'il n'osa pas bouger pendant plusieurs minutes. Quand le bruit du moteur s'estompa totalement et que la nuit eut retrouvé son silence, il se releva. La jeune fille, qui avait déjà ramassé son foulard et rattaché ses cheveux, parlait toute seule à voix basse. Elle cherchait sa canne à tâtons dans l'herbe en émettant des petits sons qu'il aurait pu prendre pour des rires s'il n'avait pas été témoin de ce qu'elle venait de subir. Il aurait voulu aller vers elle, la consoler, lui dire que l'épreuve était terminée, mais il savait qu'elle aurait moins honte si elle ignorait que quelqu'un l'avait vue. Alors, sans rien dire, il la regarda s'éloigner en tapotant le sol du bout de sa canne. Au bout de cinquante mètres, elle se retourna brusquement et le fixa.

— *Salaam !* lança-t-elle en s'emmitouflant dans sa djellaba. Il y a quelqu'un ?

Il retint sa respiration. Elle fit une nouvelle tentative, fouillant la nuit de ses yeux aveugles, puis finit par se remettre en route. Il la laissa partir, attendit qu'elle disparaisse derrière le virage et se perde dans les champs de canne à sucre. Dès qu'il fut certain d'être seul, il traversa la palmeraie dans l'autre sens, s'engagea sur le chemin qui longeait le Nil et, oubliant sa canne à pêche, piqua un sprint. Il savait exactement quoi faire.

Avec son moteur monocylindre 488 cm^3, sa boîte de vitesses à trois rapports Sturmey Archer, la Royal Enfield Model J avait une vitesse de pointe de plus de cent kilomètres-heure. En Europe, sur les autoroutes bitumées, l'homme l'avait déjà poussée au-delà des cent dix. Toutefois, en Egypte, où les meilleures routes n'étaient guère que des pistes arbitrairement montées en grade, il dépassait rarement les cinquante. Mais ce soir, c'était différent. C'était particulier. L'alcool et l'euphorie le rendaient téméraire, il poussa l'aiguille du compteur jusqu'à soixante-dix et fonça vers le nord à travers les champs de canne à sucre et de maïs, entre le Nil qui se perdait sur sa droite et le massif Thébain qui s'étendait comme une vague immense sur sa gauche. Fréquemment, il buvait une gorgée de whisky et chantonnait sans cesse la même chanson :

It's a long way to Tipperary,
It's a long way to go,
It's a long way to Tipperary,
To the sweetest girl I know !
Goodbye, Piccadilly,
Farewell, Leicester Square !
It's a long, long way to Tipperary,
But my heart's right here !

La plupart des hameaux de la berge occidentale s'étaient transformés en déserts, en villages fantômes, et les fellahs qui y vivaient étaient depuis longtemps partis se coucher derrière leurs murs en briques d'argile, dans leurs cahutes silencieuses comme des tombeaux. Seule Esba montrait encore quelque signe de vie. Un peu plus tôt dans la soirée avait eu lieu un *moulid*, une fête traditionnelle pour célébrer la naissance d'une personne sacrée, et quelques couche-tard traînaient encore dehors. Deux vieillards fumaient leur chicha sur un banc. Un groupe d'enfants s'amusaient à jeter des pierres à un chameau. Un marchand de bonbons rentrait chez lui, son chariot vide. Ils levèrent les yeux au passage de la moto, jetant un regard soupçonneux à l'homme qui la chevauchait. Le marchand de bonbons lui cria dessus et l'un des gamins dressa ses deux index de part et d'autre de son front pour faire le signe d'Al-Chaïtan, le signe du diable. L'homme les ignora – il était habitué à ce genre d'insultes. Il s'éloigna, poursuivi jusqu'à la sortie du village par une petite meute de chiens.

— Sales clébards ! cria-t-il en se penchant vers eux, l'air hargneux.

Il arriva à un croisement et prit à gauche, vers l'ouest et le massif montagneux qui brillait d'un gris morne sous la lune. Des petits sentiers se croisaient sur ses flancs telles des veines blanches, et certains dataient de l'époque où les ouvriers qui construisaient les tombeaux les empruntaient, trois mille ans plus tôt, pour rejoindre l'oued Biban al-Moluk, la Vallée des Rois. Au fil des ans, lui-même avait arpenté ces chemins à de nombreuses reprises, à motocyclette plutôt qu'à dos d'âne. Carter était le seul qui le comprenait vraiment, même si lui aussi commençait à s'embourgeoiser. D'ailleurs, l'adulation dont ce dernier faisait l'objet lui était montée à la tête, il devenait maniéré ! Les sautes d'humeur ou l'obstination sans bornes étaient encore supportables, mais pas les airs maniérés. C'était juste une tombe, nom de Dieu ! Des imbéciles, tous autant qu'ils étaient ! Mais lui, Samuel Pinsker, il allait leur montrer. Il leur avait déjà montré, en fait, même s'ils ne le savaient pas encore.

En atteignant les colosses d'Aménophis, il ralentit et leva sa bouteille dans un salut moqueur à leurs visages ravagés par le temps, puis, accélérant de nouveau, suivit la route qui remontait au nord, au-delà des temples en ruine alignés au pied du massif. La plupart n'étaient plus que des tas de briques d'argile et de blocs de pierre éparpillés, difficiles à distinguer du paysage environnant. Seuls ceux de Hatchepsout, de Ramsès II et, un peu plus loin, de Séti Ier avaient conservé un peu de leur grandeur originelle, comme de vieux courtisans qui vivraient encore sur les souvenirs de leur belle jeunesse. Bien sûr, derrière lui, au sud, à Médinet-Habou, se trouvait le grand temple de Ramsès III, son préféré dans toute l'Egypte, l'endroit où il avait aperçu la jeune aveugle pour la première fois et où tout avait changé.

Je ferai tout pour qu'elle soit mienne, avait-il alors pensé tandis qu'il l'épiait, caché derrière une colonne. Nous resterons unis à jamais.

Et maintenant, ils allaient l'être. A jamais. C'était la mémoire de son visage et un petit mouchoir imbibé de son parfum qui lui avaient permis d'endurer tous ces mois de solitude sous terre. Il l'appelait « mon petit bijou ». Plus brillante que tout l'or d'Egypte. Et plus précieuse. A présent, elle était sienne. Oh, jour de joie !

Ici, la route était bonne, la terre avait été compactée par tout le trafic créé dans la région par la découverte de Toutankhamon. Il poussa l'Enfield à quatre-vingts kilomètres-heure, soulevant un tourbillon de poussière derrière lui. Ce n'est qu'en arrivant à Dra Abou el-Naga qu'il ralentit et s'arrêta devant les rares maisons en brique et les quelques étables éparpillées à flanc de montagne, en surplomb de la route, vers la pointe nord du massif.

Sur sa gauche le ruban pâle d'une piste se perdait dans les collines en direction de la Vallée des Rois. Droit devant lui, au sommet d'une butte, se dressait une maison de plain-pied au toit en coupole, toutes fenêtres fermées, au milieu des palmiers et des figuiers pleureurs. Il fit glisser ses lunettes sur son front, resta quelques instants les yeux posés sur la villa, puis roula jusqu'à l'entrée, où il abandonna son engin contre un tronc d'arbre. Il épousseta son manteau, ôta ses lunettes, prit une bonne lampée de whisky et se dirigea en titubant vers la porte.

— Carter ! se mit-il à hurler en tambourinant sur le battant. Carter !

Pas de réponse. Il fit une seconde tentative :

— Ça y est, Carter ! J'ai mis la main dessus ! s'exclama-t-il en faisant deux pas en arrière. J'ai mis la main dessus...

Le bâtiment restait plongé dans l'obscurité et le silence, aucune lumière ne filtrait des volets clos.

— Tu affirmais que ça n'existait pas, mais tu avais tort ! A côté, ta petite tombe ridicule a l'air d'une maison de poupée !

Silence. Il vida les dernières gouttes de whisky et balança la bouteille dans la nuit environnante, puis, après avoir fait le tour complet de la maison en tapant de grands coups sur les volets, il cogna de nouveau sur la porte d'entrée.

— Une putain de maison de poupée, Carter ! Viens avec moi, et je te montrerai quelque chose de vraiment impressionnant !

Il remit ses lunettes, démarra son engin.

— C'était juste un gosse, Carter ! hurla-t-il par-dessus le rugissement du moteur. Un stupide petit gosse de riche. Un couloir de dix mètres et quatre chambres de merde... J'en ai trouvé des kilomètres... Tu n'en croirais pas tes yeux... Des kilomètres !

Il fit au revoir de la main et descendit la butte, sans entendre la voix étouffée qui lui répondait, derrière les volets clos :

— Barre-toi, l'infirme, espèce de Juif alcoolique !

Pinsker reprit la même route dans l'autre sens, vers le sud, mais il était fatigué. Il ne chantait plus, à présent, et conduisait plus lentement. Il s'arrêta quelques instants à Deir el-Médineh, pour voir comment se débrouillaient Bruyère et les Français sur le site de l'ancien village d'ouvriers – bien plus enthousiasmant que des tombes et des pharaons –, puis à Médinet-Habou. A la lumière de la lune, le temple avait l'air d'une cité argentée, magique, spectaculaire, d'un autre monde. Un lieu propice aux rêves, pensa-t-il, tandis qu'il se tenait dans l'enceinte du premier pylône, la tête pleine d'images de la fille et de ce qu'il ferait avec elle. Il rit en songeant à quel point Carter et les autres en savaient peu à son sujet ; ils voyaient en lui quelqu'un de complètement différent de ce qu'il était vraiment. Quel choc s'ils apprenaient la vérité !

— Vous allez voir ! cria-t-il. Vous allez voir, vous tous ! Bande de salauds prétentieux !

Il partit d'un grand rire, presque comme un aboiement, avant de reprendre sa moto pour le court trajet qui le séparait de son domicile, à Kom Lolah, en se réjouissant à l'idée de faire une vraie nuit pour la première fois en douze semaines. Il se gara dans l'allée en terre battue derrière chez lui et entreprit de détacher les sacoches de sa moto. Soudain, quelque chose déboula sur sa gauche. Il commença à pivoter, mais un bras surgit et lui enserra le cou, le tirant en arrière. Des mains le saisirent, puissantes, nombreuses, au moins trois hommes, bien que dans la pénombre et la confusion il ne puisse en être sûr.

— Mais qu'est-ce qui...

— *Ya kalb !* siffla une voix. Espèce de chien ! Nous savons ce que tu as fait à notre sœur. Maintenant, tu vas payer...

Quelque chose de lourd lui heurta la base du crâne. Il vacilla, se débattit un peu, mais on le frappa à nouveau et il sombra dans les ténèbres. Ses agresseurs le traînèrent jusqu'à une charrette tirée par un âne, où ils dissimulèrent son corps sous une vieille couverture.

— C'est à quelle distance ? demanda l'un.

— Loin, répondit un autre. Allons-y.

Ils grimpèrent sur la charrette bringuebalante et, avec un coup de fouet pour faire démarrer l'âne, s'enfoncèrent dans la nuit. Un gémissement étouffé montait de sous la couverture, couvert par le grincement des roues en bois.

1972

Pour le dernier jour de leur lune de miel sur le Nil, Douglas Bowers fit à sa femme une surprise qu'elle n'oublierait jamais, quoique pas tout à fait dans le sens où Douglas l'avait prévu.

Cela faisait deux semaines qu'ils remontaient le fleuve, d'Assouan à Louqsor, et Alexandra avait l'impression qu'ils avaient visité chaque temple, chaque ruine et chaque tas de vieilles briques couvertes de poussière entre les deux villes. Elle n'avait pour ainsi dire pas eu le temps de faire ce qu'elle voulait vraiment, c'est-à-dire siroter une limonade au soleil en lisant un beau roman d'amour.

Les quatre jours à Louqsor s'étaient révélés particulièrement pénibles, avec Douglas qui insistait pour partir à l'aube afin d'apprécier les sites avant l'arrivée des cars bondés qui déversaient ceux qu'il appelait avec tristesse « la horde ». La tombe de Toutankhamon avait été vaguement intéressante, ne serait-ce que parce que Alexandra avait déjà entendu parler de lui, mais tout le reste avait été mortel – une succession ininterrompue de chambres mortuaires où elle s'était sentie claustrophobe et de murs couverts de hiéroglyphes qui l'auraient laissée de glace si la chaleur n'avait été si forte. Elle ne l'aurait jamais avoué, mais Alexandra voyait approcher la fin de sa lune de miel avec une pointe de soulagement, en songeant qu'ils allaient bientôt retourner vers la normalité monochrome de la banlieue sud de Londres.

C'est alors que, de but en blanc, Douglas fit quelque chose qui n'était pas prévu – quelque chose qui rappela à Alexandra à quel point il était attentionné, et pourquoi elle l'avait épousé.

C'était leur dernier matin. A l'initiative de Douglas, ils se levèrent encore plus tôt que d'habitude, avant même les premières lueurs de l'aube, et traversèrent le Nil. Sur l'autre berge, un taxi les attendait pour les emmener jusqu'au parking devant le temple de Hatchepsout, où, deux jours plus tôt, Douglas avait passé tout l'après-midi à prendre des mesures avec le mètre à ruban qu'il avait en permanence sur lui. Alexandra, croyant qu'il allait recommencer, se sentit défaillir. Cependant, plutôt que d'entrer dans le temple, son mari s'engagea sur un étroit sentier qui partait dans les collines derrière le monument. Ils crapahutèrent sur la pente pendant un bon moment. Le ciel se teintait de gris clair, la vallée du Nil se déployait devant eux au fur et à mesure qu'ils montaient. Au bout d'une heure, Alexandra se disait que tout compte fait regarder son époux mesurer des blocs de pierre, cela n'aurait pas été une si mauvaise option. Ils gravirent enfin le dernier bout de pente avant le sommet d'Al-Qurn, la Cime, le mont en forme de pyramide qui domine l'extrémité sud de la Vallée des Rois. En haut, un pique-nique les attendait.

— J'ai fait rapporter ça par un des types de l'hôtel, déclara Douglas en sortant une demi-bouteille de champagne frais du panier à pique-nique. Pour être franc, je suis étonné que personne ne l'ait piqué…

Il remplit deux verres, saisit une rose rouge dans le panier et s'agenouilla devant Alexandra.

— Que ton esprit reste en vie à jamais ! s'exclama-t-il. Que tu passes des millions d'années, ô toi qui aimes Thèbes, le visage face au vent du nord, à contempler le bonheur…

C'était si merveilleux, si romantique, tellement différent de son personnage habituel, qu'elle fondit en larmes.

— Ne t'inquiète pas pour le budget, ma vieille ! lança-t-il. Le champagne, c'est du *duty free*. Une affaire !

Ils s'installèrent sur un rocher pour voir le jour se lever sur les montagnes dans le désert, sirotant leur verre dans un silence et un calme absolus, tandis qu'à leurs pieds, bien plus bas, les terres cultivées s'étalaient comme un monde miniature, un brouillard vert et un peu flou. Après le petit déjeuner, ils s'embrassèrent un peu, puis rangèrent le panier de pique-nique.

— Quelqu'un viendra le récupérer, expliqua Douglas en s'engageant sur le sentier qui descendait sur l'autre versant. D'après le type de l'hôtel, tu vois, Rupert je-ne-sais-plus-trop-quoi, le mec pompeux avec le gros nez, eh bien, ce chemin fait le tour du plateau et aboutit à l'entrée de la Vallée des Rois.

Du bras, il fit un grand geste circulaire.

— Cela devrait nous prendre environ une heure, et si on marche bien, on sera de retour à temps pour le déjeuner.

A présent, Alexandra avait récupéré des efforts consentis dans la montée et, bien que les longues marches sur des terrains accidentés ne fussent pas vraiment son truc, elle emboîta le pas à son mari, le champagne l'ayant sans doute mise d'humeur aventureuse. Le chemin était étroit, rocailleux, pénible par endroits, mais en bon gentleman Douglas l'aidait à franchir les zones difficiles. A sa grande surprise, Alexandra passait un bon moment.

Une véritable aventure dans le désert, pensait-elle. Quand je vais raconter ça à Olivia et Flora !

Ils avancèrent, s'enfoncèrent de plus en plus profondément dans les collines, le Nil disparut derrière eux, le paysage prit des aspects lunaires, une désolation de rochers et de poussière sous un ciel blanc pâle. Une heure s'écoula. Quatre-vingt-dix minutes. Douglas avait emporté un peu de nourriture et d'eau dans un sac à dos, mais au bout de deux heures, Alexandra commença à fatiguer, d'autant qu'elle ne voyait pas approcher la fin de ce périple. Elle avait mal aux pieds, à la tête, et, pire encore, une impérieuse envie d'aller aux toilettes.

— Je tournerai le dos, proposa Douglas quand elle lui fit part du problème.

— Je ne vais pas faire pipi en plein air, lâcha-t-elle avec moins de bonne humeur que précédemment.

— Mais bon Dieu, ce n'est pas comme si quelqu'un pouvait te voir !

— Je ne vais pas faire pipi en plein air, répéta-t-elle. C'est un truc privé, quand même !

— Eh bien retiens-toi, ou alors va par là, derrière ce gros rocher. Tu ne trouveras pas mieux dans le coin, ma vieille.

N'ayant guère le choix, elle fit ce que son mari lui suggérait et s'éloigna d'une trentaine de mètres pour passer derrière le rocher, posé comme un champignon géant sur la rocaille du désert. Là, le sol marquait une pente abrupte qui descendait jusqu'à un creux en forme d'entonnoir, en lui laissant tout de même juste assez de place pour relever sa robe et s'accroupir.

— N'écoute pas ! cria-t-elle.

Elle entendit le crissement des pas de Douglas, qui s'écartait un peu. Il se mit à siffler. Alexandra prit appui sur le rocher avec la main et fixa la pierre en essayant de se détendre. La surface était jaune, poussiéreuse, parsemée de griffures dont elle se rendit compte au bout d'un moment que ce n'étaient pas des griffures, mais les vestiges à moitié effacés d'une sorte de texte en hiéroglyphes. La culotte toujours sur les chevilles, elle se pencha légèrement en arrière pour mieux voir. Il y avait un truc qui ressemblait à un lièvre, et une petite ligne brisée, deux bras, et d'autres symboles avec lesquels elle avait eu tout le temps de se familiariser au cours des deux dernières semaines.

— Chéri ! lança-t-elle en reculant de quelques centimètres supplémentaires, sa gêne et son envie pressante momentanément oubliées. Je crois que j'ai trouvé…

Elle n'alla pas plus loin. Perdant subitement pied, elle dégringola le long de la pente dans les graviers et la poussière en agitant frénétiquement les jambes pour tenter de se libérer de la culotte élastique qui les retenait. Arrivée en bas, il lui sembla heurter un lit de branches et de brindilles, puis se remettre à tomber, dans l'air cette fois-ci, pendant un temps qui lui parut infini, avant de percuter quelque chose de mou et de perdre conscience.

Douglas Bowers, qui avait entendu les cris de sa femme, se rua derrière le rocher.

— Oh, mon Dieu ! cria-t-il en se laissant glisser vers le trou en bas de la pente. Alexandra ! Alexandra !

Sous ses pieds s'ouvrait un puits rectangulaire, profond, à l'évidence l'œuvre de la main de l'homme, avec ses pans verticaux taillés dans le calcaire blanc. Au fond, cinq ou six mètres plus bas, il distingua, à peine visible à travers le nuage de poussière qui envahissait le conduit, l'enchevêtrement de branches et de brindilles qui avait dû en masquer l'ouverture. En revanche, sa femme demeurait invisible. Ce n'est que lorsque la poussière commença à se dissiper qu'il aperçut la pâleur d'un bras, une chaussure, et finalement la robe à fleurs de sa femme.

— Alexandra ! Oh, je t'en supplie, dis-moi que tu m'entends ! Alexandra !

Il y eut un long, un terrible silence, le pire que Douglas ait jamais eu à vivre, et puis un petit gémissement.

— Oh, Dieu merci ! Ma chérie ! Est-ce que tu arrives à respirer ? Tu as mal quelque part ?

Nouveaux gémissements.

— Ça va, dit enfin une voix faible dans le fond du puits. Je vais bien...

— Ne bouge pas ! Je vais chercher de l'aide !

— Non ! Attends, laisse-moi voir...

Il discerna un mouvement, entendit craquer les brindilles.

— Il y a une sorte de... porte.

— Quoi ?

— Ici, au fond. C'est comme une...

Les craquements s'intensifièrent.

— Alexandra, tu es commotionnée. Tu ne dois pas bouger. On va te sortir de là en un rien de temps !

— Je vois une petite pièce. Il y a quelqu'un assis...

— Ecoute, chérie, tu as pris un coup sur la tête, tu hallucines...

Ce qu'elle voyait dut pourtant lui sembler bien réel parce que, dès cet instant, Alexandra Bowers se mit à hurler comme une hystérique, et rien de ce que son mari fit ou dit ne parvint à la calmer.

— Sors-moi de là ! Il est à côté de moi ! Sors-moi de là avant qu'il me touche ! Oh, mon Dieu !

De nos jours

Personne n'aurait pu dater avec précision l'origine de la chaîne d'événements qui conduisit au choc.

A l'évidence, la barge sur le Nil n'était pas dans son couloir de navigation. De même, la yole n'aurait pas dû se trouver sur le fleuve, pas une fois la nuit tombée, pas avec un trou dans la coque et certainement pas avec une seule rame.

Telles étaient les causes les plus évidentes de l'accident. Cependant, qu'on les considère indépendamment ou en bloc, elles n'en étaient pas la cause absolue. Tellement d'autres éléments étaient nécessaires pour transformer une situation potentiellement dangereuse en catastrophe.

Si une vedette de la police n'avait pas ordonné aux occupants de la yole de revenir à terre, celle-ci n'aurait peut-être pas croisé la route de la barge. Si l'homme en poste à la vigie avant ne s'était pas acheté une nouvelle radio, il n'aurait pas été captivé par la retransmission du Derby du Caire, entre les deux équipes de foot de la ville, et aurait peut-être donné l'alarme plus tôt. Si le ravitailleur qui devait remplir de diesel les cuves de la barge n'avait pas été retardé, elle aurait appareillé à temps et se serait trouvée beaucoup plus au nord lorsque la yole et ses occupants se lancèrent sur le fleuve.

Il y avait tellement de liens différents, la chaîne était si confuse et emberlificotée qu'en fin de compte il était impossible de privilégier une seule cause, autant que de blâmer un seul responsable.

On pouvait seulement affirmer deux choses :

Tout d'abord, que vers 21 h 30, par une nuit claire et dégagée, un terrible accident avait eu lieu à environ un kilomètre au sud de Louqsor, sous les yeux des policiers de la vedette fluviale et d'une famille d'Egyptiens qui pique-niquait à la belle étoile sur la rive orientale.

Deuxièmement, qu'à la suite de cet accident la vie des gens qu'il avait affectés ne serait plus jamais la même.

PREMIÈRE PARTIE

JÉRUSALEM, NEUF MOIS PLUS TARD

Il fait noir comme dans une cave ici, et c'est tant mieux. Ça veut dire qu'elle ne peut pas me voir. Du moins, pas bien. Pour elle, je ne suis qu'une silhouette sombre. De même qu'elle pour moi.

Quand je l'ai suivie à l'intérieur, elle s'est retournée pour me fixer. L'espace d'un instant, j'ai cru qu'elle savait qui j'étais, même dans la pénombre, même avec ma capuche rabattue sur mon visage. Elle n'en avait pourtant pas l'air. Son expression traduisait plutôt l'attente. L'espoir. Puis elle a détourné les yeux presque aussitôt et n'a plus fait attention à moi. Un fidèle du soir, a-t-elle probablement pensé.

A présent, je la regarde. Les murs et le dôme sont percés de fenêtres, mais leurs vitres sont sales et de toute façon, dehors, il fait presque nuit. Une lueur émane d'une des lampes en cuivre qui pendent au plafond à l'autre bout de la cathédrale, trop faible pour dissiper l'obscurité. La femme se tient juste sous cette lampe, devant le panneau de bois sculpté qui sépare le sanctuaire du transept. Je suis près de la porte, sur l'un des bancs garnis de coussins qui courent le long du déambulatoire. Dehors, la pluie siffle sur les pavés de la cour. Le temps n'est pas celui auquel je m'attendais, mais cela m'est utile. En effet, je peux m'emmitoufler sans attirer l'attention. Je ne veux pas qu'on voie mon visage. Ni elle, ni qui que ce soit d'autre.

La tenture qui recouvre la porte se soulève brusquement, puis retombe avec un bruit sourd. La femme se retourne, croyant que quelqu'un est entré, mais elle se rend compte que ce n'est qu'une bourrasque et, sans plus y prêter attention, se dirige vers le retable couvert d'icônes derrière l'autel. Son sac de voyage est posé sur le tapis à ses pieds. Le sac est un problème. Ou plutôt, c'est le voyage que ce sac implique qui est un problème. Il limite la plage de temps dont je dispose. La femme a l'air d'attendre quelqu'un ; et cela aussi, c'est un problème. Le premier, je peux le gérer. Le second est plus compliqué. Il faudra peut-être que j'improvise. Je devrai peut-être agir plus tôt que prévu.

Elle va vers l'un des quatre piliers géants qui supportent le dôme. Un tableau est accroché dessus, un énorme tableau dans un cadre en argent. Je ne distingue pas ce qu'il représente. Je me moque de ce qu'il représente. Je regarde la femme et je réfléchis. Je calcule. Dois-je agir plus tôt que prévu ? Je sens une odeur d'encens.

Elle contemple le tableau, puis retourne vers l'autel et consulte sa montre. Dans la poche de ma veste, je sens mon Glock, mais je crains qu'en dépit de la pluie le bruit d'une détonation ne fasse accourir les gens. Il vaut mieux procéder autrement. Comment, ce n'est pas le problème. Le problème, c'est quand. Je dois découvrir ce qu'elle sait, mais avec le sac et donc la possibilité qu'elle parte voir quelqu'un...

Elle se remet à marcher entre les travées. Dans les murs latéraux de la cathédrale, des portes donnent sur ce que je pense être de petites chapelles, bien qu'il fasse trop sombre pour l'affirmer avec certitude. La femme les examine une par une et se rapproche ainsi de l'endroit où je me tiens. Juste devant la plus proche, posé sur le tapis qui recouvre le sol, un paravent de bois dissimule un petit banc sur lequel elle s'assoit. Saisissant le fil de fer, je repasse toutes les options dans ma tête, je les évalue. Si seulement je n'avais pas à lui poser de questions...

A présent, elle s'est relevée et se dirige vers moi. J'incline la tête comme si je priais, les yeux fixés sur mes mains gantées, pour qu'elle ne voie pas mon visage. Elle passe juste devant moi et complète sa boucle autour de la nef, puis, arrivée devant l'autel, consulte de nouveau sa montre. Dois-je continuer à la suivre, voir où elle va ? Ou dois-je agir maintenant, tandis que nous sommes seuls et que j'en ai l'occasion ? Je n'arrive pas à prendre une décision. Quelques minutes s'écoulent. Elle ramasse son sac et se dirige vers la sortie. Quand elle arrive devant moi, elle s'arrête.

— *Shalom.*

Je garde la tête baissée.

— *Ata medaber Ivrit ?*

Je ne dis rien. Je ne veux pas qu'elle entende ma voix. Subitement, j'angoisse.

— Vous parlez anglais ?

J'ai toujours les yeux rivés au sol. J'angoisse vraiment.

— Vous venez d'Arménie ? Je ne voudrais pas vous déranger, mais je suis à la recherche de...

Je prends ma décision. En me levant, je la frappe violemment sous la mâchoire avec la paume de ma main. Elle titube en arrière. Malgré l'obscurité, je vois les bulles de sang qui sortent de sa bouche, beaucoup de sang, ce qui m'incite à croire que sous l'impact elle a dû se couper le bout de la langue avec les dents. Puis cette pensée s'enfuit. Presque aussitôt, je bondis derrière elle et lui passe le garrot autour du cou. Je croise les mains et tire avec force sur les poignées du fil de fer, en appréciant la prise qu'elles me donnent, la force qu'elles me permettent d'exercer sur la trachée de cette femme. Elle est beaucoup plus grande que moi, mais j'ai néanmoins l'avantage. Je lui donne des coups de pied dans les jambes pour la faire tomber puis je la bascule en arrière, tandis qu'elle se débat en gargouillant et qu'elle tente de desserrer le fil qui l'étrangle. Au bout d'une trentaine de secondes, elle s'affaisse. Je maintiens la pression, pour être sûr. Mon travail m'absorbe. Je n'envisage même pas qu'un intrus puisse nous surprendre. Une fois que sa mort ne fait plus de doute, je la laisse doucement glisser sur le sol. Je suis ivre de joie.

Après avoir repris mon souffle pendant quelques instants, je roule soigneusement le fil de fer et le remets dans ma poche. Je jette un coup d'œil à la cour, derrière la tenture. Elle est déserte, balayée par la pluie. Rassuré, j'éclaire le tapis autour du corps avec ma lampe de poche. On y discerne quelques taches, mais la plus grande partie du sang a imbibé son pull et son imper, ce qui est bien. Je lui ouvre la bouche et constate que même si elle se l'est mordue, sa langue est toujours en un seul morceau, et ça aussi, c'est bien. Je trouve un mouchoir dans sa poche et le glisse dans sa bouche pour éviter de salir encore plus les lieux. Ensuite, je balaye l'enceinte de la cathédrale avec le faisceau de ma lampe. Il faut que je gagne un peu de temps, je ne peux pas me permettre qu'on la trouve tout de suite. Je sais où elle habite, j'y passerai tout à l'heure, mais pour l'instant, j'ai besoin d'un endroit retiré. Je déteste improviser, mais j'espère qu'en fin de compte tout ira pour le mieux.

L'inspecteur Arieh Ben-Roï, de la police de Jérusalem, plissa les yeux en observant le corps roulé en boule. L'espace d'un instant, il ne sut pas bien quelle partie se trouvait où. Peu à peu, la forme devint plus compréhensible – crâne, torse, bras, jambes. Il secoua la tête, ayant du mal à croire ce qu'il voyait. Puis il sourit et serra la main de Sarah.

— Il est beau.

— On ne sait pas encore si c'est un « il ».

— Il ou elle est beau ou belle, alors...

Il se pencha vers l'image granuleuse sur l'écran à ultrasons. Il s'agissait de la troisième échographie de Sarah – de leur troisième échographie à tous les deux –, et même au bout de vingt-quatre semaines de grossesse il avait du mal à cerner la morphologie précise du bébé (mais il n'avait pas répété sa bourde de la douzième semaine, lorsqu'il avait fièrement désigné ce qu'il croyait être un pénis extrêmement grand pour s'entendre répondre qu'en fait c'était le fémur du bébé).

— Tout est en ordre ? demanda-t-il à l'opératrice de la machine. Tout est au bon endroit ?

— Tout a l'air parfait, répondit la jeune fille en passant la sonde sur le ventre couvert de gel de Sarah. Il faudrait juste qu'il se tourne pour que je puisse mesurer sa colonne vertébrale...

Elle mit un peu plus de gel et plaça le capteur en dessous du nombril de Sarah. A l'écran, l'image grossit et devint floue tandis que l'opératrice s'escrimait à trouver l'angle de visée idéal.

— Bébé est un peu têtu, aujourd'hui...

— Je me demande de qui il tient ça, dit Sarah.

— Il ou elle, intervint Ben-Roï.

L'opératrice continua à tâtonner, tenant la sonde d'une main tandis que de l'autre elle manipulait le clavier de commandes sous l'écran pour prendre des clichés des différentes parties du fœtus et procéder à ses mesures.

— Le cœur bat normalement, dit-elle. Le flux sanguin dans l'utérus est normal, de même que le développement des membres...

« Hava Nagila », chanson emblématique de l'Etat d'Israël, résonna alors à plein volume.

— Tu exagères, Arieh ! gronda Sarah. Je t'avais dit de l'éteindre.

Ben-Roï fit un geste d'excuse en tirant son Nokia d'un étui à sa ceinture.

— Il ne l'éteint jamais ! Il n'y arrive pas, soupira-t-elle à l'intention de l'opératrice, comme en quête de connivence entre femmes. Même pas lors de l'échographie de son enfant ! Il est toujours allumé. Nuit et jour.

— Mais je suis flic, bon Dieu !

— Mais tu es père, bon Dieu !

— D'accord. Je ne réponds pas ! Ils n'auront qu'à laisser un message.

Ben-Roï laissa sonner son téléphone en se penchant ostensiblement vers l'écran. Sarah grommela quelque chose. Elle connaissait tout ça par cœur.

— Regardez, murmura-t-elle à l'opératrice.

Ben-Roï demeura ainsi pendant quelques secondes, apparemment absorbé par l'image. Les accords bien connus de « Hava Nagila » continuaient de résonner avec insistance. Il se mit à s'agiter sur sa chaise, comme pris de démangeaisons. Finalement, incapable de s'en empêcher, il jeta un coup d'œil à l'écran de son Nokia, pour voir qui l'appelait, et bondit aussitôt sur ses pieds.

— Il faut que je prenne ce coup de fil... C'est le poste !

Il se dirigea vers le coin opposé de la pièce en portant le téléphone à son oreille. Sarah leva les yeux au ciel.

— Dix secondes, soupira-t-elle. Je suis étonnée qu'il ait tenu aussi longtemps. C'est juste son bébé, après tout.

L'opératrice lui posa une main rassurante sur l'épaule et reprit son travail. De son côté, Ben-Roï s'engageait dans une conversation à voix basse. Au bout de quelques instants, il mit fin à l'appel et glissa l'appareil dans l'étui à sa ceinture.

— Je suis désolé, Sarah. Il faut que j'y aille. Il s'est passé quelque chose.

— Qu'est-ce qui s'est passé ? Dis-le-moi, Arieh. Dis-moi ce qui est important au point de t'empêcher d'attendre cinq minutes que nous ayons fini l'examen.

— Juste un truc.

— Quoi ? Je veux savoir.

— Je n'ai pas l'intention de me lancer dans un débat avec toi, Sarah, dit Ben-Roï en enfilant sa veste. Pas dans ton état...

Il désigna son ventre brillant de gel, où il apercevait, dépassant du jean de sa femme, le reflet auburn de ses poils pubiens. Ce geste sembla énerver encore plus Sarah.

— J'apprécie ta sollicitude, lâcha-t-elle. Mais je serais enchantée d'avoir un débat sur la question. Alors, dis-moi, qu'est-ce qui peut bien être plus important que la santé de ton bébé ?

— Bubu est en parfaite santé, elle vient de nous le dire, répondit Ben-Roï avec un nouveau geste, cette fois en direction de l'opératrice, qui se concentrait sur son écran pour ne pas être impliquée dans leur dispute.

— Trente minutes, Arieh. C'est tout ce que je te demande. Que pendant trente minutes tu oublies la police et que tu nous consacres toute ton attention. Est-ce trop demander ?

Ben-Roï sentait qu'il s'énervait aussi, principalement parce qu'il savait qu'il était dans son tort. Il leva les mains, paumes en avant, dans un geste d'apaisement, autant pour Sarah que pour lui-même.

— Je n'ai pas envie d'en débattre, répéta-t-il. Il s'est passé quelque chose et ma présence est requise. Un point c'est tout. Je t'appelle.

Il déposa un baiser sur son front, jeta un dernier coup d'œil à l'écran et sortit. En franchissant le seuil, il entendit la voix de Sarah :

— Il n'arrive pas à décrocher de son travail. C'est pour ça que j'ai dû y mettre le holà. Même une demi-heure, il ne peut pas.

L'opératrice répondit par quelques mots de réconfort, tandis que Ben-Roï fermait la porte derrière lui.

Rien dans sa vie ne lui avait apporté une sensation de joie comparable à celle que lui donnait sa paternité future. Ni un sentiment de culpabilité de cette intensité, se dit-il en s'éloignant.

L'hôpital Hadassah se trouvait non loin du sommet du mont Scopus, et la maternité occupait l'un des derniers étages du bâtiment. En attendant l'ascenseur, Ben-Roï regardait par la fenêtre les collines de Judée qui s'étendaient vers le nord. Au loin, on distinguait à peine les colonies de Pisgat Amir et Pisgat Ze'ev. Juste devant, tout aussi ternes mais plus anarchiques, les quartiers palestiniens d'Anata et le camp de réfugiés de Shu'fat. Même à l'œil le plus indulgent, ce paysage était triste avec ses rangées de bâtiments moches entrecoupées de collines rocheuses couvertes de détritus. Aujourd'hui, il avait l'air carrément déprimant, sous les rideaux de pluie qui tombaient d'un ciel gris plomb.

Il observa comment le mur s'incurvait autour de Shu'fat et Anata, les séparant de Jérusalem-Est. Le sujet du mur faisait râler Sarah encore plus sûrement que son travail à la police. « C'est une obscénité, disait-elle. Une honte pour notre pays. On pourrait tout aussi bien leur faire porter des étoiles jaunes. »

Ben-Roï était plutôt d'accord, même s'il n'aurait pas employé des termes aussi forts pour l'exprimer. Le mur avait réduit le nombre d'attentats, c'était indéniable, mais à quel prix ? Il connaissait un garagiste palestinien, un homme aux manières douces qui vivait à Ar-Ram. Pendant vingt ans, chaque matin, il avait franchi à pied les cinquante mètres qui séparaient sa maison de son garage, et chaque soir il faisait le trajet dans l'autre sens. Puis le mur avait été construit et, soudain, six mètres de béton se dressaient entre lui et son lieu de travail. A présent, pour rejoindre ses pompes à essence, il devait faire le tour en passant par le *check-point* de Kalandia, ce qui transformait un trajet de trente secondes en périple de deux heures. Cette histoire se répétait tout au long du mur – des fermiers séparés de leurs champs, des enfants de leur école, des familles de leurs proches. Détruire les terroristes par tous les moyens, écrabouiller ces salauds, d'accord ! Mais punir toute une population ?! Combien cela générait-il de colère supplémentaire ? Combien de haine ? Et qui se retrouvait en première ligne face à cette colère et cette haine ? Des pauvres types comme lui.

— Bienvenue à la Terre promise, murmura-t-il en s'engouffrant dans l'ascenseur.

Il récupéra sa Toyota Corolla blanche dans le parking et s'engagea dans la rue de l'Université-Hébraïque, puis prit la rue Derech-Hashalom, vers la vieille ville. Il y avait peu de circulation ce matin-là, et Ben-Roï arriva à la porte de Jaffa en dix minutes à peine. Cependant, une fois qu'il l'eut traversée, il se retrouva coincé dans un embouteillage. La municipalité réhabilitait les chaussées autour de la tour d'Hérode, ce qui ne laissait plus qu'une file pour circuler et bouchait complètement la place Omar-ibn-al-Khattab et le haut de la rue David. Cela faisait dix-huit mois qu'ils s'y étaient mis et ils en avaient probablement encore pour un an. Normalement, on parvenait quand même à passer, quoique au pas, mais aujourd'hui un camion tentait de sortir en marche arrière de la rue du Patriarche-de-l'Eglise-Catholique-Grecque, et personne n'avançait d'un pouce.

— *Chara*, murmura Ben-Roï. Merde.

Il resta coincé là pendant cinq bonnes minutes, puis perdit subitement patience. Il tira le gyrophare de la boîte à gants, l'installa sur le toit et enclencha sa sirène. Cela fit un peu bouger les choses. Le conducteur du camion avança son véhicule, l'embouteillage se fluidifia et Ben-Roï fut en mesure de rejoindre le poste de police de David, qui ne se trouvait guère qu'à cent mètres de là.

Kishle : c'est ainsi qu'on appelait en général le poste. En turc, le mot signifiait « prison », car sous l'Empire ottoman, tel était l'usage de ce bâtiment à deux étages qui occupait la partie sud de la place. Ses fenêtres teintées, grillagées, et ses murs en pierre lui donnaient l'air austère et triste. Il y avait un autre Kishle à Nazareth, presque unanimement considéré comme le plus beau poste de police d'Israël. Ben-Roï n'aurait pas employé cet adjectif pour décrire son lieu de travail.

Le gardien dans la guérite à l'entrée le reconnut et ouvrit le portail électrique en lui faisant signe de passer. Il s'engagea sous le porche dans le tunnel d'une vingtaine de mètres qui passait sous l'immeuble et menait à l'arrière. Une écurie et un manège se trouvaient au fond de la grande enceinte, à côté d'un bâtiment dont l'aspect quelconque ne laissait pas deviner qu'il abritait l'unité de démineurs de la ville. Le reste de l'espace servait de parking à des voitures et à des vans, dont quelques-uns portaient des plaques de police reconnaissables à leur couleur rouge et à la lettre *M*, pour *mishteret*, le mot hébreu qui veut dire « police », par opposition aux plaques jaunes des véhicules civils. Ben-Roï avait un jeu de chaque couleur, mais en général il se servait des jaunes. Pas la peine de crier sur tous les toits qu'il était flic.

Il glissa la Toyota entre deux Polaris Ranger tout-terrain. Quelqu'un vint l'abriter avec un parapluie au moment où il sortait de sa voiture.

— *Toda*, Ben-Roï. Tu viens de me faire gagner cinquante shekels.

Un barbu bedonnant lui tendit une tasse de café turc. Uri Pincas, un collègue.

— Feldman t'a vu, coincé dans l'embouteillage, expliqua-t-il de sa voix de baryton. On a parié sur le temps qu'il te faudrait pour utiliser ta sirène. J'ai deviné juste. Cinq minutes. Tu deviens de plus en plus patient avec l'âge.

— Je partagerai le fric avec toi, dit Ben-Roï en prenant le café.

— Tu rêves !

Ils traversèrent la grande cour. Pincas tenait le parapluie au-dessus de leur tête tandis que Ben-Roï buvait de petites gorgées de café. Pincas avait beau être sarcastique, son café était excellent.

— Qu'est-ce qu'il se passe, alors ? demanda-t-il. Ils m'ont dit qu'il y avait un cadavre.

— Dans la cathédrale arménienne. Ils sont tous là-bas. Le patron aussi.

Ben-Roï haussa les sourcils. En général, le patron ne participait pas aux enquêtes, du moins pas aussi tôt.

— Qui est aux manettes ?

— Shalev.

— Tant mieux. Ça nous donne une chance de résoudre l'affaire.

Ils arrivèrent devant le tunnel qui menait dehors. Sur leur gauche se trouvait l'annexe de plain-pied qui abritait le centre de contrôle des quelque trois cents caméras qui surveillaient la vieille ville.

— Je serai là, annonça Pincas en se dirigeant vers le bâtiment. Je te verrai à ton retour.

— Je peux t'emprunter ton parapluie ?

— Non.

— Mais tu entres dans l'annexe !

— Je vais peut-être ressortir.

— Fils de pute...

— Fils de pute, mais au sec, gloussa Pincas. Tu ferais mieux de te bouger le cul, ils t'attendent.

En passant la porte de l'annexe, il se retourna, l'air soudain plus sérieux.

— Il l'a tuée avec un garrot. Ce salaud a étranglé cette pauvre femme.

Pincas fixait Ben-Roï d'un regard dur. Il ne rajouta rien. Ce n'était pas nécessaire, ce qu'il avait dit était parfaitement clair. Il fallait attraper ce type. Ils restèrent un instant les yeux dans les yeux, puis Pincas disparut à l'intérieur, tandis que Ben-Roï finissait son café.

— Bienvenue à la Terre promise, murmura-t-il en écrasant le gobelet.

Il le lança vers le panneau de basket à l'autre bout de la cour, sans même parvenir à s'en approcher.

GOMA, RÉPUBLIQUE DÉMOCRATIQUE DU CONGO

Jean-Michel Semblaire se réinstalla dans le lit de sa chambre d'hôtel, en se disant que ç'avait été du bon boulot.

Une quinzaine éprouvante. Peu après son arrivée dans le pays, une certaine recrudescence d'activité de la part des rebelles avait eu pour conséquence la fermeture de l'aéroport, et il avait dû poireauter toute une semaine à Kinshasa avant de parvenir à trouver un vol vers la frontière du Rwanda, à l'est. Là, il avait encore dû attendre quatre jours que ses contacts règlent les derniers détails de la rencontre, qu'on négociait déjà depuis bientôt trois mois. Finalement, un dernier trajet en Cessna l'avait emmené jusqu'à la piste d'atterrissage reculée de Walikale, d'où il avait poursuivi son périple en voiture, deux heures de route à travers la jungle dense, pour se retrouver face à face avec Jésus Ngande. Le Boucher du

Kivu, l'homme dont les milices avaient érigé en art le viol à grande échelle, et, plus important, l'homme qui contrôlait les mines d'oxyde d'étain et de coltan de la région.

Après d'aussi longs préparatifs, la réunion en elle-même n'avait duré qu'une heure. Semblaire avait donné cinq cent mille dollars au seigneur de guerre, en gage de bonne volonté. Ensuite, la discussion avait porté sur des histoires de tonnage, ou sur comment on s'y prendrait pour transporter le minerai en Ouganda, à travers la frontière nord. Puis Ngande avait sorti une bouteille et proposé un toast à leur nouveau partenariat.

« Qu'est-ce que c'est ? » avait demandé Semblaire en examinant le liquide pourpre dans son verre.

Le visage de Ngande s'était éclairé, tandis qu'autour de lui les enfants soldats se mettaient à glousser.

« Du sang. »

Semblaire était resté de marbre.

« En France, nous préférons nous serrer la main. »

Ce souvenir le fit sourire. Il alluma une Gitane, souffla un rond de fumée vers le ventilateur au plafond et s'étira, jouissant du contact des draps en coton contre son corps nu. Il venait d'avoir cinquante ans, mais grâce à un régime alimentaire strict et aux exercices qu'il pratiquait régulièrement avec son coach personnel, il en paraissait dix de moins. Peut-être même quinze. Il se sentait bien. Fort, en forme, confiant. Encore plus maintenant que l'entrevue était derrière lui et qu'il rentrait à la maison.

Normalement, quelqu'un de plus bas dans la hiérarchie aurait dû s'occuper de ça. Néanmoins, pour cette affaire, avec les Chinois qui se taillaient une part chaque fois plus grande dans les ressources en minerais du pays, le conseil d'administration lui avait demandé de venir négocier en personne. Par la suite, des représentants locaux prendraient en charge le dossier – en tant que multinationale d'extraction de minerais, ils ne pouvaient pas se permettre de s'afficher ouvertement avec l'artisan d'un génocide –, mais pour ce premier contact la compagnie voulait faire bonne impression. Montrer à Ngande qu'elle prenait ces affaires au sérieux. Et Semblaire avait été content de le faire. Pas simplement à cause des bénéfices potentiels, qui s'annonçaient immenses, mais aussi parce qu'il aimait l'aventure. Un appartement dans le VIIe arrondissement, une villa à Antibes, trente ans de mariage, trois filles – sa vie était juste un poil trop confortable, songeait-il parfois. Il avait besoin de ce frisson occasionnel. Et quoi qu'il en soit, les gardes du corps fournis par la boîte – cinq anciens des brigades des forces spéciales, qui, maintenant que le gros du boulot était passé, bronzaient au bord de la piscine – s'assuraient qu'il ne coure aucun danger.

Il entendit le bruit de l'eau qui coulait dans la douche, derrière la porte de la salle de bains. Semblaire fit un autre rond de fumée et se toucha le pénis en se remémorant les douceurs de la nuit précédente. Il avait encore le temps de s'amuser un peu avant le vol de retour vers Kinshasa. L'aspect moral de la chose ne lui traversait jamais l'esprit. Ou du moins ne le troublait jamais. Pas plus que de faire des affaires avec un monstre comme Jésus Ngande. D'après l'ONU, l'homme était responsable d'au moins deux cent cinquante mille morts, principalement des femmes et des enfants. Avec l'argent qu'ils allaient lui donner – cinq millions de dollars par an – ce total allait probablement croître. Ngande contrôlait les mines. D'autres multinationales, désireuses de maintenir l'illusion, faisaient appel à des intermédiaires qui à leur tour en employaient d'autres, diluant ainsi la culpabilité dans un réseau de responsabilités qui repoussait les origines du minerai à distance respectable. Il pouvait y avoir jusqu'à dix transactions entre les mines du Kivu où trimaient des esclaves et les marchés d'Europe, d'Asie et des Etats-Unis. Or, avec chaque transaction, le prix au kilo augmentait exponentiellement. En négociant le minerai directement à la source, comme la compagnie de Semblaire avait décidé de le faire, vous pouviez réduire drastiquement les coûts. Le viol, les mutilations, les meurtres… Cet aspect-là des choses n'était guère plaisant. En revanche, l'argent que la société allait économiser, et donc gagner, l'était vraiment. Et puis franchement, qui se souciait de ce que les Noirs se faisaient les uns les autres. Le Congo, après tout, était très éloigné de la salle du conseil d'administration à Paris.

Il finit sa cigarette, bondit hors de son lit et gratta à la porte de la salle de bains pour indiquer qu'il était prêt à recommencer. Puis il se dirigea vers la baie vitrée et entrouvrit les rideaux. Au loin, on voyait la masse menaçante du volcan Nyiragongo, tandis qu'au pied de l'hôtel les pelouses couraient jusqu'à la piscine où ses gardes du corps étaient pratiquement seuls. Les deux ou trois autres baigneurs étaient probablement des membres d'une ONG. Certainement pas des touristes. Aucun touriste ne venait jamais dans le coin.

Les ONG l'amusaient. Tout comme ces imbéciles anticapitalistes et antimondialistes dont le cœur saignait en permanence. Des inutiles qui déblatéraient sur leurs ordinateurs portables et leurs téléphones mobiles à propos de l'exploitation des ressources du tiers-monde par les Occidentaux. Pourtant, sans oxyde d'étain et sans coltan, il n'y aurait ni ordinateurs ni téléphones portables, et sans multinationales ces minerais resteraient inexploités. Chaque e-mail, chaque texte qu'ils écrivaient pour demander justice, chaque coup de fil qu'ils passaient pour organiser une nouvelle manifestation, chaque site Web qui dénonçait les atteintes aux droits de l'homme, tout ça n'existait que grâce à la misère et à l'exploitation qu'ils condamnaient si férocement. C'était à mourir de rire. Ou du moins, cela le serait s'il s'en souciait assez pour y penser.

Derrière la porte, le sifflement du jet de douche s'interrompit. Au moment où Semblaire consultait sa Rolex pour voir de combien de temps il disposait, on frappa à sa porte.

— Merde, murmura-t-il. Un moment, je vous prie, ajouta-t-il à voix haute.

Il ramassa son peignoir par terre et l'enfila.

— Oui ?

— Garçon d'étage, répondit la voix.

Il n'avait rien commandé, mais il occupait la suite la plus chère de l'hôtel et la direction lui envoyait tout le temps des boissons, des fleurs fraîches ou des bonbons, alors il n'hésita pas une seconde à ouvrir.

L'arme lui percuta durement le sternum. Il tenta de dire quelque chose, mais la femme qui tenait le pistolet lui fit signe de se taire en posant un doigt sur ses lèvres, ou plutôt sur celles du masque en latex de Marilyn qui dissimulait son visage. Elle fit rentrer Semblaire dans sa chambre. Trois autres personnes la suivaient, deux hommes et une femme, laquelle referma derrière elle. Ils portaient tous des masques : Schwarzenegger, Elvis Presley, Angelina Jolie. Ce n'étaient pas des Africains, d'après la couleur de leur peau, mais on ne pouvait rien deviner de plus à leur mise. S'ils n'avaient pas été armés, la scène aurait été comique.

— Qu'est-ce que vous voulez ? demanda-t-il en essayant de parler calmement.

Pour toute réponse, la femme au pistolet se contenta de le pousser vers son lit. Elvis Presley alla tirer les rideaux. Angelina Jolie s'agenouilla, ouvrit sa Samsonite et en sortit un trépied ainsi qu'une caméra vidéo. Schwarzenegger, un petit homme malingre avec des mèches de cheveux graisseux qui dépassaient de son masque, se dirigea vers la table de nuit où Semblaire avait mis à charger son MacBook. Il l'alluma.

— Qu'est-ce que vous...

La main claqua comme un coup de fouet sur le visage de Semblaire.

— Ferme-la.

L'accent avait l'air américain, avec un soupçon d'autre chose. Russe ? Espagnol ? Israélien ? Semblaire n'était sûr de rien. Angelina Jolie, de complexion plus sombre que sa partenaire, installait son trépied et sa caméra au milieu de la pièce. Sur le MacBook, une photo de Semblaire et de sa famille monta en fond d'écran.

— Mot de passe, dit Schwarzenegger.

Semblaire hésita. De prime abord, il avait cru à un hold-up. Cependant, ils n'avaient pas touché à son portefeuille, pourtant bien en vue au pied de son lit, et leur intérêt pour son ordinateur l'incita à penser qu'il s'agissait de quelque chose de plus inquiétant qu'un simple vol. Son disque dur contenait beaucoup d'infos que ni lui ni la société qui l'employait ne souhaitaient ébruiter.

— Mot de passe, répéta l'homme.

— Tout de suite ! aboya Marilyn en collant son flingue sur la tempe de Semblaire.

Devant l'absence de choix, il pianota son code. Schwarzenegger planta alors une clé USB dans le Mac et se mit à explorer le disque dur. A présent, Semblaire avait peur, vraiment peur.

— Ecoutez, lança-t-il. Je ne sais pas ce que vous voulez...

Il fut interrompu par un cliquetis étouffé en provenance de la salle de bains. Ses assaillants s'entre-regardèrent, subitement nerveux. La femme au pistolet fit signe aux autres de se taire en secouant la tête : ils auraient dû vérifier. Schwarzenegger sortit le Glock qu'il avait glissé dans sa ceinture. Les deux autres firent de même, en visant la porte de la salle de bains. Puis Elvis se colla contre la paroi et d'un geste brusque ouvrit.

— *Oy vey*, murmura Angelina Jolie.

Une fillette à la peau d'ébène les dévisageait en tremblant, les yeux écarquillés par la peur. A en juger par son physique malingre, elle ne devait guère avoir plus de neuf ou dix ans.

Il y eut un bref moment de silence, puis Marilyn traversa la pièce en arrachant son masque, révélant un visage très pâle et des cheveux auburn. Elle enveloppa la petite fille dans une serviette.

— Ça va aller, lui murmura-t-elle. Ça va aller, c'est fini.

Elle resta ainsi un long moment, à consoler la petite fille, tandis que personne ne bougeait ni ne disait rien. Puis tout d'un coup elle se releva, se dirigea vers Semblaire et le frappa au visage avec la crosse de son pistolet, l'envoyant valser sur le lit. Il hurla, tandis qu'Angelina essayait de calmer sa partenaire :

— *Lo*, Dinah !

Mais celle-ci, hors d'elle, se jeta sur Semblaire et continua à le frapper, encore et encore. Puis elle l'agrippa par les cheveux, tira sa tête en arrière et lui enfonça le canon du Glock dans la bouche.

— Je vais te tuer ! cria-t-elle, le visage couvert de larmes. Tu n'es qu'un animal ! Je vais t'exploser la tête !

Elle était hystérique, presque démente. Ce n'est que lorsque Elvis lui eut passé gentiment un bras autour des épaules qu'elle commença à se calmer. Ils se mirent à parler dans une langue que Semblaire ne comprenait pas, bien qu'il fût presque certain que c'était de l'hébreu. Au bout d'un certain temps, elle rangea son arme et, toute tremblante, se dirigea vers la salle de bains. Elle aida la petite fille à enfiler la robe rose élimée qu'elle avait posée sur les toilettes, puis, la prenant par la main, la conduisit jusqu'à la porte de la chambre. Celle-ci se laissait faire, muette et docile. Marilyn se tourna vers Semblaire, recroquevillé sur le lit, son peignoir plein de sang, et cracha dans sa direction.

— Nous sommes ta Némésis, dit-elle avant de sortir.

Elvis vérifia d'un coup d'œil que les gardes du corps n'avaient pas entendu le barouf. Satisfait, il retourna vers Semblaire et le redressa. Sa joue gauche était enflée et bouffie.

— Elle m'a cassé la mâchoire, cette chienne, murmura-t-il.

L'homme ne répondit rien. Il recula de deux pas et pointa son pistolet sur la tête de Semblaire.

— Regarde la caméra. Tu vas décliner ton identité et le nom de la société pour laquelle tu travailles. Ensuite, tu vas expliquer en détail ce que tu fais en Afrique, ordonna-t-il en indiquant d'un geste à Angelina de mettre en route l'enregistrement. Maintenant, on t'écoute, espèce de fils de pute.

JÉRUSALEM

La cathédrale Saint-Jacques se trouvait au cœur du quartier arménien de la ville, à deux cents mètres à peine de Kishle, au bout de la rue du Patriarche-Orthodoxe-Arménien, encaissée comme un canyon entre des hauts murs. Pourtant, à mi-chemin, les trombes d'eau qui tombaient du ciel forcèrent Ben-Roï à se réfugier sur le pas de porte de la Taverne arménienne. Il maudit Pincas et le satané parapluie qu'il n'avait pas voulu lui prêter, mais en profita pour passer un coup de fil à Sarah, pour s'excuser.

La vie prenait des détours étranges. Les choses ne se passaient jamais vraiment comme on s'y attendait. Quelques années plus tôt, il était sur le point de se marier. Et puis Galia, sa fiancée, avait été tuée et son monde s'était écroulé. Il avait pensé qu'il ne s'en relèverait jamais, mais contre toute attente, deux personnes l'avaient aidé à sortir du fond du trou. Sarah était l'une d'elles.

Ils avaient vécu ensemble pendant quatre ans. Quatre bonnes années. Quatre années merveilleuses, surtout au début. Galia resterait toujours dans un coin de sa tête, bien sûr, mais avec Sarah la vie avait repris son cours. Ses blessures avaient cicatrisé. Sa carrière avait été remise sur ses rails. Il avait été promu, avait obtenu des citations pour son travail sur trois enquêtes différentes et, surtout, avait retrouvé sa passion pour le boulot de policier. Son obsession, en fait.

C'est cela qui constituait la source de ses problèmes. Comme n'importe quel flic dans le monde vous le dira, maintenir l'ordre et maintenir une relation stable avec quelqu'un sont deux activités difficilement compatibles. Et encore plus dans une ville comme Jérusalem, toujours sous pression, une pression qui atteint son paroxysme dans la vieille ville, où la foi et la fureur, Dieu et le Diable, le crime et la prière sont si étroitement liés qu'il est presque impossible de les séparer.

A une ou deux exceptions près, tous ses collègues avaient déjà un divorce à leur actif, et certains plusieurs. Les femmes et le boulot, deux mots qui ne faisaient pas bon ménage. Comment oublier les problèmes de drogue juste parce que votre moitié a envie de passer une soirée tranquille devant la télé ? Comment se montrer romantique quand on a passé la journée à interroger un violeur en série ? Comment ne pas répondre à un coup de fil vous prévenant qu'un cadavre vous attend à la cathédrale parce que vous êtes en train de regarder les images de votre futur bébé ? Où trace-t-on la ligne de démarcation ? Peut-on seulement la tracer ?

L'histoire d'amour avec Galia avait été comme une tornade. Ils ne se connaissaient que depuis quelques mois lorsqu'ils s'étaient fiancés. La pression n'avait pas eu le temps de prélever son tribut, contrairement à ce qui s'était passé avec Sarah. Pourtant, cette dernière avait essayé. Vraiment. Elle avait mis de l'eau dans son vin. Mais on ne peut accepter qu'un certain nombre de dîners annulés, qu'une quantité donnée d'égocentrisme.

Les disputes étaient devenues de plus en plus fréquentes, la distance entre eux avait augmenté, le ressentiment s'était approfondi. Un jour, comme c'était à prévoir, elle avait dit stop. Ils s'étaient brièvement rabibochés – le sexe, ironiquement, n'avait jamais été aussi bon que pendant cette période –, mais son boulot de flic s'était de nouveau mis entre eux et, deux semaines plus tard, Sarah avait mis fin à leur relation.

« Je t'aime, Arieh, mais je ne peux pas vivre qu'avec une fraction de toi. Tu n'es jamais là. Même quand tu es présent, ton esprit est ailleurs. Ça ne marchera pas. Ça ne me suffit pas. »

Il avait déménagé et s'était investi dans son boulot, en essayant de se persuader que tout ça était pour le mieux.

Cinq semaines plus tard, elle avait appelé pour annoncer qu'elle était enceinte.

« De moi ? avait-il demandé.

— Non, de Menahem Begin. J'ai congelé son sperme avant sa mort. Bien sûr qu'il est de toi, *da-fook* !... Espèce de crétin ! »

Il avait perdu une amante et gagné un enfant. La vie prend des détours étranges.

Il tomba directement sur le répondeur de Sarah, sur lequel il laissa un message décousu, disant qu'il espérait que tout s'était bien passé, qu'il était désolé d'avoir dû partir et qu'il la rappellerait. Puis il raccrocha et se plaqua contre la porte pour attendre la fin de l'averse.

En général, la rue du Patriarche-Orthodoxe-Arménien était plutôt calme, mais avec les travaux de voirie empêchant de sortir par la porte de Jaffa, les véhicules devaient l'emprunter pour quitter la vieille ville par les portes de Sion ou des Détritus. Du coup, le flux ininterrompu de voitures, de taxis et de bus qui s'agglutinaient dans cette voie étroite repoussait contre les murs les piétons qui pouvaient s'y trouver. Deux *haredim* passèrent, l'air affairés, la tête baissée, leurs chapeaux Homburg enveloppés de sacs plastique pour les garder au sec. Plus tard apparut un groupe de touristes, tous affublés du même K-way bleu au dos duquel on lisait « Voyage en Terre promise : on vous emmène plus près de Dieu ». Ils avaient l'air malheureux. On ne s'attend pas à ce qu'il pleuve en Terre promise. Certainement pas au mois de juin. Cela détériore l'ambiance céleste de la ville de Dieu.

La pluie finit par cesser et Ben-Roï poursuivit son chemin. Il arriva devant une voûte ouvragée surmontée d'un frontispice où l'on lisait « Monastère arménien Saint-Jacques » en caractères arabes, arméniens et latins. Trois policiers y montaient la garde, accompagnés de deux agents de la police des frontières, reconnaissables à leur uniforme vert.

Ben-Roï leur montra sa plaque et entra. Au cours des sept années qu'il avait passées dans la police de Jérusalem, ce n'était que la seconde fois qu'il avait une raison de pénétrer dans l'enceinte du monastère. La communauté arménienne était petite, unie, et causait généralement bien moins de problèmes que ses homologues juive et musulmane.

Une fois le portail franchi, Ben-Roï vit sur sa gauche le bureau vitré du concierge, où trois hommes en manteau de cuir et casquette plate regardaient un moniteur. Nava Schwartz, un des experts en imagerie de Kishle, se tenait derrière eux. Quand elle aperçut Ben-Roï, elle lui indiqua par gestes de les rejoindre en faisant le tour. Il s'exécuta et traversa une cour pavée coincée entre quatre murs, comme la promenade d'une prison. L'entrée de la cathédrale se trouvait à l'autre extrémité, derrière un cloître, et la porte était barrée de bandes blanc et rouge posées par ses collègues. Au-dessus, des représentations du Christ et de ses saints regardaient droit devant elles, ignorant ostensiblement les problèmes du monde à leurs pieds.

D'autres uniformes étaient en faction à la porte – simplement des forces régulières, cette fois, pas de la police des frontières. Ben-Roï repéra aussi trois armes de poing posées sur le carrelage en marbre rose : deux Jericho 9 mm et un FN belge. L'un des agents remarqua probablement son air étonné, car elle pointa son bâton sur le panneau à droite de la porte, qui listait les activités et les différents objets interdits à l'intérieur de l'enceinte. « Pas d'armes à feu » n'était qu'une des huit catégories expressément proscrites, devant laquelle on avait ajouté le mot « Absolument ».

Les policiers ne sont pas censés se séparer de leur arme, mais ici la diplomatie semblait avoir pris le dessus. Ben-Roï doutait fort que ses collègues auraient fait preuve d'autant de courtoisie s'il s'était agi d'un lieu de prière arabe. Cela dit, les Arméniens n'avaient pas pour habitude de vous jeter des pierres ou de faire des cartons sur vous.

Il sortit son Jericho de son holster, le posa à côté des autres et enjamba les bandes rouge et blanc pour pénétrer dans la cathédrale. A l'intérieur, il faisait sombre, malgré les portes en bois grandes ouvertes et la tenture relevée. Quatre piliers géants, épais comme des séquoias, soutenaient le dôme, tandis que des lampes de cuivre pendaient par douzaines au bout de longues chaînes, un peu partout, emplissant la voûte comme une armée de vaisseaux spatiaux miniatures. Avec ces icônes d'or et d'argent, ces énormes fresques noircies par le temps, ces tapis épais, ces carrelages bleu et blanc disposés suivant des motifs compliqués, l'ensemble avait moins l'air d'un lieu de culte que d'un immense magasin d'antiquités. Il resta là un moment à rassembler ses esprits, humant l'air chargé d'encens, regardant un chien renifleur et son maître inspecter les chapelles latérales sur sa gauche. Un peu plus loin, derrière le seuil d'une porte, quelqu'un déclenchait le flash de son appareil dans une pièce d'où provenaient aussi des bruits de voix.

— Trop gentil à vous de nous rejoindre, Arieh !

Un chauve plutôt trapu se tenait juste à l'entrée, la feuille et la double couronne de son insigne indiquant son rang de *nitzav mishneh* : le commandant Moshe Gal, du poste de police David. Il était flanqué de son second, le superintendant en chef Yitzak Baum, et du sergent Leah Shalev, une femme en uniforme bleu aux hanches et aux seins généreux. Shalev le salua de la tête, contrairement à Baum.

— Désolé, monsieur, dit Ben-Roï. J'étais à Hadassah. Les embouteillages...

Gal balaya de la main ses justifications.

— Le bébé va bien ?

— Il a l'air en pleine forme, monsieur. Merci.

— Pas elle, lança Baum en désignant un point au fond de la pièce.

Ils se trouvaient dans une salle tout en longueur, plus simple et moins décorée que la caverne d'Ali Baba qu'il venait de quitter. Des chaises pliantes étaient empilées contre un mur et le plafond en voûte laissait paraître des taches de moisissure. De l'autre côté, une table recouverte d'un tissu dont la partie avant avait été relevée faisait office d'autel. Deux techniciens en combinaison et gants blancs rampaient en dessous, munis de pincettes et de sachets plastique. Deux autres relevaient les empreintes digitales. Bibi Kletzmann, le photographe de Russian Yard, un autre des commissariats de la ville, travaillait à genoux, son flash illuminant à intervalles irréguliers l'ample postérieur du Dr Avram Schmelling, le légiste free-lance, pour l'heure entièrement glissé sous la table.

La raison de toute cette activité n'était pas directement perceptible. Ce n'est que lorsqu'il s'accroupit à son tour que Ben-Roï parvint à distinguer le corps éclairé par un halogène de la police. Une femme, obèse, couchée sur le dos, l'air âgée, ou du moins vieillissante, à en juger par ses cheveux grisonnants, même s'il était difficile d'en être sûr, étant donné que le corps se trouvait à six mètres de lui et partiellement occulté par la masse imposante du Dr Schmelling.

— L'agent d'entretien l'a trouvée ce matin, dit Leah Shalev. Il a soulevé le tissu pour passer l'aspirateur et...

Elle agita la main sans finir sa phrase.

— Elle a crié à en faire tomber les murs, paraît-il. Quelqu'un est chez elle, dans la maison qu'elle occupe dans l'enceinte du monastère, pour prendre sa déposition.

Ben-Roï acquiesça tout en observant comment le légiste tournait pesamment autour du corps dans l'espace confiné sous la table. L'image lui évoqua de manière plutôt déplaisante celle d'un ours en train d'examiner son dîner.

— On sait qui c'est ? demanda-t-il.

— Aucune idée, répondit Shalev. Elle n'avait ni portefeuille ni papiers sur elle.

— En tout cas, ce n'est pas Sharon Stone, ça c'est sûr ! lança Baum.

Personne ne rit à sa blague au goût douteux. Personne ne riait jamais à ses blagues, de toute façon. Baum était un trou du cul.

— Un des types à l'entrée pense qu'il l'a vue arriver vers 19 heures hier soir, poursuivit Shalev. On est en train de l'interroger. Quant à l'agent d'entretien, il l'a trouvée vers 8 heures ce matin, alors ça nous laisse au moins une idée de la plage horaire pendant laquelle le meurtre a eu lieu.

— Rien de plus précis ?

— Pas pour l'instant. Schmelling ne prend aucun risque.

— En voilà une surprise, murmura Gal.

Ben-Roï regarda encore pendant quelques instants, puis se releva.

— J'ai vu une salle de vidéosurveillance en arrivant...

— Ils ont des yeux partout dans l'enceinte, confirma Shalev. Ils sont en train de visionner les bandes. Et Pincas fait la même chose avec les nôtres à Kishle. Notre homme se trouve sur l'un de ces enregistrements. On finira par choper ce salaud !

— Ça me fait penser aux taxis de Tel-Aviv, dit Baum.

Tout le monde se tourna vers lui en attendant la chute.

— Tu n'en vois aucun pendant des lustres, et subitement il y en a deux qui se présentent en même temps.

La plaisanterie, si l'on peut appeler ça comme ça, se référait au fait qu'après trois ans sans homicide dans le secteur de la vieille ville, en l'espace de quinze jours, l'équipe de Kishle se retrouvait avec deux meurtres sur les bras. En effet, dix jours plus tôt, un étudiant de la *yeshiva* s'était fait poignarder dans le quartier musulman d'Al-Wad. Et maintenant, ceci.

— On est déjà débordés de travail, reprit Baum. Il faudrait peut-être faire appel à quelques types de Russian Yard.

— On peut s'en tirer tout seuls, grogna le commandant Gal en jetant un coup d'œil à Shalev, qui acquiesça.

Les différents postes de police de la vieille ville ne s'appréciaient guère, et Kishle et Russian Yard encore moins que les autres. Ils avaient déjà du mal à avaler la nécessité de travailler avec leur photographe, le commandant Gal n'allait pas se mettre à courir derrière leurs équipes d'enquêteurs.

— Il faut que j'y aille, annonça ce dernier en consultant sa montre. Une réunion à Safra Square. Quelle veine !

Il remonta sa fermeture éclair jusqu'au col. Sur son blouson, à côté de son insigne de commandant, il portait une petite ménorah en or : la récompense présidentielle pour services rendus.

— Il me faut des résultats, Leah, et vite ! dit-il. La presse va se jeter là-dessus. OK ?

— OK, répondit Shalev.

Gal toisa Shalev et Ben-Roï, puis, après un dernier coup d'œil en direction de la table, s'éloigna en faisant signe à Baum de le suivre.

— Tenez-moi au courant ! lança-t-il par-dessus son épaule.

— Moi aussi, ajouta Baum.

Ben-Roï et Shalev échangèrent un regard.

— Connard ! dirent-ils à l'unisson.

Ils observèrent pendant quelques instants les procédures méthodiques des experts de la police scientifique, puis Ben-Roï demanda s'il pouvait voir le cadavre de plus près.

— Le dressing est là-bas, indiqua Shalev en désignant une valise ouverte à l'autre bout de la pièce, au pied d'un escalier.

Ben-Roï alla enfiler des couvre-chaussures, une combinaison et des gants, puis revint s'agenouiller à côté de la table qui faisait office d'autel.

— Toc toc toc !

Schmelling leva le pouce en l'air pour signifier à Ben-Roï qu'il pouvait approcher. Il fallait faire attention avec le légiste, car il était très pointilleux quant à l'accès aux scènes de crime dont il s'occupait.

Ben-Roï était un homme grand, aux larges épaules – contrairement à Schmelling, tout en ventre et en fesses –, et il eut du mal à se glisser sous la table.

— Ils auraient dû embaucher un enquêteur plus petit, dit Schmelling.

— Ils auraient carrément dû embaucher un nain, rétorqua Ben-Roï en soufflant.

Il parvint à se glisser à côté du corps.

La victime, qui portait un imperméable vert en toile, un pull, un pantalon et des chaussures confortables, avait l'air encore plus grosse vue de près. Des seins énormes, un ventre proéminent, des cuisses imposantes, elle devait peser plus de cent kilos. Ses yeux, dont le blanc avait pris une teinte marronnasse, étaient mi-clos. Un mouchoir roulé en boule sur lequel le sang avait séché dépassait de ses lèvres, sang qui avait aussi coulé sur son menton, son cou et le col de son pull. Une marque jaunâtre courait tout autour de son cou.

— Elle a été étranglée, dit Schmelling. Avec un fil de fer, d'après la netteté de la coupure. Il faut qu'on l'emmène à Abou Kabir pour un examen complet, mais on dirait que celui qui a fait ça connaissait son boulot. Vous voyez... ajouta-t-il en désignant la trace de la ligature. Ici, l'abrasion de la peau présente un aspect parcheminé, avec très peu de traces d'abrasion linéaire, mais on ne constate pas de caractères congestifs évidents et l'hémorragie pétéchiale reste très limitée.

Il lui montra ensuite un nuage ténu de petits boutons rouges juste sous les yeux.

— Tout cela nous indique que la victime est restée à peu près au même endroit tout le temps qu'a duré son calvaire, lequel a exigé de la part de l'agresseur une pression forte et constante. Etant donné le poids de cette femme et le fait que de toute évidence elle s'est débattue...

Il effleura du doigt une série d'éraflures autour du cou, la femme avait probablement tenté de se défaire du garrot.

— ... on peut affirmer que l'agresseur avait beaucoup de force et de savoir-faire, conclut-il, l'air presque impressionné.

— Putain, murmura Ben-Roï.

— Peut-être, mais en tout cas elle n'a pas eu de rapports sexuels récemment.

— Pardon ?

— Ses vêtements sont intacts, et il n'y a aucun signe d'interférence aux étages inférieurs, dit-il en désignant l'entrejambe de la victime. Le sexe, du moins tel que vous et moi le pratiquons, n'était pas le mobile du meurtrier.

Ben-Roï fit la grimace. Imaginer Schmelling en pleine action était presque aussi déprimant qu'examiner le cadavre.

— Le mouchoir ? demanda-t-il.

— Là encore, je ne peux rien affirmer avant l'autopsie, mais un hématome sous le menton m'incite à penser que le tueur l'a frappée et qu'elle s'est mordu la langue. En tout cas, c'est arrivé avant qu'on l'étrangle... Elle a trop saigné pour que cela puisse s'être passé après, expliqua Schmelling en voyant que Ben-Roï haussait les sourcils. Il y avait encore de la pression dans son système.

A l'entendre, on avait l'impression qu'il parlait d'une locomotive.

— Les chiens renifleurs ont détecté des traces de sang entre la cathédrale et ici, poursuivit Schmelling. Donc, à ce stade, je dirais que les choses se sont passées de la façon suivante : il l'a frappée, étranglée, puis il a placé un mouchoir dans sa bouche et l'a traînée jusqu'ici pour la cacher.

— Si vous nous dites aussi comment il s'appelle, on n'a plus qu'à classer l'affaire et rentrer dîner à la maison.

Schmelling gloussa.

— Je me contente de décrire le crime. C'est à vous de résoudre l'affaire.

— Ça vous dérange si je la fouille ?

— Vous pouvez y aller.

Ben-Roï passa en revue le contenu des poches de la victime. Deux stylos et un paquet de mouchoirs en papier dans son imper, mais ni portefeuille ni clés ni papiers ni téléphone. Aucune des choses qu'on s'attendrait à trouver. Le pantalon se révéla légèrement plus utile. Dans l'une des poches, il trouva un bout de papier froissé qui se révéla être un bordereau de bibliothèque.

— « Salle de lecture principale », murmura-t-il en lisant les mots imprimés à l'encre rouge en travers du bordereau.

Il le tendit à Schmelling.

— Ça vous dit quelque chose ?

Le légiste y jeta un coup d'œil et fit non de la tête. Ben-Roï glissa le bout de papier dans un des sachets plastique de Schmelling, avant de s'intéresser au fourre-tout qui se trouvait aux pieds de la victime.

— C'est son sac ? demanda-t-il à la cantonade.

— On suppose que oui, répondit Shalev.

Ben-Roï s'assura que Kletzmann et les autres avaient fini de bosser dessus et, ressortant de sous la table, se mit à en examiner le contenu. Il était plein de vêtements propres roulés en boule, comme si elle avait balancé ses affaires dedans à toute vitesse ou si quelqu'un l'avait déjà fouillé. Ben-Roï penchait pour la seconde hypothèse. Il continua à chercher et en tira un grand soutien-gorge blanc. Très grand.

— C'est en effet certainement son sac ! lança-t-il en le montrant aux autres.

— Bon Dieu, on pourrait caser une paire de couilles d'éléphant là-dedans, gloussa Kletzmann en le prenant en photo.

— S'il vous plaît, messieurs, un peu de respect. Sinon pour le mort, du moins pour ce lieu de culte.

Un petit homme replet à la barbe aussi blanche que soignée se tenait sur le seuil. Il portait une soutane noire, des mules, un chapeau rond en velours, et arborait autour du cou une croix plate en argent dont la traverse à pointe double était décorée d'un motif floral compliqué. Ben-Roï le reconnut vaguement. Son Eminence Machin-chose, qu'il avait rencontrée deux ans plus tôt.

— Archevêque Armen Petrossian, murmura l'homme comme s'il lisait dans ses pensées. Une affaire terrible. Terrible.

Il traversa la salle d'une démarche sautillante, surprenante chez quelqu'un qui avait déjà bien entamé la soixantaine. Il regarda sous la table, puis se releva et posa les mains à plat dessus, la tête courbée.

— Que de telles choses se produisent dans la maison de Dieu, murmura-t-il d'une voix enrouée, à peine audible. Un si grand sacrilège. C'est incompréhensible, c'est au-delà de...

Il se tut, porta la main à son front. Puis, après un bref moment de silence, il se tourna vers Ben-Roï et le fixa d'un œil étrangement intense.

— Nous nous sommes déjà rencontrés, je crois.

Ben-Roï avait toujours le soutien-gorge à la main.

— Il y a deux ans, répondit-il en fourrant le sous-vêtement dans le sac. Les étudiants du séminaire.

— Ah oui, bien sûr ! Pas le plus haut fait d'armes de la police israélienne. J'espère que cette fois-ci vous montrerez un peu plus de...

Il marqua un temps d'arrêt, cherchant ses mots.

— ... de pondération.

Là-dessus, il fit demi-tour et se dirigea vers la porte.

— Je vous en supplie, trouvez-le, et trouvez-le vite, dit-il en s'éloignant. Avant qu'il ne provoque d'autres souffrances en ce bas monde.

— Vous connaissez la victime ? demanda Ben-Roï avant que l'archevêque ne disparaisse.

— Pas du tout. Mais vous pouvez être sûr que je prierai pour elle de tout mon cœur.

Égypte, désert Arabique

L'inspecteur Youssouf Ezz el-din Khalifa, de la police de Louqsor, regardait le cadavre du buffle, son museau plein de mouches, ses yeux mornes et éteints.

Je sais ce que tu ressens, songea-t-il.

— Il m'a fallu trois mois pour creuser ce puits, disait le propriétaire de l'animal. Trois mois avec juste une pelle, une houe et de la sueur. Vingt mètres à travers cette merde... ajouta-t-il en frappant du pied le sol rocailleux. Et maintenant, il est empoisonné. Inutile. Que Dieu me prenne en pitié !

Il tomba à genoux, les poings serrés, les bras levés au ciel. Le geste pitoyable d'un homme brisé. De nouveau, la pensée traversa l'esprit de Khalifa : Je sais ce que tu ressens. Et aussi : On a peut-être eu une révolution, mais pour la plupart d'entre nous, la vie est encore une chienne.

Il resta là à regarder le buffle affalé dans le point d'eau boueux. Seuls le vrombissement des mouches et les sanglots du fermier troublaient le silence. Il tira un paquet de Cleopatra de sa poche et s'accroupit pour en proposer une à l'homme. Celui-ci s'essuya le nez avec la manche de sa djellaba et prit la cigarette.

— *Shukran*, murmura-t-il.

— *Afwan*, répondit Khalifa, qui en prit une aussi.

L'inspecteur tira une bouffée, puis se pencha et glissa le paquet dans la poche de l'homme.

— Gardez-les.

— Vous n'êtes pas obligé...

— S'il vous plaît, gardez-les. Ça fera du bien à mes poumons.

— *Shukran*, répéta le fermier avec un sourire sans joie.

— *Afwan.*

Ils fumèrent en silence. Autour d'eux, le désert ondulait, nu et rocailleux. La matinée était à peine entamée, mais la chaleur était déjà féroce, et le paysage semblait vibrer et palpiter, comme s'il tentait d'aspirer un peu d'air. A Louqsor, il faisait chaud, mais la brise du Nil atténuait un peu la fournaise. Ici, rien. Juste le soleil, le sable et la rocaille. Même les épineux et les acacias luttaient pour survivre.

— Vous êtes ici depuis combien de temps ? demanda Khalifa.

— Dix-huit mois. Mon cousin était déjà dans le coin, à quelques kilomètres vers le nord... Il nous avait dit qu'on pourrait gagner notre vie. Il y a de l'eau quand on creuse assez profond. Elle vient des montagnes...

Il agita la main en direction de l'est, vers le désert profond, où le djebel se dressait à l'horizon dans un flou brunâtre. Khalifa remarqua alors la petite croix verte tatouée à la base du pouce, presque effacée. L'homme était copte.

— Il y a des crues, poursuivit le fermier. L'eau filtre à travers la roche et forme des canaux souterrains. Très profonds. Ils s'étendent sur des kilomètres. Comme des pipelines. Quand on y accède, on peut faire pousser suffisamment de fourrage pour nourrir quelques bêtes. Dans les collines, on trouve de l'albâtre, et j'en extrais un peu, je le vends à un type d'El-Chaghab. Je gagne juste assez pour vivre. Mais maintenant...

Il tira sur sa cigarette, sans parvenir à dissimuler un nouveau sanglot. Khalifa tendit la main et lui pressa l'épaule dans un geste de consolation.

La ferme était située à l'embouchure d'un grand *wadi*. Elle se composait d'une cahute en briques d'argile, recouverte d'un toit de chaume, et du trou d'eau d'où partaient des canaux qui irriguaient les champs un peu plus bas. Le sergent Mohamed Sariya, l'adjoint de Khalifa, s'y trouvait.

— On habitait Farshut à l'origine, dit le fermier. On a dû s'en aller à cause de la violence. Ils détestent les chrétiens là-bas. La police n'a jamais rien fait. Ils ne font jamais rien si vous n'êtes pas riche. Je voulais juste offrir une meilleure vie à ma famille. Mon cousin est venu ici il y a quelques années, il m'a dit que ça allait, que personne ne les embêtait. Alors on a déménagé aussi. On n'a pas grand-chose, mais au moins on est en sécurité. Et maintenant ils veulent nous chasser d'ici aussi. Que Dieu nous vienne en aide ! Qu'allons-nous faire ?

Il se pencha en avant, le front dans la poussière. A vingt mètres de là, sa femme et ses trois enfants les regardaient du seuil de la maison. Deux garçons et une fille. Comme les enfants de Khalifa. Celui-ci les dévisagea en serrant les dents, puis se pencha pour relever leur père.

— Avez-vous du thé ?

Le fermier acquiesça, en essayant de se ressaisir.

— Oui, bien sûr ! Excusez-moi, j'aurais dû vous en proposer. Je n'ai pas les idées en place. Venez.

Il précéda Khalifa jusqu'à la maison et parla à sa femme, qui disparut à l'intérieur tandis qu'eux-mêmes s'installaient sur un banc contre le mur, à l'ombre d'un bout de tôle rouillée. Les enfants restèrent sur place. Ils étaient pieds nus, le visage sale mais l'œil curieux. Khalifa écouta un moment le tintement des casseroles, le son de l'eau qui coulait au robinet. Il fronça les sourcils.

— Vous vous servez encore du puits ?

— Non, non ! Il ne sert qu'à l'irrigation et à faire boire le buffle. Notre eau à nous vient de Bir Hashfa, expliqua-t-il en désignant un tuyau d'arrosage bleu qui sortait du sol et courait jusqu'à l'arrière de la maison. Le village a une alimentation principale qui vient de Louqsor. Je les paie pour me raccorder.

— Et vous pensez que c'est eux qui ont fait ça ? demanda l'inspecteur en montrant le cadavre du buffle et les champs jaunis.

— Bien sûr que c'est eux. On est chrétiens, ils sont musulmans. Ils veulent qu'on s'en aille.

— Ça représente quand même beaucoup de boulot, dit Khalifa en chassant une mouche. Faire tout le chemin jusqu'ici, empoisonner le puits et les champs. Ils auraient pu se contenter de vous couper l'arrivée d'eau, non ?

— Ils nous détestent, répondit l'homme en haussant les épaules. Quand on déteste quelqu'un, ça ne fait jamais trop de boulot. En plus, s'ils m'avaient coupé l'eau, j'en aurais trouvé ailleurs. J'aurais rapporté des bouteilles, si nécessaire. Ils me connaissent. Ils savent que le travail ne me fait pas peur.

Khalifa écrasa son mégot par terre.

— Et vous avez vu quelqu'un ? Entendu quelque chose ?

— Non. Ils ont dû faire ça la nuit. On est bien obligé de dormir. Il y a deux ou trois jours. C'est là que le buffle a commencé à montrer des signes de maladie.

— Mais il va guérir, hein, papa ?

C'était la cadette qui avait posé la question. Le fermier la hissa sur ses genoux. Elle était mignonne, avec ses grands yeux verts et sa tignasse noire, probablement guère plus de trois ou quatre ans. Il la serra dans ses bras et se mit à la bercer. L'aîné des garçons s'avança.

— Je ne vais pas les laisser nous voler notre ferme, papa. Je vais me battre contre eux.

Khalifa sourit, plus triste qu'amusé. Le garçon lui rappelait son fils, Ali. Pas physiquement – celui-ci était trop grand, ses cheveux trop courts –, mais l'air de défi, le côté bravache, c'était tout à fait Ali. Il voulut prendre une cigarette, puis il se souvint qu'il avait donné le paquet au fermier. Il ne lui en demanda pas une, pas après les lui avoir offertes. Alors il croisa les bras et s'adossa au mur, en observant comment Mohamed Sariya remontait le chemin dans leur direction. Malgré la chaleur, son adjoint portait un gros pull sur sa chemise. On aurait pu mettre Sariya dans un four, il aurait encore eu froid. Ce bon vieux Mohamed ! Certaines choses ne changent jamais. Certaines personnes non plus. Khalifa trouva du réconfort dans cette pensée.

La femme du fermier sortit de la maison, un plateau dans les mains. Trois verres de thé, un bol de *torshi* et une assiette de gâteaux. Khalifa se servit du *torshi* mais ne toucha pas aux sucreries. C'était une famille pauvre et il préférait que les enfants les mangent. Sariya arriva et s'assit à côté d'eux. Il tendit la main vers les gâteaux, mais un regard de Khalifa le dissuada d'en prendre. Ils se comprenaient sans parler. Ils s'étaient toujours compris. Sariya était solide, fiable, honnête – sans lui, Khalifa n'aurait probablement pas réussi à traverser les semaines cauchemardesques qui avaient suivi son retour au boulot.

— Vous n'allez rien faire, alors ? demanda le fermier, une fois sa femme repartie. Vous n'allez pas les arrêter ?

Il semblait résigné plutôt qu'accusateur, comme un homme habitué à être maltraité et qui trouve cela normal. Khalifa sirota une gorgée de thé, éludant la question.

— Mon cousin m'a averti que prévenir la police était une perte de temps. Lui ne l'a pas fait.

— Votre cousin aussi a eu des problèmes ? demanda Khalifa, surpris.

— Oui. Il y a trois mois. Il avait travaillé quatre ans dans sa ferme. Il avait transformé le désert en un véritable paradis. Des champs, un puits, des chèvres, un jardin potager – tout a été détruit. Je lui ai dit : « Va voir la police. Ici, ce n'est pas Farshut. Ils t'écouteront. Ils feront quelque chose. » Mais il n'a pas voulu, il a dit que ça ne servait à rien. Alors, il est parti, il a emmené sa famille à Asyut. Quatre ans pour rien.

Il cracha par terre et retomba dans le silence. Khalifa et Sariya buvaient leur thé à petites gorgées. A l'intérieur de la maison, quelqu'un chantait.

— Jolie voix, dit Sariya.

— C'est mon fils. Le nouveau Karim Mahmoud. Un jour, il sera peut-être célèbre et tout ceci n'aura plus d'importance.

Il grogna et vida son verre.

— Je ne m'en irai pas, reprit-il au bout de quelques instants. Ils ne me feront pas partir. Je me battrai, si nécessaire.

— J'espère que vous n'aurez pas besoin d'en arriver là, dit Khalifa.

L'homme le dévisagea, le regard intense.

— Vous avez une famille ? Une femme, des enfants ?

Khalifa acquiesça.

— Vous les protégeriez s'ils étaient en danger, non ? Vous feriez tout ce qu'il faut ?

Khalifa ne répondit rien.

— Vous le feriez, non ? insista l'homme.

— Bien sûr.

— Eh bien, je me battrai s'il le faut. Pour protéger ma famille, mes enfants. C'est le plus grand devoir d'un homme. Je suis peut-être pauvre, mais je suis un homme.

Il se leva. Khalifa et Sariya l'imitèrent. L'homme appela sa femme et ses enfants, leur demandant de le rejoindre. Ils s'alignèrent tous les cinq devant la maison, se tenant par les bras.

— Je ne les laisserai pas nous chasser.

— Personne ne vous chassera, affirma Khalifa. Nous allons descendre au village et parler au chef. On va régler tout ça. Ça va s'arranger.

L'homme haussa les épaules, manifestement incrédule.

— Faites-moi confiance. Ça va s'arranger.

Khalifa les regarda, s'attardant un instant sur le fils aîné, puis les remercia pour le thé et, suivi de Sariya, partit vers leur voiture, une vieille Daewoo couverte de poussière. Son adjoint s'installa derrière le volant.

— Moi, je le ferais, dit Sariya en ajustant le rétroviseur de façon à y voir la famille derrière eux.

— Tu ferais quoi ?

— Je ferais tout pour protéger ma famille. Même enfreindre la loi. Pauvres enfants.

— C'est une vie difficile.

— J'ai glissé un peu d'argent sous une pierre dans le champ. J'espère qu'un des enfants le trouvera.

— Tu as fait ça ? demanda Khalifa en se tournant vers lui. Ils vont peut-être croire que c'est un génie qui leur a laissé ça… Tu rends le monde meilleur, Mohamed, ajouta-t-il avec un sourire.

— Il faut bien que quelqu'un s'en charge, répondit ce dernier en démarrant.

A côté de lui, Khalifa se mit à fouiller la boîte à gants, en quête d'un autre paquet de cigarettes.

JÉRUSALEM

Dès que Schmelling eut fini son examen préliminaire du cadavre, celui-ci fut enveloppé dans un sac mortuaire et placé dans une ambulance qui l'emmena jusqu'au Centre national de médecine légale à Tel-Aviv, qu'on appelait en général Abou Kabir. Leah Shalev et Bibi Kletzmann retournèrent au poste de police, mais Ben-Roï resta encore une vingtaine de minutes à fouiller le sac et les vêtements de la femme, tandis que les experts poursuivaient le relevé des empreintes, tâche qui allait vraisemblablement les occuper jusqu'au soir.

— Vous voulez que je vous fasse apporter des bières ? demanda-t-il en partant.

— Nom de Dieu ! C'est une scène de crime, quand même ! s'exclama l'un des techniciens.

Ben-Roï sourit. Les experts de la police scientifique avaient tous en commun deux caractéristiques : l'attention obsessionnelle qu'ils portaient aux détails et une absence totale d'humour ou de quoi que ce soit qui s'en rapproche.

— Des blinis ? Des falafels ?

— Allez vous faire foutre !

Il sortit de la salle en gloussant, récupéra son Jericho et le glissa dans son holster. La pluie avait cessé, le ciel commençait à se dégager, de grandes bandes de bleu traversaient la couverture nuageuse tels des bras de mer sur la calotte arctique. Il aspira une grande goulée d'air frais, jeta un coup d'œil à sa montre et se dirigea vers le bureau vitré à l'entrée de l'enceinte. Les trois hommes à la casquette plate se trouvaient toujours à l'intérieur, regroupés autour de leur écran de surveillance. Nava Schwartz était encore avec eux. Il passa la tête dans l'embrasure de la porte.

— Qu'est-ce que ça dit ?

— On est encore en train de visionner les bandes, répondit Schwartz. Ils ont plus de trente caméras dans l'enceinte, on devrait en avoir pour deux heures environ.

Ben-Roï entra et se pencha à son tour sur l'écran. Une douzaine d'images montraient différents lieux dans l'enceinte du monastère : des cours, des ruelles, des portes, des escaliers, des tunnels – une ville dans la ville, un monde dans un monde. Sur l'une des images, on voyait un groupe d'hommes vêtus de robes noires qui traversaient une grande place pavée. Ils disparurent, puis reparurent sur celle du passage voûté en face du bureau de l'entrée. Ben-Roï leva les yeux et les vit arriver de l'autre côté de la vitre, se dirigeant probablement vers le séminaire, un peu plus bas dans la rue du Patriarche-Orthodoxe-Arménien.

— Combien de personnes vivent ici ? demanda-t-il une fois qu'ils se furent éloignés.

— Dans le monastère proprement dit, trois ou quatre cents personnes, répondit un des gardes. Plus quelques centaines dans les rues environnantes.

— Et cette entrée est la seule issue ?

L'homme secoua la tête.

— Il y a cinq portes, mais on n'en utilise que deux. Une au sud-ouest, pour les écoliers, qui reste ouverte de 7 heures à 16 heures, et celle-ci.

— Qui ferme à quelle heure ?

— A 22 heures précises. Après, plus personne ne peut ni entrer ni sortir jusqu'au matin.

Ben-Roï regarda la lourde porte en bois sertie de métal, puis reporta son attention vers l'écran. A l'entrée de la cathédrale, un des gars en uniforme parlait avec un prêtre en soutane à capuche. Ils avaient l'air de se disputer. Le prêtre gesticulait en montrant du doigt les bandes rouge et blanc de la police qui barraient l'accès à l'enceinte. Prêtres, moines, rabbins, imams – la police les avait toujours sur le dos. Une des joies d'être flic dans la ville sainte.

— La cathédrale ferme aussi à 22 heures ?

— En général, elle n'ouvre qu'aux heures des services religieux, entre 6 h 30 et 7 h 30, puis entre 14 h 45 et 15 h 45.

— En général ?

— Oui. Au cours du mois dernier, Son Eminence l'archevêque Petrossian a demandé qu'on laisse les portes ouvertes jusqu'à 21 h 30.

— Pourquoi ? demanda Ben-Roï en fronçant les sourcils.

— Je ne sais pas, répondit l'homme en haussant les épaules. Pour que les fidèles puissent prier plus longtemps...

L'homme parlait sans passion, comme s'il n'approuvait ni ne désapprouvait l'édit de l'archevêque.

A l'écran, Ben-Roï vit qu'un autre prêtre à capuche pointue rejoignait le premier et s'engageait à son tour dans la dispute devant la porte de la cathédrale. D'autres policiers vinrent épauler leur collègue, et les esprits commençaient à s'échauffer. Il envisagea d'intervenir, mais décida qu'en fin de compte il avait suffisamment de problèmes à régler de son côté. Il demanda à Schwartz de rapatrier les bandes à Kishle le plus tôt possible, puis sortit et reprit le chemin du poste de police. Leah Shalev avait programmé une réunion de toute l'équipe à 11 h 15. En passant devant la Taverne arménienne, il consulta sa montre et, voyant qu'il lui restait encore une demi-heure à tuer, décida d'y entrer.

Un escalier menait vers une cave voûtée juste au-dessous du niveau de la rue. La déco du restaurant lui rappela l'atmosphère de la cathédrale, avec ses murs recouverts d'icônes, ses carrelages et les lampes qui pendaient au plafond. Des présentoirs en verre étaient remplis de bijoux poussiéreux, colliers, bracelets, boucles d'oreilles. Une paire de défenses d'éléphant décorait l'un des murs et, au pied de l'escalier, un petit bar courait devant l'habituel assortiment de Metaxa, Campari, Dubonnet et Jack Daniel's, mais aussi d'autres bouteilles plus exotiques, en forme d'éléphant, de cheval ou de chat. Un jeune homme en jean et tee-shirt moulant Tommy Hilfiger entra par les portes battantes qui donnaient sur la cuisine, au fond de la salle.

— Hé, Arieh ! lança-t-il.

— *Shalom*, George.

Les deux hommes se serrèrent la main et Ben-Roï s'installa à une table près du passe-plat.

— Café ? proposa George.

Ben-Roï acquiesça et George relaya la commande à travers le passe-plat. Une dame âgée – la mère de George – mit de l'eau à bouillir avec un sourire amer. George s'assit en face de Ben-Roï et alluma une Imperial en dépit du panneau indiquant qu'il était interdit de fumer. Une prérogative patronale, en quelque sorte, étant donné que le restaurant appartenait à sa famille.

La Taverne arménienne et George Aslanian occupaient une place spéciale dans le cœur de Ben-Roï. Dans une vie antérieure, Galia et lui étaient venus dîner là, le soir de leur premier rendez-vous. Depuis, il avait continué à fréquenter l'endroit, parfois simplement pour boire un café ou une bière, parfois pour déjeuner – le *soujuk* et le *kubbeh* mettaient l'eau à la bouche. Sarah et lui y avaient aussi dîné souvent, ce qui l'avait mis légèrement mal à l'aise au début. Néanmoins, avec le temps, cette gêne s'était estompée. La moitié de la vieille ville, la moitié de Jérusalem en fait, regorgeait de souvenirs qui lui étaient chers d'une façon ou d'une autre et il ne pouvait pas mettre tous ces endroits en quarantaine. D'une certaine manière, il trouvait même approprié que Sarah et lui viennent ici. Après tout, Sarah était la seule femme qu'il avait aimée autant que Galia. Et puis, le *soujuk* et le *kubbeh* provoquaient une véritable addiction.

— Tu veux manger un morceau ? demanda George.

— Un café suffira, répondit Ben-Roï, qui avait vraiment faim mais pas le temps d'attendre. Tu es au courant de ce qui s'est passé ? Dans la cathédrale, je veux dire.

— Tous les Arméniens de Jérusalem en ont entendu parler, avant même la police. Nous sommes une communauté soudée.

— Des idées ?

— Comme quoi ? Est-ce que je sais qui a fait ça ?

— Ça, ça nous aiderait.

— Si je savais quelque chose, je te le dirais, Arieh. D'ailleurs, n'importe quel Arménien de Jérusalem ferait de même. N'importe quel Arménien d'Israël. Profaner ainsi notre cathédrale… Nous sommes tous en état de choc…

Ils furent interrompus par un type baraqué qui descendait l'escalier, un cageot de légumes dans les bras. George s'adressa à lui en arménien, et l'homme déposa ses légumes dans la cuisine avant de s'en retourner.

— En état de choc, répéta George après le départ du livreur. En 67, pendant les combats, des gens ont été tués lorsqu'un obus est tombé dans l'enceinte du monastère, mais ceci… Pour tous les gens de notre communauté, la cathédrale est sacrée. C'est le centre de notre monde. C'est…

Il posa la main sur son cœur.

— C'est comme si c'était arrivé dans notre propre maison. Pire. C'est terrible.

Malgré son visage aux traits graves, voire un peu lugubres, George était un type plutôt joyeux et plein d'entrain. Ben-Roï ne l'avait jamais vu comme ça.

— Je ne suis pas dans mon élément, ce coup-ci, dit-il. Les *haredim*, les Palestiniens, ça, je connais. Mais la communauté arménienne, je n'ai pratiquement jamais été en contact avec elle. Mis à part ce truc il y a deux ans.

George semblait perplexe.

— Les étudiants du séminaire, explicita Ben-Roï.

— Ah, oui… Pas le plus haut fait d'armes de la police israélienne.

L'archevêque Petrossian avait employé exactement la même expression. Apparemment, elle était devenue d'usage courant, pensa Ben-Roï. Les membres de la communauté devaient l'utiliser chaque fois qu'ils évoquaient l'affaire. Ce n'était pas totalement injustifié, bien que pour être honnête la faute en revînt aux politiques plutôt qu'aux policiers. Comme toujours. Si on pouvait se débarrasser des politiques, tout irait probablement mieux.

En fait, deux séminaristes venus d'Arménie s'étaient battus avec un groupe d'adolescents *haredim* du quartier juif. Pendant des mois, ces ultraorthodoxes s'étaient amusés à cracher sur les prêtres et les étudiants arméniens, et un jour ces derniers avaient répliqué. Dans un monde plus intelligent, l'histoire se serait soldée par une réprimande un peu sévère et un coup de pied au cul, point final. Cependant, la vieille ville de Jérusalem n'était pas un monde intelligent. Quand l'un des ados *haredim* avait eu le nez cassé, les *frummers*, ces juifs extrêmement dévots, avaient exigé réparation et le ministre de l'Intérieur avait accédé à leur demande. Résultat, les séminaristes avaient été arrêtés, retenus en détention, puis extradés. Une réaction grotesque et démesurée qui, sans surprise, avait suscité la colère de leurs camarades, d'autant plus que les *haredim* s'en étaient tirés sans le moindre blâme.

Baum était celui qui s'était chargé de l'affaire, ce qui garantissait dès le début que les choses allaient foirer. Ben-Roï n'avait pratiquement joué aucun rôle dans cette histoire, se contentant d'interroger une ou deux personnes au début de l'enquête, mais il se sentait quand même impliqué dans sa conclusion peu glorieuse. Comme pour les murs, comme pour les colonies, comme pour tant d'autres choses dans ce pays, les décisions se prenaient dans les bureaux et les synagogues – ainsi que dans les églises et les mosquées, d'ailleurs –, ce qui rendait parfois le travail de la police extrêmement difficile. La plupart du temps, en fait.

— Vos cafés...

Le buste de la vieille femme se découpa dans le passe-plat, une tasse dans chaque main. George les posa sur la table et vida un sachet de sucre dans la sienne. Ben-Roï en vida deux.

— Comme je te le disais, je n'ai pas souvent eu l'occasion de fréquenter votre communauté, reprit Ben-Roï. Tu as dû apprendre que la victime a été étranglée. Il s'agit probablement du crime d'un dingue qui agit seul, mais on doit prendre en considération toutes les possibilités.

George remuait son café sans rien dire.

— Tu as entendu quelque chose... Je ne sais pas, moi... des conflits au sein de la communauté ? La lutte pour un territoire ?

Toujours pas de réponse.

— Une vendetta ? insista Ben-Roï. Peut-être des problèmes entre les prêtres et les gens qui se rendent régulièrement à la cathédrale ? Des rancœurs, des griefs ? Quoi que ce soit qui sorte de l'ordinaire... En gros, n'importe quel détail qui puisse nous fournir une piste sur cette affaire, quoi.

George vida sa tasse et écrasa son mégot dans le marc.

— Ecoute, Arieh. On a nos querelles, comme n'importe quelle autre communauté. Nos pommes pourries, nos fauteurs de troubles. Nos prêtres entrent en conflit avec leurs homologues grecs orthodoxes, untel n'aime pas untel, un type en arnaque un autre, ce sont des choses qui arrivent, c'est humain. Mais laisse-moi te dire, et je voudrais que ce soit clair...

Il regarda Ben-Roï droit dans les yeux.

— ... aucun Arménien ne ferait ça à un de ses compatriotes. Et encore moins dans notre cathédrale. Nous sommes une famille. Nous nous occupons les uns des autres, nous nous protégeons mutuellement. Ça ne pourrait pas se produire. Je peux te garantir que celui qui a commis ce crime n'est pas arménien. Je peux te le garantir.

Il se tourna et s'adressa à sa mère en arménien. Elle lui répondit puis apparut de nouveau dans l'encadrement du passe-plat.

— Pas arménien, dit-elle. Aucun Arménien faire ça.

Elle jeta un regard noir à Ben-Roï pour s'assurer que le message était bien passé puis retourna à ses casseroles.

— Bon ! Au moins, ça restreint le champ des recherches, dit-il en finissant son café.

On entendit un bruit de voix en provenance de l'escalier, et une demi-douzaine de personnes arrivèrent en bas des marches. Des touristes, plutôt âgés, américains ou britanniques à en juger par leur guide. George alla s'occuper d'eux et leur donner la carte. Une musique d'ambiance surgit des haut-parleurs, bien que l'inspecteur fût incapable de voir qui avait allumé la chaîne.

— Tu n'as rien entendu à propos de l'identité de la victime ? demanda-t-il à George quand celui-ci revint.

— Elle n'est pas arménienne, c'est sûr. En tout cas, pas de Jérusalem. Ici, tout le monde se connaît.

— Elle pourrait venir d'ailleurs ?

— Possible, dit George en haussant les épaules. Tu devrais parler avec l'archevêque Petrossian. Il connaît tout le monde et est au courant de tout ce qui se passe dans la communauté. Pas simplement à Jérusalem, mais dans tout Israël.

— Je l'ai déjà rencontré, à la cathédrale. Il m'a dit qu'il ne savait rien.

— Eh bien, tu as ta réponse. Petrossian en sait plus que le patriarche et tous les autres archevêques réunis. Plus que l'ensemble de la communauté. Rien ne se passe dans notre monde sans qu'il soit au courant.

Il jeta un coup d'œil alentour comme pour s'assurer que personne ne pouvait l'entendre, puis se pencha vers Ben-Roï.

— On l'appelle la pieuvre. Il a des tentacules partout. Si lui ne peut pas t'aider…

Il leva les mains, l'air de dire « personne n'en est capable ». A l'autre bout du restaurant, l'un des touristes appela George en agitant la carte pour indiquer qu'ils étaient prêts à passer leur commande.

— Désolé, Arieh, mais il faut que j'aille bosser.

— Pas de problème. De toute façon, je dois rentrer au poste.

Ben-Roï se leva et sortit son portefeuille, mais George l'arrêta.

— Offert par la maison.

— Tu me feras savoir si tu apprends quelque chose ?

— Bien sûr. Et salue Sarah de ma part. Dis-lui que j'espère que tout va bien avec le bébé.

Ben-Roï regagna la rue, partagé entre la déception de ne pas avoir obtenu d'informations et la culpabilité de constater que Sarah et le bébé semblaient occuper les pensées des autres plus que les siennes. Son enfant n'était pas encore né et il avait déjà l'impression d'être le père le plus nul de la terre.

A peu près en son milieu, juste avant l'entrée du monastère Saint-Jacques, la rue du Patriarche-Orthodoxe-Arménien traverse un tunnel au-dessus duquel se trouve une fenêtre en ogive dont les vantaux crasseux sont bloqués par un enchevêtrement de plantes grimpantes défraîchies. A l'abri derrière cette fenêtre, l'archevêque Armen Petrossian avait regardé Ben-Roï pénétrer dans la Taverne arménienne. Vingt minutes plus tard, il était encore là lorsque l'inspecteur ressortit du restaurant et s'éloigna en direction du poste de police David.

L'archevêque suivit du regard la haute silhouette en se caressant la barbe, ne la quittant des yeux que lorsqu'elle tourna à l'angle de la rue pour déboucher sur la place Omar-ibn-al-Khattab. Ce n'est qu'après avoir perdu de vue l'inspecteur que l'archevêque fit demi-tour et se dirigea vers la porte principale de l'enceinte. Il salua de la tête les gardes à casquette plate en faction dans le bureau du concierge et fit signe à l'un d'eux de le suivre. Ils s'éloignèrent de quelques mètres le long du passage voûté qui menait à l'intérieur de l'enceinte et s'arrêtèrent à côté d'un panneau d'information recouvert de feutre vert, hors de portée de voix des hommes restés dans le bureau et des cinq policiers israéliens qui montaient la garde devant le portail. L'archevêque jeta un coup d'œil à la ronde, puis se pencha à l'oreille de l'homme et lui murmura quelque chose. L'homme acquiesça, rajusta sa veste en cuir et partit d'un pas vif vers la rue.

— Que Dieu nous protège, murmura l'archevêque avant de poser les lèvres sur l'anneau d'améthyste à son doigt. Et que Dieu me pardonne.

ÉGYPTE, DÉSERT ARABIQUE

Le village de Bir Hashfa se trouvait à sept kilomètres à l'ouest de la ferme, dans la direction de la vallée du Nil, à l'intersection de deux pistes en terre. L'une suivait un axe est-ouest des montagnes au fleuve, l'autre, plus large, reliait les autoroutes 29 et 212 sur un axe nord-sud parallèle au Nil. Aux abords du village, Khalifa consulta son mobile et demanda à Sariya de se garer sur le bas-côté.

— J'ai du réseau, dit-il. Il faut que je passe un coup de fil à Zenab. Je n'en ai que pour un instant.

Il descendit et s'éloigna de quelques pas dans les graviers, s'arrêtant à côté d'un baril de pétrole rouillé, puis composa le numéro de sa femme. En attendant qu'elle décroche, il se baissa pour ramasser deux canettes de Coca qui traînaient par terre et les posa sur le baril. Dans la voiture, Sariya sourit. Le geste était typique de son patron. C'était un homme qui aimait remettre de l'ordre dans les choses, les rendre nettes, même au milieu du désert. C'était cela qui faisait de lui un si bon policier. Le meilleur. Toujours le meilleur, même après tout ce qui s'était passé.

Sariya tendit la main vers le paquet de bonbons à la menthe sur le tableau de bord, en glissa un dans sa bouche et s'adossa à son siège, observant Khalifa qui discutait au téléphone. Celui-ci avait perdu du poids au cours des derniers mois, contrairement à Sariya, qui avait pris quelques kilos depuis que sa belle-mère était venue vivre avec eux. Autrefois, Khalifa était maigre, aujourd'hui il était squelettique, ses pommettes ressortaient et ses joues s'étaient creusées. Sariya fut frappé de constater que même ses yeux avaient perdu de leur éclat d'antan, que ses cernes étaient à présent plus foncés, plus marqués. Il ne l'aurait jamais admis à voix haute, mais son patron, ce patron qu'il vénérait, le préoccupait.

Sous ses yeux, Khalifa faisait les cent pas, accompagnant ses propos de gestes de la main comme pour dire « Calme-toi, tout va bien ». Sariya croqua son bonbon et en fourra un deuxième dans sa bouche, puis un troisième. Il en était au quatrième lorsque Khalifa raccrocha et vint le rejoindre.

— Tout va bien ? demanda Sariya.

Pour toute réponse, Khalifa alluma une cigarette du paquet qu'il avait fini par dénicher dans la boîte à gants. Sariya n'insista pas – si son patron avait envie de parler, il parlerait, sinon, eh bien, il ne parlerait pas. Il démarra et repartit vers le hameau, qui ne se trouvait plus qu'à cinq cents mètres, juste derrière les oliveraies et les champs de maïs.

Le hameau comprenait à peine une quarantaine de maisons, en briques d'argile pour la plupart, bien que certaines fussent en briques rouges et qu'on distinguât même un ou deux immeubles de béton.

Sariya roula jusqu'au centre du village et se gara à côté d'une mosquée aux murs blanchis à la chaux. La prière du vendredi venait de prendre fin et les hommes qui sortaient de l'édifice en clignant des yeux sous le soleil commençaient à remettre leurs chaussures. Khalifa les salua d'un « *Sabah el-kheir* », puis leur demanda où l'on pouvait trouver le chef du village. Il commença par récolter quelques murmures et un certain nombre de regards inamicaux – dans ces endroits reculés, les étrangers étaient toujours traités avec une certaine suspicion, quand ce n'était pas avec une franche hostilité. Finalement, non sans réticence, quelqu'un leur indiqua un grand immeuble à l'autre bout du hameau.

— Quels joyeux compères ! lança Sariya. Je pourrais peut-être leur envoyer ma belle-mère, pour qu'ils rigolent tous ensemble.

— Ne manque jamais de respect à tes aînés, Mohamed.

— Même s'ils sont tyranniques ?

— Surtout s'ils sont tyranniques.

Khalifa se tourna vers lui avec dans le regard quelque chose qui rappelait une ancienne étincelle, puis posa de nouveau les yeux sur la route.

— Fais attention à l'oie ! dit-il.

Sariya contourna le volatile campé au beau milieu de la chaussée et manifestement peu désireux de bouger, puis roula jusqu'au bâtiment qu'on leur avait indiqué. Sur la façade, on avait peint une fresque maladroite et colorée – une voiture, un avion, un chameau, le cube noir de la Kaaba – indiquant que ceux qui y résidaient avaient fait le pèlerinage à La Mecque. Un autre symbole de richesse et de standing.

Le téléphone arabe avait bien fonctionné : un vieil homme en djellaba les attendait devant la porte, une canne à la main. Avec ses joues mal rasées, ses petits yeux et son nez pointu, il avait vraiment l'air d'un rat.

— On ne voit pas souvent de flics dans le coin, lança-t-il avec un regard dur, limite hostile, quand Khalifa et Sariya sortirent de la voiture. En fait, on ne voit jamais de flics dans le coin.

Ils ne s'étaient pas présentés, mais ce n'était pas nécessaire. Les Egyptiens, comme tous les résidents d'Etats autoritaires, détectaient instinctivement les représentants de la loi. Et ils les détestaient tout aussi instinctivement.

Les deux hommes montrèrent leur badge pour la forme. L'homme les dévisagea un instant, puis cracha par terre et leur intima de le suivre à l'intérieur, où il cria à quelqu'un qu'on ne voyait pas d'apporter du thé. Il conduisit ses invités jusqu'à la terrasse sur le toit de la maison, où des dattes séchaient au soleil, occupant tout l'espace à part une petite zone où une table et quelques chaises étaient disposées à l'ombre d'un auvent. Ils y prirent place. Le village s'étendait à leurs pieds, entouré de champs, d'oliviers et de citronniers, même si Sariya soupçonnait que le vieil homme ne les avait pas emmenés là pour profiter de la vue. Khalifa alluma une cigarette, mais ne songea pas à offrir le paquet à son hôte.

— Alors ? demanda ce dernier sans s'embarrasser de préliminaires.

— Je désire vous parler de la famille Attia. Je crois que vous les connaissez.

— Des chrétiens, grogna l'homme. Des fauteurs de troubles.

— Vous pouvez préciser ?

L'homme haussa les épaules, éludant la question.

— J'ai entendu dire que l'eau de leur puits a tourné, reprit-il. Allah punit toujours les *kufr*, les incroyants.

— M. Attia semble croire que la punition est le fait de quelqu'un de moins céleste.

— Attia peut croire ce qu'il veut ! Quand une source parfaitement saine pourrit sans raison, c'est l'œuvre de Dieu. Comment expliqueriez-vous ça, sinon ?

Khalifa tira une bouffée sur sa cigarette et se pencha en avant.

— Vous n'aimez pas les chrétiens ?

— Dieu n'aime pas les chrétiens. C'est ce qui est dit dans le Coran.

Khalifa ouvrit la bouche pour lui répondre, mais se ravisa et à la place tira une nouvelle bouffée sur sa cigarette.

— Quelles sont vos relations avec les Attia ? demanda-t-il ensuite.

— On n'a pas de relations avec les Attia. Ils restent dans leur coin et nous dans le nôtre.

— C'est bien chez vous qu'ils s'alimentent en eau potable, non ?

Cette fois-ci, l'homme ne répondit rien, ce qui n'était guère surprenant, étant donné que ce petit arrangement avait certainement été fait dans le dos de la compagnie des eaux de Louqsor, et qu'il était donc illégal.

— Combien vous payent-ils ? demanda Khalifa.

— Suffisamment.

— Plus que suffisamment, j'imagine.

— Ce sont eux qui sont venus vers nous. S'ils ne sont pas contents, ils peuvent s'adresser ailleurs. On leur fait une faveur.

Khalifa dévisagea l'homme avec froideur. Une femme apparut en haut des marches avec un plateau de thé. Elle attendit, tête baissée, que le vieil homme lui fasse signe d'avancer, puis posa le plateau sur la table et repartit en toute hâte. Malgré son voile, les deux policiers virent qu'elle avait un coquard.

— Votre fille ? demanda Sariya.

— Ma femme ! Vous avez d'autres questions ? Vous voulez savoir quand je suis allé chier pour la dernière fois ?

Les deux policiers échangèrent un regard, et Khalifa fit un signe imperceptible de la tête à son collègue pour lui enjoindre de ne pas relever l'insulte. Un chameau se mit à blatérer en contrebas.

— Apparemment, le cousin de M. Attia a également eu des problèmes avec son puits. Il y a trois mois, environ.

— J'ai entendu dire ça.

— Avez-vous eu des problèmes avec votre eau ?

— Pas au cours des quarante dernières années.

— Et auparavant ?

— Auparavant, le village n'existait pas.

Khalifa se leva et, prenant son thé sur le plateau, se dirigea vers le bord de la terrasse. A une cinquantaine de mètres de la maison, de l'eau jaillissant d'un tuyau remplissait une grande citerne en béton qui alimentait un réseau d'irrigation. Maïs, olives, oranges, trèfle, épinards, mûres, melons, tabac... une île de verdure au milieu d'un vaste océan jaune.

— Vous avez fait du bon travail, ici, dit l'inspecteur.

— On en est conscients.

— Il y a beaucoup d'eau. M. Attia me dit qu'elle vient des montagnes.

— C'est ce qu'affirment les experts. Nous, on se contente de s'en servir. On est des fermiers, pas des...

Il fronça les sourcils, cherchant le mot juste.

— Géologues ? proposa Sariya.

— Si vous voulez. C'est de la bonne eau, disponible en permanence. Il faut creuser loin pour la trouver, mais elle est là. C'est tout ce qui nous intéresse.

— Et vous n'avez jamais eu de problèmes ? demanda Khalifa.

— Jamais. Je viens de vous le dire.

Khalifa resta encore un instant à regarder les champs autour du village en sirotant son thé. Puis il se tourna vers le vieil homme.

— Alors pourquoi pensez-vous que le puits de M. Attia a tourné ?

— Ça aussi, je viens de vous le dire. Allah punit toujours les incroyants. C'est Sa Volonté.

— Pensez-vous que quelqu'un dans le village ait pu décider de donner un petit coup de pouce à la volonté de Dieu ?

Le vieil homme renifla, rejeta la tête en arrière et balança un gros crachat dans la rue en contrebas. Ses dents, marron et plantées de travers, avaient l'air d'une rangée de brindilles cassées.

— Pourquoi n'arrêtez-vous pas de tourner autour du pot ? s'exclama-t-il en fixant Khalifa. Vous nous accusez d'avoir empoisonné leur puits !

— L'avez-vous fait ?

— Non ! Si nous avions voulu qu'ils partent, pourquoi diable leur aurions-nous fourni de l'eau potable ?

Khalifa s'était tenu le même raisonnement à la ferme d'Attia.

— Peut-être désirez-vous qu'ils vous en achètent plus ? répondit l'inspecteur en tirant une dernière bouffée de sa cigarette avant de lui faire suivre le même chemin que le crachat du vieillard. Peut-être voulez-vous leur extorquer davantage d'argent ?

Le vieil homme balaya l'hypothèse d'un grognement.

— Ou alors, quelqu'un l'a fait sans que vous le sachiez ?

— Je suis le chef de ce village. Ici, personne ne pète sans que je sois au courant. Nous n'avons rien à voir avec ce qui est arrivé à ces gens. Ils ont leur vie, nous avons la nôtre. Ce n'est pas notre problème. Autre chose ?

En fait, Khalifa n'avait pas grand-chose d'autre à lui demander. Il enchaîna quelques questions, histoire de montrer qu'ils prenaient l'affaire au sérieux, mais sans vraiment croire qu'il allait apprendre quoi que ce soit d'utile de la part du vieil homme. Apparemment, deux ans plus tôt, le cousin de M. Attia avait eu un litige portant sur des pigeons avec un des habitants du village, mais cela s'était résolu à la satisfaction des deux parties. Sinon, l'imam du village était lui aussi originaire de Farshut, mais les Attia et lui ne se connaissaient pas. C'était à peu près tout. Comme la conversation ne menait nulle part, les deux policiers mirent fin à la rencontre.

— Je vais garder un œil sur tout ceci, déclara Khalifa avec un regard dur. Un œil très attentif. Si les Attia rencontrent d'autres problèmes, je reviendrai.

— Grand bien vous fasse ! conclut le vieux chef.

Il redescendit dans la rue avec les deux policiers et ceux-ci montèrent dans leur voiture.

— Pour votre gouverne, ajouta Khalifa en baissant sa vitre, le Coran précise clairement qu'il faut respecter les *ahl el-kitab*, les juifs et les chrétiens.

— Si on a besoin d'un nouvel imam, je vous ferai signe, répondit l'homme en crachant par terre.

Khalifa lui lança un dernier regard, puis fit signe à Sariya de démarrer.

— Tu penses qu'il dit la vérité ? demanda ce dernier une fois qu'ils furent sortis du village.

— Dieu seul le sait, répondit Khalifa en haussant les épaules. Pour ce genre de types, mentir est tellement naturel que la plupart du temps eux-mêmes ne savent pas s'ils racontent la vérité... Ce type est un casse-pieds, c'est sûr, et il ne voulait rien nous dire. Quant à savoir s'il y avait vraiment quelque chose à dire...

Il médita quelques instants, tandis que le paysage désolé défilait devant eux.

— Quelqu'un en veut à ces gens, murmura-t-il, plus pour lui que pour son collègue. Quelqu'un veut qu'ils s'en aillent.

A côté de lui, Sariya ne put s'empêcher de sourire. Une famille de bouseux sans le sou avait un problème d'eau au beau milieu de nulle part, dans une zone si reculée que personne ne savait vraiment de quelle juridiction elle dépendait. N'importe quel autre flic de Louqsor aurait glissé le dossier tout en bas de la pile, voire directement dans la corbeille. Seul Khalifa pouvait prendre une telle affaire au sérieux et lui accorder la même attention qu'à un dossier important. C'était le meilleur flic de Louqsor. Le meilleur d'Egypte. Et personne n'allait convaincre Sariya du contraire.

— Tu sais ce dont j'ai envie ? lança-t-il en freinant à l'approche d'une grosse ornière. D'un grand verre de *karkady* glacé.

Khalifa se tourna vers lui, puis posa de nouveau les yeux sur la route.

— La boisson préférée d'Ali, fit-il.

Sariya ne savait pas vraiment quoi répondre à cela, alors il se concentra sur sa conduite, contourna l'ornière et reprit de la vitesse, suivant vers l'ouest la piste pleine de cahots qui se perdait dans l'immensité rocailleuse.

JÉRUSALEM

Le bureau du sergent Leah Shalev était une pièce encombrée et sans fenêtres située au rez-de-chaussée du poste de police David, au bout d'un couloir qui desservait six autres bureaux tout aussi encombrés et aveugles. A 11 h 20, six personnes s'y trouvaient pour assister au premier débriefing sur l'affaire, dont Shalev en personne, qui en tant qu'investigatrice conduisait les débats.

Pour autant que Ben-Roï le savait, Israël était le seul pays au monde où les travaux d'enquête sur le terrain et la paperasserie n'étaient pas assurés par les mêmes personnes. Ainsi, tandis que les policiers s'occupaient d'interroger les suspects ou de questionner les indics, l'investigateur supervisait l'ensemble de l'enquête, rédigeait les rapports et coordonnait les tâches des uns et des autres. L'investigateur arrivait le premier sur la scène d'un crime, gérait le dossier, donnait les instructions aux enquêteurs et tenait informé le bureau du procureur. En somme, il s'occupait de tout ce qui pouvait distraire les enquêteurs de leur tâche. C'était un travail important, quoique peu gratifiant, mais on le tenait pour tel : du point de vue hiérarchique, les enquêteurs étaient sous ses ordres. Ben-Roï, contrairement à certains de ses collègues plus *loh boger* – plus immatures –, s'en accommodait fort bien. Il était content de pouvoir se consacrer à son enquête sans avoir à se coltiner tout le travail administratif et, disons-le, chiant. De la façon dont il voyait les choses, l'investigateur dirigeait l'enquête, mais c'était l'enquêteur qui résolvait les affaires.

— OK, les gars, dit Shalev en tapant sur la table pour attirer l'attention de tout le monde. Mettons-nous au boulot.

« Les gars » était à prendre au pied de la lettre ; en effet, elle était la seule femme dans la pièce. Outre Ben-Roï étaient présents Uri Pincas, Amos Namir – un Séfarade qui était non seulement le plus ancien flic de l'équipe, mais aussi le plus grognon – et le sergent Moshe Peres, qui coordonnait les actions des flics en uniforme lorsqu'on faisait appel à leurs services.

Tous ceux-là se connaissaient de longue date, ayant souvent travaillé ensemble. Le seul élément étranger était un jeune maigrichon au visage d'adolescent, lunettes rondes et kippa bleue sur le crâne, qui s'était assis dans un coin un peu à l'écart des autres. Il était le plus jeune dans la pièce, d'une bonne dizaine d'années. Ben-Roï venait d'apprendre qu'il s'appelait Dov Zisky, quand Shalev le leur avait présenté. Apparemment, il avait été transféré de Lod, où il venait d'être nommé enquêteur, même s'il avait l'air de sortir du lycée. Il avait même l'air trop jeune pour se raser.

— Je pense que tout le monde est au courant des faits, disait Shalev. Une femme non identifiée, étranglée dans la cathédrale arménienne...

Acquiescement général. Zisky avait sorti un petit carnet luxueux en moleskine et griffonnait dessus.

— Les experts ont déjà envoyé les premiers échantillons au mont Scopus, alors avec un peu de chance nous aurons quelque chose en fin de journée. Pareil pour l'autopsie : j'ai demandé à Abou Kabir d'accélérer le mouvement.

— Avram Schmelling ne pourrait pas accélérer même pour aller pisser, murmura Namir.

Shalev ignora sa remarque.

— Nous avons besoin de l'identité de la victime. C'est une priorité. On a aussi besoin de réfléchir à ce qui motive l'assassin. Le portefeuille et les effets personnels de la victime semblent avoir disparu, alors s'agit-il d'un crime crapuleux ? Quelqu'un avait-il des griefs contre elle ? S'est-elle juste trouvée au mauvais endroit au mauvais moment ?

— L'angle religieux ? lança Ben-Roï. Après tout, elle était dans une cathédrale.

— Possible, répondit Shalev. Tout à fait possible. A ce stade, on n'écarte aucune hypothèse. Qui que soit notre homme...

— Ou notre femme.

C'était la voix de Zisky. Douce, cultivée, efféminée. La voix d'un jeune homo extraverti, pensa Ben-Roï. D'après la façon dont les autres regardaient leur nouveau collègue, ils semblaient partager son opinion.

— Le tueur pourrait être une femme, ajouta Zisky en levant les yeux de son carnet. On ne sait pas si c'est un homme. Pas encore.

Pincas et Peres se mirent à ricaner. Amos Namir semblait sur le point de péter une durite.

— Qu'est-ce que tu racontes ? D'après ce que j'ai entendu, la victime pesait plus de cent kilos. Comment une femme pourrait-elle...

— Il n'a pas tort, coupa Shalev en faisant signe à Namir de se taire. A ce stade, il faut garder toutes les possibilités à l'esprit. Alors, qui que soit notre homme ou notre femme, il y a de grandes chances qu'il ou elle recommence. Il faut qu'on se bouge au plus vite, messieurs. Pas facile, je sais, avec la moitié de l'équipe qui bosse sur le meurtre de l'étudiant, mais il faudra faire avec.

Personne ne répliqua. Les ressources humaines étaient toujours sur-sollicitées à Kishle, et tous y étaient habitués.

— On en est où avec les caméras de vidéosurveillance ? demanda Moshe Peres.

Il y en avait plus de trois cents éparpillées partout dans la vieille ville, qui permettaient à la police de garder l'œil sur tout ce qui se passait au sein des deux kilomètres carrés les plus disputés de la planète. Dès qu'un crime était commis, n'importe quel crime, c'était la première chose vers laquelle se tournaient les enquêteurs.

— Celle au-dessus du tunnel dans la rue du Patriarche-Orthodoxe-Arménien a filmé la victime juste avant 19 heures, répondit Pincas. Il y a quelqu'un derrière elle, mais il pleut à verse et on ne voit rien, même en grossissant l'image. C'est peut-être l'assassin, peut-être pas.

— Et les caméras à l'angle de la porte de Sion et de la rue du Patriarche-Orthodoxe ? s'enquit Peres. Elles devraient couvrir l'accès à l'enceinte du monastère, non ?

— Trop loin, répliqua Pincas. On ne voit rien, encore une fois à cause de la pluie. On essaye de pister la victime, de trouver où et quand elle a pénétré dans la vieille ville, mais ça va nous prendre du temps.

— Et celles à l'intérieur de l'enceinte ? demanda Shalev.

— Ils étaient encore en train de visionner les enregistrements quand je suis parti, dit Ben-Roï. D'après Nava, ils n'en ont plus pour longtemps.

Shalev acquiesça. Elle jouait mécaniquement avec l'insigne sur son pull bleu.

— OK, répartissons-nous un peu les tâches. Uri, retourne à nos propres enregistrements et essaie de trouver quelque chose. Je veux tout savoir des déplacements de la victime depuis l'instant où elle a posé le pied dans la vieille ville. Quand on aura ceux de l'enceinte, je veux que Schwartz et toi les regardiez aussi. Qui est de garde à la surveillance ?

— Talmon, dit Pincas.

— Dis-lui de te donner deux hommes. On a besoin de faire vite.

— J'ai déjà demandé. Il m'a rétorqué qu'il n'avait personne de disponible.

— Eh bien, dis-lui de trouver quelqu'un. Ou alors, qu'il traîne son gros cul jusqu'ici et qu'il m'explique pourquoi il ne peut pas !

Ben-Roï sourit, comme tout le monde d'ailleurs. Leah Shalev était en général quelqu'un de posé, en tout cas par rapport à Yigal Dorfmann, l'investigateur sur l'affaire du meurtre de l'étudiant de la *yeshiva*, qui était un trou du cul de première classe. Néanmoins, quand elle s'y mettait, elle pouvait se montrer plus dure que n'importe lequel d'entre eux.

— J'ai besoin que des uniformes fassent du porte-à-porte dans l'enceinte du monastère et dans le quartier arménien, poursuivit-elle. Des tas d'uniformes. Moshe ?

— Je suis dessus, dit Peres.

— Kletzmann est en train d'imprimer des clichés que vous pourrez emporter avec vous. Et d'ailleurs, Uri, si tu parviens à tirer des photos potables à partir des enregistrements vidéo, ça pourrait aussi nous servir.

Pincas acquiesça.

— Amos, penche-toi sur les vieux dossiers et les affaires classées. Regarde si tu trouves quelque chose avec des points communs. Et fais passer le mot à tes indics.

Namir acquiesça à son tour.

— Tu as des Arméniens dans le tas ?

— Un ou deux.

— Parle-leur. On ne sait jamais, quelqu'un a peut-être entendu quelque chose.

— Je viens de parler avec un Arménien que je connais, dit Ben-Roï. Le propriétaire de la Taverne arménienne. Il a laissé traîner ses oreilles, et à l'en croire, il est absolument impossible que qui que ce soit dans sa communauté ait fait un truc de ce genre.

Shalev réfléchit quelques instants.

— On a quand même besoin de vérifier toutes les hypothèses, finit-elle par répondre. Même si le lien avec les Arméniens n'est pas direct, c'est arrivé chez eux, alors quelqu'un doit savoir quelque chose. Mais tu as raison, gardons l'esprit ouvert.

Elle but une gorgée de café et son rouge à lèvres laissa une grande trace rouge sur le bord du gobelet. En général, Ben-Roï ne s'arrêtait pas à penser au rouge à lèvres de Shalev, mais ce matin il lui rappelait le sang séché autour de la bouche de la victime.

— J'imagine que je m'occupe de la femme ? fit-il en secouant la tête pour évacuer l'image.

— Exactement, répondit Shalev. Je veux que tu découvres son identité, d'où elle vient, ce qu'elle faisait à la cathédrale. La totale. Et je veux ça pour hier.

Elle reprit une gorgée de café, regardant tour à tour chacun des hommes dans la pièce. Personne ne disait rien.

— Et moi ? demanda Zisky.

Il était penché en avant comme un petit chien qui attend la promenade, ses mains – douces, féminines – serrées sur son carnet.

— « Moi ? » murmura Pincas en imitant sa voix, ce qui lui valut un regard courroucé de Shalev.

— Pour le moment, va faire un tour là-bas et pose des questions. Parle avec les prêtres. Repose des questions au type qui montait la garde à l'entrée, sa déposition est plutôt vague. Après, tu reviens ici et tu donnes un coup de main à Arieh.

— Un coup de main baladeuse, murmura Pincas.

— Va te faire foutre, dit Ben-Roï.

— Bon, messieurs, au boulot, conclut Shalev en se levant. La presse va faire ses choux gras de cette histoire, alors je veux des résultats. Et vite.

Elle frappa dans ses mains et tout le monde se leva dans un raclement de chaises. Shalev demanda à Ben-Roï de rester un instant et de fermer la porte.

— Merci de m'avoir trouvé une copine, dit-il en se rasseyant.

Leah Shalev avait une façon très particulière de serrer le poing lorsqu'elle était énervée, ce qu'elle fit justement.

— Lâche l'affaire, Arieh. C'est le genre de remarque qui ne m'étonne pas de la part de Néandertaliens comme Pincas ou Namir, mais je m'attendais à mieux de ta part...

— Enfin, Leah ! Ce mec est une vraie tapette... Qu'est-ce qu'il fout dans un poste comme Kishle ? On est en première ligne, merde !

— Je me souviens que pas mal de gens ont posé la même question, quand je suis arrivée ici...

Bien vu. Pas mal de sourcils s'étaient levés lorsqu'on avait nommé une femme investigatrice à Kishle, la seule femme à occuper cette fonction dans tout Jérusalem. Ben-Roï lui-même ne l'avait-il pas traitée de « poudre aux yeux » et de « concession faite aux partisans de l'égalité des sexes » ?

— Ce n'est pas pareil, dit-il.

— Oh, vraiment ?

— Ici, on n'amuse pas la galerie. Toi, tu es capable d'encaisser la pression.

— Et pas lui ?

— Mais regarde-le, bon sang ! C'est une vraie tap...

Shalev abattit son poing sur la table.

— La ferme ! J'ai un cadavre de femme au beau milieu d'une cathédrale, un psychopathe qui se balade dans les rues, pas assez d'hommes, et le commandant Gal sur le dos. Ça me fait assez de trucs à gérer sans me taper en plus une plainte pour harcèlement homophobe. On ne sait même pas s'il est...

— S'il est quoi ? Un *noshech kariot* ? Un bouffeur d'oreiller ?

— Oh, putain, Arieh ! Ce qu'il fait ou ne fait pas en dehors du boulot, c'est pas notre problème. Pour l'instant, j'ai besoin que vous travailliez ensemble sur cette affaire. Tous.

Ben-Roï murmura quelque chose.

— Pardon ?

— Je comprends, répéta-t-il, plus fort.

— J'espère, Arieh. Parce qu'on est vraiment sous pression.

Ben-Roï résista à l'envie de dire que les fesses de Zisky l'étaient probablement aussi.

— Il a un bon dossier, reprit Shalev. Aussi bien à Lod qu'à l'école de police. Et il en veut. C'est lui qui a demandé à venir à Kishle, pour être là où ça chauffe. En outre, il a aussi demandé à travailler avec toi.

— Quoi ?!

— Allez, Arieh ! Il a lu dans la presse ce que tu as fait sur l'affaire Shamir, quand tu as sauvé cette fille arabe... Il t'admire. Dieu seul sait pourquoi, mais il t'admire. Alors lâche-lui la grappe, OK ? Encourage-le, plutôt.

— OK, OK. On va être comme cul et chemise... Et je serai la chemise.

Shalev ne put s'empêcher de sourire.

— Bon, maintenant vas-y, espèce de débile. Et reviens avec des résultats.

Ben-Roï se leva et se dirigea vers la porte.

— Et pour ta gouverne, d'après l'école de police, Zisky est l'un des meilleurs étudiants qu'ils aient jamais eus, lui lança-t-elle. C'est un dur. Et appelle Sarah ! Ce n'est pas parce que tu travailles sur un meurtre que tu ne peux pas lui consacrer quelques minutes au téléphone...

Ben-Roï s'éloignait déjà dans le couloir, et s'il avait entendu sa dernière remarque, il n'en laissa rien paraître.

VANCOUVER, CANADA

Chaque fois qu'il avait un coup dans le nez, Dewey McCabe pensait à Denise Sanders, de la DRH. Et chaque fois qu'il pensait à Denise Sanders, il lui en voulait d'avoir refusé de sortir avec lui et se sentait pris du désir irrationnel de se venger.

Cette nuit-là, vers 2 heures du matin, Dewey avait un bon coup dans le nez et sa pulsion vengeresse se manifestait avec vigueur. C'est pourquoi, après avoir passé plus de sept heures à boire au Doonins Irish Pub, dans Nelson Street, il décida que le moment était venu d'aller couler un bronze sur le bureau de Denise Sanders.

Son plan commença à partir en vrille dès le début. Il parvint à rallier sans encombre l'immeuble de la Deepwell Gas and Petroleum, mais lorsqu'il poussa les grandes portes du hall, il s'aperçut qu'elles étaient fermées, ce qui, à 2 heures du matin, n'avait rien de surprenant. Il fallait donc qu'il appelle un des gardiens de nuit pour qu'il lui ouvre. Bien sûr, Dewey avait son badge, mais le vigile le regardait quand même d'un air soupçonneux, probablement parce que Dewey était rond comme une queue de pelle. Un moment, il crut avoir fait basculer la situation en sa faveur, en racontant qu'il avait un e-mail urgent à envoyer, mais le garde décida de l'accompagner dans les étages, et Dewey dut se résoudre à admettre que, ce soir-là du moins, le bureau de Denise Sanders resterait vierge de tout étron. Une véritable déception.

Une fois arrivé au sixième étage, comme il ne voulait pas perdre la face devant le vigile, Dewey se dirigea vers son propre poste de travail et alluma son ordinateur.

— Ça doit vraiment être un e-mail très urgent ! dit le garde, un homme avec un turban et qui était encore plus gros que Dewey.

— Hmm, répondit Dewey, qui, au vu de ses difficultés d'élocution, faisait tout pour que la conversation soit réduite à son minimum.

Ils attendirent donc en silence que la machine démarre, puis Dewey entra son mot de passe – deweygroschibre69 – tout en cherchant à qui il pourrait bien envoyer un e-mail. Pour une raison ou pour une autre, le système ne semblait pas vouloir le laisser se connecter. Dewey pensa qu'il avait dû faire une faute de frappe et recommença. Même résultat.

— Il y a un problème, monsieur ? demanda le vigile, dont la proximité était très énervante.

— Aucun problème, répondit Dewey en essayant une troisième fois, à nouveau sans succès.

Il se mit à réfléchir, puis, s'approchant de l'écran pour le masquer le plus possible aux yeux du gardien, entra le nom de Denise Sanders et son mot de passe, qu'il connaissait parce qu'il était l'un des trois administrateurs réseaux de la boîte – il se connectait dessus tous les jours pour voir si elle envoyait des e-mails à ce crétin de Kevin Speznik. Il put y accéder sans problème.

Dewey commençait à dessaouler. Il réessaya avec son propre compte. Toujours pas possible. Il essaya alors avec celui de Kevin Speznik, dont il connaissait aussi le mot de passe, et constata qu'il était bloqué lui aussi. Intéressant, parce que Speznik était l'un des trois administrateurs.

— Pourriez-vous vous reculer un peu ? dit-il au vigile en accompagnant sa demande d'un geste de la main. Il se passe quelque chose et j'ai besoin de...

Dewey se gratta la tête en regardant la rangée d'horloges sur le mur opposé, qui chacune indiquait l'heure d'une des seize antennes de la compagnie dans le monde. 2 h 22 à San Diego, 4 h 22 à Houston, 5 h 22 à New York. Bien trop tôt pour y trouver qui que ce soit. Ou trop tard, ça dépendait de comment on considérait la chose. 10 h 22 à Londres. Mieux. Il décrocha son téléphone et composa le numéro, puis demanda qu'on lui passe Rishi Taverner, du service informatique. Il tomba sur sa messagerie. Merde !

— Il y a un problème, monsieur ? répéta le vigile.

Dewey ne répondit pas. Il appela Francfort, où il tomba à nouveau sur une messagerie, puis, progressant vers l'est, Tel-Aviv, où l'administrateur système était parti déjeuner.

— Il n'y a donc plus personne qui bosse, dans cette putain de boîte, marmonna-t-il en composant le numéro de Delhi.

Il parvint à entrer en contact avec un certain Parvind, qui s'exprimait comme les acteurs des vieux films en noir et blanc. Il lui dit qu'eux aussi avaient des problèmes avec les comptes administrateurs. Trois autres coups de fil révélèrent des problèmes identiques à Kuala Lumpur, Hong Kong et Adélaïde. Dewey était presque totalement dégrisé à présent. Il sortit son mobile et appela son patron, Dale Springer, sur son fixe. Celui-ci décrocha au bout de onze sonneries.

— Ouais, lança-t-il d'une voix pâteuse.

— Dale, c'est Dewey. Je peux pas entrer.

— Quoi ?

— Je peux pas entrer.

— Putain, et qu'est-ce que tu veux que je fasse ? Va dormir sur un banc. Bon sang, mais t'es quand même...

— Je ne peux pas entrer dans le système. Je suis au bureau, là. On dirait que tous les comptes admin sont bloqués.

Il y eut un instant de silence, puis Dewey entendit son patron se lever. Quand il reprit la parole, Springer semblait tout à fait réveillé.

— Diagnostic ?

Son patron employait toujours ce genre d'expressions à la con. Il avait probablement un peu trop regardé *Star Trek*.

— Diagnostic ? répéta Springer plus fort. On a été hackés ?

— Ça m'en a tout l'air.

— Oh, merde.

Après, les choses se précipitèrent. Moins de vingt minutes plus tard, Springer arriva au bureau – son bas de pyjama dépassant sous son jean –, suivi de près par un flot continu de membres de la direction, y compris Alan Cummins, le P-DG de la boîte. Cela faisait huit ans que Dewey travaillait pour Deepwell, et il ne s'était jamais trouvé dans la même pièce que Cummins. A présent, tout d'un coup, celui-ci se penchait sur son épaule.

— Virez-les ! lança-t-il hargneusement. Virez-les tout de suite !

— Ce n'est pas aussi simple, monsieur, répondit Springer. Ils semblent avoir pris la main sur les droits d'admin...

— Bon sang, mais qu'est-ce que ça veut dire ?

— Pour faire court, ils sont Dieu ! s'exclama Dewey, qui se sentait incroyablement lucide, vu l'état dans lequel il se trouvait une heure plus tôt. Ils contrôlent l'ensemble du système. Ils peuvent faire ce qu'ils veulent, aller où ils veulent, regarder ce qui leur chante.

— Les comptes ? Les e-mails ?

— Tout.

— *Mes* e-mails ?

Dewey acquiesça.

— Nom de Dieu de merde !

— Ils ont dû mettre la main sur le log-in de quelqu'un et s'en servir pour accéder au gestionnaire des comptes de sécurité, dit Springer, avec une nuance d'admiration dans la voix. Après, ils n'avaient plus qu'à le copier, faire tourner un programme de récupération de mots de passe...

Alan Cummins semblait avoir du mal à respirer.

— ... une attaque par dictionnaire, une table arc-en-ciel...

Cummins donna un grand coup de poing sur la table, loupant de peu le clavier de Dewey.

— Fermez-la ! Fermez-la et virez-les !

— On ne peut pas les virer, monsieur, répondit Dewey.

En fait, il s'amusait bien, comme s'il était le héros d'un film de science-fiction. Genre Bruce Willis. Ou mieux, Steven Seagal.

— Ils contrôlent tout. La seule chose qu'on puisse faire, c'est descendre le système…

— Alors faites-le ! hurla Cummins. Si les services de l'environnement mettent la main ne serait-ce que sur une partie des…

Il s'interrompit, serrant convulsivement le poing.

— Monsieur, pour descendre le système, il faudrait que chaque employé dans chaque bureau de la compagnie sur la planète se déconnecte, dit Springer. En gros, ça signifie que la société doit arrêter l'ensemble de ses opérations.

Cummins se passa la main dans les cheveux.

— On va perdre des millions, grommela-t-il. Des millions.

A présent, il y avait beaucoup de monde dans les bureaux, tous agglutinés autour de Dewey, y compris le vigile, qui était resté là sans raison particulière et se tenait derrière Cummins, la main posée sur son arme comme un pistolero à moitié débile. Personne ne disait rien.

— Monsieur ? demanda Dewey.

Cummins se passait toujours la main dans les cheveux.

— Monsieur ?

Quelques secondes s'écoulèrent, puis le P-DG de Deepwell Gas and Petroleum laissa échapper un grand soupir.

— Allez-y, dit-il. Descendez le système. Coupez tout.

Dewey tendit la main vers son téléphone. Au même moment, son écran passa du bleu au rouge, puis un tourbillon de lettres blanches apparut. Elles voletèrent comme des feuilles mortes poussées par le vent et finirent par s'immobiliser en formant quatre mots :

BIENVENUE AU PROGRAMME NEMESIS

Dewey McCabe sourit malgré lui. Il ne savait pas trop ce que tout ça signifiait, mais une chose était sûre, c'était bien plus marrant que de couler un bronze sur le bureau de Denise Sanders.

JÉRUSALEM

Les enquêteurs de Kishle travaillaient dans une série de pièces au rez-de-chaussée, de l'autre côté du poste de police, auquel l'on accédait par une petite porte à l'arrière du bâtiment. Ben-Roï s'arrêta devant pour passer un coup de fil à Sarah. Cette fois-ci, elle décrocha, sans lui cacher qu'elle lui en voulait encore d'être parti de l'hôpital. Néanmoins, contrairement à d'habitude, ils purent discuter sans que la chose tourne au pugilat. En résumé, tout allait bien pour le bébé – Bubu, comme ils l'appelaient entre eux – et un nouveau rendez-vous était programmé dans six semaines. Ben-Roï ne prit pas la peine de le noter, Sarah le lui rappellerait une bonne douzaine de fois d'ici là.

— Et s'il te plaît, n'oublie pas pour demain ! dit-elle.

Le lendemain était un samedi, le jour de congé de Ben-Roï, et il avait promis à Sarah d'aller chez elle, à Rehavia, dans ce qui avait été leur appartement, pour décorer la chambre du bébé.

— Bien sûr que je n'oublierai pas.

— Bizarrement, tes « bien sûr » ne m'inspirent pas tellement confiance.

Ben-Roï grogna comme pour entériner le fait qu'il n'était qu'un raté sur lequel on ne pouvait pas compter. Il y eut un silence, puis Sarah reprit la parole, d'une voix plus douce, plus intime :

— Il a beaucoup bougé, aujourd'hui. On dirait qu'il fait la roue… On voyait tellement bien ses traits sur l'échographie. Son petit nez, ses yeux. Je pense qu'il va être très beau. Ou qu'elle va être très belle.

— Il tient de sa mère, Dieu merci.

Il l'entendit grommeler à l'autre bout du fil, amusée. Un instant, il pensa qu'elle allait lui lancer quelque chose de gentil. Auquel cas, il lui aurait répondu quelque chose de gentil aussi. Cela faisait un moment qu'un tel échange n'avait pas eu lieu entre eux. Néanmoins, elle se contenta de lui conseiller de prendre soin de lui et de ne pas oublier le rendez-vous du lendemain, puis raccrocha. Il regarda son appareil en soupirant. Même s'il jouait les durs – un vrai *sabra*, comme sa sœur le lui disait tout le temps, un vrai cactus israélien, piquant à l'extérieur et mou à l'intérieur –, en réalité Sarah lui manquait, et pas simplement parce qu'elle était enceinte de son bébé. Parfois, il se demandait s'ils ne devraient pas refaire une tentative ensemble. L'espace d'un instant aussi dingue que fugace, il pensa à acheter des fleurs, monter dans sa voiture et lui faire la surprise. Puis il secoua la tête, comme pour dire « ne sois pas ridicule », et se dirigea vers son bureau.

Il fallait bien reconnaître que Bibi Kletzmann faisait du bon boulot. Lorsque Ben-Roï alluma son ordinateur, les photos de la femme étaient déjà dans le système. Il y en avait des douzaines, prises de différents angles, ainsi que plein de gros plans du visage. Elle n'était pas très belle, mais ce n'était pas non plus un concours de beauté. Ben-Roï en choisit une et la copia dans un autre dossier.

Sur son bureau, il y avait deux autres éléments en rapport avec l'affaire : un post-it de Zisky, où il lui avait écrit son numéro de téléphone, « au cas où », et un sachet plastique contenant le bordereau de bibliothèque qu'il avait trouvé dans les poches de la victime. Ben-Roï se concentra sur ce dernier élément.

Ç'aurait été vraiment plus pratique si la personne avait pris la peine de le remplir correctement étant donné que, outre la date et les références de l'ouvrage qu'ils souhaitaient emprunter, les gens étaient censés y mentionner leur nom. Mais le bordereau était vierge, ce qui limitait son efficacité. Cela dit, c'était quand même une piste, et même à peu près la seule dont ils disposaient pour l'instant. Ben-Roï le retournait dans tous les sens, tandis que la voix de son mentor, le vieux commandant Levi, résonnait dans sa tête, comme elle semblait toujours le faire au début d'une enquête.

« Travailler sur une enquête, c'est comme forger une chaîne, Arieh, lui disait-il toujours. Tu commences avec un crime et un indice, et à partir de là, tu relies chaque maillon, chaque indice au suivant. La chaîne devient de plus en plus longue et finit par te conduire à l'assassin. Forge une bonne chaîne, et tu auras une bonne enquête. »

Le bordereau était le premier maillon de sa chaîne. Ben-Roï se demanda où il allait le mener.

— Quelqu'un a-t-il une idée de la bibliothèque d'où vient ce bordereau ? demanda-t-il en l'agitant en l'air.

Il y avait deux autres enquêteurs dans la pièce : Yoni Zelba et Shimon Lutzisch, qui travaillaient tous deux sur l'affaire de l'étudiant poignardé. De toute sa vie, Lutzisch ne s'était jamais ne serait-ce qu'approché d'une bibliothèque. En revanche, Zelba, qui était un grand lecteur, vint examiner le bordereau.

— Bibliothèque nationale, dit-il sans hésitation. A Givat Ram.

Ben-Roï le remercia, puis chercha le numéro de téléphone sur Internet. Il expliqua la situation à son interlocuteur du service des lecteurs, puis lui envoya la photo de la victime par e-mail, en le prévenant tout de même que le spectacle n'était pas beau à voir. Deux minutes plus tard, il avait un nom : Rivka Kleinberg. Probablement une Juive israélienne, et certainement pas une Arménienne. Ben-Roï le nota. Deuxième maillon.

— C'est une journaliste, dit le bibliothécaire, un certain Asher Blum, que la nouvelle avait secoué, ce qui n'avait rien d'étonnant, vu l'état du corps. Elle venait très souvent. Je crois qu'elle travaille pour *Ha'aretz*.

Le nom ne disait rien à Ben-Roï, mais d'un autre côté il lisait plutôt le *Yedioth Ahronoth*. Il nota cela aussi. Troisième maillon.

— Avez-vous ses coordonnées, ou un quelconque moyen de la contacter ?

L'homme lui fournit l'adresse de Kleinberg, son e-mail, le numéro de téléphone de chez elle ainsi que sa date de naissance – elle avait cinquante-sept ans. Ils n'avaient pas enregistré de numéro de portable, mais affirma être certain qu'elle en avait un, « parce qu'on était toujours obligés de lui demander d'arrêter de s'en servir dans les salles de lecture ». Aucun détail familial non plus.

— Savez-vous quand elle est passée pour la dernière fois ?

— Tout à fait. Elle est venue la semaine dernière, pour consulter des microfilms. Après, je ne sais pas si elle est repassée. Il faudrait que je demande à mes collègues.

— Si vous étiez assez aimable pour le faire au plus vite...

Ben-Roï griffonna un instant, puis reprit la parole :

— Vous avez une idée de ce qu'elle cherchait dans les microfilms ?

Apparemment, elle consultait des archives de journaux, mais Asher Blum ne pouvait guère en dire plus. Bien dommage. Ce genre de petit détail pouvait parfois permettre de résoudre une affaire. Ben-Roï lui donna son numéro de téléphone, au cas où il se souviendrait de quelque chose, puis le remercia et raccrocha. Il écrivit ensuite les détails qu'il venait d'apprendre sur une autre feuille qu'il donna à Amos Namir en lui demandant de faire circuler l'info, puis il passa un coup de fil à Nathan Tirat, un ami journaliste à *Ha'aretz*. Ils avaient fait leur service militaire ensemble, dans la brigade Golani, et étaient restés en contact. Au fil du temps, ils avaient développé un système d'échange de bons procédés : Ben-Roï glissait de temps à autre une bonne histoire à Tirat, et celui-ci lui rapportait les rumeurs intéressantes qui venaient jusqu'à ses oreilles, ce qui se produisait au moins une fois par semaine. « On est juste des flics qui maîtrisent la grammaire », avait-il l'habitude de dire pour plaisanter.

— Bien sûr que je la connais, répondit-il quand Ben-Roï mentionna Rivka Kleinberg. J'ai travaillé avec elle, dans le temps. Pourquoi me poses-tu la question ?

Ben-Roï hésita. Il savait que Leah Shalev et le commandant Gal espéraient disposer d'un peu de temps avant que la presse ne s'empare de l'histoire. D'un autre côté, il était évident qu'elle allait finir par en entendre parler, alors il se dit qu'il valait mieux en fournir la primeur à quelqu'un qui était au moins un peu sensible aux nécessités d'une enquête policière. Il raconta donc les faits à son ami, mais dans les grandes lignes, juste assez pour qu'il puisse se faire une idée.

— Je suppose que c'était écrit, déclara Tirat une fois que Ben-Roï eut fini. Rivka n'était pas à proprement parler populaire...

— C'est-à-dire ?

— Eh bien, c'était une journaliste d'investigation très sérieuse, et je pèse mes mots. Elle a découvert tout un tas de trucs que des gens ne voulaient pas qu'on découvre, et s'est fait un paquet d'ennemis. Des ennemis puissants.

— Des noms ? demanda Ben-Roï, intéressé.

— Tu veux que je commence par qui ? répliqua Tirat en riant. Tu te souviens du scandale des pots-de-vin de Meltzer ?

Comment Ben-Roï aurait-il pu l'oublier ? L'affaire avait monopolisé la une des journaux quelques années plus tôt. Des parlementaires de la Commission du plan avaient empoché des millions de shekels de la part d'un consortium de sociétés de construction à capitaux russes. Pour ce qu'il en savait, les principaux responsables étaient encore derrière les barreaux.

— C'est elle qui avait levé ce lièvre ?

— Absolument. De même que l'histoire des forces armées israéliennes qui tiraient pour tuer, ou les vidéos de viol du Hamas, ou encore le scandale du financement du Likoud... Et l'histoire de la bouffe pour mômes empoisonnée... C'était quand, déjà ? En 2003 ? La liste est sans fin. Palestiniens, colons, la droite, la gauche, les services de sécurité, les politiciens... elle s'est mis à peu près tout le monde à dos. Pour être franc, je suis surpris qu'elle ait tenu aussi longtemps.

— Elle avait reçu des menaces de mort ?

— Pas plus d'une ou deux par jour. Le standard avait pris l'habitude de les répertorier. Je pense que le record, c'était vingt, à la suite d'un article sur un *tzadik*, un homme très religieux qui vivait à Mea Sharim.

Ben-Roï tapota sur le bureau avec son stylo. Il avait espéré pouvoir restreindre le champ des recherches, mais d'après ce que lui disait Tirat, la moitié d'Israël et des Territoires avait des raisons de lui en vouloir.

— Tu as dit qu'elle travaillait là...

— Oui. Ils l'ont mise à la porte il y a deux ou trois ans.

— Pourquoi ?

— Eh bien, pour commencer, c'était un vrai cauchemar de bosser avec elle. Elle discutait tout. Elle faisait vivre un enfer aux rédacteurs qui s'avisaient de changer un seul mot de ce qu'elle avait écrit. Elle se mettait à hurler, littéralement. Ça passait tant qu'elle a ramené du matériel, mais vers la fin...

— Elle n'a plus rien ramené ?

— C'était plutôt qu'elle devenait un peu... obsédée, genre théorie du complot, tu vois ? On a un terme pour ça dans le métier : chasseur de fantômes. C'est un journaliste qui se met à voir des complots et des opérations de camouflage partout. Une histoire n'est jamais juste une histoire. Ils doivent toujours trouver quelque chose derrière, une conspiration, un truc louche. A l'évidence, un bon journaliste doit être un peu comme ça, et, crois-moi, Rivka était vraiment excellente, surtout dans sa jeunesse. Cependant, la plupart d'entre nous prennent les faits comme point de départ et regardent où ils les mènent, tandis que Rivka, de plus en plus souvent, supposait qu'elle allait découvrir un complot dévastateur et cherchait ensuite des faits pour étayer sa théorie. Elle a commencé à avancer des idées bizarres, et a pondu une ou deux histoires qui nous ont mis en délicatesse avec la justice. Ce que je veux dire, c'est qu'on sait tous que Liebermann est un trou du cul, mais je le vois mal prendre la tête d'un complot pour faire sauter tout le quartier de Haram al-Sharif.

D'après sa propre expérience avec les membres de l'extrême droite, Ben-Roï n'en était pas si sûr, mais il garda sa réflexion pour lui.

— Quoi qu'il en soit, la direction a décidé qu'elle devenait un problème et l'a mise dehors. J'ai été désolé pour elle, comme beaucoup d'entre nous. Elle n'était pas facile, mais quand elle reniflait une affaire, c'était un véritable exocet. Personne ne savait aller au fond d'une histoire comme Rivka Kleinberg. Elle n'avait peur de rien. Certains diraient même qu'elle était suicidaire.

— Qu'est-ce qu'elle a fait, après ? demanda Ben-Roï tout en notant ce que lui racontait son ami. Un autre journal l'a embauchée ?

— Personne ne voulait d'elle. Certainement pas les grands quotidiens nationaux, en tout cas. Elle traînait trop de casseroles. La dernière fois que j'ai entendu parler d'elle, elle travaillait pour un magazine d'opinion à Jaffa. Tu vois le genre de publication : louable, de gauche, qui diffuse à dix exemplaires.

— Tu as un nom ?

— Attends deux secondes...

Ben-Roï entendit un bruit de voix à l'autre bout du fil. Tirat revint au bout d'environ une minute.

— Ça s'appelle *Matzpun a-Am*, dit-il. « Conscience de la Nation ». Ce qui me fait croire que mon estimation de la diffusion était un peu optimiste. Leurs bureaux sont à Rehov Olei Tziyon.

Il donna à Ben-Roï une adresse et un numéro de téléphone, ainsi que le nom du rédacteur en chef : Mordechai Yaron.

— Et au cas où ça t'intéresse, je suis pratiquement sûr qu'elle n'avait pas de famille. Ses parents se sont suicidés. Par le gaz. Ce qui est assez ironique, étant donné qu'ils avaient survécu à l'Holocauste. Elle avait écrit un article là-dessus. C'est probablement une des raisons pour lesquelles elle était si perturbée.

— Des frères et sœurs, un petit ami ?

— Pas que je sache. Je crois me souvenir qu'elle avait un chat.

Ben-Roï lui demanda de laisser traîner ses oreilles, au cas où il pourrait tomber sur des infos supplémentaires. Puis, considérant qu'il avait largement de quoi avancer, il mit fin à la conversation :

— Appelle-moi si tu penses à quoi que ce soit, dit-il.

— Et toi, tu m'appelles s'il y a des développements intéressants, d'accord ?

Ben-Roï le remercia et raccrocha. Une minute plus tard, Tirat était de nouveau au bout du fil.

— Un petit détail qui a peut-être de l'importance, ou peut-être pas, lança-t-il. Peu après le départ de Rivka, je me souviens d'une discussion avec Yossi Bellman, le rédacteur en chef adjoint, qui m'a dit que de toutes les menaces de mort qu'elle avait reçues il n'y en avait que deux qui semblaient l'avoir perturbée. Ça remonte à plusieurs années, alors ça n'a probablement rien à voir, mais...

— Vas-y !

— La première provenait des colons de Hébron. Elle avait écrit un article sur une milice qu'ils avaient constituée et qui sortait la nuit pour briser les rotules d'adolescents arabes. Ils avaient récupéré l'adresse de Rivka et lui envoyaient des enveloppes molletonnées pleines de balles et de viande pourrie. C'est quand même le pays de Baruch Goldstein, le dingue qui avait tué vingt-neuf Palestiniens à l'arme automatique, alors il vaut mieux prendre ce genre de truc au sérieux.

— Et l'autre ?

— C'était juste après le scandale Meltzer. Il y avait des Russes assez énervés, étant donné qu'après avoir balancé plusieurs millions en pots-de-vin, dans l'espoir d'obtenir des contrats de construction, ils s'étaient retrouvés le bec dans l'eau à la suite de l'article de

Rivka. La Russkaya Mafiya, apparemment. Le bruit a couru qu'ils avaient mis un contrat sur sa tête. Ça l'avait totalement fait flipper. C'était il y a quatre ans environ, alors pourquoi auraient-ils attendu tout ce temps… Comme je te l'ai dit, ça n'a probablement pas de rapport, mais j'ai pensé qu'il valait mieux t'en parler.

Tirat raccrocha, laissant Ben-Roï pensif devant ses notes. La chaîne s'allongeait. Et devenait, semblait-il, plus complexe.

Louqsor

Peu après l'heure du déjeuner, Khalifa et Sariya arrivèrent à Louqsor par l'est, par la route de l'aéroport. Ils étaient arrêtés à un feu rouge, à l'angle d'El-Karnak et d'Al-Mathari, quand Khalifa ouvrit brusquement sa portière et descendit de la voiture.

— Je te retrouve au poste, dit-il. Il faut que je parle à quelqu'un.

Il claqua la portière et Sariya le regarda s'éloigner sur le boulevard, puis entrer dans un petit magasin de bonbons. Il en sortit quelques minutes plus tard avec un sac en papier dans les mains, mais le feu était passé au vert depuis longtemps et Sariya n'était plus là pour le voir.

Tout a changé. C'était ce que pensait Khalifa chaque fois qu'il se promenait dans le centre-ville. Rien n'est plus comme avant.

L'Egypte avait changé, bien sûr, avec le départ de Moubarak et l'arrivée du nouveau gouvernement. Cependant, Louqsor avait entamé sa métamorphose bien avant que la révolution de janvier ne transforme le paysage politique national. Autrefois, la ville était un véritable pot-pourri d'immeubles et de rues encombrées, un exemple de mauvaise politique urbaine, voire d'une absence totale de planification en la matière. Puis, ces dernières années, la ville avait subi un replâtrage radical. Le gouverneur de la région voulait de l'espace, de la modernisation, et c'est ce qu'il avait obtenu, sans regarder à la dépense et sans aucune pitié. Les rues avaient été élargies, les vieux immeubles rasés pour faire place à d'autres plus modernes, un système de contrôle des flux automobiles avait été installé. Le Nouveau Palais d'Hiver, une monstruosité rose à huit étages, avait été détruit, Midan Hagag repavé, l'esplanade de Karnak remodelée, et les berges du Nil avaient été réaménagées en promenade piétonnière.

Pis que tout, une tranchée de cent mètres de large avait été dégagée sur une distance de trois kilomètres entre Karnak au nord et le temple de Louqsor au sud, pour ressusciter l'avenue cérémonielle bordée de sphinx qui reliait les temples dans l'Antiquité. Parmi les nombreux immeubles sacrifiés sur l'autel de cette modernisation, il en était deux particulièrement chers au cœur de Khalifa : le vieux poste de police, à côté du temple de Louqsor, et le triste immeuble de béton où sa famille et lui avaient vécu.

La disparition du poste de police n'était pas une tragédie. Après tout, Khalifa avait dû y affronter des épreuves assez déplaisantes. En revanche, la disparition de l'immeuble où il avait habité était, plus que tout le reste, un véritable crève-cœur. Seize années de souvenirs, de joies, de peines, de rires et de larmes, disparues sous les coups des démolisseurs, afin qu'un troupeau d'Occidentaux obèses puisse prendre une jolie photo. Khalifa avait toujours aimé l'héritage culturel de son pays, et si des contingences financières ne l'avaient pas poussé dans les bras de la police, il aurait certainement fini par travailler pour le Département des antiquités. A présent, pour la première fois de sa vie, il se surprenait à regretter cet héritage. Des milliers de déracinés, des milliers de vies sens dessus dessous, et tout ça pour quoi ? Pour une rangée de sphinx qu'on n'avait même pas exhumés de façon correcte et dont la moitié étaient des reproductions en béton. C'était une folie. La folie du pouvoir. Et comme toujours en Egypte – comme toujours où que ce soit – c'étaient les faibles qui payaient le prix de tout ça.

Il s'engagea dans Sharia Toutankhamon, une rue étroite qui longeait l'église copte de Santa Maria pour déboucher, une centaine de mètres plus loin, sur un terrain vague jonché de détritus. A droite comme à gauche, l'avenue des Sphinx se prolongeait au loin, une cicatrice de six mètres de profondeur à travers le cœur de la ville, comme si un avion était venu s'y écraser. Ce terrain vague était l'un des endroits où la voie n'avait pas encore été creusée, ce qui laissait un passage, un pont de terre pour franchir la tranchée. Khalifa se dirigea vers un immeuble décati à la peinture écaillée et aux volets brisés, dans la rue Sharia Ahmes. Une croix copte surmontait la porte d'entrée, à côté de laquelle un panneau indiquait « Association du Bon Samaritain pour les enfants handicapés ». Il monta les marches du perron et entra.

Dans le foyer, un jeune garçon était assis sur une moto, une Dayun. Bossu, les jambes grêles, il se balançait d'avant en arrière en imitant le bruit d'un moteur. Khalifa sortit une barre chocolatée de son sac et la lui tendit.

— Je cherche Demiana, dit-il. Demiana Barakat.

Le jeune garçon posa les yeux sur la barre chocolatée, puis, sans dire un mot, descendit de son engin, prit Khalifa par la main et le conduisit dans un vaste salon où se trouvaient d'autres enfants. Certains étaient en fauteuil roulant, certains jouaient par terre ou regardaient des dessins animés sur une vieille télé noir et blanc. Assis à une table, un jeune homme nourrissait à la petite cuillère un bébé qui n'avait pas de bras.

— Que puis-je pour vous ? demanda ce dernier.

— Je cherche Demiana.

— Là-bas, fit-il en désignant une porte au fond de la salle.

Khalifa lui remit le sac de bonbons en lui demandant d'en distribuer le contenu aux enfants puis se dirigea vers la porte, toujours main dans la main avec le petit bossu. Elle était entrouverte, Khalifa frappa puis entra. Une femme maigre, anguleuse, les cheveux gris, une fine croix en or en sautoir, se tenait la tête entre les mains, les coudes posés sur un bureau encombré de papiers. Derrière ses lunettes à monture dorée, ses yeux semblaient avoir pleuré.

— Youssouf, dit-elle en se forçant à sourire. Quelle bonne surprise !

— Je n'arrive peut-être pas au bon moment ?

— En ce moment, ce n'est jamais le bon moment. Entre, entre donc ! s'exclama-t-elle en essuyant ses larmes. Helmi, va donc jouer dehors avec ta moto.

Helmi ne bougeait pas, et la femme dut le prendre gentiment par la main et le conduire vers la porte.

— Vas-y, mon grand. Sois un bon garçon. Va donc vivre une grande aventure sur ta moto !

Elle déposa un baiser sur son front et referma la porte derrière lui.

— Qu'est-ce que tu lui as donné ? demanda-t-elle en rejoignant son bureau.

— Une barre chocolatée.

— Il aime bien les gens qui lui donnent quelque chose, expliqua-t-elle avec un sourire. Il s'attache à eux. Mais assieds-toi ! Tu veux du thé, du café ?

— Rien, merci. Désolé d'arriver à l'improviste, s'excusa-t-il en prenant un siège.

— Ne sois pas ridicule ! Ça me fait plaisir de te voir. Ça me fait toujours plaisir. Ça faisait longtemps...

Khalifa et Demiana se connaissaient depuis des lustres. L'une des premières affaires sur lesquelles il avait travaillé quand il avait quitté Gizeh pour être affecté à Louqsor l'avait amené à fréquenter la communauté copte de la ville, et il avait rencontré Demiana à cette occasion, en tant que médiatrice. Outre l'Association du Bon Samaritain, elle dirigeait une bonne demi-douzaine d'œuvres caritatives, siégeait au conseil municipal et éditait une petite feuille de chou communautaire. Personne ne connaissait mieux qu'elle le monde copte.

— Comment va Zenab ? demanda-t-elle.

— Bien. Beaucoup mieux. Elle...

Il hésita, ne sachant trop quoi dire de plus. En fin de compte, il hocha la tête et changea de sujet :

— Des nouvelles, pour l'église ?

— On se bat toujours, bien que le résultat soit connu d'avance. La question c'est « quand », plutôt que « si ».

Comme l'ancien immeuble de Khalifa, comme le vieux poste de police, comme tant d'autres bâtiments, l'église de Santa Maria était promise à la destruction pour faire place à l'avenue des Sphinx.

— Au moins cet endroit est-il à l'abri, dit-il.

— Plus pour très longtemps, répondit-elle en lui montrant une feuille de papier. C'est une lettre du bureau du gouverneur. Ils divisent par deux notre subvention, ce qui revient à dire qu'ils nous obligent à fermer. Ils ont assez d'argent pour creuser un trou de trois kilomètres, mais pour aider des enfants démunis...

Elle ôta ses lunettes et s'essuya de nouveau les yeux.

— Le petit garçon qui t'a fait entrer. Helmi. Il a vécu ici toute sa vie. Des volontaires l'ont trouvé alors qu'il n'était encore qu'un bébé. Ses parents l'avaient abandonné dans une décharge, est-ce que tu peux le croire ? Et que va-t-il faire ? Où va-t-il aller ?

Sa voix commençait à se briser.

— C'est un monde tellement cruel, murmura-t-elle. Tellement cruel ! Mais tu le sais bien, Youssouf, n'est-ce pas ?

— Oui, je le sais bien.

Ils restèrent un instant les yeux dans les yeux. Puis elle prit une profonde inspiration, écarta la lettre du gouverneur et posa les mains à plat sur la table, subitement très professionnelle.

— De toute façon, je ne pense pas que tu sois venu pour m'écouter geindre. Qu'est-ce que je peux faire pour toi ?

Khalifa s'agita sur sa chaise. Après ce qu'elle venait de lui apprendre, il ne trouvait pas le moment très bien choisi pour lui demander de l'aide, pas avec tout ce qui lui arrivait. Elle comprit ce qu'il pensait et lui sourit.

— Allons, Youssouf. Nous nous connaissons depuis longtemps. Crache le morceau.

— Ce n'est pas si important que ça, marmonna-t-il. Ça peut att...

— Youssouf !

— OK, OK ! Je voulais te poser quelques questions sur la communauté copte.

— Eh bien, pose.

— As-tu entendu parler d'agissements antichrétiens, ces derniers temps ? Des agressions, du vandalisme ?

— Il y a toujours des agressions à l'encontre des Coptes. Tu le sais aussi bien que moi. Pas plus tard que la semaine dernière, un type de Nag Hammadi s'est fait...

— Pas dans la Moyenne-Egypte. Ici, dans la région de Louqsor.

— Pourquoi ? Que s'est-il passé ?

Khalifa lui raconta l'histoire du fermier et de son puits.

— Et il est arrivé la même chose à son cousin. Le fermier pense que le responsable est quelqu'un du village voisin, mais le chef dit qu'il n'est au courant de rien. Je me demandais juste si le problème est local ou s'il fait partie d'un schéma plus large.

Elle se renversa en arrière, jouant avec le petit crucifix. Le ventilateur qui tournait paresseusement au plafond n'atténuait en rien la chaleur qui régnait dans la pièce.

— Je n'ai rien entendu, dit-elle au bout d'un long moment. Il y a beaucoup de tension dans le Nord, comme tu le sais, mais par ici les choses ont toujours été très calmes, Dieu merci. A part ce cheik qui prêchait dans les villages, Omar je-ne-sais-plus-quoi...

— Abd el-Karim.

— Celui-là même. Un vrai fauteur de troubles, même si je crois me souvenir qu'il était plutôt antisémite qu'antichrétien. Sinon, il y a eu un incident, il y a deux mois environ, quand ce cireur de chaussures a été jeté dans le fleuve. Il était copte, mais je pense que c'était une histoire d'argent et non de religion.

Elle se tut. Dans l'autre pièce, un enfant s'était mis à pleurer, des sanglots rauques qui semblaient secouer l'immeuble dans ses fondations.

— Je ne vois pas, reprit-elle. Nous sommes une minorité, alors nous sommes toujours sur nos gardes, surtout depuis l'attentat à la bombe dans l'église d'Alexandrie et les émeutes d'Imbaba. Néanmoins, jusqu'à présent, nous n'avons jamais eu le genre de problèmes qu'ils ont à Farshut. Pas de violence, en tout cas. Certains musulmans refusent de se mêler à nous, et réciproquement, mais en général tout le monde cohabite plutôt bien. Les choses vont rarement plus loin qu'un regard de travers. Ça, et la démolition de notre église. Cela dit, ils ont aussi envoyé des bulldozers raser des mosquées, alors on ne peut pas mettre ça sur le dos de l'intolérance religieuse.

— Ce sont plutôt les imbéciles qui dirigent la ville qu'il faudrait blâmer, dit Khalifa.

— Je suis d'accord.

Quelqu'un frappa à la porte. Le jeune homme que Khalifa avait vu passa la tête dans l'embrasure et annonça à Demiana que les types de la banque Misr avaient rendez-vous dans deux minutes.

— On a fait une demande de prêt, expliqua-t-elle. Je doute que nous l'obtenions, étant donné que toutes les autres banques nous l'ont déjà refusé, mais il faut qu'on essaye. Je suis désolée, mais je vais devoir te laisser.

Khalifa agita la main.

— Je dois rentrer au poste, de toute façon.

Demiana le raccompagna jusqu'à la pièce où se trouvaient les enfants. C'était le bébé sans bras qui poussait ces sanglots déchirants. Posé au bout d'un canapé, il avait l'air d'une grande poupée cassée. Une fille, pensa Khalifa, sans en être sûr. Demiana la prit dans ses bras et presque aussitôt les sanglots se muèrent en de petits gémissements. Elle la berça un peu puis la remit entre les mains de son jeune assistant.

En sortant, ils tombèrent sur Helmi, perché sur sa moto, les joues tartinées de chocolat. Dès qu'il vit Khalifa, il vint lui donner la main.

— Ça t'ennuierait de poser quelques questions autour de toi ? demanda l'inspecteur à Demiana. Pour voir si quelqu'un a entendu quelque chose ?

— Bien sûr que non. Je te tiendrai au courant.

— J'ai été content de te revoir, Demiana. Et désolé pour ton financement.

— Ne t'inquiète pas. On va s'en sortir. Dieu trouvera un moyen.

Il y a encore peu de temps, Khalifa l'aurait crue, mais à présent il n'en était plus si sûr. Son foyer n'était pas la seule chose à s'être effondrée au cours des derniers mois.

— Je vais envoyer quelques e-mails, ajouta-t-il. Voir ce que je peux faire.

— Merci. Et s'il te plaît, dis à Zenab que nous pensons à elle.

Demiana marqua une pause.

— Youssouf, je voudrais que tu saches…

Il leva la main pour la rassurer, puis s'accroupit face à Helmi.

— Tu crois en la magie ? lui demanda-t-il.

Pas de réponse.

— Tu veux en voir ?

Le petit garçon acquiesça imperceptiblement. Tout en le regardant droit dans les yeux, Khalifa sortit discrètement de sa poche une barre de Mars.

— Abracadabra ! s'exclama-t-il en faisant semblant de la tirer de son oreille.

Helmi éclata de rire. Il riait encore tandis que Khalifa s'éloignait dans la rue. Un des sons les plus tristes qu'il ait jamais entendus, songea-t-il.

JÉRUSALEM

Ben-Roï passa trois autres coups de fil avant de se rendre à l'appartement de Rivka Kleinberg.

Le premier à *Matzpun a-Am*, le magazine où elle travaillait. Il tomba sur un répondeur, laissa ses coordonnées en demandant qu'on le rappelle au plus vite.

Le deuxième à El-Al, la compagnie aérienne nationale israélienne. En effet, la victime semblait sur le point de partir en voyage, étant donné que les vêtements dans son sac étaient propres. Bien sûr, elle aurait pu voler sur une autre compagnie, mais El-Al semblait la piste la plus évidente. Il exposa son problème à un interlocuteur de la direction et demanda qu'on vérifie l'éventuelle présence de Rivka sur les listes de passagers.

Le dernier à Dov Zisky. A nouveau, il tomba sur le répondeur.

— Zisky, c'est Ben-Roï. On a identifié la victime. J'aurais besoin que tu vérifies ses e-mails, son fixe et son portable. J'ai laissé tous les détails sur ton bureau.

Il hésita, se demandant s'il devait ajouter quelque chose, encourager un peu le gamin, comme Shalev le lui avait suggéré. Ce n'était pas trop dans ses habitudes. Il allait raccrocher, puis se ravisa :

— J'aimerais aussi que tu ailles voir l'archevêque Petrossian. Je lui ai déjà parlé : il dit qu'il n'est au courant de rien, mais ça vaut toujours le coup de réessayer. Ça m'intéresse de voir ce que tu pourrais tirer de lui.

Il hésita de nouveau, et finalement murmura « bonne chance » avant de raccrocher.

L'appartement de Kleinberg se trouvait à l'angle de Ha-Eshkol et Ha-Amonim, à un jet de pierre du souk bigarré de Mahane Yehuda. Ben-Roï s'arrêta en chemin à l'étal d'un boulanger pour s'acheter de quoi calmer sa faim, puis se dirigea vers l'immeuble aux balcons fleuris où elle avait habité.

Sur le panneau de l'interphone, tous les boutons n'étaient pas assortis d'un nom, et celui de Kleinberg n'y figurait pas. Il pressa donc le bouton qui indiquait « Davidovich – Concierge ».

— *Ken*, dit une voix masculine, manifestement âgée.

— Monsieur Davidovich ?

— *Ken.*

— *Shalom.* Je suis l'inspecteur Arieh Ben-Roï, de la police de Jérusal…

— Ah ! Enfin vous êtes là !

— Pardon ?

— Ça fait quatre jours que je vous ai appelés. *She 'elohim ya'a zora !* Que Dieu nous vienne en aide ! Si c'est comme ça que la police travaille, pas étonnant que ce pays parte en quenouille !

Ben-Roï ne voyait absolument pas de quoi il parlait.

— Je suis venu à propos de Mlle Rivka Kleinberg…

— Je le sais bien ! Pas la peine de me le dire ! répondit l'homme, exaspéré. Attendez, je vous ouvre…

Ben-Roï entendit un bruit de pas derrière la porte, suivi d'un raclement de verrous. Le battant s'ouvrit sur un petit homme chauve en kippa, vêtu d'un cardigan sur lequel il arborait un badge « Votez Shas », ce qui était plutôt étonnant en cette période où aucune élection n'avait lieu.

— Comment ça se fait que vous ayez mis autant de temps ? aboya-t-il.

— Il doit y avoir une erreur. Je suis venu parce que…

— Les menaces. Je sais ! C'est moi qui vous ai appelés, souvenez-vous. *Oy vey !*

Ben-Roï tentait de suivre le rythme.

— Quelqu'un a menacé Mlle Kleinberg ?

— Quoi ?

— Vous avez appelé la police parce que quelqu'un a menacé Mlle Kleinberg ?

— Mais de quoi vous parlez, *da fook !…* C'est Kleinberg qui m'a menacé, moi ! Elle a dit qu'elle allait me faire descendre, cette folle ! Je suis le concierge, je dois quand même garder cet endroit propre, non ? Son chat fait ses besoins partout, j'ai quand même le droit de me plaindre, non ?! Il a laissé une merde au beau milieu du palier. Grosse comme le poing ! Si j'avais un fusil, j'aurais...

— Rivka Kleinberg a été assassinée hier soir.

Cela fit taire le vieil homme.

— On a découvert son corps ce matin, et on vient juste de trouver son adresse.

Le concierge le dévisagea en clignant des yeux, se dandinant d'un pied sur l'autre.

— Grosse comme le poing, parvint-il juste à répéter. Pile au milieu du palier...

Ben-Roï expliqua qu'il avait besoin de jeter un coup d'œil au logement de la victime. Le concierge partit chercher son passe en grommelant, puis conduisit Ben-Roï jusqu'à l'appartement.

— C'était une femme difficile, dit-il tandis qu'ils montaient. Je ne veux pas lui manquer de respect, et je suis désolé pour elle, mais elle était difficile. Les résidents de cet immeuble n'ont pas le droit d'avoir des animaux domestiques, c'est interdit par le règlement. Pourtant, je fermais les yeux là-dessus, je lui demandais juste de ne pas laisser sortir son chat de son appartement. « Enfermez-le et je ne dirai rien », que je lui disais. Mais elle ne m'écoutait pas, et son chat a fait ses besoins sur le palier. Et quand je lui ai fait des remontrances, elle est devenue enragée ! Bon Dieu ! Complètement enragée ! Et en plus, quel langage ! « Putain ceci ! Putain cela ! Occupez-vous de vos putains d'oignons ! » Quelle honte ! C'était une femme exécrable, horrible ! Je dis ça sans lui manquer de respect.

Ils atteignirent le dernier étage. Davidovich guida Ben-Roï le long d'un couloir, s'arrêtant un instant pour lui montrer l'endroit précis où le chat s'était laissé aller.

— Grosse comme mon poing, murmura-t-il encore.

La porte avait un œilleton et deux serrures. Le concierge glissa une clé dans celle du haut, puis, s'apercevant que ce n'était pas la bonne, en essaya une autre.

— Attendez ! s'écria subitement Ben-Roï en saisissant son bras.

Quelque chose sur le sol avait attiré son attention : un petit bout d'allumette sur le carrelage au pied de la porte, tout contre le chambranle. Il le ramassa. Ce n'était peut-être rien, mais Nathan Tirat lui avait dit que Kleinberg avait de bonnes raisons de se montrer paranoïaque. Et le truc de l'allumette coincée dans la porte cadrait bien avec cette description. En effet, si quelqu'un s'introduisait chez vous en votre absence, ce stratagème permettait de s'en rendre compte.

— Avez-vous ouvert cette porte au cours des dernières vingt-quatre heures ?

— Ça ne va pas, non !? Vous n'avez pas entendu comment elle m'a parlé ? Je ne me suis pas approché de cette satanée bonne femme !

— Et quelqu'un d'autre a-t-il les clés ?

— Sincèrement, j'en doute. J'ai déjà eu suffisamment de mal à ce qu'elle m'en donne une. « Mademoiselle Kleinberg, que je lui ai dit, je suis le concierge, c'est dans le bail, il faut que j'aie un double des clés en cas d'incendie ou de fuite de gaz... »

Ben-Roï ne l'écoutait plus. La victime n'avait pas de clés sur elle. Ce qui signifiait qu'il était hautement probable que quelqu'un soit venu ici...

Il appela Leah Shalev sur son portable et lui demanda d'envoyer les techniciens à l'appartement le plus tôt possible. Ainsi que quelques uniformes pour relever les témoignages des autres résidents de l'immeuble. Il raccrocha, prit les clés des mains du concierge et ouvrit lui-même la porte en prenant soin de ne toucher à rien. Une odeur de vaisselle sale et de vieille litière l'assaillit dès qu'il poussa le battant.

— *Oy vey*, murmura Davidovich.

Devant eux courait un couloir au lino triste, flanqué de part et d'autre de portes entrouvertes et débouchant sur ce qui semblait être un salon. Assis au milieu de ce couloir, un chat obèse et tigré, une clochette à son collier, les dévisagea un instant avant de disparaître dans un tintement.

— C'est lui le coupable, grogna Davidovich.

Tirant un mouchoir de sa poche, Ben-Roï actionna l'interrupteur. Il fit courir son regard un peu partout, puis, remerciant le concierge, entra et ferma derrière lui.

La première chose qui le frappa fut les mesures de sécurité dans l'appartement. Outre les deux serrures à trois points, il y avait une chaîne et deux verrous de ce côté-ci de la porte, ainsi qu'une bombe lacrymogène sur une étagère. Kleinberg était vraiment une femme rongée par la peur.

Il s'avança, poussant chaque porte du bout du pied. L'endroit était une véritable porcherie, manifestement plus du fait de son propriétaire que d'un quelconque intrus, même s'il ne pouvait pas en être sûr. Des gamelles à moitié entamées traînaient dans la cuisine, la litière dans la salle de bains n'avait pas été nettoyée depuis des lustres, une des chambres était jonchée de vêtements, tandis que dans une autre s'empilaient des boîtes pleines de fiches.

Le salon, qui faisait aussi office de bureau, était dans un état particulièrement chaotique. Chaque centimètre carré croulait sous des montagnes de papiers, de livres, de magazines et de journaux. Il allait falloir plusieurs jours pour passer tout ça en revue. Des semaines. En s'y mettant à plusieurs.

— *Zayn !* murmura-t-il en regardant ce fatras. Putain !

Une porte vitrée percée d'une chatière donnait sur un balcon, où le chat était à présent installé sur une chaise longue.

Il se dirigea vers le bureau qui la jouxtait. Des piles de photocopies et de coupures de journaux, un registre à reliure en cuir, un Rolodex, deux dictionnaires, un thésaurus et une tasse en céramique remplie de stylos, une imprimante et un modem, mais pas d'ordinateur. Ben-Roï s'accroupit pour regarder en dessous. Aucun des câbles nécessaires à la connexion d'une tour, ce qui tendait à indiquer que Kleinberg travaillait avec un portable. Une inspection rapide de l'appartement ne lui permit pas de le trouver. Peut-être était-il enfoui quelque part, ou en réparation ? Ou alors, l'assassin s'en était emparé, soit ici, soit dans le sac de Kleinberg, à la cathédrale. Son instinct lui souffla que cette dernière hypothèse était la bonne, même si rien ne permettait de l'affirmer.

Il sortit son propre stylo et s'en servit pour retourner les papiers sur le bureau, en prenant soin de ne toucher à rien. Il trouva pas mal de feuillets imprimés portant sur la communauté arménienne et la cathédrale Saint-Jacques, à l'évidence en rapport avec son enquête, même si les informations qui y figuraient étaient plutôt d'ordre général. Beaucoup de choses sur la prostitution et l'industrie du sexe en Israël, dont plusieurs fascicules sur le sujet de la part d'un organisme, « la Hotline des travailleurs issus de l'immigration ». Quelques exemplaires de *Matzpun a-Am*, un atlas avec un marque-page glissé à l'endroit traitant de la Roumanie. Des cartes pliantes d'Israël et d'Egypte. Des coupures de journaux sur divers sujets : piratage informatique, décorations militaires britanniques, psychologie des enfants maltraités, fonderie d'or (trois sur ce sujet-là). Seul le hasard semblait régir cette compilation. S'il y avait des indices là-dedans, Ben-Roï n'avait pas la moindre idée de ce qu'ils pouvaient être ni de comment les interpréter. C'était comme chercher une aiguille dans une botte de foin sans même savoir à quoi ressemble une aiguille.

— *Zayn !* s'exclama-t-il à nouveau.

Il passa une bonne demi-heure à fouiner dans ce capharnaüm, puis, en ayant l'impression qu'il en avait à peine exploré la surface, tourna son attention vers la chambre à coucher. Le lit n'était pas fait, des vêtements traînaient partout, une demi-douzaine de flacons remplis de comprimés se trouvaient dans le tiroir d'une commode. Un dessin d'enfant sur une feuille bleu pâle, représentant une femme aux longs cheveux blonds, était scotché au mur.

Sur la table de nuit, il remarqua trois photos dans des cadres transparents, les premières qu'il voyait dans l'appartement. Il se pencha pour les examiner de plus près.

Sur l'une, on voyait une vingtaine de jeunes femmes vêtues de treillis, souriant à la caméra, probablement pendant leur service militaire. Une version beaucoup plus jeune de Rivka Kleinberg se trouvait sur la gauche du groupe, le bras autour des épaules d'une belle fille qui portait des lunettes de soleil. Au dos, une dédicace : « A ma chère Rivka – Les jours heureux ! Lx »

Sur une autre, en noir et blanc, un jeune couple se donnait la main avec la mer à l'arrière-plan. Leur regard recelait quelque chose de mort – une chose que Ben-Roï avait remarquée chez de nombreux survivants de l'Holocauste. Probablement les parents de Kleinberg.

Sur le troisième cliché, une fillette de huit ou neuf ans avec des couettes auburn et des taches de rousseur souriait de toutes ses dents. Au dos, d'une écriture enfantine, était inscrite une comptine :

Sally, Carrie, Mary-Jane,
Lizzy, Anna, qu'est-ce qu'un nom ?
Hannah, Amber, Lee, Stella,
Cachez-moi, que personne ne me voie,
Jenny, Penny, Alice, Sue,
Mais seule Rachel existe vraiment.

Ben-Roï regarda le dessin accroché au mur et la photo de la fillette. Quelque chose lui disait que ces deux objets dénotaient, qu'ils ne cadraient pas avec la Rivka Kleinberg que tout le monde lui décrivait. Peut-être cela vaudrait-il le coup de chercher à identifier la petite fille ? Cependant, cela ne semblait pas présenter de rapport direct avec l'enquête, alors il reprit sa fouille de l'appartement.

C'est dans la cuisine qu'il trouva le premier truc intéressant. Plus précisément dans la poubelle. Au milieu des déchets habituels, il remarqua un ticket de bus de la compagnie Egged. Jusqu'à présent, il avait fait attention à ne rien toucher, mais cette fois-ci la curiosité l'emporta. Il prit le ticket et le déplia. Il datait de cinq jours, donc quatre avant le meurtre. C'était un billet de retour depuis Mitzpe Ramon, une ville paumée au milieu du Néguev.

Important ? Il n'en avait pas la moindre idée, mais quelque chose lui disait que oui. Il replia le ticket et le glissa dans sa poche.

Il s'intéressa à la chambre d'amis en dernier. Il y trouva la réponse à la question qui lui trottait dans la tête depuis le début de sa fouille : l'absence de carnets de notes.

Tous les journalistes qu'il avait rencontrés dans sa vie en utilisaient. Pas simplement au quotidien, mais aussi en tant qu'archives. Tout comme les enquêteurs, ils avaient toujours besoin de vérifier ou de recouper une information obtenue auparavant. L'appartement de Nathan Tirat, par exemple, en était rempli. Ben-Roï se souvenait que le jour où sa femme en avait jeté un paquet, au cours d'un nettoyage de printemps, l'affaire avait failli se conclure par un divorce.

Or, il n'en avait pas trouvé un seul chez Kleinberg. Il apparut qu'ils étaient tous stockés dans la chambre d'amis, soigneusement rangés, en parfait contraste avec le reste de l'appartement. Trois décennies de travail. A priori, toute sa carrière. Des centaines de carnets, étiquetés, en hébreu et en anglais, triés par dates et classés dans des boîtes année par année, de telle sorte que retrouver les notes pour un article rédigé en avril 1999, par exemple, était un jeu d'enfant. Au début, elle avait utilisé des carnets de différents formats, mais au cours des vingt dernières années elle avait jeté son dévolu sur un carnet A4 à reliure rigide et double interligne.

Il semblait évident que les données contenues là-dedans étaient potentiellement utiles, mais il allait falloir beaucoup de temps pour les traiter. Pas seulement à cause de leur quantité, mais aussi parce que Kleinberg se servait d'une sorte de sténo. Il faudrait bien le faire, mais pour le moment, ce qui perturbait Ben-Roï n'était pas la présence mais l'absence de quelque chose. En effet, aucun carnet ne couvrait la période des trois derniers mois. Il parcourut chaque boîte, retourna fouiller la chambre à coucher et le salon, mais il ne trouva rien. Comme si sa vie de journaliste avait subitement pris fin douze semaines plus tôt.

Le mentor de Ben-Roï, le commandant Levi, lui avait inculqué un autre grand principe de police : les « crampes d'estomac ». C'est-à-dire cette sensation qui prend un policier quand quelque chose ne colle pas dans le tableau général qu'on se fait d'une affaire. Un corps étranglé au milieu d'une cathédrale, bien sûr, ça ne colle pas, mais ce n'était pas à cela que le commandant Levi faisait référence. Il ne s'agissait pas des crimes proprement dits, mais des anomalies qu'ils recelaient. Et l'absence de ces carnets en était une.

Tout comme pour celle de l'ordinateur portable, plusieurs explications étaient possibles, mais dans son for intérieur Ben-Roï pensait que c'était l'assassin qui avait emporté les carnets. Et ça, ça lui donnait de sérieuses crampes d'estomac, parce qu'un tueur qui dérobait des carnets remplis de notes ne répondait pas du tout au même profil qu'un type qui étranglait une femme pour lui prendre son portefeuille, son portable et son ordinateur. Cela créait une rupture. Cela ne collait pas. Il s'appuya contre la fenêtre et se mit à réfléchir. Il était encore là lorsque les membres de la police scientifique arrivèrent, une demi-heure plus tard.

Il resta dans l'appartement pendant qu'ils se mettaient au travail, puis, au bout d'une trentaine de minutes, se disposa à partir. C'est alors que l'un des experts – une femme – lui fit signe.

— Je ne sais pas si c'est intéressant, mais vous devriez regarder ça, dit-elle en lui montrant un papier buvard.

Au début, il ne vit pas ce qu'elle lui montrait. Le buvard semblait vierge, à part une ou deux taches d'encre. Ce n'est qu'en se penchant qu'il distingua de faibles marques gravées dans le buvard, traces de ce que Kleinberg avait dû écrire sur une autre feuille. La plupart étaient illisibles, mais certaines étaient plus profondes que les autres, comme si elle avait appuyé un peu plus fort en écrivant. A huit reprises, Kleinberg avait écrit « Vosgi ».

— On dirait que ça la préoccupait, pour qu'elle insiste comme ça, dit l'experte.

Vosgi...

— Ça vous évoque quelque chose ? demanda Ben-Roï.

— Non, et vous ?

— Non.

Quoi qu'il en soit, ce n'était pas de l'hébreu. Ben-Roï sortit son carnet et y inscrivit le mot. Il resta quelques instants à le regarder, puis haussa les épaules, remit le carnet dans sa poche et se dirigea vers la porte.

— Essayez de trouver quelqu'un pour héberger le chat ! lança-t-il en partant.

LOUQSOR

Khalifa ne connaissait que trois personnes riches. Un ami d'enfance qui avait réussi dans l'industrie du logiciel, une romancière américaine millionnaire avec qui il avait établi une vague amitié après qu'elle avait visité Louqsor pour faire des recherches sur une série policière ayant pour cadre les forces de l'ordre de cette ville (quelle idée ridicule !), et Hosni, son beau-frère.

Après son entrevue avec Demiana Barakat, il s'était arrêté dans un cybercafé pour envoyer un e-mail aux deux premiers, en expliquant les problèmes financiers de son amie et en leur demandant s'ils pouvaient faire un geste en sa faveur. Il ne se sentait pas très à l'aise. Khalifa était un homme fier, il n'était pas dans sa nature de demander de l'aide, et encore moins de l'argent. Cependant, il n'arrivait pas à s'ôter de la tête l'image du petit bossu, et il se sentait obligé de faire quelque chose.

Il ne s'embêta pas à contacter Hosni. Celui-ci, bien que vice-président d'une des plus grandes compagnies pétrolières égyptiennes, avait des oursins plein les poches.

Il hésita entre retourner au poste ou rentrer chez lui, mais décida finalement de ne faire ni l'un ni l'autre. En effet, cet après-midi même, son supérieur hiérarchique, l'inspecteur-chef Abdul ibn-Hassani, avait décidé de les faire profiter d'un de ses interminables exposés sur la modernisation : « Nouvelle Egypte, nouveau Louqsor, nouveau poste de police, nouvelles forces de l'ordre ! » (Le titre était de lui.) Et à la maison, Sama – la sœur de Zenab qui avait épousé Hosni – étant venue passer la journée à Louqsor, il fallait s'attendre à un flot interminable de considérations sur le maquillage, la mode et les derniers ragots de la haute société, encore plus soporifique que les homélies de l'inspecteur-chef.

Alors il sauta dans un bateau à moteur qui lui fit traverser le Nil, prit un taxi vers Deir el-Médineh et grimpa jusqu'à son « sanctuaire », une saillie rocheuse à mi-hauteur des falaises qui entourent la Cime. Là, il pouvait rester seul avec ses pensées devant le fabuleux spectacle de la Vallée des Rois.

Khalifa avait découvert son sanctuaire seize ans plus tôt, peu après son arrivée dans la région de Louqsor. Néanmoins, le Khalifa qui venait s'asseoir ici à l'époque n'était pas le même que celui d'aujourd'hui. La vie l'avait changé. Et cette vallée, ce lieu qui témoignait d'une histoire millénaire, changeait, lui aussi. Y pouvait-on quelque chose ?

Il sortit une photo de son portefeuille : Zenab, lui-même et leurs trois enfants, Batah, Ali et le petit Youssouf. La *team* Khalifa, comme ils aimaient se surnommer. Le cliché avait été pris deux ans plus tôt, à l'endroit même où il se trouvait à présent. Ils s'étaient serrés les uns contre les autres en riant et Khalifa avait tenu l'appareil à bout de bras. Juste après, il avait glissé et entraîné

Ali dans une culbute le long de la pente qui avait provoqué encore plus de rires.

Ils riaient si souvent, avant...

Il regarda le cliché pendant un long moment. Enfin, après avoir posé ses lèvres sur le papier glacé, il le rangea soigneusement dans son portefeuille. Ensuite, il alluma une cigarette et se perdit dans la contemplation du désert alentour.

JÉRUSALEM

Lorsque Ben-Roï arriva à Kishle, Yoni Zelba et Shimon Lutzisch étaient déjà partis, tandis que Dov Zisky était à son bureau, penché sur sa table comme un lecteur du Talmud.

— Alors, ça avance ? demanda-t-il en ôtant sa veste.

— Pas trop, répondit Zisky. Le six horizontal est vraiment difficile...

Ben-Roï ouvrit la bouche pour lui demander s'il n'avait rien de mieux à faire qu'une grille de mots croisés en pleine enquête pour meurtre lorsqu'il se rendit compte que le gamin plaisantait. Zisky avait peut-être une voix de chanteuse de variétés, mais il avait aussi le sens de l'humour, on ne pouvait pas lui enlever ça. Et ce n'était pas plus mal, parce que dans la police israélienne il en fallait, si l'on ne voulait pas finir aussi aigri qu'Amos Namir.

— On en est où ?

— J'ai retrouvé l'opérateur du portable de Kleinberg. Elle est chez Pelephone. Ils vont nous fournir un relevé de ses appels pour les six derniers mois. Idem pour son fixe et son compte Gmail. En revanche, tout le monde ferme pour shabbat, alors on n'aura rien avant dimanche au plus tôt.

Ben-Roï grommela, mais ne protesta pas. Les choses fonctionnaient comme ça dans cette partie du monde – même les enquêtes pour meurtre prenaient un jour de repos par semaine.

— Et du côté des Arméniens ? demanda-t-il en parcourant la une du *Yedioth Ahronoth*, qu'il avait acheté en venant.

— Pas grand-chose. Le concierge qui était de garde hier soir n'a rien ajouté à sa déposition. La victime a franchi le portail vers 19 heures. Il pense que quelqu'un est peut-être entré après elle, mais comme il était au téléphone avec sa femme, il n'a pas vraiment fait attention. En tout cas, il ne peut pas nous décrire qui que ce soit. Espérons qu'on aura plus de chance avec les caméras de vidéosurveillance.

— Espérons.

— En revanche, il a dit qu'il l'avait déjà vue.

Ben-Roï leva la tête.

— Et d'autres personnes racontent la même chose. Il semblerait qu'elle soit venue relativement souvent au cours des deux ou trois dernières semaines.

Ben-Roï replia son journal et s'adossa à son siège, intéressé.

— Raconte-moi ça.

— Eh bien, d'après ce qu'il dit, le concierge l'a déjà vue au moins deux fois. Et un autre affirme qu'il l'a repérée quatre ou cinq fois. Il y a aussi un prêtre, un certain…

Zisky feuilleta son carnet pour retrouver le nom qu'il avait noté, mais Ben-Roï agita la main, l'air de dire « aucune importance ».

— Quoi qu'il en soit, il a dit qu'il l'avait vue assister à plusieurs offices, le matin et l'après-midi. Il a pensé qu'elle attendait peut-être quelqu'un, mais aucun de ceux que j'ai interrogés ne se souvient de l'avoir vue parler à quiconque. Les uniformes font toujours du porte-à-porte – ils vont peut-être trouver quelque chose.

Ben-Roï acquiesça.

— J'ai aussi parlé à l'archevêque Petrossian.

— Et ?

— Il ne m'a consacré qu'un quart d'heure, alors on n'est pas vraiment allés au fond des choses. En gros, il a du mal à croire qu'un membre de sa communauté ait pu commettre un tel acte, mais à part ça il ne peut rien nous apprendre.

— Tu le crois ?

Zisky haussa les épaules.

— Indéniablement, cette histoire le préoccupe. Ça se voit dans ses yeux. J'ai l'impression…

— Qu'il mentait ?

— Plutôt que… qu'il se passe quelque chose d'autre qui le tarabuste. Un truc dont il ne parle pas. Mais je n'ai rien de précis. Juste une intuition.

Une intuition féminine, pensa Ben-Roï, mais il garda cette pensée pour lui.

— Il a un alibi ?

— Il déclare avoir passé la soirée dans ses appartements. On n'a trouvé personne pour corroborer ses dires. Je peux creuser un peu, si vous voulez. Essayer de comprendre le contexte.

— Oui, bonne idée. Et pendant que tu y es, essaie de voir ce que tu peux trouver là-dessus, dit Ben-Roï en lui donnant le ticket de bus Egged qu'il avait trouvé chez Kleinberg.

Zisky se leva pour le prendre, déplaçant avec lui un parfum diffus d'après-rasage.

— Kleinberg s'en est servie il y a cinq jours, poursuivit Ben-Roï. Pour aller à Mitzpe Ramon. J'aimerais bien savoir ce qu'elle faisait au beau milieu du Néguev.

Zisky jeta un coup d'œil au ticket.

— Autre chose, ajouta Ben-Roï, en fin de compte plutôt satisfait de pouvoir se décharger de certaines tâches. Est-ce que tu pourrais trouver la signification de ce mot ?

Il feuilleta son carnet et le posa sur la table à la page où il avait noté le mot inscrit sur le buvard de Kleinberg : « Vosgi ». Zisky se pencha pour le lire, la joue tout contre celle de l'inspecteur. L'odeur d'après-rasage fut subitement plus intense.

— Désolé ! J'espère que je ne vous interromps pas ? lança Uri Pincas en passant la porte.

— On ne t'a jamais appris à frapper avant d'entrer ? demanda Ben-Roï en se redressant brusquement.

Pincas ricana et joignit les lèvres comme pour lui envoyer un bisou.

— Qu'est-ce que tu veux ? grogna Ben-Roï.

— Juste vous dire que les images de la vidéosurveillance sont arrivées. On regarde ça dans cinq minutes. J'espère que ça vous laisse le temps de vous refaire une beauté...

— Va te faire foutre, Pincas !

— Après toi ! Je vous retrouve à l'annexe.

Il leur fit un clin d'œil, envoya un nouveau bisou à Ben-Roï et disparut dans le couloir.

— N'oublie pas de me rendre mon album des Village People ! lança-t-il en s'éloignant.

— Connard !

Si Zisky avait capté quoi que ce soit à l'échange – et il aurait été difficile de ne pas le faire – il n'en laissa rien paraître. Il se contenta d'inscrire « Vosgi » sur son carnet et de retourner tranquillement à son bureau. Ben-Roï se demanda s'il devait dire quelque chose, mais Zisky ayant déjà décroché son téléphone et commencé à composer un numéro, il alla se verser un verre d'eau à la fontaine dans le couloir. Il en prit un deuxième qu'il rapporta à Zisky.

— Or.

— Pardon ? dit Ben-Roï.

— Vosgi. Ça veut dire « or » en arménien. « Or » ou « en or ».

Putain ! Le gamin réagissait vite. Ben-Roï n'était sorti de la pièce qu'une ou deux minutes.

— Bien, fit-il. Merci.

Zisky acquiesça et prit son verre.

— Ça vous dérange si je pars un peu plus tôt ce soir ? demanda-t-il. Je dois récupérer quelques trucs pour shabbat.

— Bien sûr ! Pas de problème.

Ben-Roï resta quelques instants planté là, puis se dirigea vers la porte.

— Oh, pendant que j'y pense, monsieur…

Ben-Roï se retourna.

— Si vous aimez les Village People, j'ai tous leurs albums. Je me ferais un plaisir de vous les copier. J'ai aussi tous les Judy Garland, si ça vous dit.

Zisky lui fit un grand sourire et se replongea dans son travail. Malgré lui, Ben-Roï sourit aussi. Il commençait à apprécier ce gamin.

Pincas et Nava Schwartz avaient monté un DVD de dix-sept minutes où figuraient toutes les images importantes qu'ils avaient extraites des enregistrements de vidéosurveillance, provenant aussi bien des caméras de la police que de celles de l'enceinte arménienne.

Ils le regardèrent dans la salle vitrée qui jouxtait le centre de contrôle vidéo du poste. Tous les gens présents à la réunion du matin étaient là, à part Zisky, dont la place avait été prise par le superintendant Yitzak Baum. Ce dernier assistait toujours aux projections. La plupart du temps, elles révélaient un indice qui permettait de résoudre l'affaire, et il tenait à partager le prestige qui en découlait.

Ce jour-là, il fut déçu. Ils le furent tous.

Les caméras de la police avaient filmé Kleinberg du moment où elle était descendue de son bus devant la porte de Jaffa jusqu'à celui où elle avait pénétré dans le tunnel au milieu de la rue du Patriarche-Orthodoxe-Arménien. Ensuite, celles de l'enceinte avaient pris le relais, du portail principal jusqu'à l'entrée de la cathédrale.

Tout du long, la même silhouette suivait Rivka Kleinberg à une trentaine de mètres. Elle était entrée dans la cathédrale juste après la victime et en était sortie trente-six minutes plus tard, rebroussant chemin pour disparaître dans la rue de Jaffa.

Personne ne doutait un instant que cette silhouette fût l'assassin. Malheureusement, il était emmitouflé dans un grand manteau à capuche pour se protéger de la pluie, et malgré l'emploi du zoom et de gros plans, son visage resta caché en permanence. De taille moyenne, il avait pris le bus avec Kleinberg et l'avait suivie à travers la vieille ville jusque dans la cathédrale – c'était à peu près tout ce qu'ils avaient appris. Ils n'étaient même pas sûrs d'avoir affaire à un homme.

Ils regardèrent l'ensemble des images trois fois, mais à chaque passage le moral baissait d'un cran dans la pièce. Ils allaient entamer un quatrième visionnage lorsque le portable de Ben-Roï sonna.

El-Al. Ils avaient consulté leurs fichiers et trouvé une correspondance.

Le soir de sa mort, Rivka Kleinberg était enregistrée sur le vol de 23 heures en direction d'Alexandrie, en Egypte.

BUCKINGHAMSHIRE, ANGLETERRE

— Personnellement, j'opterais pour le 5.

Sir Charles Montgomery sourit. Un sourire rusé, légèrement paternaliste – pas assez marqué pour sembler malpoli, mais suffisant pour montrer que non seulement il n'était pas d'accord, mais qu'il avait raison de ne pas l'être. Il but une petite gorgée de la flasque qu'il avait à sa ceinture et tira un fer 6 Callaway Graphite de son sac de golf.

— Il est tellement difficile d'estimer cela avec précision, dit-il sur un ton indiquant qu'il pensait exactement le contraire. On n'en est vraiment sûr qu'une fois que le coup est joué.

Il effectua deux swings à vide, d'un mouvement fluide qui semblait démentir ses soixante-huit ans, puis observa le green, à cent mètres de là. Enfin, bien campé sur ses Footjoy Classic en cuir bicolore, il lâcha son coup et suivit la trajectoire de la balle en mettant sa main en visière. Elle sembla rester suspendue un temps interminable et finit par tomber sur la pente à l'arrière du green. Elle s'immobilisa un bref instant, puis roula lentement vers le drapeau, ne s'arrêtant qu'à deux mètres du trou. Montgomery hocha la tête, satisfait, et glissa le fer 6 dans son sac sous les bravos de ses partenaires.

— Le vent a dû pousser un peu la balle, déclara-t-il avec une fausse modestie manifeste.

Il réalisait un bon parcours, ce jour-là. Un excellent parcours. Tout comme il passait une bonne retraite. Une excellente retraite.

Deux ans plus tôt, avec tous les désagréments qui s'étaient produits dans le subcontinent indien, les choses ne s'annonçaient pas si roses. Les soupapes de sécurité rouillées, les systèmes de surveillance défectueux, le nuage de sulfure d'hydrogène, les milliers de bougnoules couverts de cloques... Un temps, il avait semblé que cette histoire allait puer autant que l'affaire de Trafigura, ou encore celle d'Union Carbide à Bhopal, ce qui aurait été très néfaste pour la compagnie. Et pour lui-même, étant donné que c'était lui qui, en tant que P-DG, avait pris la décision de retarder la mise en place de systèmes de sécurité aussi performants que ceux qu'ils utilisaient depuis longtemps en Europe ou aux Etats-Unis.

Non, vraiment, les choses avaient failli très mal tourner. Pendant quelques mois, il s'était fait du souci, notamment lorsqu'on avait commencé à publier des rapports faisant état de fausses couches et de bébés nés aveugles, malformés ou handicapés. Les bébés malformés, et particulièrement ceux du tiers-monde, donnaient de vous une très mauvaise image dans la presse.

Heureusement, le problème avait été résolu à la satisfaction générale. Des versements conséquents à divers gros bonnets du gouvernement avaient aplani les difficultés côté indien, tandis qu'un merveilleux cabinet d'avocats de la City avait mis en branle toute une série de ruses légales pour empêcher les journaux de parler de tout cela. Ils n'avaient même pas eu besoin d'indemniser les victimes, même si, pour la forme, ils avaient effectué quelques modestes donations à des œuvres caritatives. De très modestes donations.

Ainsi, Charles Montgomery avait pu prendre sa retraite avec une pension généreuse et un titre de chevalier de la Couronne octroyé pour les services qu'il avait rendus à l'industrie de son pays. Une fois qu'il eut encaissé ses stock-options, il avait même intégré la liste des fortunes britanniques du *Sunday Times*, quoique plutôt vers le bas de celle-ci. La vie était bonne avec lui. Et du coup, son swing l'était aussi. Au cours des derniers mois, au golf, son handicap s'était beaucoup amélioré, contrairement à celui de ces bébés indiens.

Le député conservateur Tristan Beak joua à son tour, mais sa balle atterrit dans un bunker cinq mètres en deçà du green. Les quatre joueurs s'avancèrent alors sur le fairway en tirant leurs sacs de golf derrière eux. Outre Montgomery et Beak, la partie comprenait sir Harry Shore, membre éminent des cercles juridiques, et Brian Cahill, un Australien mal dégrossi mais spectaculairement riche qui dirigeait un fonds d'investissement. Fuite de gaz ou pas, sir Charles Montgomery gravitait toujours dans les hautes sphères.

Ils avaient progressé d'une trentaine de mètres lorsque Shore, qui les précédait de quelques pas, ralentit en levant la main.

— Mais que fait donc cet imbécile ? gronda-t-il.

Le green se trouvait à la lisière d'un bois. Quelqu'un – d'où ils se tenaient, difficile de dire s'il s'agissait d'un homme ou d'une femme – avait surgi d'entre les arbres pour se poster sur le green, à côté du drapeau. Il paraissait tenir une sorte de pancarte.

— Dégagez ! cria Shore. Allez-vous-en ! Nous sommes en train de jouer ce trou !

L'intrus ne bougea pas, se contentant d'agiter sa pancarte. Quelque chose était écrit dessus, mais ils étaient trop loin pour pouvoir distinguer précisément quoi. Une autre silhouette, à l'évidence une femme cette fois-ci, surgit à son tour, elle aussi munie d'une pancarte.

— Partez ! cria Montgomery en agitant le bras. Vous êtes sur une propriété privée, ici !

Au même moment, son portable se mit à sonner. Il le tira de la poche de son pantalon de golf et répondit sans prendre la peine de regarder l'identité de l'appelant, distrait qu'il était par ces imbéciles sur le green.

— Oui ! aboya-t-il.

— Charles Montgomery ? demanda une voix masculine qu'il ne connaissait pas.

— Oui.

— Sir Charles Montgomery ?

— Oui, oui ! Qui est à l'appareil ?

Deux autres personnes avaient rejoint les premières. Et d'autres semblaient les suivre. Toute une foule, en fait.

— Putain ! hurla Tristan Beak. Vous allez abîmer le green !

— Avez-vous accès à l'Internet, sir Charles ? poursuivit la voix.

— Quoi ? Qui êtes-vous ? Comment avez-vous eu ce...

— Parce que si vous y avez accès, il y a un site que vous devriez absolument consulter. Ça s'appelle www.thenemesisagenda.org, dit l'homme en épelant l'adresse. Vous y trouverez de très jolies photos de vous, ainsi que de nombreux détails concernant le travail de votre société au Gujarat.

Le visage de Montgomery, qui avait déjà pris une teinte rougeâtre, vira brusquement au violet.

— Bon sang, mais qui êtes-vous ? cria-t-il. Qu'est-ce que vous voulez ? Je suis en plein parcours de golf !

— Je sais où vous êtes. Je suis en train de vous regarder. Très joli pantalon... pour un salaud qui assassine les bébés !

La communication fut coupée. Au même moment, les individus sur le green, à présent plus de vingt personnes – et d'autres les rejoignaient encore –, se mirent à scander un slogan qui portait loin dans l'atmosphère par ailleurs paisible du Wetterdean Grange Private Members Golf Club :

— Gujarat ! Gujarat ! Gujarat !

Ils s'avancèrent en direction des quatre golfeurs, et les inscriptions sur leurs pancartes devenaient peu à peu lisibles : « *TUEUR DE BÉBÉS* », « *JUSTICE POUR LES ENFANTS* », « *BONNE RETRAITE, SIR CHARLES* », « *WWW.THENEMESIS-AGENDA.ORG* »...

Montgomery hésita, la colère et la crainte s'affichant simultanément sur son gros visage charnu. Puis, subitement, il fit demi-tour et partit en direction du club-house aussi vite que ses jambes pouvaient le porter, suivi de près par ses partenaires.

— Gujarat ! Gujarat ! Gujarat !

Tout d'un coup, le confort de sa retraite semblait remis en cause.

JÉRUSALEM

Le vendredi après-midi, à l'approche de shabbat, les rues de Jérusalem se vident lentement mais sûrement, et en fin de journée le centre-ville est à peu près désert.

Le même phénomène se produisait en miniature au poste de police David. Lorsque Ben-Roï se présenta dans le bureau de Leah Shalev peu après 17 h 30, il ne restait plus qu'eux au sein du service d'investigation de Kishle.

Tandis que Shalev préparait deux cafés, Ben-Roï passa en revue les développements du jour : les menaces chez *Ha'aretz*, les carnets disparus, les visites de Kleinberg à la cathédrale et le vol sur El-Al vers l'Egypte. Ainsi que ce « Vosgi », qui, pour une raison qu'il n'aurait su expliquer, lui semblait important.

Shalev l'écouta en silence.

— Qu'est-ce que tout cela t'inspire ? demanda-t-elle lorsqu'il eut fini.

— Vol bâclé. Psychopathe solitaire. Contrat de la mafia. Grief personnel. Une combinaison de plusieurs de ces éléments. Choisis ce que tu préfères. Pour l'instant, on ne peut rien écarter.

— Et toi, tu choisirais quoi ?

Ils jouaient souvent à ce petit jeu au début d'une enquête. Shalev lui demandait de parier sur une hypothèse et en général il était content de lui donner son sentiment. Néanmoins, même à ce stade précoce de l'enquête, cette affaire présentait tellement de contradictions qu'il hésitait à se prononcer.

— Allez, Arieh ! Jette-toi à l'eau ! l'encouragea-t-elle.

— C'est lié à son métier de journaliste, dit-il au bout d'un moment, sans répondre directement à sa question. Ça, je suis prêt à le parier, à cause de la disparition de ses carnets. C'est en relation avec ce sur quoi elle travaillait ces derniers temps.

— A moins que notre homme ne soit en train d'essayer de nous aiguiller sur une fausse piste, contra-t-elle. De brasser l'eau pour la rendre plus trouble.

Ben-Roï reconnut que c'était une possibilité.

— Et son rédacteur en chef ?

— Il ne m'a toujours pas contacté. Je lui ai laissé quatre messages.

— Que quatre ?! Ce n'est pas ton genre d'être aussi mesuré.

— Et ce n'est pas ton genre de faire un aussi bon café.

Ils sourirent tous deux. Au début, Ben-Roï s'était montré suspicieux envers elle, mais avec le temps il avait appris à l'apprécier. Beaucoup. Et pas seulement parce qu'elle faisait bien son boulot. Elle était l'une des rares personnes de l'équipe qu'il considérait comme une amie.

— Des nouvelles de l'autopsie ? demanda-t-il.

Elle secoua la tête.

— J'ai parlé à Schmelling juste avant ton arrivée. Il a trouvé un cheveu sur les vêtements de la victime et l'a envoyé au labo pour une analyse ADN. On verra bien si ça donne quelque chose avec notre base de données. En outre, il confirme l'absence de tout rapport sexuel et la plage horaire du meurtre, entre 19 heures et 21 heures, ce qu'on savait déjà grâce aux vidéos. Rien de très probant, donc. Ah, si ! Elle avait des hémorroïdes. Le cas le pire que Schmelling ait jamais rencontré, apparemment.

— Sympa ! Et la scientifique ?

— Rien non plus, dit-elle en levant les mains.

— Les voisins ?

— Pour l'instant on n'en a interrogé que cinq, les autres sont absents.

— Et ?

— C'est le bouillon à couillons.

Chacun ses manies, pensa Ben-Roï. Celle de Leah Shalev consistait à inventer des expressions. Elle regarda sa montre et commença à ramasser ses affaires.

— Je dois y aller. Meurtre ou pas meurtre, il faut que je donne à manger à mes gosses.

— Ils vont bien ? demanda Ben-Roï en se levant à son tour.

— Très bien, même si Deborah ne m'adresse plus la parole. Un léger différend à propos du choix de son petit ami.

Ben-Roï sourit. Il avait encore le temps d'y penser.

— Et Benny ?

— Bien aussi. Il a un spectacle à Ein Karem, et on lui parle même de faire une expo aux Etats-Unis.

Benny Shalev était un artiste respecté. Son mariage avec Leah était l'exception qui confirmait la règle des couples foutus en l'air par le stress du métier de flic. Solide comme un roc. Et même s'il refusait de l'admettre, quand il les voyait ensemble, Ben-Roï ne pouvait lutter contre la mélancolie qui le prenait à l'idée de ce qui aurait pu être. Parfois, Sarah lui manquait vraiment. Souvent. La plupart du temps.

— Tu vas passer shabbat avec Sarah ? demanda Shalev comme si elle lisait dans ses pensées.

— Elle va chez ses parents.

— Tu veux venir chez nous ? Tu es le bienvenu.

— Merci, Leah. Mais je suis déjà invité.

— Tu es sûr ?

— Sûr.

Leah ferma son bureau et ils se dirigèrent vers la cour à l'arrière de l'immeuble, où la Skoda Octavia de Shalev était garée.

— Je vais laisser Namir continuer à chercher du côté des vieux dossiers, dit-elle en revenant à l'enquête. Ainsi que sur l'angle arménien. Pincas suivra la piste des menaces des Russes et des colons de Hébron. Il parle russe, et je sais qu'il a au moins un indic à Hébron.

— Et moi ? demanda Ben-Roï en prenant une voix efféminée, comme celle de Zisky le matin même.

— Tu restes sur Kleinberg, répondit-elle avec un regard méprisant. Je veux savoir ce qu'elle écrivait, qui elle énervait, pourquoi elle voulait partir en Egypte et pourquoi elle se rendait si souvent dans l'enceinte arménienne… Comment ça se passe avec Zisky ?

— Bien. On emménage ensemble la semaine prochaine.

— *Mazel tov !*

Elle jeta son sac sur la banquette arrière et monta dans sa voiture. Un 4 × 4 Polaris Ranger, le seul véhicule capable de négocier les rues escarpées de la vieille ville, entra dans la cour. Shalev attendit qu'il se gare avant de démarrer.

— Tu es de congé demain, non ?

Ben-Roï acquiesça.

— Je vais refaire la déco de la chambre du bébé, chez Sarah. Si tu veux, je peux…

— Je veux que tu ailles faire ta déco. Encore que si tu es aussi mauvais peintre que flic, j'ai peur du résultat. On se voit dimanche.

Elle le salua, embraya et s'éloigna en direction du tunnel de sortie. Au milieu de la cour, elle stoppa et descendit sa vitre. Ben-Roï revint à sa hauteur. Elle avait les yeux fixés droit devant elle, les mains crispées sur le volant.

— Je n'arrive pas à l'expliquer, Arieh, dit-elle sur un ton subitement sérieux. Mais j'ai un mauvais pressentiment sur cette affaire. Je l'ai depuis le début.

— C'est sûrement parce qu'une femme s'est fait étrangler dans une cathédrale.

Shalev ne sourit pas.

— J'ai l'impression que tout cela va nous mener vers…

— Un sale truc ?

Elle leva les yeux vers lui.

— Fais attention, Arieh. Fais attention et tiens-moi au courant. OK ?

Depuis cinq ans qu'ils travaillaient ensemble, Shalev ne lui avait jamais parlé comme ça. Ben-Roï en fut bizarrement perturbé.

— OK ? répéta-t-elle.

— Bien sûr. OK.

Elle hocha la tête, lui souhaita un bon shabbat et redémarra. Une pluie fine se remit à tomber.

Louqsor

— Papa, on rega'de Ma'y Poppings !

A peine Khalifa avait-il ouvert la porte de son appartement que Youssouf, son plus jeune fils, avait surgi en trombe du salon pour se jeter dans ses bras. Il se serra contre lui, l'embrassa, puis se libéra en gigotant et partit à fond de train vers l'autre bout du couloir. Khalifa sourit. Il resta un moment à ne savoir trop quoi faire du bouquet de lys qu'il avait acheté en revenant de la Cime, regardant autour de lui comme pour s'assurer que c'était bien là qu'il vivait, puis, avec un soupir, il ferma la porte et suivit son gamin.

Cela faisait six mois qu'ils occupaient cet appartement. Quand leur ancien immeuble avait été démoli, tous les autres résidents avaient été relogés dans un horrible bloc de béton, à dix kilomètres au nord de Louqsor. Dans un accès de gentillesse assez peu caractéristique, son supérieur, l'inspecteur-chef Hassani, avait tiré quelques ficelles pour que les Khalifa obtiennent un logement juste à côté du nouveau poste de police.

L'appartement était plus grand que le précédent, plus près de son boulot et juste à côté de la mosquée et de l'école. Il disposait même d'une climatisation, source d'éternelle fascination pour le petit Youssouf, qui passait son temps à la pousser à fond puis à se monter des tentes pour se protéger du froid.

Malgré tous ces éléments de confort, Khalifa n'arrivait pas à se faire à l'endroit. Et pas seulement à cause des expériences climatiques de son fils. Au bout de tous ces mois, il s'y sentait encore comme un étranger.

C'était en partie à cause des voisins. Une gentille dame âgée occupait l'étage en dessous, et les voisins de palier étaient une famille honnête, malgré la manie qu'ils avaient de mettre la télé à fond vingt-quatre heures sur vingt-quatre. Néanmoins, Khalifa n'avait jamais retrouvé la chaleur, le sentiment d'appartenance qui régnaient dans son ancien quartier. Ici, chaque fois qu'il rentrait, il était pris d'une sensation d'isolement, de décalage, comme s'il n'était pas descendu au bon arrêt de bus.

L'endroit n'avait pas d'âme. Aucun souvenir ne s'y rattachait. Aucun sentiment. Rien qui puisse les ancrer là. La perte de leur ancien appartement avait été comme la disparition d'une tranche de leur passé, et malgré la présence de toutes leurs affaires, le nouveau semblait... vide.

On peut apporter ses meubles. Mais Khalifa avait découvert qu'il n'en va pas de même pour les habitudes.

Il jeta un coup d'œil à la chambre de son fils aîné, Ali, comme chaque fois qu'il rentrait, puis se dirigea vers la cuisine, où sa fille Batah préparait le dîner.

— Tu as passé une bonne journée ? demanda-t-il en l'embrassant.

— Super ! Tante Sama était là !

— Ça devait être excitant.

— Tout à fait. Elle nous a raconté comment Hosni l'a emmenée faire du shopping à Dubaï. Dans les moindres détails.

Le sarcasme était subtil, et néanmoins présent. Khalifa sourit en lui donnant une pichenette sur le nez. Elle avait dix-sept ans, et ressemblait tellement à sa mère au même âge. Ses longs cheveux noirs, ses yeux immenses, mais aussi son sens de l'humour.

— Comment va maman ? demanda-t-il.

— Ça va. Elle regarde la télé.

Khalifa opina de la tête, déposa un nouveau baiser sur le front de sa fille et se dirigea vers le salon où Zenab, lovée sur le canapé avec Youssouf dans les bras, regardait le DVD de *Mary Poppins* qui avait appartenu à Ali. Il posa les fleurs à côté de sa femme et un baiser sur son front.

— Tout va bien ?

Elle lui pressa la main, sans quitter l'écran des yeux.

— Je ne travaille pas demain, poursuivit-il. Qu'est-ce que tu dirais d'une journée tous ensemble avec le petit ?

Elle lui pressa de nouveau la main, toujours sans le regarder. Il resta un moment à humer l'odeur de ses cheveux, puis murmura « Je t'aime » avant d'aller rejoindre Batah dans la cuisine.

— Ce n'est pas nécessaire, lui dit celle-ci quand il prit un couteau et se posta à côté d'elle.

— Allez ! Tu sais que j'adore découper les légumes. Tu ne vas quand même pas me priver de ce petit plaisir ?

Elle lui donna un coup de coude complice et continua à trancher ses pommes de terre. Le regard de Khalifa s'attarda sur le morceau de béton de la taille d'un poing posé sur le rebord de la fenêtre – vestige d'une fontaine qu'il avait construite pour décorer l'entrée de leur ancien appartement. Le souvenir d'une époque plus heureuse… Il revint dans le présent et se mit à découper des oignons. Dans le salon, *Mary Poppins* se termina, puis reprit en boucle au début.

JÉRUSALEM

Ben-Roï avait menti à Leah Shalev. Il n'était invité nulle part ce vendredi soir. Alors, il monta dans sa voiture et rentra chez lui. Il aurait pu aller dans des tas d'endroits, et s'il n'était pas particulièrement dévot, il n'avait pas non plus l'habitude de manquer le shabbat, mais ce soir il se sentait fatigué et pas trop d'humeur à sortir. Lire, regarder la télé, aller se coucher tôt... Beaucoup de choses lui trottaient dans la tête et il n'avait pas envie de compagnie. Ni de celle des hommes ni de celle de Dieu, d'ailleurs.

Tout en roulant vers la porte de Sion – seule voiture dans la rue à cette heure-ci –, il appela Sarah sur son kit mains libres.

— Ça va ?

— A peu près comme la dernière fois que nous nous sommes parlé, Arieh.

— Bubu ?

— Attends deux secondes...

Ben-Roï entendit des murmures à l'autre bout du fil.

— Il dit que ça va, reprit-elle. Qu'il se prépare à faire sa gym.

Il gloussa. C'était à cause de réactions comme celle-là qu'il était tombé amoureux d'elle. Amoureux fou.

— Et tes parents ?

— Ils vont bien. Et les tiens ?

— J'allais les appeler.

— Embrasse-les de ma part. Et n'oublie pas...

— Oui, je sais, la déco demain. Ne t'inquiète pas, je me le suis tatoué sur le front. Comme ça, je m'en souviendrai au réveil.

Elle éclata de rire. Un rire de fille, communicatif. Le rire de quelqu'un qui s'amuse vraiment. Un son merveilleux.

— *Shabbat Shalom*, Sarah.

— A toi aussi, Arieh. A demain.

Il y eut un silence, comme si chacun attendait que l'autre dise quelque chose. Puis ils répétèrent simplement « *Shabbat Shalom* » et raccrochèrent.

Une fois passée la porte de Sion, il tourna à droite dans Ma'ale Ha-Shalom et descendit la colline, tandis que le toit et le clocher de l'abbaye de la Dormition apparaissaient par moments entre les cyprès. Il appela ses parents dans la ferme familiale pour leur souhaiter « *Gut Shabbas* », puis sa grand-mère dans sa maison de retraite – « Est-ce que tu manges suffisamment, Arieh ? Mon Dieu ! Dis-moi que tu manges assez ! » –, et pour finir sa sœur Chava, chez qui il avait rencontré Sarah. Sa sœur passa plus de la moitié de la conversation à lui dire qu'il n'était qu'un imbécile de s'être séparé de Sarah.

En croisant les manifestantes des Women in Black qui se trouvaient toujours à Rehavia, il passa un coup de fil à Gilda Milan, son ex-belle-mère, du moins presque. Galia, sa fille, s'était fait tuer avant que Ben-Roï n'ait eu le temps de l'épouser.

— Alors, tu t'es remis avec Sarah ? lui demanda-t-elle dès qu'elle entendit sa voix.

— *Shabbat Shalom* à toi aussi, Gilda.

— Alors ça y est, oui ou non ?

— Pas depuis la dernière fois que j'ai regardé.

— Imbécile.

— C'est la deuxième fois qu'on me le dit en moins de cinq minutes.

— Et pourquoi pas ? C'est la vérité !

Gilda Milan était quelqu'un de direct. De courageux aussi. Non seulement elle avait perdu sa fille dans un attentat, mais quatre ans plus tard son mari, Yehuda, avait connu le même sort au cours d'une manifestation en faveur de la paix où il avait pris la parole, juste devant la porte de Damas. Une seule de ces tragédies aurait suffi à abattre une personne moins forte que Gilda. Elle s'était assise pendant les sept jours de la Shiv'ah pour faire son deuil des deux personnes qu'elle aimait le plus au monde et pourtant elle affichait sa joie de vivre comme un défi. Aujourd'hui, elle parcourait le monde avec Yasmina Marsoudi, la femme du politicien palestinien qui était mort dans le même attentat que Yehuda, afin de promouvoir la paix. Partout ailleurs, les deux femmes étaient honorées, mais en Israël et sur les Territoires personne ne les écoutait. Les gens se préoccupaient plus de leur loyer ou de mettre de quoi manger sur la table que des affaires palestiniennes. Les jours d'espoir, révolus, semblaient céder la place à la résignation. Pourtant, Gilda refusait de se soumettre. Pour Ben-Roï, elle incarnait tout ce qu'il y avait de bon dans ce pays. Même si elle lui menait la vie dure à propos de Sarah.

Ils discutèrent un moment, puis Ben-Roï raccrocha en arrivant devant chez lui.

Après avoir quitté Sarah, il avait passé un mois sur le canapé d'un copain, à Givat Sha'ul, mais l'expérience n'avait pas été très agréable. En partie parce que le canapé mesurait trente centimètres de moins que lui, mais surtout parce que Samuel et sa copine faisaient l'amour très souvent et très bruyamment. Au bout de quatre semaines, il avait fait son sac et emménagé dans un studio miteux à Ha-Ramban, qui lui coûtait pourtant une partie appréciable de son salaire, douze mille shekels, mais qui présentait l'avantage de se trouver à un jet de pierre de chez Sarah. Maigre consolation, en comparaison de la vie avec elle !

En entrant, il prit une douche, enfila des vêtements propres et ouvrit les portes coulissantes qui donnaient sur un étroit rectangle de béton poussiéreux qualifié de balcon par le bailleur. La pluie avait cessé, des bandes de ciel bleu déchiraient les nuages, la soirée s'annonçait belle sur Jérusalem, assez pour oublier toute la merde qui s'amoncelait sur cette ville. Il prit une Goldstar dans le frigo – il ne buvait plus beaucoup, mais bon sang, la journée avait été longue –, traîna un fauteuil devant le balcon et s'y installa, les pieds sur la rambarde. Il resta un moment à humer les odeurs de jasmin et de feuilles mouillés en contemplant les ailes des moulins à vent de Rehavia. Enfin, il attrapa son livre : *101 Conseils pour être un bon père.*

Au bout de quelques pages, il le reposa, la tête ailleurs... Une femme étranglée. Un vol vers l'Egypte. Des carnets disparus. *Vosgi...*

La tête à son enquête, en somme.

QUELQUE PART

La famille en premier. On nous a élevés dans cette croyance. Servir la famille. Quoi que ce soit qu'il faille faire, où que ce soit, quel que soit le moment. Sans poser de questions. Sans entretenir de doute. La famille te sert, tu sers la famille. La famille est tout.

J'ai fait mon devoir pendant de longues années. Ici, là-bas, un peu plus loin. Beaucoup de voyages, beaucoup de ménage. C'est ainsi que je considère ce que je fais. Je fais le ménage. J'ai toujours été une personne ordonnée.

Bien sûr, la famille a d'autres ressources. D'abondantes ressources. Mais certains nettoyages requièrent une attention particulière, personnelle. Celle d'un membre de la famille. Celle d'une personne ayant à cœur le bien-être de la famille. Une personne, surtout, en qui on peut avoir confiance.

C'est une grande responsabilité, la confiance. Un lourd fardeau. En général, je le porte sans peine, sans même y réfléchir. J'ai grandi avec, après tout. On me l'a enfoncé dans le crâne depuis mon plus jeune âge. Je fais ce qu'on me demande et c'est tout.

Néanmoins, cette fois-ci, je le sens, ce fardeau. Je réintègre ma routine, ma vie retourne à la normale, tout est en ordre, bien rangé, à sa place. Et je ne peux m'empêcher de penser à la cathédrale. Ai-je agi trop vite ? N'ai-je rien négligé ? Aurais-je dû attendre ?

Cela aurait dû bien se passer, comme pour tous les autres. Aller chez elle, apprendre ce qu'elle sait, l'effacer, effacer les preuves et s'en aller. Simple. Comme pour tous les autres.

Sauf qu'à mon arrivée elle sortait de son immeuble. Avec un sac de voyage. Des gens partout. Des yeux, des témoins. Pas d'autre choix que celui de la suivre. Monter dans le bus. Descendre du bus. Traverser la vieille ville. Entrer dans la cathédrale. J'ai pensé tout le temps à son sac de voyage. Devais-je agir plus tôt que prévu, pendant que j'en avais l'occasion ? Difficile de trancher.

A présent, j'ai peur d'avoir fait le mauvais choix. Le ménage a été fait, c'est certain. L'ordinateur portable et les carnets ont disparu. D'autres s'occupent des contingences techniques. Néanmoins, beaucoup trop de questions restent en suspens. La photo, par exemple. Aurais-je dû la prendre ? Aurais-je dû mettre le feu à l'appartement ? Aurais-je dû continuer à la suivre ? Aurais-je dû...

Je n'ai pas parlé de mes doutes. La famille ne me demande rien, je ne réponds rien. Pourtant, mes doutes sont bien là. Ils me rongent. Ils me perturbent comme jamais auparavant. Jérusalem. La cathédrale...

J'ai peut-être mal servi la famille. Mal fait ce que je devais faire. Une période trouble s'annonce pour la famille, dont je suis peut-être responsable. Plaise à Dieu que non. La famille représente tout pour moi, et je ne suis rien sans la famille.

Alors j'espère. Et j'attends. Je poursuis mon travail de mon mieux.

Une chose curieuse, pourtant : ses cheveux sentaient l'amande. Comme ceux de ma mère.

JÉRUSALEM

Vers 10 heures du matin, lorsque son mobile sonna, Ben-Roï dormait encore profondément, étalé sur son lit telle une étoile de mer géante.

Il avait fini par s'écrouler vers 2 heures, après avoir passé toute la soirée sur le Net pour trouver des infos sur Rivka Kleinberg. Il y en avait plein, et tout cela confirmait ce que Nathan Tirat lui avait raconté. Kleinberg avait été très admirée au début de sa carrière, recevant de nombreuses récompenses et par deux fois le trophée de « Meilleure Journaliste de l'année », pour un article sur la destruction des oliveraies palestiniennes par les Israéliens et pour un autre sur la politisation de l'usage des ressources d'eau en Cisjordanie.

Très admirée, mais aussi très vilipendée. Tirat avait mentionné les gens qu'elle s'était mis à dos, mais le Web en révéla d'autres : féministes, fermiers, le Mossad, le Hamas, les polices israélienne et palestinienne, les gros industriels… La liste était sans fin. Tout le monde en voulait à Kleinberg pour une raison ou pour une autre.

Le sommeil de Ben-Roï avait été agité, hanté par des bébés poursuivis par des chats dans des cathédrales pleines de toiles d'araignée et, bizarrement, par l'image d'un corps échoué sur une plage.

Le portable hurlait son « Hava Nagila » sur la table de nuit, et Ben-Roï était bien tenté de ne pas répondre, mais il pensa que ce pouvait être Sarah, qu'elle avait peut-être un problème. Dans un demi-sommeil, il décrocha.

— *Shalom.*

— Inspecteur Ben-Roï ?

— Oui.

— Mordechai Yaron.

Ça mit quelques secondes à lui revenir. Le rédacteur en chef de Rivka Kleinberg. Il s'assit sur son lit, l'esprit soudain plus clair.

— Ça fait un moment que j'essaie de vous joindre, dit-il.

— Je sais, je suis désolé. J'étais en voyage. Je viens tout juste d'écouter vos messages.

Sa voix était grave et rauque, cultivée. Difficile d'estimer son âge. Soixante ans, peut-être.

— J'étais à Haïfa, ajouta-t-il. Notre fille vient d'avoir un bébé. On y est allés pour sa circoncision.

— *Mazel tov !*

Il laissa passer deux ou trois secondes, ressentant le besoin de ne pas mélanger la nouvelle d'une naissance avec celle d'un meurtre, puis il lui expliqua ce qui s'était passé. A une ou deux interjections près, Yaron l'écouta en silence.

— Je vais venir par le premier train, déclara-t-il. On devait rentrer demain, mais je peux raccourcir notre séjour…

— Ce n'est pas la peine, répondit Ben-Roï. Demain, ça ira très bien. De toute façon, aujourd'hui, je suis pris. Vous arrivez à quelle heure ?

— En milieu de matinée.

Ils prirent rendez-vous à midi au *Matzpun a-Am*.

— Une petite question, pendant que je vous ai sous la main. Pouvez-vous me dire sur quoi Rivka Kleinberg travaillait ?

— En ce moment, sur un trafic lié au sexe. Vous savez, des filles qu'on fait entrer clandestinement en Israël pour les forcer à se prostituer. Une forme d'esclavage, en somme. Très déprimant. Cela faisait plus d'un mois qu'elle était dessus.

Ben-Roï se remémora les coupures de journaux sur la prostitution et l'industrie du sexe qu'il avait remarquées sur le bureau de Kleinberg. Ceci expliquait cela. Tout en discutant, il se mit à faire du café.

— Et avant ? demanda-t-il.

— Elle avait écrit un article sur l'effondrement de la gauche israélienne, et un autre truc sur le financement américain des colons extrémistes. Et encore avant... laissez-moi réfléchir... ah, oui, un article sur les violences dans les Territoires. Elle a passé deux mois là-dessus. Rivka ne négligeait jamais l'étape des recherches.

Ben-Roï consulta sa montre. 10 h 15. Il devait arriver chez Sarah à 11 heures et ne voulait pas se mettre en retard. Il remercia Yaron et raccrocha, puis avala en vitesse un petit déjeuner, prit une douche et sortit en laissant derrière lui toutes ses réflexions concernant le meurtre. C'était un jour de congé. Un jour pour Sarah et le bébé.

La pluie de la veille n'était plus qu'un souvenir. Le ciel était dégagé, la journée ensoleillée, l'atmosphère chaude, voire étouffante. Il s'éloigna à pied en direction de l'appartement de Sarah, à cinq minutes à peine. Il se sentait bien. Il allait même arriver en avance. Pour la première fois ! Résonnez, trompettes !

C'est alors qu'il entendit de nouveau « Hava Nagila » jaillir de son téléphone.

— *Shalom.*

— Inspecteur Ben-Roï ?

— *Ken.*

— Désolé de vous déranger en plein shabbat. Asher Blum à l'appareil.

Pour la seconde fois ce matin, un nom qui lui paraissait familier, sans qu'il parvienne immédiatement à le situer... Ah, oui ! Le bibliothécaire, celui qui avait identifié Kleinberg.

Ils avaient trouvé quelque chose, lui dit Blum. Quelque chose qui pouvait se révéler important. Pouvait-il venir ?

Ben-Roï hésita un instant, ses yeux allant de l'entrée de l'immeuble où habitait Sarah à l'emplacement où sa voiture était garée.

— J'arrive ! finit-il par lâcher.

Il partit en courant vers sa voiture.

Le patriarcat arménien de Jérusalem est dirigé par quatre archevêques, trois qui s'occupent de tâches spécifiques et un qui fait office de patriarche suprême.

L'archevêque Armen Petrossian était responsable de l'administration de l'Eglise, une position qui, étant donné la santé déclinante de Sa Béatitude le patriarche suprême, le plaçait de facto aux commandes de la communauté. Ou, pour adopter une formulation qu'il préférait, aux commandes de la famille.

La famille n'avait plus la taille d'autrefois. Au faîte de sa puissance, elle avait compté pas moins de vingt-cinq mille membres. Aujourd'hui, avec les guerres arabo-israéliennes et la situation économique, ce nombre s'était réduit à quelques milliers. L'Australie, l'Amérique, l'Europe, c'était là que les jeunes envisageaient leur avenir, et pas en Israël.

Cependant, un troupeau, même diminué, exigeait son lot de servitude, et Son Eminence était très occupée. Ils étaient ses enfants, tous autant qu'ils étaient, et si le vœu de célibat l'avait empêché d'avoir une descendance biologique, il se considérait tout de même comme un père. Secourir et abriter, nourrir et protéger, telles étaient les responsabilités d'un père, et c'est avec ces idées en tête qu'il sortit de l'enceinte du monastère ce matin-là, en jetant de fréquents coups d'œil par-dessus son épaule pour s'assurer qu'il n'était pas suivi. Il s'enfonça dans les ruelles de la vieille ville.

L'enceinte du monastère constituait le gros du quartier arménien, mais autour des murs s'étendait un lacis de ruelles et de venelles qui le séparait des quartiers juifs à l'est. L'archevêque se frayait un chemin à travers ce labyrinthe en trottinant ou presque, marquant de fréquentes pauses pour regarder derrière lui. Les hauts murs roses des maisons formaient comme des canyons, percés çà et là de portes en acier gris flanquées de plaques indiquant les noms des familles qui y résidaient : Hacopian, Nalbandian, Belian, Bedevian, Sandrouni… Il y avait des drapeaux arméniens et des affiches à la mémoire du génocide de 1915, qui rappelaient à quiconque prenait la peine de les lire que les Juifs n'avaient pas le monopole de la souffrance. En revanche, les rues étaient désertes. De tous les quartiers de la ville, l'arménien était sans conteste le plus calme.

L'archevêque poursuivit son chemin et s'engagea dans la rue Ararat, puis, non sans un dernier coup d'œil alentour, dans une ruelle au fond de laquelle il s'arrêta devant une porte marquée *Saharkian*. Il appuya sur le bouton du vidéophone. Après un instant, il entendit le bruit des verrous. De nombreux verrous. La porte s'ouvrit sur un homme avec un pistolet à la main, encadré par deux autres armés de fusils à pompe. L'archevêque hocha la tête, satisfait.

— En sécurité ?

— En sécurité ! répliquèrent les trois gardes à l'unisson.

Petrossian leva la main en signe de bénédiction, puis fit demi-tour et s'éloigna rapidement. Derrière lui, il entendit la porte claquer et le son des verrous qu'on tirait de nouveau.

Posée en plein milieu du campus de l'université hébraïque de Givat Ram, la Bibliothèque nationale d'Israël avait l'air d'un grand sandwich de béton.

Asher Blum, à la tête du département des lecteurs, ressemblait à une caricature de bibliothécaire : une grande perche avec des verres épais, une coupe au bol et un jean trop court de quelques centimètres.

— On est fermés pour le shabbat, dit-il en faisant entrer Ben-Roï. On était juste venus pour rattraper un peu notre retard en matière de classement des ouvrages. J'ai raconté à Rachel ce qui s'est passé et elle m'a parlé des notes. Elle n'était pas là hier, c'est pourquoi je ne vous ai pas contacté plus tôt.

Il ferma les portes vitrées derrière eux et conduisit l'inspecteur jusqu'à un grand espace de travail en mezzanine, à l'étage. De chaque côté s'ouvraient des alcôves destinées à la lecture. En haut de l'escalier, dans le soleil du matin, un triptyque de vitraux embrassait tout l'espace, répandant des taches de lumière bleue, rouge et verte sur les tapis.

— Les fenêtres de Mordecaï Ardon ! s'exclama Blum. Nous en sommes très fiers.

Ben-Roï fit de son mieux pour avoir l'air d'apprécier et jeta un coup d'œil à sa montre. 10 h 56. Il allait être un peu en retard, mais bon, Sarah s'y attendait probablement. Il lui restait encore un peu de marge.

Ils passèrent une porte où un panneau indiquait « Grande Salle de Lecture » et débouchèrent dans une pièce haute de plafond dont les fenêtres en aluminium donnaient sur une cour intérieure. Devant les bureaux et les étagères pleines de livres, une bibliothécaire s'affairait au comptoir en bois de l'accueil, et pour le coup elle n'était pas du tout stéréotypée : brune, jolie, un piercing dans le nez et un tee-shirt légèrement trop moulant.

— Rachel Adler, dit Blum. Elle était de service la dernière fois que Mlle Kleinberg est venue.

— Apparemment, vous avez trouvé quelque chose ? lança Ben-Roï en lui serrant la main.

Elle acquiesça et sortit une liasse de feuilles A4 un peu froissées de sous le comptoir.

— Mlle Kleinberg les a oubliées à côté du lecteur de microfilms, précisa-t-elle en les lui tendant. Je sais que c'est elle parce que je reconnais son écriture. Elle oubliait tout le temps des trucs.

— C'était quand ?

— Vendredi dernier. Le matin.

Une semaine avant le meurtre, donc.

— Vous m'avez demandé quels microfilms elle avait consultés, intervint Asher Blum en lui donnant une feuille imprimée. On a pensé que c'était peut-être important.

Ben-Roï l'examina. Parfois, certains indices vous sautaient à la figure en criant « Regarde-moi ! Je suis la solution ! »... Ces papiers n'entraient pas dans cette catégorie. Il s'agissait d'une liste de quatre exemplaires de journaux, mentionnant juste le titre et la date de publication. Le *Jerusalem Post* du 2 octobre 2010 pour l'un, et pour les trois autres le *Times* des 9 décembre 2005, 17 mai 1972 et 16 septembre 1931.

— C'est ce qu'elle a regardé ? demanda Ben-Roï.

— Oui.

— Mais savez-vous quoi précisément ?

— A coup sûr, elle était plongée dans la rubrique économique. Je suis venue montrer le fonctionnement de la visionneuse à une personne qui était assise à côté d'elle, et j'ai jeté un coup d'œil. Je crois qu'il s'agissait de celui-ci, ajouta-t-elle en désignant la mention du *Times* du 9 décembre 2005. Et elle prenait des notes. Beaucoup de notes.

— Et les trois autres journaux ?

La jeune fille secoua la tête.

Ben-Roï regarda la liste, puis sa montre. 11 h 02. Il fallait vraiment qu'il y aille. Cela dit, quelques minutes de plus ou de moins n'allaient pas changer grand-chose. Il hésita, mais une fois de plus l'intérêt professionnel prit le pas sur ses obligations personnelles.

— Je peux voir ça ?

— Bien sûr.

La bibliothécaire le conduisit jusqu'à une rangée de cabines alignées le long d'un mur à l'autre bout de la pièce. Asher Blum se remit à empiler des livres sur un chariot.

Chaque cabine portait le nom d'un journal, parfois anglais, parfois hébreu : *Ha'aretz*, *Ma'ariv*, *Yedioth Ahronoth*, *Jerusalem Post*, *Times*, *New York Times*. La jeune fille prit la liste des mains de Ben-Roï et commença à chercher dans les tiroirs les microfilms correspondants, puis s'installa devant une liseuse. Ben-Roï s'assit à côté d'elle.

— Par quoi voulez-vous commencer ? demanda-t-elle.

— Par celui que vous l'avez vue consulter, je pense. Vous avez une idée de la page ?

— Pas de mémoire. Peut-être vais-je la reconnaître en la voyant.

Elle glissa le microfilm dans la machine et fit défiler les pages en un brouillard de mots jusqu'à s'arrêter sur l'une d'elles.

— C'est celle-ci. Je reconnais la photo. Vous en êtes où, en anglais ?

— Ça va.

— Alors je vais vous laisser lire pendant que je cale les autres. Ça nous fera gagner un peu de temps.

Elle lui montra comment avancer et reculer, puis alla s'asseoir devant la machine d'à côté. Ben-Roï regarda la page devant lui. On y voyait la photo d'un homme dont il n'avait jamais entendu parler, un certain Jack Grubman, illustrant une demi-page de publicité pour une série de livres policiers audio. Il n'y avait que trois articles. L'un portait sur l'économie de l'Inde, un autre sur un contentieux entre investisseurs au sein d'un conglomérat de banques et le troisième sur des mines d'or...

L'or. *Vosgi.*

Il se mit à lire.

La Roumanie
donne le feu vert à l'or de Barren

Bucarest – La multinationale américaine Barren Corporation, qui opère dans le minerai et les hydrocarbures, s'est vu accorder un bail de trente ans pour développer l'exploitation de la mine d'or de Drăgeş dans les Carpates occidentales. Barren Corporation détiendra 95 % des parts dans la mine, les 5 % restants seront la propriété de Minvest Deva, une société nationale roumaine.

Connue depuis l'Antiquité romaine, on estime que la mine de Drăgeş recèle encore de 800 à 1 200 tonnes d'or, avec une concentration incroyablement élevée de 35 g par tonne de minerai.

A la suite d'une stratégie industrielle révolutionnaire, la Barren a obtenu sa licence d'exploitation en proposant des garanties juridiques de bonne gestion des déchets et de protection de l'environnement. En effet, l'extraction d'or à partir du minerai entraîne la production d'une certaine quantité de déchets toxiques, et le gouvernement roumain tient tout particulièrement à éviter le désastre de Baia Mare, en 2000, quand un bassin de contention s'est déversé dans le Danube et a pollué la plus grande partie du bassin du fleuve. Les termes de la concession Drăgeş autorisent un traitement local des matériaux toxiques par décomposition rapide, mais la Barren a entrepris de transférer tous les résidus non dégradables dans ses centres de traitement aux Etats-Unis, où ils seront enfouis.

« Nous prenons nos responsabilités en matière d'environnement très au sérieux, a déclaré Mark Roberts, le P-DG de la Barren. A Drăgeş, nous sommes heureux de faire entrer la coopération entre l'industrie minière et l'écologie dans une nouvelle ère. »

Lorsqu'elle sera totalement opérationnelle, la mine devrait produire plus de quarante-deux tonnes d'or par an, pour un cours actuel de quinze millions de dollars la tonne.

Ben-Roï se renversa sur son siège, stupéfait. De toute évidence, c'était l'article que Kleinberg avait consulté. Il l'aurait juré, pas simplement à cause du lien *Vosgi*/or, mais aussi parce que dans le fatras du bureau de la journaliste Ben-Roï croyait se souvenir d'articles sur la technique de fonderie de l'or. Et il y avait aussi l'atlas marqué à la page « Roumanie ». Le plus difficile, c'était de comprendre pourquoi elle l'avait consulté. D'après son rédacteur en chef, elle travaillait sur des trafiquants de sexe. Quel rapport cela pouvait-il avoir avec une mine d'or en Europe ? Il ne voyait pas, même si le nom de Barren lui disait vaguement quelque chose. Il se gratta la tête, essayant de se souvenir où il l'avait entendu, mais rien ne vint. Il verrait plus tard.

Il se pencha ensuite sur le *Jerusalem Post* en date du vendredi 22 octobre 2010. A la une s'étalaient des articles sur *ha-matzav* et sur la situation politique du moment, un encart consacré aux échecs et une pub vantant le rabbin Meir Kahane, « le dirigeant juif le plus noble et sincère de notre génération ». Ben-Roï secoua la tête, partagé entre l'envie de trouver drôle une phrase aussi débile et la colère qu'un crétin comme Kahane passe en première page d'un journal national.

Il tourna le bouton pour faire défiler les pages et, très vite, tomba de nouveau sur « Barren », dans les nouvelles brèves.

Cambriolage à l'antenne de Tel-Aviv

A Ramat Hachayal, les bureaux de la multinationale américaine Barren Corporation ont été cambriolés. Un groupe anticapitaliste qui se désigne sous le nom de « Nemesis Agenda » a tenu les gardes en respect avec des armes à feu, dérobé des documents et piraté le système informatique de la société. Quiconque a des informations doit contacter la police israélienne au (03) 555-2211.

Ça y est, il se rappelait où il avait vu « Barren » ! C'était la veille, lorsqu'il était coincé dans un embouteillage devant la porte de Jaffa. Sur une palissade, on avait demandé à un artiste de représenter l'endroit une fois que les travaux de voirie seraient terminés. Une légende proclamait : « Barren Corporation : Fiers d'être les sponsors du futur de Jérusalem ! »

Pourquoi Rivka Kleinberg s'intéressait-elle à la Barren ou à une effraction dans leurs bureaux ? Tout comme pour la mine d'or, il ne voyait pas bien le rapport avec l'histoire sur laquelle elle travaillait. Il parcourut le journal jusqu'à la fin pour voir si autre chose retenait son attention, mais ce ne fut pas le cas. Il passa donc au troisième, le *Times*, 17 mai 1972. A la une, la photo d'un homme menotté assortie d'un titre : « M. Wallace quitte la liste des prétendants à la victoire aux primaires du Maryland ! »

Pour l'instant, les choses avaient plutôt bien avancé, mais les vingt-huit pages du *Times* étaient truffées de texte en petits caractères : articles, faits divers, éditoriaux, lettres, critiques, faire-part, rubriques nécrologiques, publicités… Il en avait mal à la tête. L'espace d'un instant, il crut avoir trouvé quelque chose en page 7 – un barrage hydroélectrique en Roumanie inauguré en présence de Golda Meir, qui en avait profité pour discuter de la situation palestinienne. Roumanie et Israël. Le lien était clair. Pourtant, quelque chose au niveau de ses tripes lui disait qu'il s'agissait d'une coïncidence. Il relut l'article deux fois, puis reprit sa recherche.

Pour finir, il passa près d'une heure à lire des articles sur George Wallace, la guerre du Vietnam, les tensions syndicales dans l'industrie britannique, le boom des naissances au Japon, une Iranienne qui avait donné naissance à huit paires de jumeaux et une femme qui était tombée dans un trou en Egypte. Rachel Adler et Asher Blum partirent déjeuner, puis revinrent, sans que Ben-Roï ait seulement remarqué leur absence, absorbé qu'il était par sa lecture. Pourtant, il ne voyait toujours pas ce que Rivka Kleinberg pouvait bien chercher là-dedans.

Déçu, il passa au quatrième journal, le *Times* du 16 septembre 1931. Les articles étaient encore plus denses, les polices encore plus petites. Il décida de ne pas tout lire, mais de le parcourir en espérant que quelque chose lui sauterait aux yeux.

Ce qui se produisit. Page 12. A la rubrique « Actualités internationales et de l'Empire ». Une brève de trois lignes coincée entre des inondations en Chine et un ouragan à Belize.

Un Anglais porté disparu
(de notre correspondant)

Le Caire, 15 septembre.

M. Samuel Pinsker, ingénieur en génie civil de Salford, Manchester, a disparu à Louqsor. Les recherches se poursuivent.

Ben-Roï était fatigué et avait mal au crâne. Il lui fallut un moment pour se souvenir... Il retourna consulter le *Times* du 17 mai 1972 et retrouva rapidement l'article sur cette femme tombée dans un trou en Egypte. Il se mit à le relire.

Quelle chance !

Louqsor, Egypte, le 16 mai.

Une Britannique l'a échappé belle en dégringolant dans un tombeau au fond d'un puits, pendant sa lune de miel. Alexandra Bowers se promenait avec son mari dans les collines autour de la Vallée des Rois lorsque l'accident s'est produit. Malgré une chute de six mètres, Mme Bowers n'a souffert que de quelques hématomes et d'une fracture du poignet. Un autre avait eu moins de chance. Au fond de son puits, Mme Bowers a découvert le cadavre d'un homme, parfaitement conservé grâce au climat sec du désert. Il faudra encore procéder à une identification formelle, mais on pense qu'il s'agit de Samuel Pinsker, un ingénieur britannique disparu quarante ans plus tôt et dont on pense qu'il est tombé dans ce puits en explorant les collines thébaines. M. et Mme Bowers sont à présent retournés au Royaume-Uni.

Il relut plusieurs fois les deux articles. Un ingénieur disparaît en Egypte, une multinationale américaine ouvre une mine d'or en Roumanie, son antenne est cambriolée en Israël, Rivka Kleinberg s'intéresse à tout ça, Rivka Kleinberg est assassinée. Ne restait plus qu'à relier entre eux ces fils, cette toile d'araignée. Comprendre ces liens, c'était résoudre l'affaire. Simple. Comme un puzzle. Sauf que celui-ci semblait avoir des milliers de pièces et qu'on ne savait même pas ce qu'il représentait.

Il s'étira sur sa chaise et son regard passa sur l'horloge à l'autre bout de la pièce. 13 h 20.

Un instant plus tard, Asher Blum et Rachel Adler entendirent un « Oh merde ! » tonitruant briser le silence du lieu.

Si Ben-Roï avait été moins pressé en sortant du campus, il aurait pu remarquer, deux cents mètres plus loin, une silhouette solitaire qui faisait son jogging sur la piste d'athlétisme de l'université et, avec un peu plus d'attention, il aurait sûrement reconnu Dov Zisky, son collègue.

Zisky venait souvent ici en sortant de la synagogue. Certains rabbins disaient qu'il ne fallait pas courir pendant le shabbat, que c'était un jour de repos et que l'exercice était contraire à la loi, mais Zisky avait toujours eu une approche personnelle de la foi. Il avait toujours vu les choses à sa propre façon, en fait. Il était consciencieux, mais pas servile. De toute manière, le Tanakh prescrivait qu'on prenne plaisir au shabbat, et être en forme, ça lui faisait plaisir. Donc c'était bien. Dieu, pensa-t-il, avait probablement des choses plus importantes à l'esprit.

Il piqua un petit sprint, enchaîna avec quelques mouvements de boxe, les bras relâchés. Il savait ce que les gens voyaient quand ils le regardaient. Un homme faible, mou, facile à négliger. Les apparences peuvent être trompeuses. Il n'y accordait pas beaucoup d'importance et essayait toujours d'éviter les conflits, mais quand la situation l'exigeait, il savait parfaitement bien prendre soin de lui. D'aucuns l'avaient appris à leurs dépens. Des types comme Gershmann, à l'école de police. D'habitude, Zisky évacuait d'un haussement d'épaules les remarques homophobes – cela faisait longtemps qu'il en était victime –, mais parfois, si on le poussait trop loin, il répliquait. Apparemment, dans le temps, Gershmann jouait les mannequins pendant ses heures de liberté. Fini, tout ça. Désormais, il aurait le nez de travers pour le restant de ses jours.

Il se remit à sprinter, puis commença une série de pompes sur la pelouse, heureux de sentir la tension dans ses biceps et ses abdos. Soudain, la petite étoile de David qu'il portait en pendentif sortit de son tee-shirt. Il s'arrêta aussitôt pour la remettre en place. Elle avait appartenu à sa mère et il ne souhaitait pas l'abîmer.

Sa mère était morte deux ans plus tôt, d'un cancer généralisé, mais il avait l'impression que c'était hier. Alors qu'il ne lui restait qu'une semaine à vivre, elle avait à tout prix voulu assister à la remise du diplôme de son fils, et malgré la chimiothérapie, malgré ses beaux cheveux blonds disparus et son air émacié, elle avait quitté l'hôpital pour se rendre à l'école de police. Elle avait pleuré. Lui aussi, pas devant elle, mais plus tard, dans l'enceinte de l'école. C'est là que Gershmann – un mètre quatre-vingt-dix, quatre-vingt-dix kilos – l'avait trouvé et lui avait balancé ses remarques homophobes. Zisky l'avait laissé en pièces détachées. Petit merdeux stupide.

Il reprit sa course, le pendentif battait sur son torse couvert de sueur. Il pensait beaucoup à sa mère. Un cliché, bien sûr, l'homo qui aime bien sa maman ! Pourtant, c'était le cas. Sa mère était forte et bienveillante. Elle avait préservé la famille dans des temps difficiles. Dans ses derniers instants, elle lui avait fait promettre d'être un bon fils et un bon frère. Et aussi, d'être un bon policier. De toujours faire son devoir et d'amener les criminels devant la justice.

Voilà pourquoi, somme toute, une fois qu'il aurait pris sa douche et mangé un morceau, il comptait aller faire un tour à l'appartement de Rivka Kleinberg. Parce qu'il voulait faire son devoir. Amener les criminels devant la justice. Les croyants n'étaient pas censés travailler le jour du shabbat, pas plus que faire du jogging ou des pompes, d'ailleurs. Mais Dov Zisky n'était pas du genre à suivre servilement les règles. Il avait sa propre manière de voir les choses.

Un trait qu'il tenait de sa mère.

Ben-Roï avait encore les clés de l'appartement de Sarah. Leur séparation n'avait pas été si houleuse qu'elle lui eût demandé de les rendre. C'est pourquoi, devant l'absence de réponse à ses coups de fil ou de sonnette, il entra.

Contrairement à Galia, qui s'enflammait facilement, Sarah était d'un caractère posé. Elle disait ce qu'elle avait à dire, certes, et ne se laissait pas marcher sur les pieds, mais en général elle était calme. Même après tout ce que Ben-Roï lui avait déjà fait subir.

Aujourd'hui, pourtant, elle était en colère. A tel point que lorsqu'il entra chez elle, l'appartement était vide. Elle avait juste laissé un mot lapidaire sur le tas de meubles en kit, de pots de peinture et de pinceaux au milieu de la chambre : *Partie chez Deborah. Fais le reste.*

Il y passa le restant de la journée, même si la joie qu'il ressentait en préparant la chambre de son premier enfant pâtissait du fait que la mère dudit bébé le prenait pour un trou du cul.

Houston, Texas

En regardant l'interminable table en acajou de la salle où se tenait le conseil d'administration, William Barren regretta la grosse ligne de coke qu'il avait prise avant de venir.

Au début, il en avait préparé une toute fine, longue d'à peine trois centimètres, de la bolivienne canon. Un petit coup de pouce pour garder la forme après une nuit agitée (pourquoi organisaient-ils donc toujours ces réunions le samedi ?).

Pourtant, une fois qu'il avait eu fini de préparer sa ligne, il l'avait trouvée si chétive, si minuscule en comparaison de l'heure assommante qui s'annonçait, qu'il avait décidé d'en rajouter un peu, et puis encore un peu. De fil en aiguille, il s'était retrouvé avec une ligne presque aussi grosse que son petit doigt, qu'il avait aspirée d'une narine experte à l'aide d'une pipette en argent spécialement fabriquée à cet effet. Ensuite, il avait léché la table, essuyé le plateau de sa manche pour faire disparaître toute trace de l'opération et s'était dirigé vers l'ascenseur avec une pêche fabuleuse.

Vingt minutes plus tard, il regrettait. Son cœur battait à cent à l'heure, il n'arrêtait pas de grincer des dents et les pensées carburaient tellement vite dans sa tête, dans tant de directions différentes, qu'il n'arrivait plus à suivre quoi que ce soit. Assis en bout de table, il agitait nerveusement la jambe, la mâchoire crispée, l'air stupide, tandis que les autres parlaient de rachats par effets de levier, de restructuration des fonds offshore, et de l'offre des réserves de gaz égyptiennes. Si celle-ci venait à se concrétiser, elle dépasserait de loin tout ce que la compagnie avait réalisé jusqu'à présent et en ferait un des géants du secteur.

Il savait bien qu'ils le méprisaient tous. Tous, et plus particulièrement Mark Roberts, le P-DG, qui le prenait pour un boulet, un bleu… Pas l'un d'eux, en somme. Il n'était présent qu'en tant qu'arrière-petit-fils du vénéré Joe Barren, dont la petite concession de la Sierra Nevada s'était métamorphosée en un empire valant plusieurs milliards de dollars. Joe, un abstinent élevé dans la crainte de Dieu et né, d'après la légende familiale, dans une cabane en rondins, n'aurait jamais imaginé qu'en trois générations sa petite entreprise deviendrait un colosse de la pétrochimie avec des intérêts dans six continents et une ligne directe avec la Maison-Blanche. Pas plus qu'il n'aurait imaginé que son arrière-petit-fils siégerait au conseil d'administration de la coke plein la tête, après avoir passé la nuit avec une paire de prostituées mère et fille pour fêter sa énième relaxe dans une affaire de conduite en état d'ébriété (état d'ébriété : un putain d'euphémisme !)...

Oui, ils le méprisaient. Mark Roberts, Jim Slane, Hilary Rickham, Andy Rogerson... William balaya du regard les douze membres du conseil assis à cette table, sentant la désapprobation suinter de chacun d'eux. Cependant, la principale source de mépris provenait de l'écran placé en bout de table, où le visage grisâtre et boursouflé de son père flottait comme une espèce de bourdon gigantesque.

Joe Barren avait créé la société, son fils George l'avait fait grandir, mais c'était son petit-fils Nathaniel, le père de William, qui l'avait transformée en colosse. C'était Nathaniel qui avait lancé la diversification dans le gaz et le pétrole, c'était lui qui en avait fait un acteur mondial en ouvrant des succursales en Russie, en Israël, en Chine et au Brésil. Lui encore qui avait cultivé les liens avec les politiques et mis en place la chaîne de relations qui avait attiré des gouvernements du monde entier dans la toile d'araignée de Barren Corporation.

Nathaniel était la Barren Corporation ! Malgré son âge et une santé déclinante qui l'avait obligé à se mettre en retrait après quatre décennies à la tête du navire, il demeurait incontournable, même en tant que simple président honoraire.

Plus pour très longtemps, cependant. Pas si William avait son mot à dire. Le vieil homme était malade, il perdait son flair, et William était plus que prêt à prendre sa place. Il avait peut-être un goût prononcé pour la coke, les voitures et les putes – lesbiennes de préférence, il aimait les filmer en train de se caresser pendant qu'il se branlait –, mais cela ne voulait pas dire qu'il était stupide. Loin de là. Il avait tissé ses propres toiles d'araignée, ces dernières années. De jolies petites toiles. Il avait ses propres contacts, des gens haut placés. Des infiltrés. Autour de la table, il compta au moins sept personnes qui basculeraient dans son camp le moment venu. Parce qu'elles avaient beau le mépriser, elles le craignaient, aussi. Tout comme Michael Corleone dans *Le Parrain*, William Barren allait bientôt prendre les rênes du business familial. De tout le business familial. Et malheur à ceux qui se mettraient en travers de son chemin.

— Quelque chose t'amuse, Billy-Boy ?

Le grognement d'ours qui sortait des enceintes de l'écran emplit la pièce, tirant William de sa rêverie. Nathaniel, qui ne quittait désormais que rarement la vieille demeure familiale de River Oaks, pouvait les voir grâce à un dispositif semblable à celui qu'ils avaient devant eux. Il avait les yeux fixés sur son fils.

— Quelque chose t'amuse ? répéta-t-il, son gros visage respirant la désapprobation.

— N… non, monsieur, balbutia William, qui avait tendance à bégayer chaque fois qu'il prenait de la coke. Rien du tout.

— Mais tu souris, Billy-Boy. Quand les gens sourient, c'est qu'ils sont amusés. Partage donc avec nous les raisons de ton amusement !

William ne s'était même pas aperçu qu'il souriait. Il s'agita sur sa chaise, tandis que treize paires d'yeux le dévisageaient. Il se sentit stupide, comme si son père l'avait humilié devant les domestiques. Comme un loser. Mais il n'était pas stupide. Et il n'était certainement pas un loser. Et bientôt…

— Billy-Boy ?

Cette voix rauque et menaçante. Orson Welles sans la bonhomie. Une voix qui peuplait les cauchemars de William.

— Je pensais à la concession égyptienne, murmura-t-il en essayant de contrôler les effets de la coke sur sa voix. Si nous y parvenons, cela nous amènera à un autre niveau, cela fera de nous un continent incontournable, conclut-il en modifiant tellement sa façon de parler qu'on aurait dit Forrest Gump.

Son père le dévisagea par le truchement de l'écran, comme un cobra fixe un raton laveur. Ou plutôt comme un rhinocéros fixe… les putains de trucs que fixent les rhinocéros. C'était le moment clé. Le moment d'agonie. Un de ces instants qui aujourd'hui encore, à trente-trois ans, alors qu'il était vice-président d'une multinationale dont le chiffre d'affaires dépassait les cinquante milliards de dollars, lui donnaient envie de chier dans son froc. L'ancêtre allait-il lui tomber dessus ? Allait-il le retourner et le mettre en pièces comme il l'avait toujours fait ? Ou alors passer à autre chose ? Les jambes de William semblaient animées d'une vie propre, tandis que les autres membres du conseil l'observaient dans un silence religieux. La tension se propageait comme un rayon laser d'un bout à l'autre de la table, seconde après seconde.

— Barren Corporation est déjà un continent incontournable, finit par déclarer son père au moment où William sentait qu'il allait fondre en larmes. Barren Corporation est une planète !

Le vieil homme marqua une nouvelle pause, histoire de dramatiser les choses et de mettre son fils un peu plus à cran, puis s'adossa à son fauteuil en laissant échapper un grognement satisfait.

— Après tout, la planète est à nous.

La tension disparut dans l'éclat de rire général. William était celui qui riait le plus fort.

— Bien envoyé ! cria-t-il en frappant dans ses mains. C'est notre putain de planète ! On s'est jetés dessus comme des mouches sur une grosse merde !

La remarque, stupide, était due à la coke et au soulagement qu'il avait ressenti. Il la regretta aussitôt qu'elle eut franchi ses lèvres, tandis que les sourires se muaient en toux embarrassées. Heureusement, son père ne parut pas l'entendre. Il avait porté à son visage un petit masque à oxygène dont il tirait péniblement de longues bouffées. William aurait tellement aimé lui remplir son masque de sarin et le regarder s'étouffer ! Nathaniel leur fit signe de poursuivre la réunion, et Jim Slane, le directeur des services financiers, commença à égrener des chiffres de sa voix nasale, vidant la pièce de toute couleur et de toute vie.

William posa les coudes sur la table en joignant les mains, dans l'espoir d'avoir l'air aussi attentif que possible, puis se replongea dans ses pensées. Ils pensaient tous qu'il n'y comprenait rien, mais c'était faux. Il connaissait tout ça par cœur. Les chiffres, les stratégies, les accords, les accords sous les accords. Tout, même des trucs que son père ignorait qu'il savait. En fait, c'était eux qui ne le comprenaient pas, lui. Ils ne voyaient pas à quel point il était intelligent, déterminé et impitoyable. Tout comme Michael Corleone. Bientôt, il allait prendre en main les affaires de la famille. Il avait des plans. Il avait des amis. Il avait du soutien. Le sang allait couler, et quand ce serait fini, il contrôlerait la boîte. Un contrôle total.

Louqsor

Avec sa façade en croisillons et son accueil pavé de marbre, le nouveau poste de police d'El-Awaimaia était un immeuble extrêmement laid avec des rêves de grandeur architecturale.

Les autochtones l'appelaient « El-Bandar », le centre.

Ceux qui y travaillaient lui donnaient d'autres noms : « la mosquée », « le château », « la pièce montée », ou encore « la folie de Hassani ».

Le dimanche matin, Khalifa poussa les portes vitrées pleines de poussière du hall après son jour de repos hebdomadaire et grimpa jusqu'à son bureau au quatrième étage. Depuis le déménagement du poste de police, il n'était plus aussi ponctuel qu'avant, arrivant rarement avant 9 heures et parfois, comme aujourd'hui, à presque 10 heures.

— Bonsoir ! lança Ibrahim Fathi, l'inspecteur avec qui il partageait son bureau.

Khalifa ignora la remarque sarcastique d'El-Homaar, comme tout le monde appelait son collègue – « l'âne ». Il s'installa devant son ordinateur et alluma une Cleopatra.

— Des messages ?

— Je n'en ai pas eu.

— Sariya est là ?

— Il est venu et il est reparti. Un autre bateau s'est fait siphonner son diesel. C'est le troisième cette semaine. Il est sur les quais, pour discuter avec le propriétaire.

Khalifa tira une bouffée. Inutile d'y aller. Sariya était parfaitement capable de s'occuper de ça tout seul. Du coup, il passa un bref coup de fil chez lui – il n'était parti que depuis vingt minutes – pour s'assurer que Zenab allait bien, puis se mit à feuilleter les dossiers sur son bureau. La blessure à l'arme blanche au night-club Touthotel devait passer en jugement dans une quinzaine de jours, mais il avait déjà rédigé son rapport et ne pouvait plus faire grand-chose, jusqu'au jour où il serait appelé à témoigner. Le deal de drogue dans le souk exigeait encore qu'on se penche dessus, tout comme les vols dans les hangars de *talatat*. Dans le temps, il serait immédiatement allé poursuivre ces enquêtes, mais aujourd'hui, comme souvent à présent, il n'était pas d'humeur. Il envisagea d'appeler Demiana Barakat, mais si elle avait eu quelque chose à lui dire, elle l'aurait contacté, alors il laissa tomber. Du coup, il se connecta à un forum de discussion qu'il fréquentait ces derniers temps, sans jamais intervenir, car même sous une identité d'emprunt il était trop gêné pour ça, mais simplement pour lire ce que d'autres disaient. Des gens dans le même bateau que lui. Cela aidait un peu de savoir qu'on n'était pas tout seul.

La page venait d'apparaître à l'écran lorsque son portable sonna. Tiens, tiens... Demiana.

— *Sabah el-kheir, sahbitee*, dit-il. Je pensais justement t'appeler. Tout va bien ?

— Très bien. Ecoute, je vais partir à l'église dans deux minutes, alors je ne vais pas rester longtemps au téléphone. Je crois que j'ai des informations qui pourraient t'intéresser, en rapport avec ce dont nous avons parlé hier.

Khalifa resta encore quelques secondes les yeux fixés sur sa page Internet – un autre post de Gemal, d'Ismaliya, qui au bout de deux ans luttait encore pour accepter la perte de sa femme –, puis il tourna la tête et accorda toute son attention à Demiana.

— Je t'écoute.

— J'ai fait passer le mot, pour savoir si quelqu'un avait entendu des histoires de puits empoisonnés, ou des choses de ce genre. Eh bien, non. Du moins pas dans la région qui t'intéresse. Néanmoins, ce matin, Marcos, notre bibliothécaire, a parlé d'un truc similaire. C'est arrivé il y a très longtemps, et dans une autre région, alors ça n'a probablement rien à voir, mais je préfère t'en parler.

— Vas-y.

— Tu as entendu parler de Deir el-Zeitoun ?

— Non.

— C'est un tout petit monastère en plein milieu du désert Arabique. Deux bâtiments, un puits et l'oliveraie qui lui donne son nom, rien de plus. D'après la légende, c'est saint Pacôme lui-même qui l'aurait plantée, ce qui semble peu probable, étant donné qu'il a vécu au IVe siècle. Quoi qu'il en soit, ces arbres étaient très vieux. Et subitement, il y a trois ou quatre ans, ils sont tous morts. Jusqu'au dernier. De même que le jardin potager du monastère. Ratatiné et fané.

— Ils étaient irrigués avec l'eau du puits ?

— Oui. Les moines buvaient de l'eau qu'on apportait en citerne, alors ils n'ont pas été affectés.

— Où se trouve ce monastère ? demanda Khalifa en se levant pour aller consulter la carte affichée sur son mur.

— A mi-chemin entre Louqsor et Abou Dahab, sur la côte. Un peu à l'ouest du djebel El-Shalul.

Khalifa situa le point sur la carte. A l'évidence, le monastère ne figurait pas dessus, mais il devait se trouver à une quarantaine de kilomètres de Bir Hashfa, le village à côté de la ferme des Attia. Trop loin pour établir un lien, et pourtant...

— Les moines y sont toujours ? demanda-t-il.

— Ils ont dû déménager. D'après une légende, le monastère ne devait pas survivre à son oliveraie. Alors ils ont plié bagage. De toute façon, ils n'étaient qu'une poignée.

— Ils avaient déjà eu ce genre de problème auparavant ?

— Pas que je sache.

— Quelqu'un les a menacés ?

— C'est un trou perdu. Personne ne devait même savoir qu'ils s'y trouvaient. Ils auraient pu être sur la Lune, ç'aurait été la même chose.

— Et tu n'as rien entendu d'autre dans la région ?

— Mais il n'y a rien d'autre dans la région.

Khalifa entendit un murmure à l'arrière-plan.

— Je suis désolée, Youssouf, mais la messe va commencer. Je dois y aller.

— Bien sûr. Merci pour l'info. N'hésite pas à me rappeler.

Il raccrocha et se mit à fixer sur la carte le rectangle de désert délimité par les autoroutes 29 et 212. Le puits d'Attia, celui de son cousin, et maintenant Deir el-Zeitoun. Trois points d'eau empoisonnés, tous coptes. Un ou deux, ça pouvait être de la malchance, mais trois, même éloignés, ça dessinait un motif. Il alluma une autre cigarette et retourna devant son écran. Abdul-hassan43, un autre habitué du forum, venait de poster une série de versets du Coran. Ainsi qu'un poème qui disait qu'il n'y avait nulle honte à pleurer. Il en lut la moitié, puis se déconnecta et composa le numéro du chef Hassani sur son téléphone.

En face de lui, Ibrahim Fathi ouvrit un paquet de *torshi*.

JÉRUSALEM

La veille, lorsqu'ils avaient discuté, Mordechai Yaron avait proposé de venir à Jérusalem pour lui éviter une heure de trajet, mais parfois Ben-Roï aimait échapper à cette ville envahissante, se nettoyer la tête. Aussi roulait-il en direction de Tel-Aviv à travers les collines de Judée, par un temps magnifique. La banlieue s'étendait chaque année un peu plus, au point qu'elle semblait devoir bientôt recouvrir toutes les terres. Ce n'est qu'au bout de dix kilomètres que les blocs d'immeubles cédèrent finalement la place à la nature. Les pentes rocailleuses où poussaient de rares arbres lui donnèrent la sensation de mieux respirer. Il accéléra et régla l'autoradio sur *Kol Ha-Derekh*, la Voix de la Route. Ils passaient Alicia Keys, « Empire State of Mind ». Il sourit. Une des chansons préférées de Sarah.

Les choses s'étaient un peu arrangées entre eux, même s'il lui avait fallu pas mal ramer pour atteindre ce résultat. Il était resté peindre et poncer la chambre de Bubu jusqu'à minuit passé, et y était retourné le matin même pour terminer ce qui restait à faire. Mais la chambre était splendide et Sarah lui avait préparé des *blintzes* pour le petit déjeuner, preuve que les tensions s'estompaient, d'autant qu'il ne s'était pas lancé sur la piste des articles qu'il avait lus à la Bibliothèque nationale.

D'ailleurs, ça le tarabustait, parce que plus il y pensait – et onze heures de ponçage, de peinture et de montage de meubles lui en avaient donné tout loisir –, plus il avait la sensation que toutes ces histoires étaient essentielles à la compréhension de l'affaire Kleinberg. L'or, l'Egypte, les mines, la Barren Corporation. Tous ces éléments tournaient sous son crâne comme les roues dentées d'un coffre-fort. Il suffisait de trouver la bonne combinaison et il s'ouvrirait aussitôt, mais sans elle, on aurait beau s'acharner dessus, il ne livrerait pas ses secrets.

Un développement intéressant s'était produit. Très intéressant. Dov Zisky l'avait appelé et lui avait dit que les opérateurs des téléphones fixe et mobile de Kleinberg ainsi que son fournisseur Internet n'avaient pu fournir un relevé des communications de la victime au cours des deux derniers trimestres, parce qu'ils semblaient avoir été effacés. Ils vérifiaient la chose, mais pour l'instant la seule explication qu'ils avançaient était l'erreur informatique – ce qui paraissait incroyable, étant donné qu'il s'agissait de trois systèmes différents – … ou le piratage.

« J'ai parlé à un de mes amis, qui bosse dans la sécurité informatique. Il prétend que les sociétés qui œuvrent dans la communication sont plutôt à la pointe pour tout ce qui concerne la protection des réseaux. Pas faciles à pirater. Le gars qui a fait ça connaissait son affaire. »

Cela ouvrait deux options. En Israël, la Russkaya Mafiya régnait sur le cybercrime, comme sur toutes les autres formes de crime, d'ailleurs. La même Russkaya Mafiya qui, d'après son ami journaliste Nathan Tirat, avait menacé de mort Rivka Kleinberg quelques années plus tôt. Et le groupuscule anticapitaliste mentionné dans l'article du *Jerusalem Post* qu'il avait lu la veille, le Nemesis Agenda, donnait aussi un peu dans le piratage informatique. Coïncidence ? Lien ?

Il fallait creuser ça. Il fallait creuser beaucoup de choses, mais certaines devraient attendre. Ce matin, il souhaitait se concentrer sur le travail de journaliste de Kleinberg. L'enquête n'était vieille que de quarante-huit heures et il avait déjà un monticule de faits sans liens entre eux. Il était temps d'examiner les détails. Il accéléra au-delà des cent vingt kilomètres-heure au moment où résonnait le rythme caractéristique de l'intro de « Sympathy for the Devil », des Stones. Une de *ses* chansons préférées. L'étendue verte et plate de la plaine côtière s'étalait devant lui. Il roulait vers l'ouest et il se sentait bien.

Le vieux port palestinien de Jaffa – Urs al-Bahr, la Fiancée de la Mer – est bâti sur un promontoire qui dépasse comme une virgule de l'extrémité sud de Tel-Aviv. Autrefois, c'était une ville à part entière, mais aujourd'hui elle a disparu, avalée par la croissance de sa voisine plus au nord. Sa population arabe a été repoussée vers les banlieues d'Ajami et de Jabaliya, et des propriétaires israéliens sont venus occuper ses immeubles datant de l'époque ottomane ou de la mandature britannique.

C'est dans un de ces bâtiments que se trouvaient les bureaux de *Matzpun a-Am*, en plein milieu du souk Ha-Pishpeshim. Ben-Roï se gara non loin de là et fixa ses plaques d'immatriculation rouges de la police pour éviter de se prendre une prune, puis traversa le marché bigarré pour arriver jusqu'à la porte du journal.

— Vous avez trouvé facilement ? lui demanda Yaron en l'accueillant.

— Sans problème. J'ai vécu à Tel-Aviv, autrefois. Je venais souvent ici. Ça n'a pas changé.

— Croyez-moi, les loyers ont changé, eux. Les propriétaires nous font subir le même sort que l'Irgoun aux Arabes. Encore une augmentation et nous serons tous partis.

Les deux hommes se serrèrent la main. Trapu, le haut du crâne dégarni, les oreilles décollées et un grand front encadré par deux touffes de cheveux blancs, il était le portrait craché de David Ben Gourion. Les vêtements exceptés : sandales, short et tee-shirt. Hippy vieillissant plutôt que Père fondateur.

— Vous voulez du café ? Quelque chose de plus fort ?

— Un café, ce sera parfait.

Yaron alla s'affairer devant une bouilloire dans un coin de la pièce.

— Tous les journaux ont parlé de Rivka Kleinberg, dit-il. Dans les pages intérieures. On aurait pu croire que le meurtre d'une des plus grandes journalistes du pays aurait fait les unes dans la presse, mais apparemment la vie sexuelle de la femme du maire de Jérusalem est un sujet plus important... *Ha'aretz* a pondu une jolie notice nécrologique, ce qui est la moindre des choses, vu le nombre de scoops qu'elle leur a fournis. Pauvre Rivka. C'est terrible. Je n'arrive toujours pas à y croire. C'était une femme bien. Travailleuse. Une sacrée journaliste. Paix à son âme !

La bouilloire se mit à siffler. Yaron prépara deux tasses.

— Sucre ?

— S'il vous plaît.

— Voici notre dernière édition, poursuivit Yaron en lui tendant un magazine. Pour vous donner une idée de ce qu'on fait. Rivka y a écrit un article sur l'effondrement de la gauche israélienne. Vous ne lirez pas de meilleure analyse sur les raisons pour lesquelles ce pays est politiquement foutu.

Le vieil homme alla s'asseoir derrière son bureau, tandis que Ben-Roï examinait la couverture du magazine. Une carte d'Israël, dessinée de telle sorte que le pays ressemblait à un entonnoir dans lequel se déversait une bouillie de mots – Travaillistes, Meretz, Paix, Pluralisme, Tolérance, Démocratie, Raison – et dont l'extrémité s'ouvrait au sud, au-dessus d'une grande poubelle. Le titre disait « L'espoir va vers le sud ».

— Le graphisme est bien, hein ? C'est moi qui l'ai fait.

— C'est assez... provocateur.

— Vous vous intéressez à la politique ?

Ben-Roï haussa les épaules. Parfois oui, parfois non. Aujourd'hui, certainement pas. Le vieil homme lut cela sur son visage et n'insista pas.

— La gauche est morte, se contenta-t-il d'affirmer. Depuis qu'on a invité un million de Russes à venir s'installer ici, ils ont poussé ce pays tellement à droite que même Zeev Jabotinsky doit se retourner dans sa tombe. Mais laissons cela ! Que puis-je faire pour vous ?

— Je veux que vous me parliez des enquêtes de Kleinberg. D'après ce que vous me disiez hier, elle travaillait sur la prostitution, ces temps-ci...

— La prostitution forcée, corrigea Yaron. La traite des femmes. Il y a une différence. Même si je connais beaucoup de gens qui diraient que toute prostitution est une coercition, ne serait-ce que d'un point de vue économique.

— Vous avez des détails ? Qu'écrivait-elle exactement ?

— L'idée initiale était de se servir de la prostitution comme d'une métaphore de la désintégration morale d'Israël. Mais Rivka étant ce qu'elle était, cela est vite passé au second plan. Elle a décidé de s'intéresser plus particulièrement aux aspects humains du dossier. Laisser tomber l'angle sociopolitique et se concentrer sur les filles et leur histoire. Leur donner une voix. Puis l'enquête a évolué vers une analyse des processus qui régissent ce trafic : comment il est organisé, comment les filles se déplacent, qui fait tourner cette industrie. Au départ, l'article était censé faire mille mots, mais il s'allongeait, grandissait sans cesse, tandis que la date de remise était toujours retardée.

Il secoua la tête, bourra sa pipe et l'alluma.

— Typique de Rivka. Je me souviens d'elle au début de sa carrière, à l'époque on travaillait tous les deux pour un petit magazine culturel à Haïfa, où nous nous sommes d'ailleurs connus, dans les années 70. On l'a envoyée faire un papier sur des tisseuses druzes, elle est revenue avec quatre mille mots sur Golda Meir et la trahison du féminisme juif.

Il sourit en tirant sur sa pipe.

— Elle était comme ça. Toujours à prendre la tangente. Et la tangente de la tangente. C'est pour ça que *Ha'aretz* a fini par la virer.

— Un de mes contacts m'a dit que c'était parce qu'elle avait tendance à… voir des complots partout ?

— A voir comment ce pays évolue, elle avait sans doute raison. Je peux vous dire un truc, c'est que lorsque Rivka voyait de la fumée, il y avait un feu pas loin.

Il jeta la tête en arrière et lança un rond de fumée, tandis que de la rue provenaient les cris d'un marchand qui s'époumonait à vendre ses amandes.

— Elle était difficile, concéda-t-il au bout d'un moment. Et de plus en plus en vieillissant. Elle devenait exaspérante, notamment vis-à-vis des corrections, mais elle restait une satanée journaliste. Il fallait juste savoir la prendre. La laisser faire en espérant qu'elle reviendrait avec quelque chose, ce qui ne manquait jamais de se produire.

— Mais vous n'avez pas d'autres détails ? Sur qui elle écrivait ? A qui elle parlait ?

— Je sais qu'elle est allée à Petah-Tikva faire des interviews. Il y a un centre pour les jeunes filles victimes de trafic sexuel, le seul dans le pays, apparemment. A part ça…

Il haussa les épaules.

— Comme je vous l'ai dit, j'avais tendance à lui lâcher la bride.

— Vous connaissez le nom de ce centre ? demanda Ben-Roï.

— Hofesh. Oui, c'est ça, Hofesh. Le « centre de la liberté ».

— A-t-elle évoqué des menaces ? Ou parlé d'un danger ?

— Non, répondit Yaron. Mais elle ne me disait pas grand-chose. Elle était plutôt du genre à ne pas dévoiler son jeu.

— A-t-elle jamais été menacée ?

— J'imagine qu'elle l'aurait été si quelqu'un lisait encore ce magazine. Avant la mort de Rabin, nous vendions cent quatre-vingt mille exemplaires par mois. Aujourd'hui, on n'en écoule pas deux mille. On ne peut quand même pas les donner. Ça n'intéresse plus personne. Que la gauche repose en paix. Que tout ce satané pays repose en paix !

Il tira une bouffée de sa pipe, et des volutes mélancoliques s'élevèrent des commissures de ses lèvres.

— Quand avez-vous vu Rivka Kleinberg pour la dernière fois ?

— Il y a six semaines environ. Elle est venue à Tel-Aviv et nous avons déjeuné ensemble. En revanche, je lui ai parlé la semaine dernière, quand elle m'a appelé pour repousser la date de remise de son article. Elle m'a annoncé qu'elle avait découvert quelque chose d'intéressant et qu'elle avait besoin d'un peu plus de temps pour creuser ça.

— Elle a dit quoi ?

— D'habitude, elle disait ça lorsqu'elle prenait une de ses fameuses tangentes. Je n'ai pas insisté, parce que ma fille avait déjà perdu les eaux et que j'avais autre chose en tête. Si j'avais su que c'était la dernière fois que je lui parlais, j'aurais fait un peu plus attention.

Ben-Roï songea aux articles qu'elle avait consultés six jours avant sa mort. Peut-être des tangentes.

— *Vosgi*, ça vous dit quelque chose ? demanda-t-il alors. Ça signifie « or », en arménien.

— Rien du tout, répondit Yaron après une brève réflexion.

— Et Barren Corporation ?

— Le nom m'évoque quelque chose. Une multinationale américaine, non ?

— Kleinberg semblait s'y intéresser. Ils ouvrent une mine en Roumanie.

Yaron haussa les sourcils, comme pour souligner qu'il ne savait rien de cette histoire.

— A-t-elle parlé de mines, ou d'extraction d'or ?

— Pas que je me souvienne.

— Et l'Egypte ? La nuit où elle a été tuée, elle était enregistrée sur un vol en direction d'Alexandrie.

— Elle ne m'en a pas parlé, c'est sûr. Il y a quelque temps, elle a fait un papier sur les contrebandiers des tunnels, vous savez ? Ces Palestiniens qui cassent le blocus de Gaza en important des biens du Sinaï. Mais c'était il y a plus d'un an.

— Aurait-elle pu partir là-bas en vacances ?

— Rivka ? En Egypte ? J'en doute. Elle n'était pas du genre à partir en vacances. Et de toute façon, elle n'avait jamais un rond.

— Samuel Pinsker ? reprit Ben-Roï. Vous en avez déjà entendu parler ?

— Je connais un Léon Pinsker. Le sioniste du XIXe siècle.

— Non. Samuel Pinsker, un ingénieur britannique.

— Celui-là, je ne le connais pas.

— La communauté arménienne ? La cathédrale Saint-Jacques ?

— Non et non.

— Et le mouvement anticapitaliste ? Elle s'y intéressait ?

— Bien sûr que oui, dit Yaron avec une grimace de surprise. Ça intéresse tout le monde. Le capitalisme a baisé la société. Comment ne pas être contre un système qui laisse deux milliards et demi de personnes vivre avec moins de deux dollars par jour et qui concentre quatre-vingt-cinq pour cent de la richesse globale...

— Le Nemesis Agenda ? l'interrompit Ben-Roï, qui ne voulait pas se laisser entraîner dans un cours de politique. Vous a-t-elle déjà parlé de ce groupe ? Ils sont anticapitalistes, ils entrent par effraction dans des bureaux et piratent les...

— Les ordinateurs des grosses boîtes. Oui, je les connais... Et oui, elle a mentionné ce nom.

— Récemment ?

Yaron secoua la tête.

— Il y a deux ou trois ans, à l'époque où elle a commencé à travailler pour nous. Elle a suggéré qu'on fasse un papier sur eux. Elle disait qu'elle avait un contact dans le groupe et qu'elle était peut-être en mesure d'interviewer l'un de ses membres. Ce qui aurait été un scoop, car, pour autant que je sache, ils ne se sont jamais exprimés dans la presse.

Yaron se tut un moment. Il se mit à taper quelque chose sur le clavier du Toshiba portable posé devant lui, ses doigts courant sur les touches avec une dextérité surprenante, puis il tourna l'écran vers Ben-Roï.

— Des types intéressants, dit-il. Des sortes d'extrémistes de la transparence. WikiLeaks avec des menaces en plus. Ils ont un certain impact, c'est sûr. Apparemment, ils foutent la trouille aux multinationales.

Ben-Roï se concentra sur la page d'accueil de TheNemesis-Agenda.org, plus fonctionnelle que graphique, qui annonçait en exergue : « Nous travaillons à révéler les crimes du capitalisme global. » Le *A* d'« Agenda » avait été déformé pour ressembler à un crâne. Une barre de menu proposait diverses rubriques et une adresse e-mail : tellu@nemesisagenda. Des photos en noir et blanc de paysages dévastés et d'enfants émaciés et, au milieu de la page, une vidéo en pause sur le gros plan d'un visage gonflé et couvert d'hématomes, accompagnée du titre « La Confession de M. Semblaire au Congo ».

Ben-Roï cliqua sur le lien « Qui sommes-nous ? ». Une nouvelle page apparut, où ne figuraient que cinq mots : « Vous aimeriez bien le savoir ! » Il eut à peine le temps de les lire que les lettres s'embrasèrent et disparurent avec un bruit de tonnerre, puis l'écran rebascula sur la page d'accueil.

— Les temps changent, comme disait Dylan, glousse Yaron. A l'époque, quand on voulait protester contre quelque chose, on allait marcher dans la rue et distribuer des tracts, et les plus énervés organisaient un sit-in ou écrivaient des graffitis. Mais ces gens-là, ils sont plutôt comme le Mossad. Ils entrent par effraction dans des bureaux, piratent des ordinateurs, cognent pendant les interrogatoires, filment le tout et postent ça sur le Web. Le radicalisme à la sauce XXIe siècle.

Il posa sa pipe dans le cendrier.

— Et moi je dis que c'est tant mieux, poursuivit-il. Ces multinationales assassinent littéralement des gens, en toute impunité. Elles volent, exploitent, polluent, trichent, font de l'évasion fiscale et s'acoquinent avec les régimes les plus grotesques de la planète. Rien n'est trop immoral, aucun crime n'est trop abject devant leur sacro-saint bénéfice. Et comme leurs méfaits ont pour cadre des pays trop faibles, trop pauvres ou trop corrompus pour s'y opposer, personne ne leur demande des comptes, du moins jusqu'à ce que leurs sales petits secrets se retrouvent exposés sur la Toile...

Il pointa le doigt sur l'ordinateur.

— Le Web n'est pas seulement le grand pourvoyeur de démocratie de notre temps, c'est aussi la grande cour de justice de l'époque. Le public a accès à l'information et elle devient... Comment dit-on, déjà ? Virulente ?

— Virale.

— Exactement ! Soudain, le monde entier sait ce que vous faites et c'est l'enfer. Les gens vont manifester devant leurs bureaux, leurs cadres sont harcelés, leurs ordinateurs sont attaqués par d'autres pirates, leur image en prend un sérieux coup et le cours de leurs actions dégringole, affirma-t-il, l'air satisfait. Je n'ai jamais été partisan de la force, mais on ne peut s'empêcher de ressentir une certaine joie intérieure quand on voit ces multinationales avaler la potion qu'elles administrent si souvent à d'autres. Némésis, la déesse de la Vengeance – leur nom veut tout dire.

Ben-Roï, l'œil rivé à l'écran, se demandait ce que tout cela avait à voir avec le meurtre de Rivka Kleinberg.

— Ce groupe, ce sont des Israéliens ? demanda-t-il.

— D'après ce que j'ai compris, ils ont des antennes dans différents pays. En général, ce genre d'organisation fonctionne comme ça, au sein d'un réseau assez souple. Pour être honnête, je ne sais pas grand-chose sur eux, et je pense que personne n'en sait guère plus. Voilà pourquoi ç'aurait été un si bon scoop d'obtenir d'eux une interview.

— Mais ça ne s'est pas fait ?

— Le contact de Rivka s'est dégonflé au dernier moment. Tout était calé, apparemment, mais quand elle est partie faire l'interview, ils ont tout annulé... Je dois avouer que je me suis demandé si ce contact existait vraiment. Ce que je veux dire, c'est : pourquoi ces types de Nemesis, qui ne parlent jamais à personne, accorderaient-ils une interview à une feuille de chou comme la nôtre ?

Il haussa les épaules.

— Peut-être essayait-elle simplement de se prouver quelque chose à elle-même ? poursuivit-il. Peut-être suis-je injuste ? Mais quand elle est partie à Mitzpe Ramon rencontrer un de ces types...

Ben-Roï dressa la tête en entendant Yaron mentionner Mitzpe Ramon, la destination du ticket de bus dont Kleinberg s'était servie quatre jours avant de mourir. Il sentit une poussée d'adrénaline.

— Vous vous souvenez du nom de son contact ? demanda-t-il avec une nouvelle urgence dans la voix.

— Je crois que c'était un vieil ami de Rivka, mais à part ça... Elle protégeait ses sources ! Je sais juste qu'elle a fait tout le chemin jusqu'au milieu du désert du Néguev pour s'entendre dire qu'il n'y avait plus d'interview. Point final.

— Et Kleinberg vous a reparlé de cette personne récemment ?

— Non. Pourquoi ?

Ben-Roï lui raconta l'histoire du ticket de bus, mais Yaron ne put lui fournir aucune explication supplémentaire, sur ce sujet comme sur les autres, malgré toutes les questions que l'inspecteur lui posait. Finalement, Yaron n'avait fait qu'ajouter une couche de complexité supplémentaire à un algorithme déjà compliqué. Trois ans plus tôt, Kleinberg s'était intéressée à Nemesis Agenda, et ces derniers étaient reparus sur son radar quelques jours avant sa mort. C'était à peu près tout, et ce n'était pas grand-chose.

Les deux hommes parlèrent encore une bonne demi-heure, sans que rien de nouveau surgisse. Yaron trouva le numéro de téléphone du centre Hofesh sur Internet et le donna à Ben-Roï, avec une demi-douzaine d'exemplaires de son magazine qu'il glissa dans un sac en plastique.

— C'est drôle, dit-il en raccompagnant Ben-Roï. En parlant avec vous, je me suis rendu compte que je connaissais très peu Rivka. Nous avons été amis pendant quarante ans, et pourtant certaines facettes de sa vie me sont totalement inconnues. Elle divisait son existence en compartiments étanches. Moi, j'étais dans la boîte « Journalisme et Politique ». Si vous voulez savoir ce qu'elle pensait des accords d'Oslo, de Kadima, de Peres ou de Netanyahou, je peux vous le dire. Mais le reste… Vous savez, en quarante ans, je ne suis jamais entré chez elle. Pas une fois.

Il haussa les épaules.

— Peut-être n'étais-je pas un ami aussi proche que je le croyais…

— Je reste en contact avec vous, éluda Ben-Roï.

Les deux hommes se serrèrent la main devant la porte. Ben-Roï commençait à s'éloigner lorsque Yaron le retint par le bras.

— Rivka était quelqu'un de bien, inspecteur. Il lui arrivait d'être pénible ou de mauvaise humeur, mais dans le fond, c'était quelqu'un de bien. La justice, pour elle, ça voulait dire quelque chose. Défendre les opprimés, aider les personnes qui ont des problèmes, elle y croyait. Elle pouvait vous traiter de tous les noms parce que vous aviez changé un mot dans un de ses articles, et deux minutes plus tard donner le contenu de son portefeuille à un clochard. Elle avait une empathie naturelle envers les gens qui souffrent. Probablement parce qu'elle-même souffrait beaucoup. Alors, s'il vous plaît, faites tout ce que vous pourrez pour elle.

Il soutint un instant le regard de Ben-Roï, puis referma la porte. L'inspecteur s'éloigna. Au bout de cent mètres, il glissa les magazines dans une poubelle. La lecture pouvait attendre un peu, il avait un meurtre à élucider.

Louqsor

« Oh, putain ! Khalifa ! Epargnez-moi une autre de vos théories du complot ! Vous êtes un rêveur ! Vous l'avez toujours été et vous le resterez ! Un putain de rêveur ! »

Il n'y a pas si longtemps, c'était ce que l'inspecteur-chef Abdul ibn-Hassani aurait dit si Khalifa était venu lui annoncer une machination pour chasser les Coptes du désert.

Les deux hommes ne s'étaient jamais bien entendus. Irritable, injuste, sans imagination, l'inspecteur-chef n'avait jamais apprécié l'approche moins formelle de son subordonné, la façon qu'il avait de suivre son instinct plutôt que le règlement à la lettre. De son côté, Khalifa avait toujours été exaspéré par les méthodes de son patron, qui pensait tirer le meilleur de ses hommes en les intimidant et en leur gueulant dessus et qui, en outre, était obnubilé par la procédure. Il ne voulait pas résoudre des affaires, il voulait que les enquêtes soient conformes aux préconisations du manuel de la police égyptienne.

Ce n'était pas tout à fait vrai. Malgré toute son étroitesse d'esprit, Hassani savait reconnaître un bon flic quand il en voyait un, et, non sans réticence, il avait laissé pas mal de liberté à Khalifa au cours des dernières années. Leur relation n'avait jamais été agréable, et les histoires de conspiration de Khalifa avaient le don d'énerver rapidement Hassani. En général, il répondait par une diatribe sur la nécessité de s'en tenir aux faits et de contrôler son imagination, et n'explosait vraiment que si Khalifa insistait.

Cependant, Hassani avait changé, ces derniers temps. Depuis la fin de son arrêt maladie, Khalifa avait remarqué que son supérieur s'était adouci, qu'il contrôlait ses nerfs et ne faisait plus autant usage d'explétifs que par le passé. Il l'appelait même « Youssouf », une entorse au règlement qu'il réservait en général au cercle le plus restreint de ses favoris.

Toutes ces attentions avaient beau reposer sur de bonnes intentions, elles ne faisaient qu'augmenter le sentiment de décalage qu'éprouvait Khalifa. Comme son ancien appartement ou le rire de Zenab, le caractère belliqueux de Hassani faisait partie des constantes de son existence. Et maintenant, juste au moment où il en avait le plus besoin, toutes ces constantes semblaient s'évaporer les unes après les autres et le laisser dans le flou, sans défense.

Tandis qu'il racontait à Hassani l'histoire des puits empoisonnés, Khalifa se disait qu'il aurait préféré que son patron s'emporte. Pourtant, il l'écoutait patiemment, en tapotant sur la table de son petit doigt, la mâchoire en avant, dans l'attitude qu'il adoptait lorsqu'il voulait donner l'impression de réfléchir.

— Intéressant, fit-il. Très intéressant.

— Je sais que les incidents ont eu lieu à des endroits très éloignés, ou du moins que le monastère est loin des deux fermes...

— Quarante kilomètres, c'est ça ?

— Dans les trente, plutôt.

— Et les oliviers sont morts ?

— Il y a trois ou quatre ans. Je sais que tout cela a l'air un peu faible, mais... Trois puits coptes empoisonnés, tous à peu près dans le même coin. Ça semble suggérer... Il semble qu'il y ait...

Il se tut, attendant un commentaire de Hassani, mais celui-ci se contenta de tapoter du doigt et d'avancer la mâchoire sans rien dire. Auparavant, les mercuriales de son patron avaient le don de convaincre Khalifa qu'il avait raison, mais aujourd'hui son silence l'incitait à se demander s'il n'avait pas surestimé le problème.

— Ça m'a paru étrange, dit-il avec un soupçon de doute dans la voix. Plus qu'une simple coïncidence. Bir Hashfa, le village à côté de la ferme des Attia, n'a pas été affecté. Juste les trois puits des Coptes.

Hassani joignit les mains en penchant légèrement la tête sur le côté. Son visage s'encadrait dans un rectangle d'une teinte un peu plus sombre sur le mur, à l'endroit qu'occupait autrefois le portrait de Hosni Moubarak. Il l'avait décroché dès que la chute du président avait paru certaine. Malgré son air pataud, l'inspecteur-chef savait nager dans le sens du courant.

— Bien sûr, strictement parlant, aucun de ces endroits ne se trouve sous notre juridiction, déclara-t-il enfin. Et certainement pas Deir el-Limoun.

— Zeitoun, corrigea Khalifa.

— C'est ça. Mais laissons ça de côté. Laissons aussi de côté que l'eau des puits tourne parfois toute seule. Parce que ça arrive, n'est-ce pas ? Qu'elle tourne toute seule ?

Khalifa reconnut que c'était déjà arrivé.

— Donc, ce que vous me suggérez, c'est que quelqu'un se balade dans le désert pour empoisonner les puits des Coptes...

Khalifa acquiesça.

— Ou plutôt, reprit Hassani, qu'ils en ont empoisonné un il y a quatre ans, et deux autres récemment.

Khalifa acquiesça de nouveau, avec un peu moins de conviction cette fois-ci.

— Je sais que ça paraît léger, concéda-t-il.

— Et d'après vous, qui sont ces mystérieux empoisonneurs ? demanda Hassani, qui, tout en essayant de le dissimuler, trouvait ça faible aussi.

— Au début, j'ai pensé à un habitant de Bir Hashfa. C'est d'ailleurs ce que pensait M. Attia. Cependant, étant donné la distance à laquelle se trouve le monastère... Peut-être les Frères musulmans...

— Au milieu du désert !

Manifestement, Hassani avait du mal à contrôler le ton de sa voix et ne restait civil qu'au prix d'un gros effort.

— Voyons, Khalifa... Youssouf... Vous savez bien que ce sont des rats des villes !

— Les salafistes, alors. Ce sont des ruraux, ajouta-t-il sans convaincre Hassani. En tout cas, quelqu'un a un problème en rapport avec la religion, je ne vois pas d'autre explication. S'il n'y avait que M. Attia et son cousin, ça pourrait être une simple querelle de voisinage, une vendetta familiale. Mais lorsqu'on prend en compte le monastère... Pourquoi quelqu'un irait-il parcourir plus de cent kilomètres pour empoisonner un point d'eau que seule une poignée de moines utilise ? C'est du fanatisme, nécessairement. Ou alors, un cinglé empoisonne des points d'eau au hasard, juste pour s'amuser.

— Ou l'eau des puits a tourné toute seule et le fait qu'ils soient coptes n'est qu'une coïncidence.

Khalifa se sentit soudain désorienté, plus sûr de rien.

— J'ai juste l'impression que quelque chose cloche, murmura-t-il piteusement. Qu'il y a quelque chose à creuser là-dessous.

Peu de choses irritaient autant Hassani que les gens qui lui confiaient leurs impressions. « Les femmes et les pédés ont des impressions. Les policiers ont des preuves ! » assénait-il souvent. Ce jour-là, il ne le fit pas, ce qu'on pouvait porter à son crédit, car il en avait très envie. A la place, il se dirigea vers la grande baie vitrée qui courait sur tout un pan de son bureau. Quand ils avaient emménagé dans ces nouveaux locaux, six mois plus tôt, elle offrait une vue spectaculaire sur la ville, jusqu'au Nil et au massif Thébain à l'horizon. Depuis, le ministère de l'Intérieur avait décidé d'ajouter deux étages à l'immeuble qu'il possédait en face, et Hassani devait se contenter d'un mur de béton aveugle parsemé des coffres d'évacuation des climatisations. Quelqu'un de plus sensible à l'esthétique aurait été malheureux, mais Hassani s'en était à peine rendu compte. Les jolis paysages ne l'avaient jamais vraiment intéressé.

— Je vais être franc, Khalifa... Youssouf... Ce n'est pas trop le moment de me rapporter une histoire comme ça. Je ne dis pas que vous avez eu tort de le faire, ou que vos raisons ne sont pas fondées, c'est juste que nous avons suffisamment de pain sur la planche en ce moment pour nous préoccuper d'éventuels agissements d'intégristes cinglés dans le désert. L'inauguration du musée dans la Vallée des Rois, qui a lieu dans quinze jours, nous prend énormément de ressources. Le ministre, Farag, l'ambassadeur des Etats-Unis et le P-DG de la société qui a financé ce satané bâtiment seront là. Je dois convoyer quarante-neuf dignitaires, un par un, de l'aéroport jusqu'à la rive ouest du Nil, et je ne parle même pas de Hawass et de toute sa troupe. Une fois là-bas, je suis censé assurer la protection de tout ce joli monde. Vous savez combien d'hommes il va me falloir rien que pour poser des barrières dans la Vallée des Rois ? Des centaines ! Et des tireurs d'élite, des gars des forces spéciales, la police, l'armée...

Une petite veine s'était mise à palpiter sous son œil droit. Il fit un gros effort pour se contrôler, levant les bras devant lui comme pour repousser la colère qui montait.

— Là où je veux en venir, c'est que nous sommes un peu sous pression ici, et que ce n'est peut-être pas le moment idéal pour se lancer dans une enquête sur des puits qui sont dans notre juridiction... ou pas, empoisonnés ou pas, par des gens qui sont fondamentalistes ou pas. Vous voyez ce que je veux dire ? Bien sûr, en temps normal, j'aurais été ravi de vous faire plaisir...

Khalifa regardait par terre. Avant, dans ce genre de discussions, il tenait bon, il était sûr de son instinct. Aujourd'hui, il ne savait plus rien. La compassion qu'il éprouvait pour Attia avait-elle obscurci son jugement ? Pour la énième fois au cours de ces derniers mois, il se dit qu'il n'était plus le quart du flic qu'il avait été.

— On pourrait peut-être envoyer deux uniformes sur la ferme des Attia ? demanda-t-il. Juste pour garder un œil sur le problème...

La requête sembla surprendre Hassani, qui s'attendait à plus de résistance de la part de son subordonné. Il regarda Khalifa un moment, puis, ne voyant rien d'autre venir, acquiesça :

— Pourquoi pas, dit-il en regagnant son fauteuil. Je vais vous dire, on va même en envoyer trois, pour faire bonne mesure.

— Je pense que deux devraient suffire…

— Non, trois ! J'insiste. Vous avez un problème et nous tentons de le résoudre ensemble ! s'exclama-t-il avec bonhomie, maintenant qu'il savait qu'il n'aurait rien à faire. Et une fois que cette satanée inauguration aura eu lieu, on fera le point. Si vous considérez qu'il faut le faire, d'accord ?

— D'accord, murmura Khalifa. Merci.

— C'est moi qui vous remercie d'avoir porté cela à mon attention. Autre chose ?

— Non, monsieur.

— Vous êtes sûr ?

— Sûr.

— Eh bien, merci d'être passé me voir. Et continuez à faire du bon boulot.

C'était moins un compliment qu'un congé. Khalifa se dirigea vers la porte.

— Saluez Zoubaïda de ma part ! lança Hassani.

— Zenab.

— C'est ça ! Dites-lui qu'on pense à elle.

Au moment où le battant se refermait derrière lui, Khalifa entendit Hassani marmonner dans sa barbe :

— Putain de rêveur.

Comme dans le bon vieux temps. Pour autant, il ne se sentit pas mieux.

TEL-AVIV

Dès qu'il avait regagné sa voiture, Ben-Roï avait appelé la directrice du centre Hofesh et était convenu de passer la voir immédiatement. Le centre se trouvait à Petah-Tikva, à une dizaine de kilomètres de Tel-Aviv, mais il lui fallut plus d'une heure pour couvrir la distance à cause des embouteillages. Il en profita pour appeler Dov Zisky. Celui-ci ne savait rien de plus à propos du ticket de bus.

— J'ai envoyé sa photo à Mitzpe Ramon, dit Zisky. Ils la font circuler, mais pour l'instant, ça n'a rien donné. Je l'ai aussi envoyée à Egged, au cas où un des conducteurs de bus la reconnaîtrait. Il n'y en a que quatre qui font ce trajet-là, mais le nôtre est en congé et ils ne peuvent pas le joindre.

— Garde un œil là-dessus, tu veux bien ? C'est important, peut-être même très important.

Ben-Roï lui résuma sa conversation avec Mordechai Yaron et le contenu des articles qu'il avait lus à la bibliothèque.

— Vous voulez que je me renseigne sur Nemesis ? proposa Zisky. Mon ami qui bosse dans la sécurité informatique, celui dont je vous ai parlé ce matin, pourrait peut-être nous apprendre quelque chose.

— Pourquoi pas... Et dans la foulée, demande-lui ce qu'il sait sur Barren Corporation. En particulier des détails sur une mine qu'ils gèrent en Roumanie. J'ai un contact à *Ha'aretz*, tu peux l'appeler, si tu veux. Il couvre les milieux d'affaires, il pourra peut-être t'aiguiller.

Il dicta à Zisky les coordonnées de Nathan Tirat, puis lui demanda s'il avait quelque chose à ajouter.

— Le rapport des experts est arrivé il y a une heure. Le cheveu sur les vêtements de la victime n'a rien donné. Ils pensent que c'est un cheveu de femme à cause de sa longueur, mais on n'a pas de correspondance ADN.

Ben-Roï n'était pas surpris. On n'était d'ailleurs même pas sûr que le cheveu provienne bien de l'assassin. De là à ce qu'en plus il figure au fichier ! Le meurtrier – il en avait été persuadé depuis le début – n'était pas une personne connue des services de police. Le fait que ce soit un cheveu de femme était moyennement intéressant, mais de toute façon cela ne les menait nulle part.

— Et les voisins de Kleinberg ?

— Il m'en reste encore deux à voir. Les autres ne savent rien.

Zisky marqua une pause brève.

— Une femme a mentionné une odeur.

— Une odeur ?

— Parfum ou savon. « Musquée » est le mot qu'elle a utilisé. Elle a assuré que depuis quarante ans qu'elle vit dans l'immeuble, elle ne l'avait jamais sentie. Jusqu'au soir du meurtre. C'est Pincas qui m'en a parlé. Il m'a dit que je pourrais peut-être m'occuper de ça.

Ben-Roï fit la grimace. Il savait parfaitement ce que Pincas avait voulu sous-entendre, et il était certain que Zisky le savait aussi : *Savon, parfum, un boulot pour l'homo*. Quarante-huit heures plus tôt, il aurait peut-être trouvé ça drôle, mais maintenant qu'il commençait à connaître le gamin, ça ne le faisait plus rire.

— Dis à l'inspecteur Pincas qu'il n'est qu'une grosse merde et qu'il peut s'occuper de son odeur lui-même. T'as bien compris ?

— Compris.

Ben-Roï fut presque sûr d'avoir perçu de la gratitude dans sa voix.

— Quoi d'autre ?

— Pincas et Namir attendent toujours des nouvelles de leurs indics, et les vieux dossiers des affaires classées n'ont rien donné. En revanche, j'ai trouvé quelque chose sur l'archevêque Petrossian...

Ben-Roï avait tellement de trucs qui lui tournaient dans la tête qu'il en avait oublié l'archevêque.

— Vas-y, surprends-moi ! lança-t-il.

— Il se trouve que ses appartements disposent d'une sortie privée qui donne sur la rue Saint-Jacques. Ce qui veut dire qu'il peut sortir de l'enceinte...

— Sans que personne le voie, termina Ben-Roï à sa place.

Ben-Roï savait très bien qu'il n'y avait pas de caméras sur la rue Saint-Jacques, ni dans tout le quartier juif, où la rue débouchait. Une vieille blague prétendait que si les Juifs avaient la terre, l'eau, l'air et les frontières, les Palestiniens, eux, avaient au moins les caméras. Alors, théoriquement, Petrossian pouvait quitter son domicile, traverser le quartier juif et sortir de la vieille ville sans que personne s'en rende compte.

— Et tu dis qu'il n'a pas d'alibi ? demanda Ben-Roï.

— Rien de vérifiable. Il affirme qu'il n'a pas bougé de chez lui, mais personne ne peut le confirmer.

Ben-Roï prit un instant pour réfléchir.

— Parles-en à Leah Shalev, finit-il par déclarer. Il faut mettre quelqu'un là-dessus, et toi, tu as assez de choses à faire. Pour l'instant je voudrais que tu te concentres sur ce dont nous avons parlé : Mitzpe Ramon, Nemesis, Barren. Je devrais être là en fin d'après-midi. Vois ce que tu peux trouver d'ici là.

Il raccrocha. Devant lui, la file de voitures pare-chocs contre pare-chocs disparaissait au loin entre les tours de Ramat Gan. Au bout de trente secondes, il ressortit son téléphone et tapa un texto : *Bon boulot, Zisky.*

Il hésita, corrigea *Zisky* en *Dov* et envoya le message. Puis il plaça son gyrophare sur le toit de sa Toyota et enclencha la sirène, pas tant parce qu'il croyait que cela ferait sauter le bouchon que pour montrer qu'il ne devenait pas mou avec l'âge.

Louqsor

Après son rendez-vous avec Hassani, Khalifa se dit qu'il était temps de se sortir de l'esprit cette histoire de puits. Quoi qu'il en soit, crime ou coïncidence, il ne pouvait pas faire grand-chose de plus. Il retourna à son bureau et organisa l'envoi d'uniformes à la ferme des Attia, puis, à l'heure du déjeuner, passa au stand de tir pour pratiquer pendant une heure ce que le caporal Ahmed Mehti dénommait « la méditation en douilles ».

Lorsqu'il voulait penser, Khalifa se rendait dans son coin de montagne sur l'autre berge du Nil. Lorsqu'il ne voulait pas penser, il allait au stand de tir. Il avait été tireur d'élite à l'école de police du Caire, et il avait toujours entretenu ce talent. Dernièrement, ses visites s'étaient faites plus fréquentes, car il accueillait avec joie la concentration que l'exercice exigeait, la possibilité de mettre tous ses problèmes de côté et de réduire le monde à la simple fente du viseur d'un fusil Lee-Enfield 303, ne serait-ce qu'un moment.

Le stand se trouvait dans un trou à rats étouffant aux portes du désert, dans la grande banlieue est de la ville. Il avait prévenu de son passage et le caporal Mehti avait tout préparé quand il arriva : casque, cibles en papier, boîte de chargeurs à cinq coups et même une tasse de thé. Il était seul – c'était ce qu'il préférait – et, après avoir signé le reçu pour son fusil, il se dirigea vers le stand. Son premier tir passa légèrement à droite, le deuxième au-dessus, mais ensuite il toucha sa cible à chaque fois. La pièce était pleine de l'écho des détonations et de l'odeur de cordite tandis qu'il vidait ses chargeurs sur le visage et le torse de la silhouette dessinée sur sa cible, chaque balle l'éloignant un peu plus de lui-même. Une ou deux fois, il dut dissiper l'image de Zenab affalée, l'œil atone, au service des urgences de l'hôpital ; une autre, la voix de M. Attia : « Je me battrai s'il le faut. Pour protéger ma famille et mes enfants. C'est le premier devoir d'un homme. »

A part ça, son esprit resta vide, Dieu merci. Lorsqu'il s'en alla, quarante minutes, douze chargeurs et cinq cibles plus tard, il se sentait beaucoup plus calme. De la méditation en douilles, vraiment.

Petah-Tikva, Israël

Maya Hillel, la directrice du centre Hofesh pour les femmes victimes des trafiquants sexuels, était d'une beauté stupéfiante. Pas encore trente ans, fine, de grands yeux gris sous une tignasse brune qui tombait en cascade sur ses épaules, on aurait dit un mannequin plutôt qu'une assistante sociale. Etant donné la nature de son travail, Ben-Roï savait qu'il était un peu pervers de penser à elle en ces termes, mais il ne pouvait s'en empêcher. Après tout, les hommes sont comme ça. Une belle femme, c'est une belle femme. Point barre.

Elle le retrouva à l'extérieur du centre, un immeuble blanchi à la chaux sans aucun caractère, à cinq minutes du centre-ville, et lui fit passer la lourde porte en acier qui donnait sur une cour intérieure pavée.

— Nous devons faire attention, dit-elle en désignant les barrières autour de l'immeuble et l'homme en uniforme qui montait la garde. De nombreux proxénètes traînent dans le coin pour essayer de récupérer leurs filles. En ce moment même, il y en a un sur le trottoir d'en face.

Ben-Roï jeta un coup d'œil derrière lui, mais la porte s'était déjà refermée.

— Vous voulez que j'aille lui dire deux mots ?

— Pas la peine. Il va s'en aller et revenir dès que vous ne serez plus là. A la façon dont il voit les choses, nous détenons un bien qui lui appartient et il veut le reprendre. Cela dit, merci quand même d'avoir posé la question.

Ils traversèrent un foyer carrelé. Sur les murs, des posters dénonçaient les trafiquants du sexe ; l'un d'eux montrait douze femmes nues, recroquevillées, alignées dans une grande barquette de polystyrène comme des cuisses de poulet. « Viande fraîche », pouvait-on lire sur l'étiquette. Ben-Roï resta les yeux fixés dessus un instant, puis s'engagea dans l'escalier sur les pas de Mlle Hillel.

— Combien de filles accueillez-vous ici ?

— Quatorze. La plupart sont à leur travail en ce moment, c'est pourquoi tout est si calme. On leur trouve des petits boulots : serveuse, femme de ménage, ce genre de choses. On peut accueillir trente-cinq personnes, mais depuis deux ans on nous en envoie beaucoup moins. En 2004, il y en a eu plus de cent. Cette année, vingt seulement.

— Content d'entendre que ça va mieux.

— C'est une façon de voir les choses. Personnellement, je soutiens que c'est parce que la police ne considère plus que ce problème fait partie de ses priorités, et du coup, moins de filles sont sauvées… Mais les choses vont mieux qu'il y a dix ans, je vous l'accorde. A l'époque, il entrait illégalement deux ou trois mille filles par an dans ce pays, aujourd'hui elles se comptent en centaines, ce qui est encore un problème, non ? D'autant que vous autres n'y consacrez plus beaucoup d'efforts, principalement à cause des maigres ressources que vous allouent les politiciens, je vous l'accorde encore. Le ministère de l'Intérieur s'en fout. Il considère que venir au secours d'une prostituée goy ne lui fera pas gagner un seul vote.

Ils atteignirent le palier du deuxième étage. Des couloirs aux portes fermées partaient de chaque côté tandis que dans la pièce en face d'eux une jeune fille en pantalon de survêtement se tenait sur une balance en face d'une petite dame replète qui les salua. La jeune fille, en revanche, resta le regard vide. Douloureusement maigre, les joues creuses, les cheveux ternes et le teint jaune, elle ressemblait à une survivante des camps de la mort.

— Tout va bien, Anja ? lui demanda Hillel.

La fille haussa imperceptiblement les épaules.

— Elle se débrouille magnifiquement bien ! s'exclama la petite dame. Elle a pris un demi-kilo.

— C'est super ! fit Hillel en entrant pour féliciter la jeune femme. Vraiment super !

Elle reprit l'escalier jusqu'au troisième et dernier étage.

— Elle est moldave, dit-elle à voix basse. La police l'a retrouvée au cours d'un raid à Eilat, il y a quelques semaines. J'ai déjà rencontré des cas désastreux, mais là… Tuberculose, hépatite, toutes les MST à part le sida. Et ce n'est rien en comparaison des dommages qu'elle a subis là-haut, ajouta-t-elle en désignant sa tête. On lui a délivré un permis de séjour d'un an pour qu'elle puisse se remettre, mais elle refuse de témoigner, alors on va la renvoyer chez elle quand les douze mois seront passés. Et en Moldavie, les gens qui l'avaient vendue une première fois vont pouvoir recommencer. Ça marche comme ça. C'est un crève-cœur. Elle n'a que dix-neuf ans.

Ben-Roï haussa les sourcils. Il lui en aurait donné trente.

— Elle ne peut pas demander asile ?

— Oh ! Ne soyez pas ridicule ! Ce pays a-t-il jamais accordé le droit d'asile à un non-Juif pour des raisons humanitaires ? Non. Le mieux que nous puissions faire, c'est trouver quelqu'un qui accepte de se marier avec elle, ce qui, quand on connaît les hommes attirés par une ex-prostituée, ne risque pas de lui garantir une vie meilleure.

Ils entrèrent dans une pièce où trois femmes travaillaient à leur bureau. Hillel demanda à l'une d'elles de leur apporter du café et conduisit Ben-Roï dans son bureau, une soupente exiguë mais dont la fenêtre offrait une belle vue sur les toits de Petah-Tikva. Ils prirent place de part et d'autre de la table.

— Alors, dit-elle. Rivka Kleinberg. Que voulez-vous savoir ?

Ben-Roï ne répondit pas tout de suite, laissant son regard errer sur les photos accrochées au-dessus du bureau – Hillel en train de serrer la main à Hillary Clinton, Hillel en train de recevoir une récompense des mains de Shimon Peres, Hillel avec, supposait-il, son mari et sa fille, ce qui le surprit. Pour une raison ou pour une autre, il l'avait imaginée célibataire. Finalement, il sortit son carnet et se mit au travail.

— Le rédacteur en chef de Rivka Kleinberg me dit qu'elle est venue visiter ce centre.

— Tout à fait. Elle nous a appelés il y a un mois environ. Elle a expliqué qu'elle écrivait un article sur les trafiquants du sexe, et qu'elle aimerait venir nous voir.

Elle s'interrompit une demi-seconde, puis ajouta :

— Vous croyez que c'est pour ça qu'elle a été tuée ? A cause de l'article ?

— Au stade où nous en sommes, on garde l'esprit ouvert, répliqua-t-il en haussant les épaules.

— Ça ne m'étonnerait pas ! Ce trafic représente beaucoup d'argent, comme vous devez le savoir, et les types qui le dirigent n'aiment pas qu'on fasse tanguer le bateau. Particulièrement les Russes : ils contrôlent quatre-vingts pour cent du trafic et n'aiment pas trop qu'on s'intéresse à leurs affaires.

Ben-Roï regarda son carnet. Encore la Russkaya Mafiya. Elle semblait revenir souvent dans ce dossier. Il prit mentalement note d'en parler à Pincas, qui couvrait l'angle russe de l'enquête.

— Elle vous a parlé, alors ? reprit-il.

— C'est exact.

— De quoi ?

— De beaucoup de choses : elle m'a demandé d'où venaient les filles, comment on les amenait jusqu'ici, ce qui leur arrive une fois qu'elles sont là, ce qu'on fait pour empêcher ce trafic... Elle a passé toute une journée avec nous, et nous avons rediscuté au téléphone la semaine suivante. Pour ce qui est des relations sociales, j'ai déjà vu mieux, mais elle s'intéressait vraiment à notre travail, et elle était extraordinaire avec les filles. Pleine d'une vraie compassion.

Ben-Roï se rappela les mots de Mordechai Yaron : « Rivka avait une empathie naturelle envers les gens qui souffrent. Probablement parce qu'elle-même souffrait beaucoup. »

— Voulait-elle parler de quelque chose en particulier ?

— Nous avons beaucoup discuté de ce que le gouvernement fait pour résoudre le problème. Ou plutôt de ce qu'il ne fait pas, parce que jusqu'à tout récemment nous n'étions même pas au niveau minimal des standards américains en la matière. Les idées de nos politiciens sur cette question remontent à l'âge de pierre et, pour être franche, celles de la plupart des policiers aussi. A les entendre, être enfermée dans un bordel et faire vingt passes par jour semble constituer un choix de carrière librement consenti.

Ben-Roï s'agita inconfortablement sur sa chaise. Il avait déjà été témoin de cet état d'esprit. Cependant, il poursuivit, ne voulant pas perdre le fil de son sujet :

— Avez-vous parlé d'autre chose encore ?

— Nous avons passé beaucoup de temps sur la démographie du trafic. L'origine des filles, le fait que de plus en plus d'Israéliennes se font happer par ce business, maintenant que les étrangères sont moins nombreuses. Elle voulait aussi en savoir plus sur les clients, spécialement sur les ultraorthodoxes. C'est un gros marché. Le vendredi soir, ils remplissent les bordels et prennent leur pied avant le shabbat ! s'exclama-t-elle avec une moue de dégoût. Elle m'a aussi posé beaucoup de questions sur les filières qu'emprunte ce trafic, notamment celle qui passe par l'Egypte.

Encore l'Egypte, pensa Ben-Roï. Comme la Russkaya Mafiya, la terre des pharaons semblait apparaître tout le temps dans cette enquête... L'arrivée de la secrétaire avec les cafés interrompit ses réflexions.

— Cette filière égyptienne, beaucoup de filles passent par là ?

— Pas autant qu'il y a dix ans. A l'époque, c'était la voie d'accès principale du trafic. Après les mesures draconiennes des années 2000, les trafiquants ont trouvé d'autres moyens de faire entrer les filles. Faux passeports, faux mariages, ce genre de choses. Ils sont intelligents, ils s'adaptent et ont toujours un coup d'avance.

— Et la voie a rouvert ?

— Difficile d'obtenir des statistiques précises, mais pas mal de détails nous font penser que c'est le cas. Un gros proxénète de

Tel-Aviv, un certain Genady Kremenko, aurait apparemment amené la plupart de ses filles par là.

Ben-Roï reconnut le nom.

— Celui qu'on a arrêté il y a deux mois ?

— En personne. On raconte que Moïse a sorti les Israéliens d'Egypte et que Kremenko y a ramené les filles. Ce n'est pas un type bien. Aucun d'entre eux ne l'est.

— Vous savez si elles passent par Alexandrie ? demanda-t-il en se souvenant du billet d'avion que Kleinberg avait pris.

— En général, c'est plutôt par Le Caire ou Charm el-Cheikh. Elles viennent d'Europe de l'Est, de Russie, d'Ouzbékistan, et des Bédouins leur font passer la frontière à travers le Sinaï.

— Et Rivka Kleinberg voulait savoir tout ça ?

— Pas la première fois qu'elle est passée nous voir. Ce n'est que la semaine suivante, au téléphone, qu'elle a vraiment commencé à poser des questions sur ce sujet.

— Et vous lui avez répondu quoi ?

— A peu près la même chose qu'à vous. Les maquereaux ont des recruteurs qui choisissent les filles et les emmènent en Egypte par avion, puis les Bédouins leur font passer la frontière à travers le Sinaï jusqu'au Néguev. Je ne sais pas grand-chose de plus. Je suis assistante sociale, après tout, pas flic.

Le Néguev, troisième élément du puzzle qui semblait apparaître souvent dans cette enquête. Pour l'instant, Ben-Roï ne voyait aucun tableau d'ensemble se dessiner. Mitzpe Ramon, dans le Néguev, se trouvait à vingt kilomètres de la frontière égyptienne, Rivka Kleinberg s'y était rendue trois ans plus tôt faire une interview de Nemesis, finalement annulée, puis de nouveau quatre jours avant sa mort. Que faire de tout cela ?

— Vous me disiez qu'elle a parlé à certaines filles...

— A trois d'entre elles. Lola, Sofia et Maria.

— Vous étiez présente ?

— Avec Lola et Sofia, oui. Nous devons faire attention – la plupart des filles sont extrêmement fragiles et ne se sentent pas à l'aise en présence d'inconnus. Mais Rivka était fantastique avec elles. Vraiment gentille et compatissante. C'était extraordinaire de voir les filles s'ouvrir comme ça.

— De quoi ont-elles parlé ?

— Des expériences qu'elles avaient vécues, principalement. Le genre de choses que je viens de vous décrire.

Il lui fit un geste de la main pour l'encourager à lui en dire plus.

— Lola est ouzbèke, reprit-elle. Elle a répondu à une petite annonce pour un poste de serveuse et a fini vendue à un maquereau de Jaffa. L'histoire habituelle… Tout semble idéal, jusqu'au moment où elles se retrouvent dans le pays, où on leur enlève leur passeport et où on les viole pour les briser et les mettre au boulot dans un bordel dix-huit heures par jour. Elle y a passé cinq ans avant d'être secourue.

— Elle est passée par l'Egypte ?

— Non, fit Hillel. Elle a atterri à Ben-Gourion avec un visa de travail. Mais Sofia, oui. Elle est ukrainienne. Son petit ami lui a dit qu'il pouvait lui trouver du travail en Israël, sauf que c'était un recruteur, pas un petit ami. Ils visent ce genre de filles : vulnérables, pauvres, qui ont en général déjà été victimes d'abus et ont une piètre estime d'elles-mêmes. Le profil habituel.

— Et Sofia est passée par le Sinaï ?

Hillel acquiesça.

— La traversée du désert a été terrible. Elles le sont toujours, mais la sienne fut particulièrement éprouvante. Violée par plusieurs hommes. Sodomisée. En plus, elle a vu une des filles, qui avait tenté de s'enfuir, se prendre une balle dans chaque rotule. Je n'arrive même pas à imaginer l'horreur que ça a dû être.

Ben-Roï allait tendre la main vers un biscuit sur le plateau, mais subitement il n'avait plus d'appétit.

— Ces filles sont-elles ici en ce moment ? demanda-t-il.

— Non, elles travaillent. Comme je vous l'ai dit, nous leur trouvons des petits boulots. Ça les aide à se reconstruire, à établir des relations sur d'autres bases que la violence. Sofia est magasinière. Lola fait des ménages.

— Et la troisième… Maria, je crois, dit-il en consultant ses notes.

Il y eut un silence marqué. Puis Hillel reprit la parole, d'une voix plus posée qu'auparavant :

— Maria n'est plus chez nous.

— On l'a renvoyée chez elle ?

— Elle a… disparu.

Ben-Roï leva les yeux vers elle.

— Elle a fait une fugue ?

— Soit cela, soit son mac l'a récupérée. On prie pour qu'elle se soit enfuie.

Hillel ne se départait pas de son attitude professionnelle, mais on voyait bien qu'elle était en colère.

— Son visa allait expirer, et le ministère venait de refuser toute possibilité d'extension. C'est peut-être cela qui a servi de déclencheur. Elle était absolument terrifiée à l'idée de retourner chez elle. Elle était convaincue qu'ils allaient la vendre à nouveau, voire pire.

Hillel ne s'étendit pas sur ce qu'elle entendait par là, ce n'était pas nécessaire.

— C'était quand ?

— Il y a quelques semaines à peine, juste après la visite de Rivka Kleinberg. Maria est partie travailler un matin et n'est jamais revenue. C'est tout ce que nous savons. Nous avons des gens sur le terrain qui la cherchent, et bien évidemment nous avons prévenu la police, mais jusqu'ici...

Elle secoua la tête. Pour la première fois, Ben-Roï remarqua sur ses tempes quelques racines de cheveux grises.

— Et Kleinberg a fait une interview de cette fille ?

— Rien d'aussi formel. Elles ont discuté. Fait de la peinture, aussi.

— De la peinture ?

— Nous encourageons les filles à peindre. Dessiner, peindre, sculpter, cela les aide à s'exprimer, à sortir des choses dont elles ont du mal à parler. Nous avons une petite pièce consacrée à cela, et quand j'ai fait visiter le centre à Rivka Kleinberg, nous y avons trouvé Maria. J'ai dû m'absenter un moment, et quand je suis revenue, je les ai trouvées côte à côte en train de peindre.

Une image de l'appartement de Kleinberg revint à l'esprit de Ben-Roï.

— Des cheveux blonds !

— Pardon ?

— Une femme avec des cheveux blonds. Sur un papier bleu.

— Comment le savez-vous ? demanda-t-elle, l'air surprise.

— J'ai vu le dessin dans l'appartement de Kleinberg.

— Oui, je comprends. Effectivement, elle a demandé à Maria si elle pouvait le garder.

— Alors, vous êtes revenue, et elles étaient en train de peindre ?

Hillel acquiesça.

— Oui. Et quand j'ai suggéré à Rivka de poursuivre la visite, elle m'a demandé si Maria ne pourrait pas lui servir de guide, et Maria a dit oui. Cela m'a étonnée, car elle était extrêmement renfermée et ne parlait pratiquement à personne, pas même à nos psychologues.

— Mais elle a parlé à Rivka Kleinberg.

— Oui. Un peu plus tard, je les ai aperçues assises dans la cour à discuter en se tenant la main. Elles ont passé largement plus d'une heure ensemble. Ça arrive parfois. Une fille qui ne dit jamais un mot s'épanche brusquement devant un inconnu. Quelque chose chez Rivka a dû déclencher ça.

— Et vous ne savez pas de quoi elles ont parlé ?

— Pas la moindre idée. Maria n'a pas fait de commentaires et ce n'est pas mon rôle de lui poser des questions. Il s'agissait d'une conversation privée et, ici, c'est une chose que nous respectons. Pour être franche, j'étais juste contente de la voir établir un lien avec quelqu'un. Elle est traumatisée, elle vit avec beaucoup de sales souvenirs. Peut-être avait-elle besoin de lâcher un peu de lest ?

— Et Kleinberg n'a rien dit non plus ?

— Pas grand-chose. Simplement que Maria avait partagé certains souvenirs avec elle et que ça lui brisait le cœur de voir quelqu'un de si jeune ayant autant souffert. A l'évidence, Maria l'avait impressionnée. C'est pour ça qu'elle a rappelé, une semaine plus tard. Pour demander si elle pouvait revenir lui parler. Pour lui poser d'autres questions.

Elle s'arrêta un instant pour réfléchir.

— En fait, elle a même déclaré qu'elle devait lui parler au plus vite. Mais elle n'a pas voulu m'expliquer pourquoi. Elle a paru très préoccupée quand je lui ai dit que Maria avait disparu.

— Et c'est à ce moment-là qu'elle s'est mise à parler de la filière égyptienne ?

Hillel prit le temps de réfléchir avant d'acquiescer.

— Maria est passée par l'Egypte ?

— On ne l'a jamais vraiment su. Elle refusait d'en parler. Comme la plupart des filles, elle était sous le coup d'un stress post-traumatique qui l'avait forcée à construire une barrière entre son passé et son présent, dans l'espoir de surmonter ce qui lui était arrivé. Nous avons quelques détails sur sa vie avant, mais pour ce qui est de son épreuve, nous avons juste appris qu'elle travaillait dans un appartement à Neve Sha'anan, et qu'à un moment donné elle était en Turquie. Ce qui semble indiquer qu'elle a dû arriver ici par avion, ou alors via Chypre, en bateau, à Haïfa ou Ashdod.

Elle se tut un instant, passant la main sur le bord de son bureau.

— Cette femme, la femme aux cheveux blonds : Maria la dessinait tout le temps. Elle ne dessinait que ça, d'ailleurs. On n'a jamais su qui c'était.

Ben-Roï nota mentalement de jeter un nouveau coup d'œil à ce dessin.

— Et vous ne sauriez pas, par hasard, qui était son maquereau ?

— Non. Nous nous occupons des victimes, pas de l'identité de leurs bourreaux.

— Et elle ne vous a donné aucune nouvelle ? Aucune indication de l'endroit où elle pourrait se trouver ?

— Absolument aucune. Elle est peut-être retournée du côté de Neve Sha'anan. Ça arrive, parfois – les fugueurs retournent vers les endroits qu'ils connaissent, même au risque de finir à nouveau dans un bordel. Mais personne ne l'a vue, nous nous sommes renseignés.

— Vous avez une photo ?

— Bien sûr.

Elle alluma son ordinateur.

— Elle ne s'appelle sûrement pas Maria, précisa-t-elle. Les filles prennent toujours un autre nom, ça les aide à mettre de la distance entre elles et ce qu'on les oblige à faire. Ou à penser que c'est quelqu'un d'autre qui fait ça, pas leur vrai moi.

Elle ne dit plus rien, attendant que l'ordinateur démarre. Ben-Roï vida sa tasse de café, qui était froid, puis se dirigea vers la fenêtre. Dehors, tout semblait calme et paisible dans la lumière couleur miel de cette fin d'après-midi, à des millions de kilomètres du monde qu'ils venaient d'évoquer. Il balaya du regard les rangées de pavillons recouverts de poussière, puis remarqua, appuyé contre un sycomore sur le trottoir d'en face, un type miteux aux cheveux gras, les yeux fixés sur la porte du centre. Le proxénète dont Hillel avait parlé. Il fut tenté d'ouvrir la fenêtre pour lui crier d'aller se faire foutre, mais pensa qu'en fin de compte le message passerait mieux s'il le lui délivrait en face. Avec un petit coup de règle sur les doigts, si le type n'avait pas l'air assez attentif. Ben-Roï n'avait jamais aimé les maquereaux. Ce qu'il venait d'entendre ne l'avait pas fait changer d'avis. Il le dévisagea un instant, puis son regard glissa vers des jouets qui traînaient au pied du bâtiment.

— Vous avez des enfants, ici ?

— Cinq. Ils sont à l'école.

— Et leurs mères sont…

Il allait dire des prostituées, mais subitement le mot lui sembla inapproprié.

— … ici ?

— Bien sûr.

— Et les pères ?

— Des maquereaux, des clients… Ce n'est pas la dynamique familiale idéale, mais c'est comme ça. Quand on porte secours aux mères, les enfants suivent, c'est évident.

Ben-Roï regarda à nouveau les jouets. En tant que flic, il s'était épaissi le cuir et avait développé des mécanismes qui empêchaient les sales trucs de le toucher. Pourtant, parfois, comme aujourd'hui, l'horreur s'infiltrait quand même. Ces jouets l'avaient bouleversé. Il se dégageait d'eux une telle tristesse, un tel sentiment de vie gâchée, ruinée dès le départ, qu'il éprouva le besoin impérieux de parler à Sarah, de lui dire qu'il les aimait, elle et le bébé. Il sortit même son téléphone pour le faire, mais Hillel lui annonça qu'elle avait retrouvé la photo... et le moment passa. Il évacua l'idée de son esprit, s'approcha pour regarder.

— Voici Maria ! dit Hillel en tournant l'écran vers lui.

Il se pencha pour examiner le visage en gros plan d'une jeune fille un peu solennelle, cheveux longs et bruns, lèvres charnues et grands yeux marron, qui fixaient l'objectif avec une expression à la fois intense et vide.

— Vous pouvez me l'imprimer ?

— Bien sûr. On en a une autre, vous la voulez aussi ?

— Pourquoi pas ?

Elle cliqua deux ou trois fois, et une deuxième photo apparut, dont le cadrage moins serré permettait de voir le cou et le tee-shirt de Maria. Ben-Roï ressentit la même poussée d'adrénaline que lorsque Mordechai Yaron avait parlé de Mitzpe Ramon. Comme une décharge électrique. Pas du fait de son apparence, mais à cause du pendentif qu'elle portait. Une croix en argent à la traverse ouvragée dont les bouts se séparaient en deux pointes.

— Maria, dit-il en tendant la main vers le crucifix. Vous savez d'où venait Maria ?

Ils répondirent à l'unisson :

— D'Arménie.

C'était cela qui le perturbait depuis le début. L'absence de lien apparent entre l'endroit où le meurtre de Kleinberg avait eu lieu et toutes les autres pistes sur lesquelles il était tombé. Désormais, il semblait que ce lien existait. Il lui restait encore un long chemin à parcourir, mais pour la première fois il eut la sensation de progresser.

Louqsor

— ... ne reste plus que quelques maisons à démolir pour que vous puissiez profiter d'une vue spectaculaire de l'endroit où nous sommes jusqu'au temple de Louqsor, une distance de pas moins de deux mille sept cents mètres. Mille trois cent cinquante sphinx ! Je n'exagère pas, mesdames et messieurs, en affirmant que l'avenue des Sphinx est véritablement la huitième merveille du monde antique...

D'un geste théâtral, le guide pointa son ombrelle en direction du sud, au-delà du dixième pylône du temple de Karnak, vers l'endroit où une armée de pelleteuses encerclait quelques maisons en brique sur le point de succomber à l'assaut. Il y eut un court silence meublé par les clics des appareils photo.

— Et qu'arrive-t-il aux gens qui habitent là ? demanda une grande femme pleine de coups de soleil, dont le tee-shirt proclamait en grosses lettres « Vive Toutankhamon ! ».

— Oh, pour eux, tout va bien ! affirma le guide avec un rire joyeux. Non seulement ils reçoivent une compensation, mais aussi un magnifique nouvel appartement tout confort, beaucoup mieux que leur ancienne maison. J'aimerais bien qu'on vienne démolir la mienne !

Il leva les bras au ciel.

— Seigneur, par pitié, détruis ma maison, que je puisse bénéficier d'une nouvelle cuisine et de toilettes avec chasse d'eau !

Les membres du groupe se mirent à glousser. Ils aimaient bien leur guide. Il donnait des informations et se montrait poli, mais il aimait aussi faire le pitre. Un parfait Egyptien.

— Sérieusement ! poursuivit-il. Je peux vous affirmer que ces gens sont contents de partir afin qu'une merveille du passé puisse revoir le jour. En Egypte, nous sommes très fiers de notre histoire. Et très fiers de la partager. Voilà pourquoi nous avons dégagé cette avenue en un temps record, pour pouvoir la partager avec le monde entier. Notre passé est à vous. Tout comme mon cœur est à vous, conclut-il avec un clin d'œil à la femme aux coups de soleil.

Encore une fois, les touristes s'esclaffèrent. Un petit sous-entendu égrillard, ils aimaient bien aussi. Le guide se lança dans une explication sur la construction de cette avenue par le pharaon Nectanébo Ier et l'usage qu'on en faisait pendant le festival d'Opet, mais Khalifa n'écoutait plus. Il alluma une cigarette et se dirigea vers le centre du temple en se demandant s'il aurait dû intervenir. Déclarer que sa propre maison avait été rasée et qu'il n'était pas content du tout. Mais à quoi bon ? Les touristes dépensaient beaucoup d'argent pour venir ici et n'avaient pas envie d'entendre parler de ses problèmes. Le passé de l'Egypte les concernait peut-être, mais ils se foutaient de son présent. Des reines et des pharaons, oui, des tombes et des hiéroglyphes aussi, mais un inspecteur à deux balles dont l'univers s'effondre, c'était juste... ennuyeux. En aucun cas intéressant.

Il franchit les neuvième, huitième et septième pylônes et pénétra dans la vaste cour de la Cachette. Des enfants se faisaient prendre en photo aux pieds des statues du Moyen Empire devant le septième pylône. Un homme, assis en tailleur, reproduisait sur un carnet à dessin la stèle « Israël » de Merenptah, le seul texte jamais trouvé en Egypte qui mentionne explicitement le nom d'Israël. Les ombres s'allongeaient dans le soleil de l'après-midi, mais il faisait toujours plus de quarante degrés, sous une chape de chaleur dense qu'atténuait de temps à autre une légère brise venue du Nil.

Khalifa passa la plus grande partie de l'après-midi à cet endroit. Des blocs de *talatat* – dont deux arboraient même le cartouche d'Akhenaton – avaient disparu de la réserve sécurisée du site, et il s'employa à prendre les dépositions de tous ceux qui y avaient accès. Il comptait lancer quelques perches, faire le tour des magasins d'antiquités les plus connus, mais sans entretenir grand espoir de retrouver les blocs. Cela faisait peut-être des mois qu'ils avaient été volés, voire des années. La réserve était rarement inspectée et on n'avait découvert la disparition que par hasard. A présent, les blocs décoraient probablement la cheminée d'un collectionneur millionnaire à l'autre bout du monde. Comme disait le guide, l'histoire de l'Egypte appartenait à tout le monde. Même s'il fallait voler pour en récupérer un morceau.

Il alluma une cigarette en entrant dans la forêt de colonnes de la grande salle hypostyle. Quelques heures plus tôt, l'endroit était pratiquement désert, la chaleur insupportable ayant chassé les touristes vers les climatisations de leurs hôtels, mais ils revenaient à présent, et la salle se remplissait. Il passa devant un groupe de Japonais – ou étaient-ils chinois ? Il ne savait jamais faire la différence – puis se dirigea vers le deuxième pylône et la sortie. Soudain, il s'arrêta, regarda sa montre et repartit dans l'autre sens d'un pas vif. Quelques minutes plus tard, il arrivait devant le lac sacré, un rectangle d'eau verte et trouble au milieu duquel un homme en salopette bleu clair assis dans une barque tenait quelque chose sous la surface.

— Je me suis dit que tu serais là, murmura Khalifa.

Il attendit que l'homme sorte son tube à essai, le cèle et le range dans une boîte à ses pieds, puis s'avança sur le quai en pierre.

— *Salaam !* s'exclama-t-il.

L'homme le regarda à travers d'épaisses lunettes. Dès qu'il le reconnut, il se fendit d'un grand sourire.

— Youssouf !

— Comment vas-tu, Omar ?

— Ben, je suis au milieu d'un lac en train de prélever des échantillons d'eau polluée – que pourrais-je rêver de mieux ? Tu veux venir ? C'est une journée idéale pour faire du bateau.

— Pas là-dedans, merci. Ça n'a déjà pas l'air très stable avec un seul passager...

— Pas du tout ! cria l'homme en se mettant debout. Regarde ! C'est aussi sûr que les ferries sur le Nil...

Il fit tanguer le canot pour souligner ses propos, mais faillit perdre l'équilibre. L'embarcation pencha dangereusement sur un côté, laissant entrer assez d'eau pour recouvrir ses pieds jusqu'aux chevilles.

— Oh, merde !

Khalifa sourit.

— Ça te dit, un Coca ?

— Une paire de chaussures me serait plus utile. Bon, d'accord. Je te rejoins sur les marches.

Khalifa alla chercher des sodas à une buvette, et le temps qu'il fasse la queue à la caisse, Omar avait amarré le canot et l'attendait.

— Désolé, Youssouf. A propos des ferries, je n'avais pas réfléchi...

— Ce n'est pas grave, répondit Khalifa en embrassant son ami.

— Comment va Zenab ?

— Chaque jour un peu mieux, mentit Khalifa. Et Rasha ?

— Bien, même si elle a trop de boulot en ce moment. Ils manquent d'effectifs et elle a doublé ses permanences. Elle peut à peine garder les yeux ouverts, la pauvre. Hier, elle n'est rentrée qu'à minuit passé.

Rasha al-Zahwi, la femme d'Omar, était pédiatre à l'hôpital général de Louqsor. Quant à Omar, il était analyste pour la compagnie des eaux de Louqsor, chargé de la gestion des eaux autour des monuments antiques. C'est dans le cadre de son travail qu'il avait rencontré Khalifa, plus de dix ans auparavant. Depuis, et jusqu'à l'année précédente, ils s'étaient beaucoup fréquentés.

— Qu'est-ce que ça dit ? demanda Khalifa avec un signe de la tête en direction du bassin.

— Pas terrible. Les vibrations dues à l'excavation de l'avenue ont brisé la canalisation principale de ce côté-ci de la ville. Des eaux usées se déversent dans les nappes et sont ensuite pompées dans les bassins. Ça fait un mois que je mesure le phénomène et c'est de pire en pire.

— Je ne sens pas d'odeur, pourtant.

— Crois-moi, dans deux semaines, elle ne passera pas inaperçue. Personne ne pourra s'approcher tellement ça va puer. Ils vont devoir tout vider et remplir de nouveau avec les eaux du Nil. Sacré bordel !

— Tu testes l'eau sur place ?

— Non, fit Omar en secouant la tête. On envoie les échantillons à un labo, à Assiout. Avant, on avait un arrangement avec le labo de l'hôpital, mais depuis qu'ils ont lancé leurs satanés travaux, on a eu tellement d'analyses à effectuer qu'ils n'avaient plus le temps de s'en charger.

Khalifa se balança un moment sur ses jambes en buvant son Coca sans rien dire.

— Puis-je te demander un service ? lâcha-t-il enfin.

— Tu peux toujours demander.

— On m'a signalé des puits qui ont tourné dans le désert Arabique, et j'aurais besoin de ton avis.

Il résuma l'histoire : Attia, le cousin, Deir el-Zeitoun. Malgré tous ses efforts, elle continuait de lui trotter dans la tête. Quelque chose ne collait pas, et s'il n'était plus aussi bon flic qu'avant, il l'était encore assez pour vouloir des réponses quand il se trouvait face à une série d'événements sans explication logique.

— Ça pourrait être dû à des causes naturelles ? Que les puits tournent, je veux dire ?

Omar but une gorgée de soda avant de répondre.

— J'en doute fort. Des puits peuvent s'assécher, c'est évident, et ils peuvent aussi tourner, mais dans ce cas, c'est presque exclusivement à cause de pollutions industrielles. Parfois, à cause d'une contamination par des eaux usées, comme ici, mais dans ton cas on est au beau milieu du désert...

Khalifa acquiesça.

— Du coup, c'est difficile à expliquer. J'imagine qu'il n'y a aucune industrie lourde dans le coin, comme des cimenteries, des usines à papier, ce genre de choses ?

— Pas que je sache.

— Ça semble vraiment suspect. Très rarement, des points d'eau peuvent se tarir à cause des mouvements du sous-sol, mais là, on parle de masses gigantesques, de tremblements de terre, et on aurait été au courant s'il s'en était produit. En outre, le fait que les trois puits appartiennent à des Coptes… Tu veux que je jette un coup d'œil ? Je peux faire analyser quelques échantillons ?

— Ça ne te dérangerait pas ?

— Bien sûr que non ! Maintenant, tu as excité ma curiosité.

— Je peux aller prélever les échantillons moi-même, si ça t'arrange ?

— Ça sera plus simple si je le fais. Comme ça, je peux observer le terrain, voir s'il n'existe pas d'explication géologique évidente au phénomène. Ça me prendra peut-être quelques jours.

— Quand tu pourras, ce n'est pas pressé. Je te rembourserai l'essence.

Omar balaya la proposition de la main.

— Tu m'as payé mon soda, on est quittes !

— Je ne suis pas sûr que ce soit très équitable…

— On vit en Egypte ! s'exclama Omar. Rien n'est équitable. Même après le départ de Moubarak, il reste tellement d'injustice. Un vrai crève-cœur.

Khalifa sourit. Il s'abîma dans la contemplation du bassin devant lui, et les promenades qu'il faisait ici dans le temps lui revinrent en mémoire. D'où il se trouvait, on pouvait voir la fenêtre de son ancien appartement, et chaque fois qu'il venait, il téléphonait chez lui pour que quelqu'un lui fasse coucou. Un jeu puéril dont aucun d'eux ne se lassait, surtout pas Ali, qui, un jour, avait suspendu une banderole proclamant « Papa ! On t'aime ! ». Il aurait dû prendre une photo. Il y avait tellement de choses qu'il aurait dû prendre en photo. Désormais, ces choses avaient disparu, remplacées par un ciel vide et un fossé peuplé de sphinx. Un progrès ? Pas pour lui, en tout cas.

— Je dois me remettre au travail, dit Omar. Je dois encore prélever quelques échantillons et je ne crois pas qu'ils seraient contents que je le fasse pendant le spectacle son et lumière.

— Tu n'en sais rien, répondit Khalifa. Ils croiraient peut-être que tu en fais partie. Amon en train de parader sur sa barque solaire.

— En salopette ? Intéressante approche scénique.

Ils éclatèrent de rire. Du moins, Omar le fit. Khalifa se contenta d'un sourire discret.

— Je vais m'occuper de tes puits dans les jours qui viennent. Tu peux m'envoyer les détails ?

— Je te fais un e-mail dès que je serai au bureau.

— Je dirai au labo que c'est urgent, tu auras probablement les résultats d'ici la fin de la semaine.

Khalifa le remercia.

— Une dernière chose. Je suis convaincu qu'Attia, le fermier, s'est connecté illégalement au réseau de distribution d'eau. Ces gens sont pauvres, alors garde ça pour toi.

— Ce sera notre petit secret, répondit Omar avec des airs de conspirateur.

Il serra Khalifa dans ses bras.

— Et toi, ça va ? demanda-t-il.

— Mieux que jamais.

Omar lui pressa doucement l'épaule.

— Tu en es sûr ?

Cette fois-ci, il hésita avant de répondre.

— Je survivrai.

— Fais mieux que ça, mon ami. Vis longtemps, et en bonne santé. Pareil pour Zenab et les enfants.

En repartant, Khalifa regarda de nouveau le coin de ciel où ses fenêtres se trouvaient auparavant. Dans la tranchée de la future avenue, on voyait souvent des gens qui, tout comme lui, fixaient un point dans le vide, l'air de croire que leur ancienne maison allait réapparaître par magie. Comme des proches devant la tombe d'un des leurs. Khalifa avait l'impression que la moitié de la ville était en deuil. Il secoua la tête et se dirigea vers la sortie. Il est si difficile de lâcher, parfois.

Tel-Aviv

En sortant du centre Hofesh, Ben-Roï traversa la rue pour aller dire un mot au maquereau sur le trottoir d'en face. L'homme, voyant qu'il s'approchait, détala à une vitesse surprenante étant donné la bedaine qu'il arborait. Ben-Roï lui courut après sur une demi-longueur de pâté de maisons puis laissa tomber. Il allait probablement revenir, comme Hillel l'avait souligné, mais ça lui donnerait au moins matière à réflexion. Ou peut-être pas, d'ailleurs. Ce genre de type ne réfléchissait pas, agissait sans se préoccuper du sens ou des conséquences de ses actes. Dans une totale absence d'émotions. Il attendrait que Ben-Roï s'en aille, puis reviendrait prendre le guet comme un renard devant un poulailler. Comme une bête sauvage, en somme. Et rien de ce qu'on pourrait lui dire n'y changerait quoi que ce soit. La danse éternelle des gendarmes et des voleurs. Ce n'était pas la première fois qu'il se demandait pourquoi il s'en souciait encore.

Il traîna quelques instants dans les parages, histoire de bien faire remarquer sa présence, puis retourna vers sa voiture en criant « On se reverra, minable ! ». Il appela aussitôt Zisky, pour lui faire part de ce qu'il venait d'apprendre.

— Vous croyez que c'est pour ça que Kleinberg est allée plusieurs fois dans l'enceinte arménienne ? demanda Zisky. Parce qu'elle cherchait cette fille ?

— Ou parce qu'elle la retrouvait là-bas. D'une façon ou d'une autre, c'est notre meilleure piste. Le centre Hofesh va t'envoyer des photos par e-mail. Demande à quelques uniformes de circuler avec dans l'enceinte, pour voir si quelqu'un la reconnaît. Sinon, Nemesis, ça donne quoi ?

— J'ai discuté avec mon ami et il m'a un peu décrit le contexte. Et j'ai aussi déniché quelques trucs sur Barren Corporation qui sont peut-être intéressants. Vous voulez regarder ça ce soir ?

— Pourquoi pas ? Tu bois un coup ?

— Seulement du champagne.

Ben-Roï, qui commençait à se faire à l'humour du gamin, eut un ricanement amusé.

— Alors c'est toi qui paies. Tu connais le Poutine, un bar de la vieille ville près de la porte de Jaffa ?

— Oui.

— On s'y retrouve à 21 heures.

— J'y serai.

Ben-Roï raccrocha et appela aussitôt Sarah. En regardant ces jouets par la fenêtre du centre, il avait éprouvé le désir urgent de lui dire combien il l'aimait. Pourtant, lorsqu'elle décrocha, il lui parla d'un ton badin, lui demanda comment se portait le bébé et suggéra qu'ils déjeunent ensemble le lendemain, en évitant de répondre aux questions sur ce qui motivait sa présence à Tel-Aviv. Elle aurait pu le supporter, elle était solide, mais il tenait à séparer son travail de sa vie privée. Le viol, les agressions et la violence n'étaient pas des sujets qu'il souhaitait aborder avec la mère de son enfant. Ils discutèrent une ou deux minutes, fixèrent leur rendez-vous du lendemain, et il raccrocha.

Ben-Roï resta un instant immobile, puis posa la photo en gros plan de Maria devant lui, sur le volant. Les immenses yeux en amande de la jeune fille le dévisageaient d'un regard à la fois vide et puissant. Elle n'était pas d'une beauté conventionnelle – l'iris marron, presque noir, mais le nez un petit peu trop plat, les sourcils trop fournis –, cependant, quelque chose en elle vous attirait, un je-ne-sais-quoi entre dureté et vulnérabilité, entre force et blessure. On aurait dit deux visages différents superposés, celui d'une victime et celui d'une survivante.

Elle était la clé de cette affaire. Il l'avait senti dès qu'il l'avait vue. Elle était le moyeu autour duquel tout le reste tournait, le fil qui liait l'ensemble.

Il la regarda pendant une bonne minute, puis, reposant le cliché, démarra et se dirigea vers Tel-Aviv, à la recherche d'une aiguille nommée Maria.

Si Israël était la Terre promise, le quartier de Neve Sha'anan était l'endroit où cette promesse fut rompue. Un morceau de Tel-Aviv coincé entre l'ancien et le nouveau terminal de bus, sale, vétuste, voire miteux, qui attirait depuis longtemps les immigrés, les poivrots, les drogués et les travailleurs du sexe. Certains le qualifiaient de bigarré, parlaient de melting-pot. Pour Ben-Roï, ce n'était qu'un cloaque.

Il était 18 heures passées lorsqu'il se gara dans la rue Salomon, non loin d'un garage abandonné envahi par les mauvaises herbes. Il resta un moment à regarder un groupe de *Schwartzes*, de Noirs, qui traînaient devant la porte d'un bar, puis, saisissant la photo, verrouilla sa voiture et partit faire un tour.

Le quartier semblait revenir à la vie au fur et à mesure que l'obscurité gagnait. La rue Neve-Sha'anan – une zone piétonnière, entre des immeubles presque en ruine, qui constituait la colonne vertébrale du secteur – résonnait de bruits discordants : la musique, les postes de télévision, les sons électroniques des salles de jeux vidéo, les différents dialectes des Orientales qui s'agglutinaient autour des étals de fruits et légumes. Des bars aux enseignes au néon voisinaient avec des tas de détritus, les murs étaient couverts de graffitis demandant la fin de l'immigration, le retour à la Torah et l'extermination de la racaille islamiste. Les poivrots et les héroïnomanes se terraient sur les pas de porte comme des créatures dans leur antre. Une odeur de déchets, de poisson et de fast-food emplissait l'air. Quelque chose de moins tangible, aussi : la pauvreté, la dureté, la violence en gestation. Ce n'était pas un coin pour les touristes. On se trouvait sous la ceinture, dans les bas-fonds fétides d'Israël, dans la décharge où finissent tous les rebuts.

Ben-Roï remonta la rue, passant devant les magasins de spiritueux, les laveries automatiques et les échoppes qui vendaient des montres contrefaites. Il montrait la photo aux gens qu'il croisait, dans l'espoir que quelqu'un aurait vu Maria. Deux oiseaux de nuit la reconnurent vaguement, mais sans pouvoir préciser quand ni où ils l'auraient croisée, voire s'il s'agissait bien d'elle. Une vieille dame qui vendait des bibelots christianisants – crucifix, petits Jésus en plastique, eau du Jourdain en bouteille – était sûre de l'avoir rencontrée, mais longtemps auparavant. Un homme lui déclara qu'il aimerait bien prendre du bon temps avec elle. Un *haredi* à l'esprit dérangé, les yeux fous, de longues papillotes épaisses comme des dreadlocks lui tombant à mi-poitrine, lui affirma que Satan avait envoyé cette fille pour la tentation des croyants. Etant donné que l'homme était pieds nus et qu'il portait une pancarte autour du cou annonçant la géhenne, Ben-Roï ne le prit pas trop au sérieux. En fin de compte, personne ne put rien lui apprendre.

Arrivé au bout de la rue, il s'arrêta devant le passage souterrain Levinsky, fermé par une grille derrière laquelle des silhouettes indistinctes évoluaient dans la pénombre : consommateurs de crack, alcoolos, filles siliconées. Quelqu'un qui serait désespéré, vraiment désespéré, pourrait peut-être venir y chercher refuge pour la nuit. S'il avait encore fait jour, Ben-Roï aurait envisagé de sauter par-dessus la grille et d'aller montrer sa photo, mais à cette heure-ci pas question, d'autant que son Jericho était resté dans la voiture, sous son siège. Ben-Roï était téméraire, mais pas à ce point. De toute façon, ç'aurait probablement été une perte de temps, la plupart de ces types étaient trop défoncés pour être capables de se rendre compte qu'on leur montrait une photo, et encore moins de se souvenir s'ils avaient déjà vu la personne représentée dessus... Il préféra refaire un passage dans la rue Neve-Sha'anan, puis s'attaquer ensuite aux ruelles adjacentes : Hagdud-Haivri, Yesod-Hamaala, Fin ou Salomon.

Dix ans plus tôt, quand il était encore en poste à Tel-Aviv, les prostituées avaient colonisé ces rues. Aujourd'hui, leurs rangs s'étaient éclaircis, mais pas au point que quiconque puisse ignorer qu'il se trouvait dans un quartier chaud : sex-shops, peep-shows, façades aveugles devant lesquelles des femmes en micro-jupe se tenaient, avachies et blasées. Des maquereaux, aussi. Appuyés contre des lampadaires ou postés à des coins de rue. On repérait à un kilomètre leur visage attentif et leur regard calculateur. Des sous-hommes, tous autant qu'ils étaient. Des sacs de merde, même s'ils n'existaient que grâce à la demande à laquelle ils répondaient. En effet, s'il semblait facile de mépriser les maquereaux et les trafiquants, les clients, qui faisaient aussi partie de l'équation, se révélaient plus difficiles à cataloguer. La moitié de ses amis avaient employé les services d'une prostituée, à un moment ou à un autre, et probablement l'ensemble de ses collègues, à part Leah Shalev. Lui-même, une fois, des années plus tôt, lorsqu'il faisait son service militaire près de la frontière libanaise, un soir que Nathan Tirat et lui avaient trop abusé du whisky bon marché. Ils étaient allés dans un bordel à Metulla, où une femme revêche avec des gros seins leur avait fait une fellation. Il ne se souvenait même pas de son nom. A l'époque, ça les avait bien fait rire, c'était comme un rite de passage. Par la suite, cela l'avait un peu gêné, et il n'en avait jamais parlé à Sarah par exemple, mais sans que cela suscite chez lui d'angoisse particulière.

Ce soir-là, en arpentant la rue Neve-Sha'anan, ce souvenir le troubla de nouveau. Il était à peu près sûr que la femme de Metulla n'était pas la proie de trafiquants du sexe, du moins pas de l'étranger, mais ça ne changeait pas grand-chose. Elle ne devait pas mener une vie particulièrement heureuse. Et deux conscrits qui faisaient la queue pour la lui mettre dans la bouche ne devaient guère améliorer les choses. Il regarda la photo en se demandant ce qu'on avait forcé cette pauvre fille à faire – en sachant ce qu'on l'avait forcée à faire – et il éprouva du dégoût. Il se sentit coupable, aussi, d'une façon peut-être plus abstraite. Il avait mis de l'argent dans cette industrie, après tout. Il avait utilisé ses services. Il avait nourri la bête. Sans des gens comme lui, cette industrie n'existerait pas, tout comme il n'y aurait pas d'ateliers de couture clandestins s'il n'y avait pas des dingues de la mode désireux de porter des fringues pas chères, pas plus qu'il n'y aurait de barons de la drogue sans les respectables renifleurs du week-end. Chacun à leur manière, tous ces gens participaient à l'exploitation, et les maquereaux ou les trafiquants ne constituaient que la partie visible du problème, la sphère des responsabilités s'étendait bien au-delà. Il ne s'appesantit pas trop sur cette pensée. Metulla, ça remontait à loin, et ça ne se reproduirait pas. Pour l'instant, il fallait juste qu'il trouve la fille et résolve l'affaire. Les réflexions éthiques sur l'offre et la demande dans l'industrie du sexe pouvaient attendre.

Il s'engagea dans la rue Hagdud-Haivri, derrière l'enseigne plutôt étrange d'un boucher : « Au Royaume du Porc ». Deux prostituées étaient de faction à quelques pas de là. La première, une blonde peroxydée en jean et bustier, les bras striés d'hématomes, l'air usé jusqu'à la corde des junkies de longue date. L'autre, un peu plus âgée, la trentaine, brune, en robe moulante noire et talons aiguilles. Elle paraissait en meilleure santé, ce qui n'était pas difficile. Toutes deux semblaient israéliennes. Sans s'embarrasser de préliminaires, il leur montra son insigne et la photo.

— Vous la connaissez ? Elle travaillait dans le coin ?

La blonde secoua la tête.

— Réessayez en regardant la photo.

Elle posa les yeux dessus, puis fixa brièvement Ben-Roï.

— Non.

— Vous êtes sûre ?

— Si tu cherches de la chair fraîche, je sais où tu peux en trouver, mais il te faudra du fric. Vraiment jeune, si ça t'intéresse.

Ben-Roï l'ignora et mit le cliché sous le nez de l'autre femme.

— Et vous ? Vous la reconnaissez ?

La femme tendit la main et regarda le cliché en tirant sur sa cigarette. Avec le temps, elle avait forci des hanches, mais on voyait qu'elle avait dû être belle, malgré tout le mascara qu'elle portait. Elle l'était encore, d'une certaine manière un peu fêlée. Pas de signe apparent de consommation de drogue, ce qui amena Ben-Roï à se demander quel parcours avait bien pu la conduire là. Les dettes, peut-être, ou des violences conjugales, il y avait une centaine de raisons possibles. Si ça se trouvait, elle y prenait même plaisir, bien que ce fût le scénario le moins probable. Chacune avait son histoire, son propre escalier personnel pour descendre aux enfers.

— Alors ? demanda-t-il.

— Pourquoi vous posez ces questions ?

— C'est une affaire de police. Bon, vous la reconnaissez ou pas ?

Elle tira une nouvelle bouffée sur sa cigarette. Ben-Roï remarqua que sa main tremblait. Peut-être prenait-elle de la drogue, après tout.

— Je peux pas vous aider, dit-elle en lui rendant la photo.

— Vous en êtes sûre ?

— Je peux pas vous aider, répéta-t-elle avec plus de fermeté, cette fois.

Ben-Roï scruta son visage à la recherche du moindre indice qu'elle savait quelque chose, mais elle resta là à tirer sur sa cigarette, la main tremblante, sans croiser son regard. Au bout d'un moment, il comprit qu'elle n'en dirait pas plus et reprit son chemin. Derrière lui, la blonde le poursuivait de sa voix criarde :

— De la chair vraiment fraîche, si ça t'intéresse, chéri ! Droit sortie du camion ! Reviens quand tu veux, monsieur le flic !

Elle riait encore lorsqu'il tourna le coin de la rue.

Il continua ses recherches pendant une heure environ, en s'arrêtant dans les bars, les sex-shops et les boîtes de strip-tease pour parler aux prostituées et à leurs maquereaux, ainsi qu'à certains clients – des silhouettes courbées et furtives qui se glissaient hors des immeubles où les filles travaillaient dans des pièces ne disposant que d'un lit et d'un évier. Dans la rue Fin, deux ressortissants d'Europe de l'Est se souvenaient de Maria, mais ne savaient rien de sa situation actuelle. Un garde devant le VIP Sex Bar de la rue Salomon la reconnut aussi, ajoutant même qu'elle était apparue dans une ou deux vidéos pornos sur Internet. Mis à part ça, Ben-Roï fit chou blanc. Personne ne se souvenait de la fille, personne ne savait rien sur elle. Du moins, personne ne voulait bien l'admettre, ce qui revenait au même. Vers 20 heures, après avoir écumé le quartier de long en large, il décida de rentrer à Jérusalem à temps pour son rendez-vous avec Zisky. De toute façon, il n'avait jamais vraiment cru qu'il trouverait quelque chose à Neve Sha'anan. Ils auraient peut-être plus de chance dans l'enceinte arménienne.

Il décolla les plaques rouges qui signalaient son statut de policier et les rangea dans le coffre, puis s'installa derrière le volant, subitement épuisé par tout ce qu'il avait vu et entendu au cours de la journée. Il ferait peut-être aussi bien d'annuler son rendez-vous avec Zisky et d'aller se coucher. Cela dit, il était curieux de savoir ce que le gamin avait trouvé sur Barren et Nemesis, et par ailleurs une bière lui ferait du bien. Il se donna quelques secondes de répit, puis démarra et s'apprêtait à s'engager sur la chaussée lorsqu'il entendit qu'on frappait à sa portière. Il fut soulagé en voyant que c'était la petite brune de la rue Hagdud-Haivri. Quand il baissa la vitre, elle se pencha vers lui en relevant ostensiblement les fesses, comme si elle abordait un client.

— Pourquoi vous posez des questions sur elle ?

Son langage corporel avait beau déployer tous les atouts de la séduction, sa voix était tendue, pleine d'urgence.

— Maria ? siffla-t-elle. Qu'est-ce qui lui est arrivé ?

— Je croyais que vous...

— Vous croyiez que j'allais causer avec un flic devant tout le monde ? Ça ne se fait pas trop, dans le coin. Alors, qu'est-ce qu'elle a ? Je croyais qu'elle s'en était sortie, qu'elle était dans un centre...

— Elle s'est enfuie. Il y a deux semaines environ. Je suis venu voir si elle ne serait pas passée par ici...

Elle laissa échapper un rire nerveux où perçait l'étonnement.

— Vous délirez ! Après ce qu'on lui a fait ? Elle se pointera pas dans le coin avant un million d'années !

— Vous étiez son amie ?

— Personne n'a d'amis dans ce métier ! On essaie juste de garder la tête hors de l'eau.

Elle se releva, vérifia que personne ne s'intéressait à eux, puis replongea la tête à l'intérieur de l'habitacle, si proche de Ben-Roï qu'il discernait l'odeur de tabac froid dans son haleine et les pattes-d'oie qui encadraient ses yeux.

— Nos chemins se sont croisés plusieurs fois, reprit-elle. Ils nous ont fait tourner... vous savez, quoi...

— Quoi ?

— Des films, putain ! Des shows privés ! Vous voulez que je vous fasse un dessin ? C'était juste une gamine... Déjà qu'à mon âge c'est pas drôle, mais pour une petite comme ça...

Elle se mordit les lèvres, un masque d'humiliation sur le visage.

— Je ne voulais pas le faire. Aucune d'entre nous ne voulait, mais quand ils demandent un truc, c'est pas comme si on avait le choix. Vous voyez ce que je veux dire ?

Il voyait parfaitement. Les droits des employés n'étaient pas la préoccupation principale des acteurs de cette industrie.

— Vous savez qui était son mac ? demanda-t-il.

— Non. Je ne la voyais que lorsqu'on tournait, dans des studios, des clubs, des maisons. Elle était toujours accompagnée par deux types qui la surveillaient. Elle avait tellement peur. Tellement peur ! J'ai essayé de l'aider, de lui rendre ça un peu plus facile, mais c'est pas évident de rendre ça facile...

Elle cligna des yeux, incapable de soutenir le regard de Ben-Roï.

— Une fois, elle a pleuré. J'étais allongée sur elle et elle s'est mise à pleurer. La scène était un enterrement de vie de garçon, entre soldats. Ils ont adoré ça ! De véritables animaux !

Des images et des sons traversèrent l'esprit de Ben-Roï, le genre de trucs qu'il avait vu sur Internet. Il secoua la tête, tenta de les chasser.

— Vous avez une idée d'où elle peut être maintenant ? demanda-t-il.

— Si elle a un minimum de jugeote, très loin d'ici. Ecoutez, il faut que j'y retourne, ça fait déjà trop longtemps que je suis partie. Je pensais que vous saviez quelque chose, je voulais être sûre qu'on ne l'avait pas...

— Qu'on ne l'avait pas quoi ?

— A votre avis ? Rien que la semaine dernière, ils ont sorti une fille du Yarkon. On lui avait coupé les oreilles et attaché des haltères aux pieds. C'est le sort qui attend les filles qui s'enfuient. Une journaliste est venue poser des questions là-dessus il y a quelques semaines. J'avais peur pour Maria, c'est tout. Maintenant, il faut que j'y aille.

Elle se releva, mais Ben-Roï lui saisit le poignet.

— Elle était grosse avec les cheveux gris, cette journaliste ?

— Oui, répondit-elle après une brève hésitation.

— Elle s'appelait Rivka Kleinberg et on l'a assassinée il y a trois jours, à Jérusalem, dans la cathédrale arménienne. Je pense qu'elle y cherchait Maria, ou qu'elle la rencontrait là-bas. Moi, il faut que je la trouve d'urgence. Alors, si vous pouvez me dire quelque chose, quoi que ce soit...

Elle sembla réfléchir quelques instants à ce qu'elle venait d'entendre, comme si elle tentait d'évaluer en quoi cela pouvait lui nuire. Subitement, elle libéra son poignet et bondit en arrière.

— Je ne sais rien ! s'exclama-t-elle. Je ne peux pas vous aider. Je dois...

— Iris !

Elle se figea en entendant cette voix. Dans son rétroviseur Ben-Roï vit un homme qui s'approchait sur le trottoir d'en face, trapu, casquette, veste en cuir, avec une sorte de pitbull qui tirait furieusement sur sa laisse.

— Oh, mon Dieu ! s'écria-t-elle, la crainte dans les yeux. Allez-vous-en ! Partez ! S'il me voit avec un flic...

— Qu'est-ce qui se passe, Iris ? cria l'homme. Avec qui tu parles ?

— C'est un client, répondit-elle sans parvenir à masquer la terreur dans sa voix. Ça tourne au ralenti, ce soir !

— Pas la peine de causer des heures ! Soit il monte, soit il monte pas !

— Partez ! glissa-t-elle à Ben-Roï à voix basse. Pour l'amour du ciel, partez. Il va me tuer !

Le mac traversait la rue à environ trente mètres derrière la voiture, le chien grognant et griffant le bitume dans son désir d'avancer. Ben-Roï envisagea de sortir et de montrer son insigne, mais se dit que cela ne ferait qu'attirer des ennuis à la brune.

— Dites-moi au moins quelque chose, répéta-t-il en passant la première. Vous savez forcément quelque chose...

— Je sais rien, je vous dis ! Oh, mon Dieu, il va me...

— Il veut te faire baisser ton prix ? demanda le mac, qui ne se trouvait plus qu'à une vingtaine de mètres. Tu lui dis que le prix, c'est le prix !

— S'il vous plaît, gémit-elle, folle de terreur. Je vous en supplie…

— Pas avant que vous m'ayez donné quelque chose !

Elle s'immobilisa une fraction de seconde, puis, alors que son mac ne se trouvait plus qu'à dix mètres, elle murmura précipitamment quelque chose à l'oreille de Ben-Roï.

— Maintenant, cassez-vous, ordonna-t-elle.

Puis, pour donner le change, elle cria à Ben-Roï d'aller se faire foutre. Le mac, convaincu que quelqu'un venait d'insulter une de ses protégées, se précipita vers la voiture. Ben-Roï appuya sur l'accélérateur et s'engagea sur la chaussée au moment où le pitbull atteignait son pare-chocs. Il vit dans son rétroviseur le chien qui cavalait derrière sa Toyota en traînant sa laisse, tandis que le mac entourait d'un bras protecteur les épaules de la prostituée tout en l'insultant, le poing levé. Il n'avait pas l'air de s'en prendre à elle, ce qui rassura Ben-Roï, si tant est qu'on puisse l'être à l'endroit de quelqu'un évoluant dans ce milieu.

Peu après, il roulait sur l'autoroute en direction de Jérusalem, ressassant les quelques mots qu'elle avait chuchotés :

« Son vrai nom, c'était Vosgi. »

HOUSTON, TEXAS

William Barren propulsa sa Porsche Carrera GT entre les grilles du portail de la propriété familiale et piqua une petite pointe de vitesse sur l'allée bitumée. En quelques secondes, le V10 de six cents chevaux le catapulta à plus de cent kilomètres-heure. Presque aussitôt, il ralentit jusqu'à une vitesse raisonnable pour entrer dans la courbe qui menait à la demeure des Barren, un gros bloc de granit parsemé de tourelles qui restait sinistre en dépit du soleil matinal. Ce n'était pas pour rien que l'endroit s'appelait Darklands, « les terres sombres ».

Il vérifia l'heure sur le tableau de bord – pas loin de 10 h 20 – et se gara sous l'un des chênes géants qui bordaient l'allée. Il avait été convoqué à 10 h 30, et son père n'aimait pas que les gens se présentent à un rendez-vous en avance. Ni en retard. En fait, il n'aimait pas qu'on arrive à n'importe quel autre moment que celui qu'il avait fixé. Enfant, William avait vraiment essayé d'y parvenir, il s'était plié en quatre pour respecter les standards de son père en matière de ponctualité. Il n'y était jamais parvenu. Pour une raison ou pour une autre, parce qu'il y pensait tellement qu'il laissait passer l'heure, ou parce qu'au contraire il était si soucieux de bien faire qu'il arrivait trop tôt, il tombait à côté, et s'ensuivait un cours sur les bienfaits de la ponctualité. Un enfant qui ne respectait pas les horaires deviendrait un adulte qui ne respecterait rien, et qui serait donc promis à l'échec, à l'ignominie. Aujourd'hui encore, ces diatribes le hantaient. « Tu n'es pas ce que j'espérais, William. Tu n'as pas la fibre d'un vainqueur. D'autres l'ont, j'en ai bien peur, mais pas toi. » Eh bien, si ! Il l'avait. Et l'ancêtre allait bientôt s'en rendre compte. William n'était peut-être pas le favori, celui qui avait récolté tout l'amour et toute l'attention, mais il serait celui qui vaincrait, en fin de compte. Bientôt. Très bientôt.

Pas aujourd'hui, pourtant. Aujourd'hui, il voulait juste arriver à l'heure.

Il se fit une petite ligne sur le boîtier d'un CD. Une toute petite, il ne voulait pas se retourner le cerveau comme la veille, pendant le conseil d'administration, lorsqu'il s'était ridiculisé. Il sniffa sa ligne, sortit le CD du boîtier et le glissa dans l'autoradio. Eminem, « Bully », « la petite brute ». Il aimait bien Eminem. Il s'identifiait à lui. Pas le même milieu, bien sûr, mais la colère c'est la colère, quelles que soient vos origines. Il monta le volume, s'adossa au siège et ferma les yeux, reprenant les paroles tout en marquant le rythme du poing sur le volant. La musique et la coke se diffusaient en lui, s'harmonisant à la perfection avec ses sentiments profonds. « *I ain't bowing to no motherfucking bully* »... Moi non plus, je ne m'incline devant aucun fils de pute. C'est bien vrai. Tu vas t'incliner devant moi, l'ancêtre. Tu vas te traîner sur tes gros genoux boursouflés...

Il frappait du poing sur le volant au rythme de la musique, de plus en plus fort, comme en résonance avec la haine qu'il éprouvait.

Un des psys avait diagnostiqué qu'il souffrait d'un trouble délirant, de la famille des troubles mentaux psychotiques. Il en avait consulté plusieurs, au fil des ans. Psys, analystes, conseillers, professeurs. Tous avaient leur interprétation, leur charabia. Celle qu'il avait vue peu après la mort de sa mère, quatre ans plus tôt, avait une bouche de pute et des gros nibards. Elle avait diagnostiqué qu'il souffrait d'un trouble de la personnalité *borderline*, peut-être parce que après l'une des séances il l'avait suivie jusqu'à chez elle et lui avait demandé s'il pouvait la lécher. Etonnamment, elle avait accepté. Malgré, ou peut-être grâce à ses démons, il avait toujours eu du succès avec les femmes. Le fait que sa famille était millionnaire aidait aussi, bien sûr.

Oui, il avait fait de nombreuses thérapies. De nombreux après-midi allongé sur un canapé confortable à répondre aux questions du Dr Machin ou du Dr Truc sur son enfance, sa famille, les drogues, les putes et ce qu'il avait ressenti lorsque sa mère avait été réduite en cendres.

Sa mère. Ils lui posaient toujours un tas de questions sur sa mère.

Au bout de deux décennies de questions, de réponses, de dérobades, de crises d'hystérie, de torrents de larmes dus à son incapacité à remplir les attentes de son père, à être l'héritier désigné et aimé, aucun des douze psys qu'il avait vus ne lui avait jamais dit ce qu'il savait depuis longtemps, en l'espèce que son père était la racine de tous ses problèmes. Le cloaque originel de tous ses maux. Comme il le méprisait ! Il le vénérait aussi, bien sûr, à la manière dont on vénère une déité de l'Ancien Testament qui vous fait mourir de trouille et dont vous recherchez pourtant désespérément les bienfaits. Cependant, le mépris l'emportait. Son père avait bousillé sa vie. Son père avait bousillé la vie de tous ses proches – cette nuit où, caché dans un placard, il avait entendu : « Non, pitié ! Tu me fais mal ! Tu me fais mal ! » – et, tant qu'il traînerait dans le coin, il continuerait à le faire. Néanmoins, une fois son père disparu, tout irait pour le mieux. Comme dans la pièce de Shakespeare qu'ils étudiaient avant qu'il se fasse virer du lycée, celle qui parle du prince Hal et de son père le roi. Le prince était un raté total jusqu'à ce que le roi tombe malade et meure, mais une fois monté sur le trône, il avait tourné la page et était devenu un grand homme. William comptait bien faire de même. Il était déjà un grand homme, si seulement son père pouvait dégager pour lui donner la chance de le prouver ! Dans pas longtemps. Bientôt, il serait aux manettes. Et contrairement à Hal, il n'allait pas faire semblant de se réconcilier avec papa avant de prendre le pouvoir. Non ! Dès que le vieux serait six pieds sous terre, William comptait enfiler ses claquettes et aller danser sur sa tombe…

Il consulta de nouveau l'heure et sursauta en constatant qu'il était presque 10 h 30. Il coupa l'autoradio avec un juron, redémarra, fonça jusqu'à la porte, bondit de la voiture et appuya sur le bouton de la sonnette à 10 h 30 tapantes. Avec un grand éclat de rire, il laissa son doigt sur le timbre suffisamment longtemps pour que tout le monde dans la maison sache qu'il était là, et à l'heure, s'il vous plaît !

— Prends ça, vieille peau ! murmura-t-il en lâchant le bouton.

— Bonjour, Maître William.

Stephen, le domestique de son père, se tenait devant lui, raide comme un fusil dans son costume sombre, les chaussures tellement astiquées que le plafond se reflétait dedans. Il s'inclina et fit un pas de côté en priant William de bien vouloir entrer.

— Comment Monsieur va-t-il ? siffla-t-il d'une voix douce et sans âge.

— Superbement, merci, Stephen. Mais j'irai encore mieux dans vingt minutes, en repartant.

Le sourire de William ne provoqua aucune réaction sur le visage aux lèvres fines du majordome, d'une parfaite neutralité. Il avait toujours été comme ça, du plus loin que William pouvait s'en souvenir. Enfant, il s'était même plu à croire que Stephen était un robot et qu'en dévissant des boulons cachés derrière ses oreilles on pourrait mettre au jour ses circuits électroniques. Voire le reprogrammer, pour lui faire faire des trucs marrants. Comme violer son père. Ou le traîner jusqu'à l'étang paysager derrière la maison pour le noyer et ainsi mettre fin aux souffrances des uns et des autres. Une ou deux fois, William avait vraiment essayé. Il était monté sur une chaise et avait passé les doigts sur les contours de ce visage impassible, le long des racines de ses cheveux gominés, dans l'espoir de trouver un bouton qui lui permettrait d'en prendre le contrôle. Stephen l'avait laissé faire, il était même entré dans son jeu. William lui était reconnaissant de cela – de cette acceptation passive des rêves d'un jeune enfant. Malgré sa façade formelle, Stephen était un des gentils. Stephen avait su voir le potentiel auquel son propre père était volontairement aveugle. Un jour, William comptait le récompenser pour cela. Le roi n'oublie jamais ceux qui sont restés loyaux quand il était en exil. Et il n'oublie pas non plus ceux qui l'y ont envoyé.

— Dans la bibliothèque ? demanda William.

— Effectivement, Monsieur. Laissez-moi vous conduire.

Il emboîta le pas au domestique, traversa le grand vestibule lambrissé de chêne dont les cuivres brillaient à la lumière dorée qui filtrait des vitraux, s'engagea dans le grand escalier. Le long des murs, ses ancêtres le dévisageaient avec l'air impénétrable de ceux qui ne veulent rien révéler d'eux-mêmes à part leur apparence physique, et encore ! Son arrière-grand-père, le patriarche de la famille, maigre comme un pic à glace et dur comme le fer. Son grand-père, voûté, moustachu, un chien de chasse à ses pieds, un cigare à la main. Son père, monstrueux, barbu, de petits yeux de serpent, transpirant la méchanceté, du moins c'était ce que William avait toujours pensé. Il y en avait d'autres, des oncles, des grands-oncles, silhouettes aux visages fendus de sourires, des personnes dont il se souvenait à peine, voire de complets inconnus. Les femmes avaient leur propre galerie, celle qui menait à l'aile ouest de la maison : épouses, sœurs, tantes et filles. Tous arboraient la même expression fatiguée, légèrement déçue, comme si, malgré tous les bijoux, les vêtements de prix et le standing, leur vie n'était pas aussi heureuse qu'ils l'avaient escompté.

Tout au bout du couloir, juste avant la porte de la bibliothèque, le dernier portrait, le seul à bénéficier d'un éclairage autonome, représentait la mère de William. Blonde, l'œil triste, douloureusement maigre. A sa manière, elle avait été bonne, elle avait fait de son mieux pour protéger son fils, mais en fin de compte rien ne pouvait résister à la malignité destructrice de Nathaniel Barren. Elle s'était fanée, comme toutes les femmes de la famille Barren. William glissa un regard vers le portrait, sans s'attarder. Sa mère ne pouvait rien pour lui aujourd'hui, pas plus que quand il était petit, d'ailleurs. Il était seul.

— Nous y voici, Monsieur.

Pas complètement seul. Il y avait toujours Stephen.

— Merci, Stephen. Je peux me débrouiller, à présent.

— Comme Monsieur désire.

Stephen fit un signe poli de la tête et s'en alla, ses pieds semblant à peine toucher les tapis. William le regarda s'éloigner – un homme bon, ce Stephen, un homme fiable – puis fixa la porte de la bibliothèque et rentra l'estomac, comme il faisait toujours lorsqu'il se tenait là. Instinctivement, il glissa la main dans sa poche pour jouer avec sa paille à coke. Il résista à la tentation de faire un détour par la salle de bains pour une petite dernière. En sortant, peut-être, mais pour le moment il préférait garder la tête claire. On pouvait faire ça, avec les drogues. Les prendre ou les laisser. Garder le contrôle. N'oublie jamais ça, se dit-il. Tu gardes le contrôle. Tu es fort.

Il respira un grand coup et frappa.

— Entre.

L'ordre arriva comme l'écho d'un lointain tonnerre. William hésita, se redressa – Tu gardes le contrôle. Tu es fort – puis ouvrit la porte.

Son père était assis à son bureau, à l'autre bout de la pièce, grosse masse boursouflée aux cheveux blancs, dans un épais costume de tweed. Malgré les vastes proportions de la pièce, son plafond cathédrale et la galerie en surplomb qui en faisait le tour, Nathaniel Barren emplissait tout l'espace. Son large dos masquait la lumière de la fenêtre devant laquelle il était assis, le faisant paraître encore plus gigantesque. Bien qu'il fût encore à côté de la porte, William percevait l'odeur âcre de son après-rasage, comme celle d'une machine en surchauffe, et entendait le raclement douloureux de sa respiration.

— Tu es en retard, grogna-t-il de la voix que les pierres auraient si elles parlaient.

— Je ne crois pas, monsieur.

— Ne me contredis pas. Tu es en retard.

Le vieil homme posa le coude sur la table et tapota sa montre du doigt. William caressa l'idée d'insister, d'affirmer qu'il était bien arrivé à 10 h 30, comme demandé, mais ça ne servirait à rien. Il n'était jamais sorti vainqueur d'une discussion avec son père et ce n'était pas aujourd'hui que ça allait commencer. Si Nathaniel Barren disait que la Terre était plate et la Lune faite de gruyère, il était inutile de tenter de le convaincre du contraire. Alors William attendit en silence que son père veuille bien lui faire signe d'approcher, tandis que les derniers effets de la coke se dissipaient dans les méandres de son cerveau. Il gardait le contrôle. Il était fort. William s'arrêta à côté des deux chaises devant le bureau et, de nouveau, attendit que son père lui indique de s'asseoir. Rien ne vint, aussi resta-t-il debout. Le mécanisme de l'horloge posée sur la cheminée cliquetait, les poumons de son père émettaient un sifflement rauque, mais paradoxalement ces sons semblaient rendre le silence plus intense, l'atmosphère plus lourde et plus oppressante. Suffocante, même. Chaque fois qu'il venait ici, William avait l'impression d'être enterré vivant.

Tu gardes le contrôle. Tu es fort.

— Comment vous sentez-vous, père ?

— Très bien, je te remercie.

A ce qu'il semblait, son père n'éprouvait pas en retour d'intérêt pour la santé de son fils, pensa William. Il se dandina un peu, en essayant de faire abstraction du tic-tac de l'horloge, qui commençait pourtant à lui vriller le crâne. Il aurait peut-être dû se prendre cette petite ligne, après tout.

Un silence bizarre s'installa.

— Je trouve que le conseil d'administration s'est bien passé, lança William.

— Ah ? Tu trouves ?

— Jim a fait du bon boulot sur le volet financier.

Son père le gratifia d'un regard critique, l'air de dire « qu'est-ce que tu en sais ? », puis se mit à farfouiller dans les papiers posés devant lui.

Justement, j'en connais le moindre détail, vieux salaud boursouflé !

En attendant le bon vouloir de son père, William laissa son regard courir sur les milliers de volumes reliés de cuir alignés tout autour de la pièce, du sol au plafond. Ils conféraient à l'endroit un aspect désagréable, presque animal, comme s'il s'était agi de l'estomac d'un monstre fossile. Pour autant que William le savait, personne n'en avait jamais ouvert aucun. Son grand-père les avait achetés en un seul lot, et ils n'étaient là que pour épater la galerie, pour donner une illusion de profondeur, d'intellect. En réalité, les Barren n'avaient pas beaucoup de temps à consacrer à la culture. Pour l'argent, ça oui, ils avaient du temps. Pour l'argent et pour le pouvoir. De ce point de vue, au moins, William était le digne héritier des traditions familiales.

— J'ai discuté avec Hilary, après la réunion, dit William en essayant de contrôler sa voix. Elle pense que la concession égyptienne peut...

Son père le fit taire d'un geste de la main, puis, tenant un document à bout de bras, il l'agita sous le nez de William, l'air de l'accuser de quelque chose, comme un avocat qui détiendrait une preuve confondante.

— Tu peux m'expliquer ce que c'est que ça ?

Le motif de la convocation. Pas de préliminaires. Droit au but. Il s'y était attendu.

Tu gardes le contrôle. Tu es fort.

— Ce sont quelques idées que j'ai sur l'avenir de la société, père. Comment la faire progresser, comment passer à l'étape supérieure. J'ai pensé que, le conseil et toi, ça pourrait vous intéresser. J'ai souligné certaines possibilités...

— Tu penses qu'on a besoin d'idées ?!

William se mordit les lèvres. Il savait que le dossier allait susciter un conflit, il s'y était préparé, mais maintenant qu'il se trouvait là, dans l'œil du cyclone...

— Un business a toujours besoin d'idées, père. C'est quoi, le mot des Japonais, déjà ? *Kaizen.* L'amélioration permanente.

— Alors, tu crois qu'il faut qu'on s'améliore ?

Carrément ! Vieille baderne ! pensa William. Oui, on est gros, mais on n'est pas très souples. Aucune souplesse. Trop de bras, trop d'activités, trop de lest. D'autres compagnies s'adaptent, changent de profil, serrent les boulons, tandis que nous nous reposons sur nos lauriers. Les vents changent et nous ne les avons plus dans le dos. Dans quelques années, nous serons dépassés, échoués. Ote donc les mains du gouvernail, l'ancêtre. L'heure est venue de prendre un nouveau capitaine. Je suis le futur de Barren.

Evidemment, il n'en dit mot.

— Des idées... déclara son père en feuilletant le document. Des améliorations... ajouta-t-il en secouant la tête, les yeux pleins de dédain.

— Ce ne sont que quelques trucs auxquels j'ai pensé, papa. Je suis préoccupé à l'idée qu'on place trop d'espoir dans la concession égyptienne. Si ça ne marche pas...

— Ça va marcher !

— Il y a eu un changement de régime là-bas...

— Tu es devenu expert en géopolitique ?

— Je dis simplement que...

Son père laissa échapper un ricanement méprisant et lui jeta le dossier à la figure. Il le rata, pourtant, et le dossier alla s'écraser derrière lui, comme un oiseau foudroyé.

— Je ne t'ai pas fait entrer au conseil d'administration pour que tu aies des idées, mon garçon ! Je t'ai mis là pour que tu fasses ce que je te dis et uniquement ce que je te dis. Tu crois que tu pourrais diriger cette société mieux que moi ? Que tu sais mieux que moi ce qui est bon pour elle ?

William résista à l'envie de hurler : « Oui ! Putain ! J'en suis sûr ! »

— Ça fait quarante ans que je dirige la Barren. Je suis la Barren Corporation ! C'est moi qui ai fait de cette société ce qu'elle est aujourd'hui, et subitement mon bon à rien de fils bourré de coke pense qu'il peut me donner des cours de gestion entre deux passes avec ses putes...

Le vieil homme, pris d'une quinte de toux, commença à se balancer d'avant en arrière, les tissus malades de ses poumons cédant sous l'assaut de sa rage, son visage pratiquement violet. Peut-être va-t-il s'étouffer devant moi, pensa William, et éviter ainsi plein de problèmes à tout le monde... Mais non ! Nathaniel Barren n'allait pas quitter ce bas monde aussi vite. Et certainement pas par des causes naturelles. Son corps avait beau être rongé par la pourriture, il lui restait dans les tripes encore de quoi tenir quelques années. Comme tous les Barren mâles, il comptait bien défier les attentes des médecins. Plier la mort à son bon vouloir, comme il l'avait fait pour sa vie. Personne ne pouvait se dresser sur la route de Nathaniel Barren, pas même la Grande Faucheuse.

— Bon à rien ! Dépravé ! avait repris l'ancêtre en pointant un index tremblant vers lui. Essayer de me dire comment faire tourner mon affaire ! Tenter de dresser le conseil d'administration contre moi ! Des idées... Tu n'en as jamais eu l'ombre d'une seule, nom de Dieu...

Sa tirade se perdit dans une nouvelle quinte de toux. Il tira un mouchoir de sa poche et s'essuya la bouche, puis plaqua le masque à oxygène contre son visage en aspirant frénétiquement, les yeux brillant comme des billes métalliques en fusion. William se força à croiser le regard de son père, à ne pas baisser les yeux, mais Dieu que c'était difficile de ne pas céder du terrain ! Il lui fallait mobiliser le moindre atome de volonté. William y parvint pendant quelques secondes, puis, estimant qu'il avait fait valoir sa position et montré qu'il n'allait pas se laisser faire, il se retourna pour ramasser le dossier par terre. Pourtant, au fond de lui, il avait peur à en pisser dans son froc.

Une fois, des années plus tôt, alors qu'il était enfant et que sa mère, encore en vie, faisait partie de son paysage, William avait dessiné un arbre généalogique. C'était un arbre magnifique, William s'était inspiré d'un des grands chênes qui bordaient l'allée principale et avait inscrit les noms des membres de la famille sous les différentes branches. Il avait passé plus d'un mois à travailler dessus, s'assurant qu'il n'avait oublié personne, tandis que les noms de la lignée mâle centrale – son arrière-grand-père, son grand-père, son père et lui – étaient gravés sur le tronc en caractères dorés pour souligner leur importance dans la famille. William avait aussi fabriqué un cadre de ses propres mains, avec l'aide d'Arnold, le jardinier, qui était doué pour ces choses-là, et offert le tout à son père le jour de son cinquantième anniversaire. Il était sûr que ce cadeau le toucherait au plus profond de son cœur, le persuaderait que son fils était un vrai Barren, digne de porter le nom familial, mais Nathaniel Barren n'y avait jeté qu'un coup d'œil distrait, avec pour seul commentaire : « Je ne suis pas sûr que ton nom devrait être inscrit en caractères dorés. »

En ramassant le document par terre, William repensa à cet arbre généalogique. Vingt-cinq ans plus tôt, l'ingratitude de son père l'avait écrabouillé. Aujourd'hui, ayant abandonné depuis longtemps l'idée de gagner les faveurs du vieil homme, il eut une réaction plus optimiste. De toute façon, il ne cherchait pas son approbation, et ne l'attendait pas non plus. Le document, c'était plutôt un gant qu'il avait jeté par défi. Il se montrait, histoire de prévenir l'ancêtre et le conseil d'administration qu'il allait bientôt jouer des muscles. Et son père le savait. D'où sa rage. Subitement, un éclair de compréhension doublée de joie frappa William : son père avait peur de lui ! Tel un vieil éléphant qui enrage devant l'air tonique de son jeune rival, en plein cœur de la jungle.

Il garda cette pensée pour lui et se tourna, prêt à affronter le dénouement.

— Je veux plus de pouvoir, papa, déclara-t-il sans parvenir à empêcher sa voix de trembler. Je vous en ai déjà parlé, mais je vous en parle à nouveau. Vous n'êtes pas éternel. Il est temps de commencer à me passer les rênes. Je suis prêt.

L'éclat dans les yeux de son père brilla encore plus fort qu'auparavant. William remarqua la buée qui se formait sur le masque en plastique à chacune de ses expirations.

— Jamais ! croassa-t-il.

— Il est temps, père. Il est temps depuis longtemps.

Le vieil homme le dévisagea longuement, puis, sans le lâcher du regard malgré sa respiration difficile, il ôta son masque à oxygène.

— Ça n'arrivera jamais ! tonna-t-il en abattant sa main énorme sur la table. Tu comprends ce que je te dis ? Tu ne dirigeras jamais la Barren Corporation. Ni maintenant ni plus tard. Tu n'as pas la fibre d'un vainqueur. Et ça non plus tu ne l'auras jamais. Plus vite tu t'habitueras à cette idée, mieux ce sera !

Il plaqua de nouveau le masque sur son visage, cherchant à reprendre son souffle. William se tenait devant lui sans rien dire. Il avait toujours su que ce serait une perte de temps, que son père ne plierait jamais, mais William avait besoin de le mettre au pied du mur, de s'assurer que le chemin qu'il avait choisi était bien le seul possible. Il aurait voulu prendre un peu plus de temps, peaufiner encore quelques détails, mais, après sa prestation cokée de la veille au conseil d'administration, il avait éprouvé le besoin de s'affirmer. D'où ce dossier qu'il avait transmis à son père, et la convocation qui en avait découlé. On attaquait la fin de partie. Il se sentait curieusement léger. Tu es fort. Tu gardes le contrôle. Il s'obligea à soutenir le regard furieux de son père. Puis, avec un salut de la tête, il fit demi-tour et se dirigea vers la porte.

— Elle est morte, papa ! lança-t-il en sortant. Et elle ne reviendra pas. Il ne reste que moi. Je suis la Barren. Et c'est toi qui ferais bien de t'habituer à cette idée !

— Il faudra me passer sur le corps ! cria le vieil homme.

— C'est ce que je crois aussi, murmura William en fermant la porte.

Il s'adossa un instant aux lambris afin de reprendre son souffle et ses esprits, puis traversa la maison dans l'autre sens, repassant devant les visages tristes de ses ancêtres. Stephen l'attendait au pied de l'escalier.

— L'entrevue de Monsieur s'est-elle bien passée ?

— A peu près comme prévu, Stephen. A peu près comme prévu.

Le majordome ne répondit que par un silence imperturbable. William se retourna vers la galerie de portraits, pensant au jour où le sien y serait accroché, où il prendrait la place qui lui revenait de droit dans le livre d'or des Barren. A la première page ! Puis il donna à Stephen une petite tape sur l'épaule, monta dans sa voiture et démarra. Il n'avait pas touché à la coke. Parfois, on arrive à planer sans adjuvants chimiques.

Israël

Pied au plancher, Ben-Roï fonçait vers Jérusalem et son rendez-vous avec Zisky. Il passa un coup de fil à George Aslanian, à la Taverne arménienne, qui lui confirma que « Vosgi », le mot arménien qui veut dire « or », s'employait en tant que nom commun ou adjectif, mais aussi en tant que nom propre.

— C'est comme... Quel exemple je pourrais trouver en hébreu ? Chaim ou Ilan. Ça veut dire « vie » et « arbre », mais ce sont aussi des noms. Même principe.

Ce qui laissait Ben-Roï devant un dilemme. Si Rivka Kleinberg faisait référence au prénom, toute l'histoire de la Barren et des mines en Roumanie n'était qu'une fausse piste. Du coup, Nemesis en était probablement une aussi. Si ça se trouvait, la moitié des pistes qu'ils suivaient n'en étaient pas. L'espace d'un instant, il lui sembla que toute l'affaire se détricotait sous ses yeux.

Cet instant de panique passa rapidement. En y réfléchissant, il voyait bien encore assez de liens pour sentir qu'il allait dans le bon sens, même si Vosgi n'était pas ce qu'il avait tout d'abord cru. Les articles sur l'extraction d'or qu'il avait trouvés dans le bureau de Kleinberg, l'atlas marqué à la page de la Roumanie, l'ingénieur britannique qui était tombé dans un trou en Egypte (comment cela entrait-il dans le tableau ?). Tous ces éléments le rassuraient, il était bien sur la bonne voie.

Les flics se méfient des coïncidences, c'est dans leur nature. Néanmoins, dans ce cas précis, Ben-Roï se dit que c'en était peut-être une. Kleinberg s'intéressait à une prostituée arménienne dont le nom se traduisait par « or », et en même temps, pour une raison quelconque, elle s'était penchée sur les opérations minières de la Barren en Roumanie. L'unique autre possibilité serait de considérer que toutes ses autres pistes relevaient de coïncidences. Et s'il y a une chose dont les flics se méfient plus que d'une coïncidence, c'est de toute une série d'entre elles.

Lorsqu'il arriva à Jérusalem, il était convaincu que ses bases étaient solides. Il n'avait pas avancé, certes, mais il n'avait pas perdu de terrain non plus.

Une chose était sûre… il avait bien mérité une bière fraîche.

Le Poutine's Pub était à l'extrémité est de la rue de Jaffa, non loin des murs de la vieille ville. Un bar courait contre le mur de cet espace étroit, tout en longueur, face à une rangée de banquettes, et au fond une salle où trônait un écran de projection servait de piste de danse. Avant, le bar s'appelait le Champs, mais quelques années plus tôt une nouvelle direction avait donné une tonalité russe à l'endroit : nouveau nom, nouvelle déco, nouveau choix de bières et d'alcools. Malgré le replâtrage, le bar avait conservé un petit air rétro et une clientèle clairsemée. La salle était toujours au mieux à moitié pleine, et ce soir-là, quand il arriva – un quart d'heure en retard –, il n'y avait que cinq clients. Une jolie femme entre deux âges qui discutait avec le barman, deux autres, plus jeunes, sur une banquette et Dov Zisky, en compagnie d'un homme musclé et bronzé qui portait un tee-shirt blanc moulant et un diamant à l'oreille. Ben-Roï commanda une Tuborg et alla s'asseoir à côté d'eux.

— Joel Regev, dit Zisky. Mon ami expert en informatique. Il a pensé que le plus simple serait de vous parler directement.

Ben-Roï lui serra la main. Il avait l'air de faire du bodybuilding et ne ressemblait en rien au stéréotype du geek. Zisky et lui buvaient des Staropramem, assis pratiquement cuisse contre cuisse, ce qui lui fit penser que Zisky et Regev étaient peut-être un peu plus que de simples amis. Ils ne firent pas de commentaires, et Ben-Roï ne posa pas la question.

— Dov me dit que vous travaillez dans la sécurité informatique ? lança-t-il entre deux gorgées de Tuborg.

— On fait du conseil en protection de réseaux. Chevaux de Troie, piratage, ce genre de choses. On travaille aussi pour vous, les gars, en tant que médecins légistes pour ordinateurs. En ce moment, on conseille Russian Yard dans une affaire de fraude informatique.

Il avait une voix grave, masculine, à l'opposé de celle de Zisky. Un instant, Ben-Roï se surprit à les regarder en se posant des questions sur la dynamique de leur relation. Si elle existait. Le visage de Zisky se fendit d'un sourire discret, comme s'il pouvait lire les pensées de son patron et qu'il s'en amusait. Ben-Roï reprit une gorgée de Tuborg et se concentra ostensiblement sur Regev.

— Selon Dov, vous connaissez le groupe Nemesis Agenda, non ?

— Un peu. Des trucs que j'ai glanés sur le Net. On a même été conseil de l'une de leurs victimes, il y a environ six mois : un gros acteur dans la défense et la sécurité, à Beersheba. Nemesis avait piraté leur système et y avait introduit un virus qui avait grillé tous leurs disques durs. Ils ont dû fermer pendant près d'un mois.

Il jeta un regard à Zisky en essuyant du pouce le goulot de sa bière.

— Je ne devrais probablement pas le dire, mais à l'époque je leur aurais presque souhaité bonne chance, à Nemesis, parce que cette boîte trempait dans des affaires sordides avec des régimes plutôt déplaisants : elle leur vendait des mines, des systèmes de gestion des interrogatoires…

Il dessina des guillemets en l'air.

— Ce qui signifie en fait des outils de torture. Je ne me sentais pas très fier de les aider à se remettre sur pied. D'un autre côté, je suis juste un petit informaticien en bas de l'échelle. Qu'est-ce que j'y connais, après tout…

Ben-Roï, percevant un mouvement sous la table, pensa que Zisky avait dû tapoter la cuisse de son ami, comme pour le rassurer. Il n'en était pas certain, et il ne tenta pas de vérifier, même si, à nouveau, il discerna une pointe d'amusement dans l'expression de Zisky.

— J'ai imprimé quelques trucs qui pourront vous être utiles, dit Regev. Deux articles, des fils de discussion sur des forums…

Il donna un coup de coude à Zisky, qui tendit une enveloppe en kraft à Ben-Roï.

— Pour être franc, il s'agit surtout d'hypothèses. Les faits concernant Nemesis sont extrêmement ténus. C'est ce qui les rend aussi intéressants. Personne ne sait grand-chose sur eux. Ils ne sont pas comme WikiLeaks, par exemple, où tout le monde connaît ceux qui sont derrière. Les types qui dirigent Nemesis sont des ombres, ils sont totalement invisibles.

Ben-Roï parcourut rapidement le contenu de l'enveloppe.

— Alors, qu'est-ce qu'on sait ?

— Ils sont bons, affirma Regev. C'est la première chose à dire. Les autorités essayent de les coincer depuis des années, avec l'aide des meilleurs cerveaux informatiques du pays, mais les types de Nemesis Agenda ont toujours réussi à garder un coup d'avance. La seule piste qu'on ait sur eux, c'est leur site Web, mais ils l'ont très intelligemment mis hors de notre portée. Ils sont hébergés sur des serveurs offshore, des proxys ou des pings, des serveurs en miroir aussi, et ils basculent des uns aux autres dès que quiconque fait mine d'approcher. Il semble aussi qu'ils utilisent des technologies d'anonymisation très efficaces...

Il remarqua l'expression stupéfaite de Ben-Roï et éclata de rire.

— Ne faites pas attention à mon côté geek. Tout ce que vous avez besoin de savoir, c'est que personne n'a jamais réussi à fermer le site de Nemesis. Et personne n'est jamais parvenu à identifier les gens qui le dirigent. Ces mecs-là sont des vraies pointures en informatique.

— Et ils s'attaquent aux multinationales, au gros business ?

— Oui. Particulièrement à celles qui manquent d'éthique. Exploitation du tiers-monde, pollution illégale, mauvaises pratiques industrielles... Celles qui ont des cadavres dans leurs placards, en somme. Nemesis réunit les preuves et les met en ligne, le public découvre les infos, la presse s'en empare... Croyez-moi, certaines boîtes ont eu de gros problèmes avec ça.

C'était à peu de chose près ce que Mordechai Yaron lui avait dit le matin même.

— Apparemment, ils ont des antennes dans différents pays ? demanda-t-il.

— C'est une théorie. Mais à ma connaissance, personne n'a jamais pu le prouver. On est assez certain qu'ils ont démarré aux Etats-Unis : plusieurs petits détails quant aux technologies qu'ils utilisaient semblaient le suggérer, mais je ne vais pas vous saouler avec ça. Vous pouvez en lire plus sur la question là-dedans, dit-il en désignant l'enveloppe. Il semble aussi qu'ils aient un lien avec Israël. Plusieurs de leurs victimes ont affirmé qu'ils emploient des mots d'hébreu, et le nombre d'incidents sur le sol israélien est disproportionné. Rien de sûr, mais cela pourrait indiquer leur présence ici. Est-ce une cellule, un groupe de francs-tireurs ou les fondateurs qui ont émigré… ?

Regev haussa les épaules.

— On n'en sait rien ! poursuivit-il. Pas plus qu'on ne sait s'ils ont des effectifs dans d'autres pays. Leur site Web fournit un e-mail de contact – routé à travers une douzaine d'adresses fantômes, lui aussi –, ce qui suggère que certaines informations sur leurs cibles leur sont transmises par des sources internes à celles-ci. En outre, le fait que toute l'information soit dirigée sur un seul site indique une certaine forme d'organisation centralisée. Mais qui, comment, combien et où ?

Il haussa de nouveau les épaules. Du fond du bar provenait le son d'une retransmission de football, le derby de Haïfa, Maccabi contre Hapoël. Ben-Roï était supporter du Maccabi, et il aurait bien regardé le match…

— J'ai discuté avec quelqu'un, ce matin, dit-il. D'après lui, les types de Nemesis ne sont pas juste des hackers. Apparemment, ils donnent aussi dans l'effraction, la violence physique et même l'utilisation d'armes à feu. Plus comme le Mossad que comme de simples militants.

— C'est peut-être un peu exagéré, répondit Regev avec un sourire. Ils n'assassinent pas les gens, quand même. Du moins, pas que je sache. Néanmoins, c'est vrai qu'ils sont sans pitié, et violents, parfois. De ce point de vue, il est certain qu'ils ont fait monter les enchères au cours de ces dernières années.

— Que voulez-vous dire ?

— Eh bien, quand ils ont débarqué, il y a six ou sept ans, ils se contentaient de pirater, ou de lancer une attaque virale à l'occasion. Exclusivement dans le cyberespace. Et puis… il y a trois ou quatre ans, je crois… ils ont placé une bombe dans les bureaux d'une multinationale à Tel-Aviv. C'était la première fois qu'ils faisaient un truc comme ça. Il n'y a eu aucun blessé, mais c'était quand même une nouvelle orientation. Depuis, on peut dire que leur stratégie a été beaucoup plus… conflictuelle. Effractions, sabotages, kidnappings, vidéos de confessions forcées. En ce moment, il y en a une assez horrible sur leur site. Un Français travaillant pour une boîte qui trempait dans des affaires louches au Congo. Ça fait à peine vingt-quatre heures que la vidéo est en ligne et il paraît qu'il y a déjà eu une manifestation devant les locaux du siège social à Paris et une demi-douzaine de cyber-attaques contre leur réseau informatique. Voilà le genre d'impact que Nemesis peut avoir.

Regev se laissa distraire par le grand éclat de rire qui secouait les deux femmes assises sur une banquette non loin de la leur. Il les regarda un instant, puis se tourna de nouveau vers Ben-Roï.

— Il est intéressant de remarquer que ce changement de stratégie semble coïncider avec l'apparition de la cellule israélienne, reprit-il. C'est eux qui seraient derrière toutes les actions violentes du groupe et qui auraient fait évoluer Nemesis du piratage informatique vers la guérilla. Ou le terrorisme, ça dépend de quel point de vue on se place.

— Tu as une idée des raisons de cette évolution ? demanda Zisky, dont c'était la première intervention.

— Personne ne le sait vraiment. Mais on en a beaucoup parlé sur le Web. J'ai inclus quelques fils de discussion là-dessus dans l'enveloppe. La plupart des intervenants pensent que pour des raisons connues d'eux seuls des membres de Nemesis ont adopté une approche plus radicale et sont venus s'installer en Israël. Ils sont restés dans la sphère de Nemesis, étant donné qu'ils continuent à poster des vidéos sur le site, mais ils poursuivent leurs propres objectifs militants. Cela me paraît une explication qui se tient. Plus en tout cas que celle des théoriciens du complot, qui prétendent que tout ça est le fruit d'un plan des services secrets et/ou des multinationales pour discréditer Nemesis. Ça, je n'y crois vraiment pas.

Un autre fou rire monta de la banquette où se trouvaient les deux femmes, tandis que le commentateur du match de foot s'excitait subitement. Des éclats de voix et des cris de joie vinrent saluer un but, probablement. Ben-Roï tendit l'oreille, pour essayer de savoir de qui. Hapoël. Merde ! Il écouta quelques instants, puis se concentra de nouveau sur son interlocuteur.

— Cette cellule israélienne, reprit-il. Vous n'avez jamais entendu parler d'un lien avec Mitzpe Ramon ?

— Non... Dov m'a dit que vous l'envisagiez, mais je n'en ai jamais entendu parler. En revanche, il semble y avoir un lien entre eux et la Barren Corporation. Dov m'a dit que vous vous intéressiez aussi à cette boîte.

— Quel lien ? demanda Ben-Roï en se penchant vers lui.

— Eh bien, les types de Nemesis semblent particulièrement remontés contre la Barren. Attendez, j'ai fait une liste de toutes les fois où ils s'en sont pris à eux... précisa-t-il en fouillant dans l'enveloppe. Bien plus souvent qu'à n'importe quelle autre compagnie, et c'est l'une des premières qu'ils ont attaquées. La bombe dont je vous parlais, c'était chez eux également. On dirait une sorte de vendetta.

— Et tu sais pourquoi ? s'enquit Zisky.

— Encore une fois, les gens sur les forums spéculent sur leurs motivations. Les hypothèses vont de l'employé qui se venge à la multinationale rivale qui utiliserait Nemesis pour mettre des bâtons dans les roues d'un concurrent. Cependant, aucune ne prend vraiment le pas sur les autres. D'après moi, mais c'est juste une opinion personnelle, Nemesis en veut à la Barren parce qu'ils n'ont rien sur eux. Le pire qu'ils aient réussi à leur reprocher, ce sont quelques entorses aux règles de santé et de sécurité du travail dans une de leurs opérations en Australie. Pas de quoi susciter un tremblement de terre. On dirait que la Barren magouille sans se faire pincer, et que Nemesis lui en veut pour cette raison. Ils prennent ça pour une insulte personnelle.

Il marqua une pause.

— D'un autre côté, je raconte peut-être n'importe quoi. Comme je vous l'ai dit, beaucoup de théories circulent à propos de Nemesis Agenda, mais presque aucun fait ne les étaye. Pour ce qu'on en sait, des Martiens pourraient être à leur tête.

Ben-Roï sourit. Regev consulta sa montre, une grosse Tag Heuer en argent, puis se pencha vers Zisky et lui murmura quelque chose à l'oreille en lui pressant l'épaule.

— Je commence tôt demain matin, dit-il en se levant.

Ben-Roï se leva à son tour pour lui serrer la main.

— Je poserai quelques questions dans mon entourage, annonça Regev. Si j'ai du nouveau, j'en parlerai à Dov.

— Je vous en remercie. Et merci aussi pour l'enveloppe.

— Ce n'est rien... Ecoutez, ajouta-t-il après une légère hésitation. Ce ne sont pas mes affaires, mais Dov m'a dit que tout cela était lié à l'assassinat de cette femme dans la cathédrale arménienne. Ne vous inquiétez pas, il ne m'a donné aucun détail...

Ben-Roï secoua la tête pour indiquer que cela n'avait pas d'importance.

— Ça vaut ce que ça vaut, mais je ne vois vraiment pas les types de Nemesis faire ce genre de chose. Ce n'est pas que je souscrive à leurs méthodes, mais jusqu'à présent ils n'ont jamais ciblé quelqu'un qui...

— Qui ne le méritait pas ? termina Ben-Roï à sa place.

— Oui, on peut dire ça comme ça. L'assassinat d'une journaliste ne cadre pas avec leur façon de faire. Ce n'est que l'opinion d'un geek, mais je voulais vous la donner… Ne faites pas trop veiller Dov. Il faut qu'il dorme pour être beau, conclut-il avec un clin d'œil à Zisky.

Ben-Roï le regarda partir, puis commanda une autre tournée.

— Il est sympa, dit-il à Zisky.

— Je trouve aussi.

— Vraiment sympa.

Zisky se contenta de répondre par un de ses demi-sourires, en tendant la main vers le Jack Daniel's qu'il avait commandé. Ben-Roï, quant à lui, prit sa Tuborg et commença à raconter à son collègue ce qu'il avait appris sur Vosgi. Le sourire de Zisky s'éteignit.

— Je suis désolé, j'aurais dû mieux creuser…

— Ce n'est rien, l'interrompit Ben-Roï. Ça nous arrive à tous. Raconte-moi plutôt ce que tu as trouvé sur la Barren.

Zisky sortit une seconde enveloppe en kraft remplie de papiers. Encore une fois, Ben-Roï dut reconnaître que le gamin était efficace. Il risquait d'en avoir pour la nuit à lire tout ça.

— Je n'ai pas vraiment eu le temps de rédiger un rapport en bonne et due forme, déclara Zisky. Mais j'ai quand même mis en avant quelques points essentiels, dit-il en lui tendant deux ou trois feuillets.

Chapeau, à nouveau ! Ben-Roï les parcourut.

— C'est une grosse boîte, reprit Zisky. Cinquante milliards de dollars de chiffre d'affaires, plusieurs douzaines de filiales, des intérêts dans le pétrole, l'or, les carburants bio. La culture du secret. Ils n'aiment pas la publicité. Le grand manitou s'appelle Nathaniel Barren.

Zisky lui tendit la photo d'un gros homme barbu en costume de tweed.

— Il est P-DG depuis quarante ans. Du genre coriace, d'après ce que tout le monde dit, bien qu'il ne soit plus en très bonne santé, à présent. Son fils est un électron libre, apparemment.

Autre photo, d'un homme plus jeune, blond et plutôt beau, une moue entre sourire et ricanement.

— Il a eu quelques démêlés avec la justice. Drogues, agressions – il aurait tenté d'étrangler une prostituée, il y a quelques années. Son père a tiré des ficelles pour le sortir de là. Tout est dans le dossier.

— Et la mine en Roumanie ? demanda Ben-Roï.

— Tout semble correct, apparemment. La Barren l'exploite depuis 2005 et il n'y a jamais eu la moindre controverse. Les relations avec le gouvernement et les gens sur place sont bonnes. Ainsi que celles avec les écolos. On dirait qu'ils ont passé un accord pour recycler les déchets les plus toxiques aux Etats-Unis, ce qui leur évite les habituelles bisbilles avec les défenseurs de l'environnement. En somme, tout le monde est content...

Ben-Roï but une gorgée de bière. Et s'il avait tort, en fin de compte ? Si tout ça n'était qu'une fausse piste ?

— Pourtant, deux choses m'ont interpellé, poursuivit Zisky.

— Je t'écoute.

— Un lien important avec Israël. La Barren a des intérêts partout, ici : des parts dans des mines de potasse près de la mer Morte, des nappes de gaz offshore du côté de Haïfa, un centre de taille du diamant à Tel-Aviv... Ils ont aussi une grosse influence politique. J'ai parlé à ton ami de *Ha'aretz*, qui m'a dit que la Barren était un contributeur majeur de Kadima, du Likoud et d'Israël Beiteinou. Ça leur donne beaucoup d'appuis. « La Barren est un des intouchables », m'a-t-il dit.

Il attendit qu'un groupe de jeunes gens passe avant de poursuivre :

— Il y a un angle personnel, aussi. La femme de Nathaniel Barren était israélienne. Elle est morte il y a quelques années, dans un accident de voiture. Lui ne s'en est jamais remis, à ce qu'on prétend.

— Et la deuxième chose, c'était quoi ? demanda Ben-Roï.

— Eh bien, la Barren a un lien avec l'Egypte. D'après ton ami, cela fait plusieurs années qu'ils entretiennent d'étroites relations avec les milieux d'affaires et les milieux politiques égyptiens. Ils ont un bureau au Caire et des intérêts dans plusieurs mines. Il semble qu'en ce moment ils négocient les droits d'exploitation d'une concession gazière dans le Sahara. Si ça marche, ça sera leur plus gros contrat à ce jour. Nathaniel Barren joue sa réputation là-dessus, semble-t-il.

— Et pour ce qui concerne les trafiquants sexuels ?

— C'est-à-dire ? Est-ce que la Barren est mouillée là-dedans ?

Rien qu'au ton de Zisky, Ben-Roï comprit que pour le gamin la prostitution ne faisait pas partie des activités illicites de la Barren Corporation.

— Et Samuel Pinsker ? demanda-t-il.

— C'est qui, lui, déjà ?

— L'ingénieur britannique, celui qui est tombé dans un trou à Louqsor. Kleinberg avait consulté un article qui parlait de ça...

— Ah oui ! Eh bien, non, mais Louqsor est apparu dans le tableau ! s'exclama Zisky.

— Comment ça ?

— Barren Corporation a investi pas mal d'argent en Egypte, ces derniers temps, et financé quelques projets dans le social. Tout ça est lié à l'histoire du gaz dans le Sahara dont je t'ai parlé.

— Des pots-de-vin ?

— Ton ami Nathan Tirat appelle ça une « amélioration du profil », mais je suppose que ça revient au même. Quoi qu'il en soit, l'un de ces projets est un grand musée à Louqsor, dans la Vallée des Rois. La Barren a tout financé, un budget de plusieurs millions de dollars, semble-t-il. Nathaniel Barren en personne viendra à l'inauguration. Je ne vois pas en quoi ça pourrait être important, mais c'est un lien quand même.

Zisky haussa les épaules et finit son verre. Ben-Roï fit de même avec sa Tuborg. Dans l'arrière-salle, des supporters s'étaient mis à chanter – très faux, certes, pensa Ben-Roï, mais en faveur du Maccabi ! Les deux femmes s'en allèrent dans un dernier éclat de rire et quelques instants plus tard la femme seule au bar partit à son tour.

— Un autre verre ? demanda Zisky.

Ben-Roï consulta sa montre : 22 heures passées.

— Je crois que c'est assez pour ce soir. On reverra tout ça plus en détail demain. Comme disait ton ami, il faut que tu dormes pour être beau.

Zisky leva les yeux au ciel, comme s'il était outré par tant de paternalisme, mais quitta sa place sans discuter.

— La prochaine est pour moi, dit-il.

— J'y veillerai. Et merci pour tes notes. Beau boulot.

Une lueur de plaisir traversa le regard de Zisky, mais il n'ajouta rien, salua Ben-Roï d'un signe de tête et se dirigea vers la sortie.

— Mes amitiés à Joel ! cria Ben-Roï juste avant qu'il franchisse la porte.

Pour toute réponse, le gamin lui fit un doigt, ce qui amena un sourire sur les lèvres de Ben-Roï. Zisky était OK, et il commençait à s'intégrer dans l'équipe.

Quand il se retrouva seul, Ben-Roï changea d'avis et se commanda un dernier verre pour la route. Il glissa une tête dans l'arrière-salle pour voir où en était le score – toujours un à zéro pour Hapoël –, puis retourna s'asseoir et envoya un texto pour souhaiter bonne nuit à Sarah et au bébé. Il en reçut aussitôt un pour lui souhaiter la réciproque, puis juste après un second, adressé à « Papa » et signé « Bubu xxx ». Ben-Roï sourit. Vérifiant d'un coup d'œil que le barman ne regardait pas dans sa direction, il porta le téléphone à ses lèvres pour y déposer un baiser.

— Et tu soupçonnes Zisky d'être gay ! murmura-t-il en le rangeant dans sa poche. Si tu te ramollis encore, tu vas finir plus tendre qu'un putain de marshmallow.

Il gloussa, but une gorgée en regardant distraitement la déco, une affiche de publicité pour des cigarettes, au style soviet rétro. L'intro de « Brothers in Arms », de Dire Straits, résonna dans le bar, et comme toujours, les pensées de l'inspecteur finirent par se fixer sur l'enquête en cours.

C'était l'heure à laquelle il réfléchissait le mieux, en fin de journée, lorsque son corps ralentissait et que son esprit s'éclaircissait. Il laissait alors ses pensées vagabonder et parcourir les faits nouveaux du jour pour voir où cela le mènerait. En l'occurrence, toujours au même endroit.

La fille Maria/Vosgi. Tout tournait autour d'elle, aucun doute là-dessus. Et l'Egypte. La Barren, Nemesis, Pinsker, le vol de Kleinberg vers Alexandrie, les routes à travers le Sinaï que les trafiquants empruntent. Toutes les pistes semblaient mener vers ce pays, à un moment ou à un autre. Il y avait des réponses en Egypte. Peut-être y avait-il même *la* réponse !

Le barman croisa son regard et lui fit le signe de remplir un verre, mais Ben-Roï secoua la tête pour refuser, le sien n'était pas encore vide.

L'Egypte. Il pouvait suivre certaines pistes lui-même, ou demander à Zisky de le faire. Passer des coups de fil, rassembler des infos, vérifier des contextes. Mais on ne pouvait pas tout faire par téléphone ou par e-mail. Certaines choses exigeaient qu'on soit sur le terrain, qu'on connaisse le pays et la langue. Ça impliquait de transmettre une requête au quartier général de la police à Cheikh Jarrah, dont l'aval officiel était requis dès qu'on devait traiter avec des autorités à l'étranger, et particulièrement dans les pays arabes. Obtenir cette autorisation pouvait prendre des jours. De nombreux jours, étant donné que la bureaucratie de la police nationale n'avançait pas plus vite qu'un glacier. Il comptait les mettre en mouvement le lendemain à la première heure, mais en attendant leur réponse l'Egypte devrait rester en retrait de l'enquête.

Il allait vider son verre et rentrer se coucher lorsqu'une idée lui traversa l'esprit. Bien sûr, il y avait une autre possibilité. Un vieux contact. Un vieil ami qui, lui, était sur le terrain. Ils avaient travaillé ensemble quelques années plus tôt, sur l'extraordinaire affaire de Hannah Schlegel, et ils étaient restés en contact, même si cela faisait un moment qu'ils ne s'étaient plus parlé, peut-être douze mois, ce qui expliquait d'ailleurs pourquoi il n'y avait pas pensé plus tôt. Il consulta sa montre – tard, mais pas trop tard – et, presque mécaniquement, tira son mobile de sa poche.

Quatre ans plus tôt, quand il était au fond de l'abîme après la mort de Galia, persuadé qu'il vivrait pour le restant de ses jours dans les ténèbres et le ressentiment, deux personnes étaient venues lui montrer le chemin vers la lumière. Sarah était l'une d'elles. L'autre…

Il fit défiler ses contacts jusqu'à la lettre « K ». Il n'y avait qu'un nom. Ben-Roï sourit quand il le vit. Cela faisait si longtemps. Il serait agréable d'entendre de nouveau sa voix.

Il vérifia l'heure encore une fois, puis pressa le bouton d'appel.

LOUQSOR

Assis sur une caisse, Khalifa contemplait les lumières de Louqsor depuis la terrasse de son immeuble quand son portable sonna.

Il s'y rendait presque tous les soirs, une fois qu'il était parvenu à faire en sorte que Zenab s'endorme. Il lui tenait la main, caressait ses longs cheveux, chantonnait doucement jusqu'à ce que sa respiration devienne régulière, que son corps se détende et que le pli angoissé qui déformait sa bouche s'adoucisse, jusqu'à disparaître. Pas tant un sourire que l'expression du soulagement d'échapper à l'état conscient. Plus tard, les cauchemars viendraient, comme des échardes de souvenirs qui déchireraient son subconscient et transformeraient son sommeil en une autre torture. Toutefois, pendant une heure ou deux, elle reposerait calmement d'un sommeil sans rêves, et Khalifa en profitait pour monter sur la terrasse, juste au-dessus de la fenêtre de leur chambre. Comme ça, si elle l'appelait, il pouvait tout de suite redescendre.

Khalifa aimait bien son toit. C'était le seul endroit dans leur nouvel immeuble avec lequel il se sentait un peu d'affinités, particulièrement la nuit. De jour, Louqsor pouvait être morne, monochrome, la lumière du soleil délavant les couleurs de la ville, la rendant plus grise. Paradoxalement, avec l'obscurité, la couleur revenait : le vert translucide et brillant des minarets, les lumières blanc glacé des cafés et des magasins, les néons criards des hôtels cinq étoiles, les milliers de petites taches jaunes et orange des fenêtres, des lampadaires et des phares.

La nuit transformait la ville, estompait le béton sans âme et l'architecture défaillante, ramenait tout à des couleurs primaires. Khalifa aimait s'installer sur une caisse et contempler Louqsor. Ça le calmait, comme lorsqu'il grimpait à la Cime ou qu'il allait au stand de tir. Dans ces instants, il ne vivait pas nécessairement mieux sa situation, mais il n'en était plus aussi douloureusement conscient.

Cependant, son portable s'était mis à sonner et le charme avait été rompu.

Il bondit sur ses pieds et fouilla dans ses poches, pris d'une angoisse soudaine, comme chaque fois qu'il recevait un coup de téléphone inattendu à une heure inhabituelle. Il vit défiler dans sa tête des images de gyrophares, d'hôpitaux, de cavalcades dans les couloirs, sur fond de gémissements. Cependant, lorsqu'il découvrit l'identité de l'appelant, sa respiration se fit plus régulière. Il se rassit en se frottant les tempes entre le pouce et l'index. A une époque, il aurait été enchanté de prendre cet appel. Après tout, il devait la vie à cet homme, et ils avaient traversé beaucoup d'épreuves ensemble. Néanmoins, ce soir, sa première réaction fut de lui en vouloir pour la peur qu'il avait eue. Du ressentiment, mais aussi la terreur de devoir à nouveau tout raconter, d'être obligé de dire à quel point tout était allé mal pour lui et sa famille. Revivre tout ça... Ensuite, il y aurait un silence embarrassé à l'autre bout du fil, des mots hésitants, un « Je-suis-désolé-dis-moi-si-je-peux-faire-quelque-chose » qui ne servirait qu'à lui rappeler que lui, Khalifa, était à jamais marqué par la tragédie. Quoi qu'il fasse d'autre dans sa vie, c'était cette tragédie qui le définissait, à présent.

Il tripota son téléphone, dont la sonnerie résonnait dans la nuit de Louqsor, incapable de se résoudre à décrocher. Cependant, laisser la messagerie répondre à sa place reviendrait simplement à repousser l'inévitable. Il ne pourrait pas lui échapper indéfiniment, il faudrait bien qu'il lui parle un jour. Et il lui avait sauvé la vie, cette nuit-là, en Allemagne, quatre ans plus tôt, en le sortant de cette mine sur son dos. Khalifa lui devait quelque chose. Malgré ses problèmes personnels, Khalifa prenait les dettes envers ses amis très au sérieux.

— Nom de Dieu ! murmura-t-il.

Il laissa encore passer deux sonneries, puis respira un grand coup et décrocha.

— Bonjour, mon ami, dit-il doucement.

JÉRUSALEM

Dès qu'il entendit la voix de Khalifa, Ben-Roï fit un grand sourire et leva son verre comme pour lui porter un toast.

— Bonjour à toi, salaud de musulman effronté.

C'était toujours ainsi qu'ils se saluaient, en insultant joyeusement leurs cultures respectives, en mémoire de leur première rencontre, où ils avaient failli en venir aux mains. D'habitude, Khalifa aurait répondu en traitant Ben-Roï de « sale Juif arrogant », mais cette fois-ci il se contenta d'un grognement et demanda à Ben-Roï comment il allait.

— Super bien. Et toi ?

— Bien, merci.

— Je ne t'ai pas réveillé, si ?

— Non, je t'assure.

— Ça fait quoi, un an ?

— Au moins, répondit Khalifa.

— Le temps passe vite.

— Dieu seul sait où il va.

Puis Khalifa murmura quelque chose que Ben-Roï ne comprit pas. Il n'en était pas sûr, mais il avait l'impression que l'Egyptien était un peu triste. Déjà qu'en temps normal il parlait tout doucement, ce soir, sa voix était complètement étouffée. Ben-Roï se demanda s'il n'aurait pas mieux fait d'appeler le lendemain.

— Comment va Zenab ? demanda-t-il, en se disant que maintenant qu'il avait commencé, autant poursuivre.

— Ça va... répondit son ami après une légère hésitation. Et Sarah ?

— On n'est plus ensemble.

— Désolé. Depuis quand ?

— Quelques mois.

— Vraiment désolé.

— Moi aussi. Tout est de ma faute, bien sûr. Je ne suis qu'un trou du cul.

Ben-Roï pensait que Khalifa allait rebondir sur sa dernière remarque, lui lancer une réplique pleine d'esprit, mais l'Egyptien ne dit rien. Un silence bizarre s'installa. Décidément, Khalifa n'avait pas l'air dans son assiette.

Les deux jeunes femmes qui riaient tout le temps entrèrent de nouveau dans le bar en se tenant par l'épaule. Ben-Roï les regarda se diriger vers le zinc et commander des vodkas-Coca.

— Hé ! J'ai une info ! s'exclama-t-il.

— Laisse-moi deviner : vous avez fait la paix avec les Palestiniens ?

— Encore mieux ! s'écria Ben-Roï en rigolant. Encore plus incroyable !

Il retrouvait là le Khalifa qu'il aimait, drôle et prompt à la répartie. Il ménagea une pause pour faire monter la tension dramatique, puis déclara :

— Sarah est enceinte ! Je vais être papa !

Il avait parlé fort, suffisamment pour que le barman et les deux femmes l'entendent. L'homme leva le pouce en l'air pour le féliciter tandis qu'elles se mettaient à applaudir en criant « *Mazel tov !* ». En revanche, Khalifa ne dit rien.

— Je vais être papa, répéta Ben-Roï, en pensant que son ami n'avait pas entendu.

— *Mabrouk*, je suis très content pour toi.

Il n'en avait pas l'air. Son ton plat, monocorde, surprit Ben-Roï. Lui tapa sur les nerfs, en fait. Khalifa était l'un des rares à qui il n'en avait pas encore parlé, peut-être même le seul dans ses relations, et Ben-Roï avait anticipé avec joie sa réaction. L'absence de celle-ci se révélait… presque insultante. OK, cela faisait plus d'un an qu'ils ne s'étaient pas parlé – quatre qu'ils ne s'étaient pas vus – et manifestement Khalifa n'était pas de très bonne humeur, mais il aurait au moins pu montrer un peu d'enthousiasme. Etre père, ce n'était pas rien, ça se fêtait, non ? Ben-Roï se demanda si Khalifa n'était pas gêné par le fait que Sarah et lui n'étaient pas mariés. Oui, c'était probablement ça ! Des cultures différentes, des façons de faire qui l'étaient aussi.

— Evidemment, comme Sarah et moi on n'est plus ensemble, ça rend les choses plus compliquées, lança-t-il. Mais on est restés proches et, crois-moi, je serai là pour elle et le bébé, quoi qu'il arrive ! Et qui sait, une fois qu'il sera là – d'ailleurs, on ne sait pas si c'est un garçon ou une fille, mais entre toi et moi je suis convaincu que ça va être un garçon… Quoi qu'il en soit, un bébé, ça change les choses, tu le sais bien, alors peut-être que Sarah et moi, on pourra refaire une tentative, voir si on peut se raccommoder et prendre un nouveau départ, tous les trois…

Ben-Roï se rendit compte qu'il déblatérait un peu. Il n'aurait pas dû prendre ce dernier verre, pas avec l'estomac vide.

— Enfin, pour résumer, je ne vais pas être un de ces pères absents. Je m'inscris sur la longueur. Le fait que Sarah et moi ne vivions pas ensemble ne changera rien. Ce bébé va avoir le plus beau foyer au monde et les parents les plus aimants. Je suis enthousiasmé, Khalifa, vraiment enthousiasmé ! Je vais être papa !

Il en avait presque les larmes aux yeux. Il n'aurait vraiment pas dû, pour ce dernier verre.

— *Mabrouk*, répéta Khalifa. Je suis très content pour toi. Pour vous deux.

Encore ce ton neutre, désincarné. Misérable salaud, pensa Ben-Roï. Je suis là à t'ouvrir mon cœur et tu ne fais même pas l'effort d'avoir l'air sincère quand tu me félicites ! Ce n'est peut-être pas dans les usages musulmans, mais tu pourrais au moins faire semblant, en souvenir de notre amitié. C'est quand même dingue qu'un barman et deux fêtardes réagissent plus à cette nouvelle que le type à qui j'ai sauvé la vie !

— Ecoute, ce n'était peut-être pas une si bonne idée d'appeler à cette heure-ci, dit-il sans parvenir à masquer son irritation. Je voulais te demander quelque chose, pour une affaire sur laquelle je travaille, mais à l'évidence, ce n'est pas le moment…

— Non, ça va. Si je peux faire quelque chose pour t'aider…

L'Egyptien avait l'air défoncé, déconnecté en tout cas. Il avait peut-être pris de la drogue, après tout ! Ou alors, il était malade. C'était peut-être ça, l'explication…

— Tu es sûr que tu vas bien ? demanda Ben-Roï.

— …

— Tu vas bien ? Tu n'as pas l'air… Enfin, je veux dire, je ne voudrais pas en faire tout un plat, mais je suis sur le point d'avoir un bébé et j'ai l'impression que ça ne te fait ni chaud ni froid !

Ben-Roï entendit Khalifa tirer sur sa cigarette. Quand il parla, il avait l'air sincèrement désolé :

— Excuse-moi, mon ami. Ça m'intéresse. Je suis content pour toi ! Vraiment content. Avoir un enfant, c'est merveilleux. C'est juste que…

A nouveau, il s'interrompit, se racla la gorge. Ben-Roï commença à ressentir une légère inquiétude.

— C'est juste que quoi ? Quelque chose ne va pas ?

— …

— Khalifa ?

— En fait, oui ! Quelque chose ne va pas…

Ben-Roï crut entendre un sanglot, mais au même moment, les supporters qui regardaient le match poussèrent un hurlement qui l'empêcha d'en être sûr. Il commençait à s'inquiéter sérieusement.

— Que s'est-il passé ?

Nouveau silence. Cette conversation semblait fonctionner au ralenti. Puis l'Egyptien se mit à raconter une histoire de bateau, d'accident. Ben-Roï, qui avait du mal à l'entendre, avait passé la tête sous la table et se bouchait l'autre oreille pour s'isoler du bruit que faisaient les supporters, mais lorsque Maccabi Haïfa égalisa, il le perdit complètement.

— Désolé. Je ne t'entends pas bien. Qu'est-ce que tu dis ?

Tout le monde criait et lançait des hourras. Un homme traversa la salle en courant, le poing levé. Deux autres suivirent, et tous trois se mirent à improviser une danse de victoire devant les deux jeunes femmes qui criaient de plaisir. Ben-Roï agita la main pour tenter de les calmer, mais personne ne faisait attention à lui. Comme cette joie collective semblait devoir durer, il pria Khalifa de patienter deux secondes et sortit du bar en refermant la porte derrière lui.

Soudain, tout redevint calme.

— C'est mieux, reprit-il en faisant quelques pas dans la rue déserte. Il y avait un boucan d'enfer là-dedans, je n'entendais rien ! Alors, dis-moi, que s'est-il passé ?

A présent, la voix de Khalifa résonnait clairement dans l'écouteur. Ben-Roï fut stoppé net.

— Mon fils est mort. Il y a eu un accident sur le Nil, et mon fils Ali a été tué. J'ai perdu mon garçon. Oh, mon Dieu, Ben-Roï ! J'ai perdu mon petit garçon.

Louqsor

Aujourd'hui encore, presque un an après, Khalifa n'avait pas admis ce qui s'était passé. Il n'envisageait même pas qu'il y parviendrait un jour. N'avait-il pas perdu son fils aîné, la prunelle de ses yeux ? Comment pourrait-il jamais connaître le repos avec ce poids-là sur le cœur ?

Apparemment, cela faisait plusieurs mois qu'ils y allaient, depuis qu'ils avaient trouvé la yole abandonnée parmi les roseaux. Ali et son petit groupe d'amis, des adolescents de quatorze ans en quête d'aventures et convaincus d'être invincibles. Ils avaient colmaté la coque, chipé une rame dans un parc à felouques, en avaient fabriqué une deuxième avec des chutes de bois et étaient allés naviguer sur le Nil. Au début, ils ne s'étaient pas montrés trop téméraires. Ils longeaient la berge orientale, traversaient parfois le bras de rivière étroit qui les séparait de Banana Island, un îlot où ils campaient, mangeaient des bonbons et fumaient des cigarettes en douce. Rien de dangereux.

Cependant, avec le temps, ils s'étaient enhardis. Une fois, ils avaient persuadé le propriétaire d'un bateau à moteur de les haler jusqu'au pont de Nile Road, dix kilomètres en amont, pour qu'ils puissent revenir en se laissant dériver dans le courant. Une autre, ils avaient contourné Banana Island et pagayé jusqu'à la bouée qui signalait les bancs de sable à l'ouest de l'îlot.

La nuit de la tragédie, six d'entre eux, dont Ali, avaient décidé de se lancer dans leur plus grande aventure à ce jour, la traversée aller-retour jusqu'à la berge opposée.

Tout avait été méticuleusement planifié. Pendant des semaines, ils avaient entreposé des vivres et des cigarettes pour leur expédition. Le soir du départ, ils avaient prétendu qu'ils allaient dormir les uns chez les autres, pour ne pas éveiller la méfiance de leurs parents, et s'étaient donné rendez-vous dans une petite anse au sud de Louqsor. Puis ils avaient chargé leurs affaires dans la yole et s'étaient juré une amitié éternelle en cas de naufrage ou d'attaque ennemie – un geste fait par jeu, mais qui allait se révéler douloureusement justifié.

Ensuite, ils avaient poussé leur esquif dans l'eau, en se prenant pour les plus grands explorateurs qui aient jamais vu le jour. Aucun n'avait de gilet de sauvetage, bien sûr, mais à quoi bon, étant donné qu'ils savaient tous nager ?

Très vite, une voie d'eau s'était déclarée. Ils auraient dû faire demi-tour aussitôt, mais cela faisait tellement longtemps qu'ils attendaient cette aventure, ils étaient si excités par la situation, si enthousiasmés, qu'ils avaient poursuivi, déléguant à deux d'entre eux la tâche d'écoper avec des pots en plastique, tandis que les quatre autres continuaient à pagayer – ils avaient mis la main sur deux planches, en plus de leurs rames.

Après ces débuts difficiles, la navigation semblait bien se passer, la fuite dans la coque restait sous contrôle et le Nil coulait tranquillement. Ils parvinrent sans plus d'encombres jusqu'au milieu du fleuve.

C'est là que les choses commencèrent à prendre un tour différent.

Le premier d'une série d'événements qui allaient contribuer à transformer une situation apparemment anodine en tragédie fut l'apparition d'une vedette de la police fluviale qui, alors qu'elle patrouillait en dehors de sa zone habituelle, repéra la yole des enfants et leur ordonna de retourner immédiatement à terre.

Tous les autres gamins n'attendaient qu'une chose : que la vedette s'en aille et qu'ils puissent poursuivre leur aventure. Cependant, Ali, fils de policier, avait insisté pour qu'on obéisse à cet ordre – combien de fois, depuis, Khalifa ne s'était-il pas maudit de ne pas lui avoir appris à se montrer moins respectueux de l'autorité !

Alors, ils avaient fait demi-tour, avec des grognements de déception et pas mal de moqueries envers « Monsieur le premier de la classe ». Cependant, le courant, qui ne leur avait posé aucun problème quand ils naviguaient dans l'autre sens, se révéla beaucoup plus agressif quand ils voulurent rebrousser chemin.

« C'était comme si le fleuve refusait de nous laisser rejoindre la berge, avait raconté l'unique survivant de la tragédie. Le courant nous repoussait tout le temps vers le nord et vers le milieu. On devait se battre pour avancer, centimètre après centimètre. »

La rame qu'ils avaient fabriquée s'était brisée, et l'une des planches était tombée à l'eau. Quant à la fuite, elle empirait, et à présent les ados ne parvenaient plus à écoper assez vite pour empêcher la yole de se remplir. Le temps qu'ils couvrent la moitié de la distance jusqu'à la berge, elle n'était plus manœuvrable et eux étaient épuisés.

C'est alors qu'ils virent la péniche.

Au début, ils ne s'inquiétèrent pas. Elle se trouvait à plus d'un kilomètre, simple griffure sombre sur la surface argentée du fleuve dans la lumière de la lune, et même si elle se dirigeait droit sur eux, en dehors des couloirs affectés à la navigation, aucun des enfants ne douta que la vigie les repérerait à temps pour modifier son cap.

Mais cela ne se produisit pas. Les ados commencèrent à avoir peur, à crier en agitant les bras pour signaler leur présence tout en essayant de pagayer furieusement pour s'écarter de sa trajectoire.

Sans succès, pourtant. Les deux embarcations semblaient s'attirer comme des aimants, et la distance entre elles s'amenuiser de seconde en seconde, « comme deux trains qui se foncent dessus sur la même voie », avait dit un témoin sur la berge.

« On s'est figés, avait déclaré le survivant. On voyait la péniche s'approcher, mais comme au ralenti, comme dans un rêve. Je me souviens qu'Ali a crié de sauter par-dessus bord, mais on n'arrivait pas à bouger. Jusqu'à la dernière minute, on a cru qu'ils nous verraient et qu'ils changeraient de cap... »

Finalement, la vigie, alertée par un coup de sirène de la vedette de la police, qui était revenue voir si les garçons avaient obéi, repéra la yole. Il cria un avertissement au pilote, qui se mit à tourner frénétiquement sa barre, mais il était déjà trop tard, moins de cent mètres séparaient la yole de sa proue.

D'après l'un des policiers de la brigade fluviale, au dernier moment, tous les garçons se sont levés en se serrant les uns les autres dans les bras, comme si leur amitié avait la force de stopper mille tonnes de métal. Khalifa savait que l'image de ces six adolescents terrifiés, unis dans une étreinte sans espoir, le hanterait jusqu'à son dernier souffle.

Puis la péniche avait pulvérisé la yole, comme un marteau qui s'abat sur une boîte d'allumettes.

Quatre ados périrent instantanément, aspirés par le courant et déchiquetés par les hélices géantes de la barge – on ne put reconnaître que deux corps. Par miracle, un cinquième parvint à s'éloigner à la nage et fut secouru par la brigade fluviale, mais il était tellement traumatisé qu'il ne parvint pas à prononcer un mot pendant plus d'une semaine.

Un sixième garçon avait survécu, lui aussi : Ali. Trente minutes après le choc, les policiers sur la vedette retrouvèrent son corps qui flottait, inconscient, dans un banc de fleurs-du-Nil. On l'amena de toute urgence à l'hôpital général de Louqsor, où Rasha al-Zahwi, la pédiatre mariée à Omar, l'ami de Khalifa, le reconnut. C'est elle qui appela les Khalifa pour les prévenir.

Ils arrivèrent à l'hôpital pour trouver leur enfant le visage cendreux, connecté à des tubes, dont un qui sortait de sa bouche comme un ver monstrueux. Zenab s'était évanouie. Khalifa l'avait relevée et installée à côté du lit où gisait leur fils, en lui assurant que tout allait bien se passer, mais dès le début il avait su que ce ne serait pas le cas. Alors il avait oublié les médecins et les infirmières, oublié tout ce que les gens pouvaient penser et grimpé sur le lit à côté de son fils pour le serrer dans ses bras, pour lui dire qu'il l'aimait, pour le supplier de rester avec eux, pour supplier Allah de se montrer miséricordieux. Il se mit à chanter « Laissons-le s'envoler », de *Mary Poppins*, qui malgré ses quatorze ans était encore le DVD préféré d'Ali.

Pendant six jours et six nuits, ils le veillèrent, sans jamais quitter son chevet. Jamais ils n'eurent le moindre espoir. Il était resté trop longtemps sous l'eau. Son cœur avait peut-être continué à battre, mais d'après les médecins son cerveau était virtuellement mort. Ali ne reprit jamais conscience. Dans son infinie sagesse, Allah choisit de ne pas faire de miracle, cette fois-ci. D'une certaine façon, ces six jours furent une sorte d'au revoir prolongé.

Le septième, ils acceptèrent de le laisser partir.

Khalifa insista pour faire la chose lui-même. C'était un acte trop intime, trop personnel, pour qu'on le confie à un inconnu. Ils embrassèrent tous Ali, ils le serrèrent dans leurs bras et lui dirent encore et encore combien ils l'aimaient, quelles joies il leur avait apportées et à quel point il ferait toujours partie de leur vie. Puis, en lui tenant chacun une main, le visage baigné de larmes, ils lui firent un dernier au revoir et Khalifa éteignit l'appareil.

Quatorze ans plus tôt, il avait vu son fils venir au monde – livraison à domicile, dans l'appartement qui serait plus tard démoli pour que les touristes puissent faire une jolie photo...

A présent, il le regardait le quitter. La vie précieuse irremplaçable et si belle de son fils s'estompait au rythme d'une ligne oscillant sur l'écran d'un électrocardiographe.

La douleur fut indescriptible, le chagrin bien pire que tout ce qu'il aurait pu imaginer.

Zenab ne s'en était jamais remise. Depuis, elle avait à peine prononcé quelques mots et passait ses journées plongée dans les albums de photos ou dans le DVD de *Mary Poppins*. Aujourd'hui encore, plus de neuf mois après, elle faisait quotidiennement la poussière dans la chambre d'Ali et dès le réveil elle gémissait : « Il me manque... »

Khalifa avait pris un congé prolongé pour s'occuper d'elle pendant ces moments difficiles, mais aussi de Batah et Youssouf, tous deux dévastés par la mort de leur frère (même si, avec la résilience de la jeunesse, ils étaient parvenus à intégrer cette perte et à continuer à vivre). Dans un accès d'humanité qui ne lui ressemblait pas, le chef Hassani leur avait trouvé ce nouvel appartement et insisté pour que Khalifa perçoive l'intégralité de son salaire pendant son congé, ce qui avait au moins rendu les choses plus faciles d'un point de vue pratique. Khalifa ne savait pas s'il devait lui en être reconnaissant, ou au contraire lui en vouloir, car ce geste lui indiquait qu'il était devenu tellement pitoyable que même un dur à cuire comme Hassani était pris de compassion.

Les premiers jours – des jours gris, vides, comme un rêve monochrome duquel on ne se réveille jamais –, il n'avait pensé qu'à une seule chose : les fois où il avait grondé Ali. Toutes les fois, si nombreuses qu'il ne pouvait pas les compter, où il n'avait pas été le père qu'il aurait voulu être.

Puis les jours se muèrent en semaines et les semaines en mois. D'autres souvenirs plus joyeux lui revinrent. Les parties de foot chaotiques qu'ils disputaient, les vacances en famille au bord de la mer, à Hurghada. Le jour où Ginger, son amie égyptologue, leur avait organisé une visite privée de certaines tombes fermées au public, dans la Vallée des Rois. Les visites au McDo de Louqsor, qui, pour être franc, avaient procuré à Ali bien plus de plaisir que tous les monuments d'Egypte réunis. Tellement de bons souvenirs. Une vie de bons souvenirs.

Pas assez, cependant, pour absoudre Khalifa de la culpabilité qu'il ressentait à cause des derniers mots qu'il avait dits à son fils – une réprimande, pour ne pas avoir fait ses devoirs. Pas assez non plus pour effacer l'image qui le hantait jour et nuit – son fils en train de se débattre frénétiquement sous la surface du fleuve, seul, terrorisé, voyant la mort venir. Pas assez, surtout, pour ramener Ali. Quelle que soit leur valeur, les souvenirs n'ont pas le pouvoir de ressusciter les morts.

Ali fut enterré dans une petite parcelle en surplomb du Nil, non loin de l'anse où lui et ses amis s'étaient donné rendez-vous le soir de leur grande expédition. C'était un endroit magnifique, planté d'eucalyptus et d'hibiscus, offrant une vue spectaculaire sur le massif Thébain et le désert. Khalifa aimait se dire que, de là, son fils pouvait regarder vers l'ouest et, à sa manière si particulière, rêver d'aventure.

Il n'y eut pas d'enquête officielle ni aucune action engagée contre le capitaine de la péniche ou son armateur. C'était l'une des plus grosses compagnies en Egypte, on ne se dressait pas contre ces gens-là. Il est certaines choses dans la vie que les révolutions ne changent pas.

JÉRUSALEM

— Oh, bon Dieu ! Khalifa ! Je suis tellement désolé !

Ben-Roï fit quelques mètres pour aller s'asseoir sur un banc.

— Je suis affreusement désolé, répéta-t-il. Pour ce que tu as vécu, et aussi... tu sais, pour m'être... enfin, Sarah et moi, le bébé...

— Pas besoin de t'excuser, mon ami. C'est moi qui devrais le faire. Je gâche un peu tes excellentes nouvelles. Je suis content pour toi. Vraiment content.

Ben-Roï fixait ses chaussures en essayant de trouver quelque chose d'approprié à dire. Il se sentait plus que minable à cause de la façon dont il avait mal jugé Khalifa. Il n'était pas très bon dans ce genre de situations, et se débrouillait toujours pour dire le truc qu'il ne fallait pas. En fin de compte, il répéta qu'il était désolé et demanda s'il pouvait faire quelque chose.

— Tu es gentil, mais ça va. On est OK.

— Tu veux que je saute dans un avion pour passer te voir ?

— Merci, mais ce n'est pas nécessaire.

Ben-Roï s'accouda au banc. Il pensait à sa propre expérience du deuil, lorsqu'il avait perdu Galia dans un attentat, cinq ans plus tôt. Les mots de consolation et les expressions de sympathie lui avaient rendu l'épreuve encore pire et n'avaient fait que souligner l'énormité de la tragédie qui le frappait. Rien – ni les mots, ni les cartes, ni les fleurs – ne pouvait soulager la douleur qu'on ressentait dans ce genre de situation. On était seul, et il fallait s'en sortir seul. Le chagrin, au bout du compte, est une affaire solitaire.

— Je suis là si tu as besoin de moi, lâcha-t-il piteusement.

— Merci. Tu es un ami de valeur.

Ils se turent. Pas un silence bizarre, comme quelques instants plus tôt, mais celui de deux personnes qui sont suffisamment sûres de la relation qu'elles entretiennent pour ne pas parler si elles n'ont rien de particulier à dire. Un vieux *haredi* passa dans la rue en faisant claquer sa canne sur les pavés. Quelques instants plus tard, un des nouveaux tramways de Jérusalem arriva par Jaffa avec un bruit feutré, son profil de verre et de métal un peu incongru au pied des immeubles vétustes de l'époque de la mandature britannique. Le vieux et le neuf, le passé et le présent, l'ancien et le moderne… A Jérusalem, tout semblait s'interpénétrer. Littéralement.

— Tu voulais me demander quelque chose, finit par reprendre Khalifa.

— Pardon ?

— A propos de ton enquête ?

— Ah oui ! C'est vrai !

Ben-Roï avait complètement oublié les raisons de son appel. Après ce qu'il venait d'entendre, cela semblait soudain n'avoir plus d'importance. Déplacé, même, de demander de l'aide à cet homme, avec toutes les épreuves qu'il subissait. Ben-Roï pouvait très bien passer par les voies officielles. Ça ralentirait un peu les choses, mais ce n'était pas non plus un désastre. Même lui se rendait compte qu'il faut parfois savoir lâcher un peu la pression. Dommage qu'il ne s'en soit pas aperçu à l'époque où il vivait avec Sarah.

— Laisse tomber, dit-il.

— Vas-y, Ben-Roï !

— Non, franchement, laisse tomber ! Ce n'était rien. Juste une excuse pour appeler, en fait.

— Sûr ?

— Sûr !

Il y eut une nouvelle pause, puis Khalifa déclara qu'il devait y aller.

— Je n'aime pas laisser Zenab seule pendant trop longtemps.

— Bien sûr, je comprends. Transmets-lui mes amitiés. Et encore une fois désolé pour Ali.

— Merci, mon ami.

— On devrait essayer de ne pas laisser passer trop de temps avant de se rappeler.

— Absolument… C'était un plaisir de t'entendre, salaud de Juif arrogant.

Ben-Roï sourit.

— Toi aussi, musulman effronté.

Ils réitérèrent leur promesse de rester en contact, mais au moment de raccrocher Ben-Roï eut un déclic.

— Khalifa !

Quatre ans plus tôt, quand il était au fond du trou, encore abruti de chagrin par la mort de sa fiancée, l'Egyptien l'avait impliqué dans son enquête sur Hannah Schlegel, et Ben-Roï y avait puisé suffisamment de force et de courage pour remonter la pente. La situation n'était pas la même, bien sûr, mais il pouvait peut-être lui retourner la faveur. Il ne savait pas si ça servirait à quelque chose – perdre un enfant ? Bon Dieu, dans quels abysses cela devait-il vous plonger ! –, mais ça lui ferait penser à autre chose pendant un moment. C'était le seul moyen que Ben-Roï avait d'aider son ami !

— Finalement, tu pourrais peut-être faire quelque chose pour moi…

— Bien sûr. Ce que tu voudras.

Barren, Nemesis, la route du Sinaï, le vol de Kleinberg jusqu'à Alexandrie – on pouvait suivre toutes ces pistes par d'autres biais. Cependant, il y en avait une qui semblait taillée sur mesure pour Khalifa.

— Tu as déjà entendu parler de Samuel Pinsker ?

— Ça ne me dit rien.

— C'était un ingénieur britannique. Il a disparu à Louqsor au début du XXe siècle. On a découvert son corps dans une tombe en 1972.

— Tu m'intrigues…

— Moi aussi, ça m'a intrigué. On dirait que ça a un lien avec un meurtre sur lequel je travaille en ce moment, mais je ne vois pas lequel ni pourquoi. Néanmoins, comme tu es sur place, j'ai pensé que…

— Que je pourrais jeter un coup d'œil.

— Si tu as le temps…

— Avec plaisir. Tu peux m'envoyer les détails ?

— Je te ferai un e-mail demain matin à la première heure. Et par pitié, ne passe pas trop de temps là-dessus, juste assez pour…

— Résoudre ton affaire ?

Ben-Roï s'esclaffa.

— Exactement.

Il se tut un instant, le regard flottant sur la vieille ville, dont les murailles monumentales se teintaient d'orange à la lumière des projecteurs alignés à leur base. Soudain, il fut pris d'un élan d'affection pour son vieil ami.

— Qu'est-ce que tu en dis, hein, Khalifa ? Toi et moi, de nouveau ensemble. L'équipe de choc ! Comme au bon vieux temps !

L'Egyptien se montra moins enjoué dans sa réponse :

— Rien ne sera plus jamais comme au bon vieux temps. Le passé n'est plus… Je te rappelle dès que j'ai quelque chose.

Et là-dessus, il raccrocha.

DEUXIÈME PARTIE

CINQ JOURS PLUS TARD

Prenez soin des petites choses, les grandes prendront soin d'elles toutes seules.

C'est ce que mes parents m'ont appris. Je continue à suivre ce précepte. Je vaque à mes affaires – de petites choses, la routine du quotidien – en espérant que les problèmes liés au ménage dans la cathédrale se régleront tout seuls. Comme ils semblent le faire. Il n'y a pas eu de coup de téléphone, pas d'arrivée inopinée, pas de rencontre avec des étrangers. La poussière semble retomber. En général, je n'aime pas que la poussière retombe, mais dans ce cas, c'est une bonne chose.

Mes parents ont eu beaucoup d'influence sur moi. Ils continuent à en avoir, chacun de leur côté, pour le meilleur et pour le pire. J'entends souvent leurs voix. Je sens leur odeur, aussi. J'ai toujours eu un sens de l'odorat développé, et l'odeur de mes parents reste très claire dans mon souvenir. C'est pourquoi, dans la cathédrale, contrairement à d'habitude, j'ai reposé quelques instants à côté de la grosse femme, sous la table, une fois que je l'ai eu traînée jusque-là. J'ai éteint ma lampe de poche et je lui ai donné la main, en me lovant contre elle dans l'obscurité, en pressant mon visage contre le sien, en humant la délicieuse odeur d'amande qui émanait de ses cheveux. C'était comme si ma mère était de retour, ce que je trouvais rassurant. Cela fait longtemps que la famille est sous ma responsabilité et que je suis l'unique dépositaire de cette charge, mais j'ai parfois besoin de certitudes. De savoir que je sers au mieux de mes capacités.

Et plus que jamais en ce moment, avec la décision qu'on me demande de prendre. La grande décision, bien plus importante que celle de la cathédrale, quand j'ai fait le ménage plus tôt que prévu. Une décision sur laquelle repose tout l'avenir de la famille.

Si je prends la bonne, notre futur est assuré. Si je prends la mauvaise…

Bien sûr, d'une certaine manière, je l'ai déjà fait, ce choix. Néanmoins, je ne suis pas tranquille. Je me demande ce que mes parents auraient fait dans ce cas de figure. Ils mettaient la famille au-dessus de tout, comme moi, mais même ainsi… Agir à l'intérieur du cercle, on n'a jamais vu ça. Tels sont les dilemmes de ma charge. Il ne s'agit pas simplement d'obéir, mais aussi de décider à qui il faut obéir. Et pour quelle raison.

La tradition ne prépare pas à de tels défis. Je ne peux pas me réfugier dans le réconfort d'un précédent à suivre. J'en appelle à mes ancêtres, mais ils ne répondent rien. Cette solitude est mon fardeau. Je sais ce qui doit être fait pour sauvegarder la lignée, et pourtant je m'inquiète.

Cependant, j'ai au moins tranché sur un aspect de la question. Si jamais je décide d'agir, je n'utiliserai pas un garrot. Dans ce cas précis, il faut faire preuve d'encore plus de discrétion que d'habitude.

A présent, je dois continuer. Il y a des choses dont il faut que je m'occupe. Des choses routinières. De petites choses. Les grandes, espérons-le, s'occuperont d'elles-mêmes toutes seules.

Israël, désert du Néguev

Le coureur se déplaçait dans le paysage désertique avec l'agilité d'une panthère. Il s'arrêtait de temps à autre, examinait les pentes rocailleuses à la lumière argentée de la lune, tendait l'oreille quelques instants, puis repartait.

Il s'arrêta un peu plus longuement au pied d'une colline pour reprendre son souffle, puis la gravit, le crissement à peine audible de ses baskets témoignant seul de sa progression. Arrivé en haut, il tira un Glock 17 de son sac à dos et s'avança vers l'autre versant en jetant des coups d'œil à droite et à gauche, prêt à faire feu.

Ici, la pente descendait jusqu'à la bande de bitume de la Route 40 en terrasses abruptes. Sa cible était assise sur la première, la tête en arrière, les yeux fermés, des écouteurs d'iPod vissés dans les oreilles.

Il contempla un instant le visage de la jeune femme, à quelques centimètres à peine du bout de ses baskets, puis ramassa une poignée de graviers. En souriant, il pointa le Glock sur la tête de sa cible et tendit l'autre bras, pour laisser s'écouler les graviers sur son crâne.

Il ne la vit pas bouger. Elle était là, et soudain elle n'y était plus, elle s'était levée, retournée, lui avait bloqué le poignet d'une main, tandis que l'autre le saisissait au col. Puis il s'était envolé comme un vulgaire acrobate avant d'atterrir sur le dos, le souffle coupé par le choc.

Elle lui posa le pied sur le poignet et fit apparaître comme par magie un autre Glock, qu'elle lui colla sous le nez.

— Tu voulais quelque chose ? dit-elle.

Il mit quelques instants à reprendre son souffle, avant de pouvoir répondre.

— J'ai cru que je t'avais eue, ce coup-ci.

— Tu t'es trompé.

— J'ai remarqué.

Il la dévisagea, son teint pâle, son regard intense, son sourire à peine ébauché. Puis, tendant la main, il lui effleura la joue, laissant glisser ses doigts jusqu'à la base de son cou.

— Tu ne laisses jamais tomber, Gidi ! s'exclama-t-elle.

— Et toi, tu ne te laisses jamais aller, Dinah !

— Pas ce soir, bourreau des cœurs !

— Bon Dieu, que t'es sexy ! dit-il. J'ai une gaule d'ici jusqu'à Haïfa quand je te vois...

Depuis quatre ans qu'ils se connaissaient, Gideon l'avait toujours draguée, si l'on pouvait appeler ça comme ça. Et il avait toujours tenté de la surprendre lorsqu'elle venait s'isoler. Pour lui, c'était un jeu, et elle ne s'en offusquait pas. Gidi était un mec bien. Parmi les meilleurs. C'était juste que, les mecs bien, ce n'était pas vraiment son truc à elle.

Elle éteignit son iPod et le glissa dans son sac, de même que le Glock. Gidi se redressa en se massant le poignet.

— Comment t'as su que j'étais là ?

— J'ai senti ton après-rasage.

— Se faire avoir parce qu'on sent bon, grommela-t-il.

Elle glissa le sac à son épaule et lui tendit la main pour l'aider à se relever.

— On fait la course sur le chemin du retour ? demanda-t-elle.

— Je crois que je vais plutôt rester ici, fumer un petit joint, regarder les étoiles, accepter le fait que tu m'aies repoussé. C'est une belle nuit.

Il lui tenait encore la main.

— Reste avec moi, Dinah. Pas pour déconner. Assieds-toi juste avec moi. L'histoire de la cathédrale... Laisse-moi au moins te serrer dans mes bras.

Elle ne bougea pas, ne fit rien pour retirer sa main. La lumière de la lune accentuait la finesse de ses traits, les pommettes délicates, les grands yeux tristes. Quelques secondes passèrent. Puis elle se pencha vers lui et l'embrassa sur le front en lui pressant les doigts.

— On se voit au camp de base.

Sur ce, elle partit vers la route en contrebas, sautant d'un mouvement fluide d'une terrasse à l'autre.

— D'ici jusqu'à Haïfa ! cria-t-il.

— Mets un sac de glace dessus !

Lorsqu'elle arriva sur le plat, elle longea la colline et emprunta une piste qui s'enfonçait dans le désert de l'autre côté de la Route 40. Au bout de quelques centaines de mètres, la piste traversait une étroite crevasse et débouchait sur une étendue rocailleuse. Au loin, à deux kilomètres environ, on distinguait quelques bâtiments : toits à coupole, murs blanchis à la chaux, on aurait dit de gros morceaux de sucre. Elle pressa le pas.

Cela faisait trois ans qu'ils vivaient là. Au début, les quatre avaient mené leurs opérations depuis son appartement à Tel-Aviv. Cependant, il y avait trop de témoins, trop de risques que leurs faits et gestes soient remarqués, particulièrement depuis que leurs missions prenaient de l'envergure et qu'ils subissaient une pression plus intense. Par la suite, ils avaient déménagé dans une villa pleine de coins et de recoins, dans la banlieue de Be'er Sheva, puis, quand le besoin de discrétion était devenu plus crucial, ici.

Dans les années 1960, l'endroit avait été un kibboutz prospère, bien que reculé. Cependant, il avait été abandonné depuis longtemps, et à présent les scorpions et les salamandres y avaient élu domicile, tandis que les potagers avaient disparu sous une couche de terre et de mauvaises herbes. Ils avaient repris le bail, remis le lieu en état, installé des panneaux solaires pour fournir l'électricité et un système satellite pour le téléphone et Internet. Ils n'allaient pas rester ici éternellement. La règle numéro un dans leur métier : ne jamais prendre racine, être toujours prêt à s'en aller dans la minute. Pour l'instant, cependant, l'endroit convenait parfaitement à leurs besoins.

C'était elle qui avait payé, comme toujours. Elle ne leur disait pas comment, ils ne posaient pas de questions. Règle numéro deux : pas de questions inutiles. Tous les quatre étaient proches, formaient une famille, mais il y avait encore certains aspects de sa vie qu'elle désirait garder pour elle. Les autres ne connaissaient même pas son véritable nom. Et ça n'allait pas changer. Le passé était le passé.

Elle mit moins de huit minutes pour effectuer le trajet, sprintant sur les derniers quatre cents mètres. Chez Tamar, les lumières étaient éteintes – elle avait dû se coucher tôt. Faz, à en juger par les lueurs grisâtres qu'on voyait par la fenêtre, devait encore se trouver dans la salle des communications, penché sur un écran à fouiller les tréfonds du cyberespace. Faz était le vilain petit canard : un Arabe israélien, maussade, introverti. Il était aussi un génie, l'un des meilleurs hackers de sa génération, alors on se foutait totalement qu'il ne parle pas beaucoup. Chacun était utile à sa façon. Faz pouvait pirater un ordinateur, y introduire un virus, et savait se servir d'un flingue. Le reste était sans importance. Après tout, aucun d'eux n'avait été recruté pour la qualité de sa conversation.

Elle s'arrêta quelques instants à côté de l'un des 4 × 4 pour faire des étirements en inspirant profondément, puis se dirigea vers la salle des communications. Faz était assis, le dos tourné, les yeux rivés à l'écran, la tête entourée d'un halo de fumée.

— Alors ? dit-elle.

Il tendit la main, le pouce vers le bas, tel un empereur romain condamnant à mort un gladiateur. Cela durait depuis six jours, depuis que la nouvelle du meurtre s'était répandue et qu'ils avaient piraté le réseau informatique de la police israélienne pour suivre le déroulement de l'enquête. Ils avaient beau s'agiter, les connards en bleu ne progressaient pas d'un pouce quant à l'identité du coupable.

— Et Barren ?

De nouveau, le pouce pointa vers le sol.

— Tu es sûr ?

— Oui.

Faz n'était jamais plus loquace. Elle lui souhaita bonne continuation et traversa la cour pour rejoindre sa chambre et prendre une douche. Elle était sous le jet depuis une bonne minute lorsque quelque chose la poussa à se retourner. Elle distingua une silhouette derrière les rideaux en plastique et se mettait instinctivement en position de frapper, la garde haute, quand Tamar parla :

— Ce n'est que moi. La porte n'était pas fermée.

Elle ouvrit le rideau, ne faisant rien pour cacher sa nudité. Tamar se tenait face à elle, souple, hâlée, les cheveux courts, son grand tee-shirt lui tombant juste au-dessus des genoux.

— Ça va ? demanda-t-elle gentiment.

Dinah acquiesça.

— Je m'inquiète pour toi.

— Je vais bien.

— Vraiment ?

— Vraiment.

Elles restèrent à se regarder tandis que l'eau coulait toujours sur la tête de Dinah, projetant des éclaboussures sur le carrelage. Tamar ôta son tee-shirt, révélant des seins fermes et une touffe de poils pubiens, puis vint rejoindre Dinah sous la douche. Les deux jeunes femmes s'embrassèrent.

— On les aura, Dinah. Je te le promets, on les aura.

Celle-ci ne répondit rien, se contenta de tirer le rideau d'une main tandis que de l'autre elle caressait les cheveux de son amie et l'attirait vers elle.

Aucune ne remarqua la caméra dissimulée dans l'extracteur d'air au-dessus de la douche. Elles ne l'auraient probablement pas repérée si elles y avaient regardé de plus près, car elle était trop bien cachée. Comme toutes les autres caméras. L'observateur observait, et personne n'en était plus avancé.

ÉGYPTE, ENTRE LOUQSOR ET KENA

Youssouf Khalifa tirait sur sa Cleopatra en regardant le paysage qui défilait lentement à la fenêtre du wagon. Il roulait vers le nord, passait devant des villages aux murs de terre cuite, des champs de maïs et de canne à sucre, et même une boucherie, plutôt morbide avec son étalage de tripes et de têtes de mouton en vitrine. A un moment, le train fit un arrêt non loin d'un canal d'irrigation où des enfants jouaient sur un radeau. Khalifa se raidit, résistant à l'envie de leur crier de sortir de l'eau. C'était une lutte – une lutte de chaque instant contre les souvenirs – et, lorsque le train redémarra, il laissa échapper un soupir de soulagement. Il tira une dernière bouffée et écrasa le mégot sous son talon, en prenant soin de ne pas déranger le vieil homme qui faisait sa prière sur le sol du wagon, juste en face de lui.

Il n'y avait rien de nouveau dans l'affaire Attia. Khalifa attendait toujours les résultats des analyses d'Omar, mais il avait de plus en plus l'impression que l'inspecteur-chef Hassani avait vu juste et que toute cette affaire n'était que du vent. Il avait lancé quelques hameçons dans l'enquête sur les *talatat* volés et fourré le nez dans les histoires de réseau de drogue dans le souk de Louqsor, qui s'étaient en fin compte révélées n'être que cela : des histoires. Pour le reste, il n'avait pas de dossiers sur son bureau, et étant donné que l'inspecteur-chef et le reste des membres du poste de police étaient obnubilés par l'inauguration du musée dans la Vallée des Rois, Khalifa avait été en mesure de creuser un peu pour le compte de Ben-Roï sans que quiconque s'en aperçoive.

Et ô surprise, le résultat de ces recherches était des plus intéressants.

Les Israéliens lui avaient envoyé un résumé de l'affaire, en mentionnant la possibilité d'un lien avec une société : la Barren Corporation. La même société qui s'occupait du musée de la Vallée des Rois, ce qui était quand même une coïncidence.

Il n'avait jamais entendu parler de Samuel Pinsker. Ben-Roï avait joint quelques liens Internet, d'où il ne ressortait pas grand-chose, hormis le fait que Pinsker était britannique, qu'il avait participé à des travaux archéologiques dans la nécropole thébaine, qu'il avait disparu en 1931 et qu'il souffrait d'une sorte de malformation chronique du visage. Même la découverte de son corps en 1972, au fond d'une tombe dans le désert, n'avait suscité qu'un intérêt passager, principalement sous la forme de suppositions macabres quant à la fin triste et douloureuse qui avait dû être la sienne. Pinsker avait vécu et travaillé en Egypte, puis était mort dans les collines au-dessus de la Vallée des Rois. A part ça, Khalifa ne voyait pas de rapport avec les informations que Ben-Roï lui avait transmises.

Les archives de la police égyptienne avaient livré un peu plus de renseignements. Des choses plus intrigantes, d'ailleurs.

En premier lieu, le fait qu'il existait autant d'archives sur le sujet était une surprise. Cela s'était produit longtemps auparavant – très longtemps, s'agissant de la disparition de Pinsker – et Khalifa s'attendait à ce que tous les documents aient été égarés ou détruits. Heureusement, l'obsession de la police égyptienne pour la paperasserie, qui l'irritait en général au plus haut point, avait cette fois-ci joué en sa faveur. Cela lui avait pris un moment pour trouver ce qu'il cherchait, mais il y était finalement parvenu l'avant-veille. Deux lots de fiches, l'un concernant la découverte du corps de Pinsker, l'autre sa disparition. Les deux lots, reliés par un élastique, dormaient sur une étagère dans un entrepôt du gouvernement à Esna.

En faisant tout son possible pour ne pas déranger le vieil homme qui priait toujours, Khalifa tira les dossiers du sac de plastique à ses pieds.

Celui de 1972 était de loin le plus épais des deux. La moitié consistait en une série de photographies noir et blanc : la tombe, un puits profond débouchant sur une chambre mortuaire taillée dans la roche, le corps momifié de Pinsker sur place et à la morgue. Le rapport du légiste, celui de l'inspecteur, les déclarations du couple qui avait découvert le corps, et même un rapport du Dr Geoffrey Reeves, un expert en architecture des tombes thébaines, qui après une analyse des dimensions de la chambre mortuaire avait conclu qu'elle datait du Nouvel Empire, presque assurément de la XVIIIe dynastie. Le dernier document était une lettre de Mlle Yahudiya Aslani, du Comité d'aide aux défavorisés juifs d'Egypte. Devant l'absence de toute famille, le comité acceptait de prendre à sa charge les frais d'inhumation de Pinsker au cimetière Bassatine, au Caire, « bien que malheureusement, en raison de contraintes financières, nous ne soyons pas en mesure de fournir une stèle ».

Le dossier de 1931, une véritable pièce de musée aux pages jaunies par quatre-vingts ans d'attente, était beaucoup moins prolixe. Néanmoins, il attira immédiatement l'attention de Khalifa.

Il contenait les déclarations de plusieurs personnes qui avaient côtoyé Pinsker, la plus détaillée étant celle d'une certaine Omm-said Gumsan, la propriétaire de la chambre qu'il louait à Kom Lolah.

Le soir de sa disparition, le Britannique venait apparemment de rentrer à Louqsor après s'être absenté pendant presque trois mois. Il était coutumier de ce genre de choses, expliquait-elle, et disparaissait souvent pendant des semaines pour revenir subitement, raison pour laquelle elle exigeait de percevoir son loyer à l'avance. Elle l'avait entendu garer sa moto dans la ruelle derrière la maison, aux petites heures. Il n'était pas entré, et elle ne l'avait pas vu le matin suivant, même si sa motocyclette était toujours là, les sacoches à moitié décrochées. Elle était habituée à ses va-et-vient erratiques, alors en général elle n'y aurait pas prêté attention. Cependant, ce matin-là, sans qu'elle sache expliquer pourquoi, elle avait pressenti une tragédie. Elle en avait parlé à son frère, qui avait à son tour contacté la police. Fin de la déposition.

Les autres étaient plus courtes et moins détaillées, même si un homme de Cheikh Abd el-Gournah, Mohamed el-Badri, prétendait avoir aperçu Pinsker se promenant dans les collines une bouteille à la main et, semblait-il, saoul comme une barrique. Il y avait aussi une photographie de sa moto, la copie d'une affiche demandant à quiconque avait des renseignements de se mettre en contact avec la police ou le chef du village, ainsi qu'un télégramme du haut-commissaire britannique, sir Percy Loraine, priant les autorités de Louqsor de faire tout ce qui était en leur pouvoir pour retrouver M. Pinsker.

Certes, tout cela était intéressant, mais le document qui avait fait s'accélérer le pouls de Khalifa était glissé dans un rabat au fond du dossier. Il s'agissait d'une lettre manuscrite envoyée par un de ses collègues archéologues, accompagnée d'un croquis du disparu – l'image simple et cependant captivante d'un visage recouvert d'un masque de cuir –, signée d'un nom qui, au contraire de celui de Pinsker, était très familier à Khalifa : Howard Carter.

Il ouvrit le dossier et se prépara à lire cette lettre pour la dixième fois peut-être, tandis que le vieil homme, sa prière finie, se rasseyait à côté de lui.

Elwat el-Diban
Louqsor
14 septembre 1931

Cher capitaine Suleiman,

En réponse à vos questions concernant Samuel Pinsker, les souvenirs que voici vous seront peut-être utiles.

La nuit de la disparition de M. Pinsker, le 12 septembre, je m'étais retiré tout de suite après avoir dîné avec Newberry, Lucas, Callender et Burton.

Peu avant 22 heures, je fus réveillé par le bruit d'une motocyclette qui approchait par la route de Dra Abou el-Naga. Puis on frappa à ma porte et j'entendis la voix de M. Pinsker. Il semblait sous l'emprise de l'alcool et criait de façon incohérente, des billevesées du genre « Carter, j'ai mis la main dessus ! », ou encore : « Ça fait des kilomètres ! ». Ce barouf s'est prolongé pendant plusieurs minutes, après quoi je lui ai demandé de partir et il s'est exécuté. Nous ne nous sommes pas parlé face à face.

Cela fait trois ans que je connais M. Pinsker, et l'an passé nous avons collaboré pendant quelque temps à la consolidation de l'entrée du tombeau de Toutankhamon, en compagnie de M. Callender. Il me semble que M. Pinsker a aussi conseillé M. Winlock à Deir el-Bahri, et M. Chevrier à Karnak.

Bien que je n'aie guère apprécié de me faire ainsi réveiller, je ne souhaite aucun mal à M. Pinsker et j'espère qu'on le retrouvera au plus tôt et en bonne santé.

Si je puis encore vous être utile...

Cordialement,

Howard Carter

— Billet ?

Sans lever les yeux, Khalifa montra son insigne au contrôleur, qui s'éloigna en grommelant. L'inspecteur, concentré sur la lettre de Carter, ne remarqua même pas les regards suspicieux qu'échangeaient ses voisins maintenant qu'ils savaient qu'il était flic.

Une lettre manuscrite de Carter, on ne voyait pas ça tous les jours, et encore moins avec un dessin de la main du grand archéologue. Les références à d'autres collègues de l'époque la rendaient encore plus intéressante, par l'éclairage qu'elles offraient sur l'âge d'or de l'égyptologie. Quand Khalifa avait prévenu le conservateur du musée Carter de sa trouvaille, celui-ci était pratiquement passé par le fil du téléphone tellement il avait hâte de la voir.

Cependant, outre sa valeur du point de vue historique, la lettre intriguait Khalifa en raison des mots que Pinsker aurait prononcés la nuit de sa disparition. « Carter, j'ai mis la main dessus ! Ça fait des kilomètres ! »... Qu'est-ce que ça voulait dire ? C'était quoi, « ça » ?

Tout d'abord, il pensa que Pinsker faisait référence à la tombe dans laquelle il était lui-même mort – après tout, la découverte d'une chambre funéraire de la XVIIIe dynastie, même vide, était un événement excitant. Peut-être qu'après avoir trouvé le puits Pinsker était allé se vanter chez Carter puis était retourné cuver son vin dans les collines pour finir par tomber dans ce trou. Cependant, il parlait d'un truc qui faisait « des kilomètres », ce qui ne cadrait certainement pas avec les dimensions modestes de la chambre mortuaire qu'on voyait sur les clichés de la police. Exagération de poivrot ? Possible, encore que « des kilomètres » semblait tout de même un choix de métaphore un peu tiré par les cheveux. Khalifa avait tenté d'en parler avec le conservateur du musée Carter, mais l'homme n'avait pas pu l'aider, il ne voyait même pas qui était Samuel Pinsker. Son vieil ami et mentor, le Pr Mohamed al-Habibi, du musée du Caire, avait bien entendu parler de Pinsker, mais n'avait rien de plus à dire sur le sujet. Quant à Carter, il était mort depuis 1939, alors il ne pouvait plus guère s'expliquer.

« Carter, j'ai mis la main dessus ! Ça fait des kilomètres ! »

Est-ce que « ça » était le lien avec l'enquête de Ben-Roï ? La raison pour laquelle la journaliste assassinée s'intéressait à Samuel Pinsker ? Ou alors une autre fausse piste, comme dans l'histoire des puits coptes empoisonnés ? Il n'en avait pas la moindre idée, et il fallait qu'il consulte d'autres personnes. Pour commencer, Mary Dufresne. Elle savait tout sur cette période.

Cependant, cela allait devoir attendre. Pour le moment, il avait d'autres choses en tête. Après un dernier coup d'œil à la lettre, il la glissa avec soin dans le rabat et referma le dossier de 1931 pour ouvrir celui de 1972.

La lettre du cimetière Bassatine avait attiré son attention. Si Pinsker était juif, cela prouvait au moins un lien avec Israël. Néanmoins, ce n'était pas cela qui le préoccupait. Il sortit le lot de photographies et les feuilleta jusqu'à trouver celle où l'on voyait le fond du puits : un rectangle poussiéreux de pierre ciselée à moitié enterré sous un enchevêtrement de branches et de brindilles.

Des branches et des brindilles. Ce n'était pas logique, les branches et les brindilles.

Voilà pourquoi il se rendait à Kena. Parce que si les acteurs de 1931 étaient tous morts et enterrés, ceux de 1972, du moins certains d'entre eux, étaient encore dans le coin. Ibrahim Sadeq, par exemple, l'ancien chef de la police de Louqsor, qui était aussi l'homme qui avait dirigé l'enquête diligentée à la suite de la découverte du cadavre momifié de Samuel Pinsker. Sadeq pourrait peut-être lui fournir quelques réponses.

Il rangea la photo. Un peu plus loin, un vendeur de *gazab zuker* poussait son chariot entre les passagers et tentait de leur vendre ses cônes de sucre brut. Un homme en costume lui en acheta un et le tendit au petit garçon assis à côté de lui. Son fils, pensa Khalifa, à la façon dont l'homme le tenait par l'épaule. Le petit garçon se blottit contre son père et lui tendit le cône pour qu'il morde dedans. Aucun d'eux n'avait conscience de l'importance prodigieuse de ces moments fugaces. Khalifa les regarda pendant quelques secondes, puis détourna les yeux, essuyant une larme.

Une lutte de chaque instant contre les souvenirs.

Israël, entre Jérusalem et Tel-Aviv

Ben-Roï se déplaçait aussi, mais en voiture. Il roulait de nouveau sur la Route 1, en direction de l'ouest et de la plaine côtière.

Ces cinq derniers jours avaient été frustrants.

Il aurait été pessimiste d'affirmer que l'enquête s'était enlisée, mais elle n'avançait pas à marche forcée, loin de là. Plutôt centimètre après centimètre. Et maintenant que la presse avait planté ses crocs dans cette histoire – la réticence initiale des journalistes, simple calme avant la tempête, avait rapidement disparu –, la pression pour trouver un coupable atteignait des sommets. Leah Shalev devait faire son rapport au commandant Gal et au superintendant Baum deux fois par jour, une expérience plutôt désagréable étant donné le peu de choses qu'elle pouvait leur apprendre. Baum était allé jusqu'à suggérer qu'elle n'était pas à la hauteur d'une affaire aussi médiatique et qu'il devrait peut-être reprendre lui-même les choses en main. Gal, c'était tout à son honneur, avait soutenu son investigatrice, mais non sans condition :

« J'ai besoin que ça bouge, Leah, et que ça bouge vite. Tu as une semaine. Si tu n'obtiens rien de plus, il faudra qu'on réexamine le dossier. »

Du coup, tout le monde était tendu, irritable. D'autant plus que l'autre affaire de meurtre dans la vieille ville, l'étudiant de la *yeshiva* qui avait été poignardé, n'avançait pas non plus. Depuis neuf ans qu'il travaillait à Kishle, Ben-Roï n'avait jamais eu à ce point l'impression que le poste de police était comme une bouilloire sur le point d'exploser. Pour être franc, il était content de s'en éloigner pour la journée.

Ils avaient poursuivi leur approche suivant trois angles distincts. Uri Pincas s'occupait toujours des Russes et des colons de Hébron, mais devait à présent jeter un œil sur toutes les menaces de mort que Kleinberg avait reçues à la suite de ses articles dans la presse. Amos Namir travaillait le côté arménien, et faisait passer le mot pour Vosgi, qui à l'évidence avait quelque chose à voir avec cette communauté. Aucun n'avançait vraiment, pourtant.

Ben-Roï, quant à lui, se concentrait sur les investigations récentes de Kleinberg : les trafiquants sexuels, l'Egypte, Barren, Nemesis Agenda. Toutes les pièces se trouvaient sur le plateau de jeu, mais il n'avait pas la moindre idée des liens qu'elles entretenaient, et il n'était manifestement pas près de le comprendre.

Pour être franc, ils avaient tout de même progressé un petit peu. Dov Zisky, qui se rendait plus indispensable chaque jour, avait déniché deux pépites très intéressantes.

Tout d'abord, à propos du voyage en Egypte de Kleinberg : non seulement elle avait un billet d'avion pour Alexandrie à la date du jour de sa mort, mais elle avait aussi réservé une chambre dans un hôtel modeste à Rosette, une petite ville à soixante kilomètres d'Alexandrie, le long de la côte. Ce qu'elle allait faire là-bas demeurait un mystère, mais quoi que ce fût, elle ne pensait pas que cela allait durer longtemps. La chambre n'était réservée que pour une nuit, et elle avait pris son vol de retour pour Tel-Aviv le lendemain.

Deuxièmement, en examinant les ramifications de Barren Corporation, qui semblaient infinies, Zisky avait découvert un lien, quoique ancien, entre elle et l'Arménie. Dans les années 1980, par le biais d'une filiale, Yerevan Gold Exploration, la Barren contrôlait une mine d'or dans l'est du pays, à la frontière de l'Azerbaïdjan. Des désaccords avec le gouvernement arménien sur les termes de la licence d'exploitation avaient conduit la Barren à se débarrasser de cette filiale, mais cela n'en demeurait pas moins un lien intrigant et potentiellement important.

Zisky avait aussi repéré une nouvelle attaque de Nemesis Agenda contre le réseau informatique de Barren Corporation. Cependant, la piste la plus intéressante, et de loin, était celle que Ben-Roï avait trouvée, ce qui le soulageait un peu, d'ailleurs, parce que pour le reste Zisky semblait être sur tous les fronts.

Pendant son entrevue avec Maya Hillel au centre Hofesh, elle avait mentionné un maquereau, un certain Genady Kremenko, né en Ukraine et émigré avec sa femme et ses deux fils. Il dirigeait l'un des plus gros réseaux de prostitution de Tel-Aviv, avec des filles qui étaient amenées d'Egypte à travers le Sinaï. D'après Hillel, Rivka Kleinberg s'intéressait beaucoup à cet itinéraire, et comme Kremenko avait pendant longtemps exercé un monopole dessus, Ben-Roï avait décidé d'aller voir ça de plus près.

Kremenko, arrêté deux mois plus tôt, était en détention à Abou Kabir, une prison juste à côté du centre de médecine légale, dans le sud de Tel-Aviv. Ben-Roï avait contacté les types de la brigade de lutte contre le crime organisé, qui lui avaient fourni un dossier complet sur Kremenko, plutôt épais d'ailleurs. Apparemment, son réseau comprenait une centaine de filles, pour la plupart venues d'Europe de l'Est, même si, ces derniers temps, il semblait y avoir davantage d'Orientales et d'Africaines. Il les faisait travailler par groupes de deux ou trois, dans des appartements éparpillés un peu partout en ville, dont plusieurs à Neve Sha'anan. Elles proposaient leurs services via Internet ou en glissant des cartes dans les boîtes aux lettres ou sur les pare-brise. Une armée de guetteurs, de matrones et de sous-macs surveillaient le moindre de leurs mouvements. Kremenko inspirait une telle trouille aux filles que la brigade de lutte contre le crime organisé n'avait pas réussi à en faire témoigner une seule. Du coup, le procureur avait préféré l'inculper pour fraude fiscale et blanchiment d'argent plutôt que pour proxénétisme, malgré les nombreuses preuves indirectes qui incriminaient l'Ukrainien.

En revanche, le dossier ne contenait pratiquement rien sur ce qui intéressait vraiment Ben-Roï, à savoir le Sinaï. Les filles étaient recrutées dans leur pays natal et envoyées en Egypte, où des Bédouins leur faisaient passer la frontière, comme Hillel le lui avait déjà dit.

Cela semblait être une impasse, mais par un de ces coups de chance qui peuvent tout changer dans une enquête, Ben-Roï avait un contact à Abou Kabir, un gardien qui avait été avec lui à l'école de police avant de passer dans les services pénitentiaires. Les gardiens laissaient toujours traîner leurs oreilles, alors Ben-Roï lui avait passé un coup de fil, au cas où il aurait entendu quelque chose à propos de Kremenko.

Et ô miracle, son contact détenait une information capitale.

Dix-huit jours plus tôt, Kremenko avait reçu une visite. Une femme. Une certaine Rivka Kleinberg.

Ben-Roï roulait donc vers Abou Kabir pour s'entretenir avec l'homme qu'on avait surnommé l'Instituteur, en raison de l'âge de certaines des filles qu'il faisait travailler. Il appuya sur l'accélérateur. Il n'avait droit qu'à une heure d'entretien avec Kremenko, et ne voulait pas être en retard.

KENA, ÉGYPTE

Contrairement à sa voisine Louqsor, soixante kilomètres plus au sud, Kena ne faisait guère de concessions aux visiteurs étrangers. Pas d'hôtels de luxe, pas de restaurants servant des *fish and chips* ou des petits déjeuners anglais, et tous les panneaux étaient en arabe. Peu de touristes venaient ici, et ceux qui le faisaient – généralement pour visiter le temple de Hathor, de l'autre côté du Nil, à Dendérah – étaient surveillés de près. Dans les années 1990, les terroristes de Gamaa al-Islamiya avaient lancé une série d'opérations dans la région, et personne ne souhaitait prendre le moindre risque.

Ibrahim Sadeq vivait dans un appartement donnant sur le fleuve, à cinq minutes du centre-ville. Khalifa avait eu du mal à obtenir son rendez-vous, car l'ex-chef de la police tenait à sa vie privée et accueillait peu de visiteurs. Cependant, la requête de Khalifa l'avait intrigué, suffisamment en tout cas pour qu'il accepte de le rencontrer, à condition que l'entrevue soit brève. Khalifa lui passa un coup de fil en descendant du train, et quand il arriva chez lui, Sadeq l'attendait devant sa porte : grand, mince, des cheveux gris coupés court, l'image même du *Saidee*, de l'Egyptien du Sud, mais avec des yeux froids et une mauvaise dentition. Les deux hommes se serrèrent la main en échangeant les politesses d'usage, puis entrèrent.

Sadeq avait quitté la police avant l'arrivée de Khalifa. Celui-ci l'avait déjà rencontré deux fois, dans le cadre de cérémonies officielles, mais sans jamais vraiment lui adresser la parole. Il le connaissait de réputation, en revanche. Sadeq était un dur. Pas comme l'inspecteur-chef Hassani ni son prédécesseur immédiat, Ehab Ali Mahfouz, qui étaient durs physiquement ! Non ! Sadeq était un cérébral, un manipulateur. Là où Hassani et Mahfouz ne voyaient aucun inconvénient à remonter leurs manches pour « travailler » un suspect, Sadeq préférait agir dans l'ombre, tirer les ficelles en coulisse et laisser les autres se salir les mains. Tout le monde avait peur de lui, aussi bien les civils que les policiers. Selon la rumeur, sous la férule de Sadeq, les tortionnaires d'Etat n'avaient pas chômé.

Il conduisit Khalifa jusqu'au salon spartiate, propre et fonctionnel, où une femme, vraisemblablement son épouse, leur servit du thé. Quand elle fut partie, Sadeq croisa les jambes et posa son verre de thé sur ses genoux. La climatisation ronronnait doucement, tandis que de temps à autre le grésillement d'un appareil tue-mouches électrique provenait de la cuisine. Khalifa trouvait ce son déconcertant. D'après ce qu'il avait entendu dire, l'électricité avait été la méthode d'interrogatoire préférée de Sadeq.

— Alors, inspecteur, vous venez à propos de l'homme sans visage ?

Pas de préliminaires, droit au but, avec un soupçon d'emphase sur le mot « inspecteur », juste assez pour rappeler à Khalifa sa véritable position dans la hiérarchie. Celui-ci se dit qu'il allait devoir marcher sur des œufs. Bien qu'il soit à la retraite, Sadeq n'était pas le genre de personne qu'on avait envie de se mettre à dos.

— Vous dirigiez l'enquête, dit Khalifa en produisant les deux dossiers de police. Et je voudrais juste éclaircir un ou deux détails…

— Quarante ans après ?

— Un ami m'a parlé de cette affaire. Je me suis dit que je pouvais y jeter un coup d'œil. Simple curiosité personnelle.

Il préférait ne pas parler de Ben-Roï. D'après ce qu'il savait, le frère de Sadeq avait été détenu par les Israéliens pendant la guerre de 1973, et Khalifa ne pensait pas qu'il serait disposé à collaborer à une enquête de ces derniers, même indirectement. Le *Saidee* le dévisagea avec quelque chose de reptilien dans l'œil, comme s'il ne cillait jamais. Un instant, il sembla qu'il allait creuser la question, mais au grand soulagement de Khalifa il finit par tendre la main vers les dossiers.

— Montrez-moi ça !

Khalifa les lui donna. Sadeq chaussa une paire de lunettes pour les consulter.

— Ça fait un moment que je n'ai pas mis le nez là-dedans, murmura-t-il. C'était ma première affaire en tant qu'inspecteur. Des débuts mémorables…

Il sortit une photo du dossier et la porta à la lumière. On y voyait le corps de Pinsker, assis dans un coin de la chambre mortuaire, momifié par le climat chaud et sec du désert, la tête en arrière, la peau sèche et tendue, comme si son squelette était enveloppé de papier sale. Dans une main, il tenait un masque de cuir avec des lanières et des boucles, et à l'endroit où son visage aurait dû se trouver, il n'y avait qu'une sorte d'espace vierge et lisse, simplement percé de deux trous à la place des yeux et d'une fente sans lèvres au lieu de la bouche avec, au milieu, un pli qui suggérait un nez.

— Beau gosse, grogna Sadeq en rangeant la photo. J'ai vu des fins atroces dans mon temps, mais là… J'imagine que vous avez lu le rapport d'autopsie ?

C'était le cas. Une lecture horrible. Dans sa chute, Pinsker s'était cassé les deux jambes, le bras droit et trois côtes, mais il s'était aussi éclaté la rate et présentait des lacérations à l'arrière du crâne. Malgré ses blessures, il avait survécu à sa chute, comme le prouvait le fait qu'il soit parvenu à se traîner dans la chambre mortuaire et qu'il ait réussi à confectionner des attelles pour ses membres ou à se bander la tête. Même si le temps écoulé empêchait d'en être totalement certain, le légiste estimait que l'Anglais avait dû survivre au moins deux ou trois jours avant de succomber à une combinaison de déshydratation, de perte de sang et de traumatismes internes. Cela n'avait certainement pas été une fin sans souffrance.

Sadeq referma le dossier et ôta ses lunettes.

— Et quels sont ces détails que vous désirez éclaircir ? demanda-t-il.

— Ça concerne principalement la déposition de la femme, répondit Khalifa en cherchant le document dans le dossier. L'*Ingileezaya*, l'Anglaise, Mme… Bowers. Il y a quelque chose que je ne comprends pas. D'après ce qu'elle raconte, elle se promenait dans les collines avec son mari, quand elle s'est arrêtée pour faire, je la cite, « ce que personne ne peut faire à ma place », ce qui, j'imagine, veut dire…

— Pisser.

— Exactement. Elle a perdu pied, elle a glissé le long de la pente et est tombée dans le trou.

Il leva les yeux pour vérifier que Sadeq était bien d'accord avec la chronologie des événements.

— Elle a également déclaré qu'elle n'avait pas remarqué le puits auparavant, parce qu'il était recouvert de branches.

Sadeq ne cilla pas, mais l'ombre d'un sourire se dessina à la commissure de ses lèvres.

— C'est bien vous qui avez pris sa déposition, n'est-ce pas ? Le jour de l'accident, après son héliportage jusqu'à l'hôpital général de Louqsor…

— Je m'en souviens.

— Je sais que c'était il y a longtemps, mais vous vous souvenez d'elle ? Semblait-elle confuse, ou commotionnée ?

— C'était une *hawaga*, une étrangère. D'après moi, elles ont toutes l'air confuses.

Khalifa gratifia sa plaisanterie d'un sourire.

— Là où je voudrais en venir…

— Je sais exactement où vous voulez en venir, l'interrompit Sadeq avec un sourire de plus en plus prononcé. Et non, elle n'avait pas du tout l'air embrouillée. Au contraire, elle semblait remarquablement lucide pour quelqu'un qui vient de tomber dans un puits de six mètres au fond duquel il a trouvé un cadavre...

— Et elle était catégorique pour les branches ? Le fait qu'elles recouvraient la bouche du puits ?

— Tout à fait catégorique.

— C'est cela que je ne comprends pas. Si les branches recouvraient le puits...

Sadeq leva la main pour lui faire signe de se taire. L'ancien chef de la police arborait à présent un large sourire, même si ses yeux conservaient leur dureté, comme si une moitié de sa personne s'amusait avec Khalifa tandis que l'autre le mettait en garde.

— On me l'a dit, que vous étiez intelligent ! s'exclama Sadeq.

— Pardon ?

— Hassani, Mahfouz. D'autres avec qui j'ai parlé. Vous êtes un des meilleurs éléments de notre police, apparemment. Vous voyez des choses qui échappent aux autres.

Il posa les mains sur les accoudoirs de son fauteuil, et Khalifa remarqua que les ongles de ses pouces étaient beaucoup plus longs que ceux de ses autres doigts, comme s'il les laissait délibérément pousser.

— Une tendance à l'insubordination, aussi. De mon temps, vous ne vous en seriez pas tiré comme ça. De mon temps, l'insubordination n'existait pas.

Son sourire se durcit, ses yeux devinrent plus froids. Khalifa remua sur sa chaise, pas trop certain de savoir où tout cela le menait, et se demandant même si venir ici n'avait pas été une erreur. Les choses évoluaient en Egypte, mais il fallait encore faire attention où on mettait les pieds, particulièrement en présence de scorpions tels que Sadeq. Un silence inconfortable s'installa. Puis, à la surprise de Khalifa, l'ancien chef de la police leva les mains et se mit à applaudir lentement.

— Bien vu, inspecteur. Même le professeur qui s'est livré à l'étude de la tombe n'avait pas repéré le problème des branches. Moi, si. Et à présent, vous aussi. Très intelligent.

Il reposa les mains sur les accoudoirs. On entendit la porte d'entrée s'ouvrir puis se refermer, probablement l'épouse de Sadeq qui sortait.

— Dès que l'*Ingileezaya* a mentionné les branches, j'ai su que quelque chose ne collait pas. Tout comme vous, j'ai d'abord pensé qu'elle n'avait pas tous ses esprits, qu'elle se souvenait mal. Mais elle était catégorique. Les branches recouvraient bien le trou. Ce qui veut dire qu'elles avaient été mises après que Pinsker était tombé dedans, sinon, il les aurait déplacées. Et comme il n'y a pas un seul arbre à dix kilomètres à la ronde, quelqu'un les a forcément apportées là délibérément. On peut expliquer cela de plusieurs façons, mais la plus évidente est que quelqu'un ne voulait pas qu'on trouve la tombe… ou Pinsker. Et le motif le plus évident pour cela est que…

— La chute de Pinsker n'était pas un accident, conclut Khalifa. Mais pourquoi n'en avez-vous pas parlé dans votre rapport ?

— Etant donné les circonstances, j'ai jugé préférable de simplifier la narration de mon histoire.

— Mais un homme avait été tué…

— C'est une façon de voir les choses.

— Il y en a une autre ?

— Il y a toujours une autre façon de voir les choses, inspecteur. S'il y a bien une leçon que j'ai retenue après quarante ans de carrière dans la police, c'est que rien n'est jamais clairement défini.

Il but une autre gorgée de thé, les yeux rivés à ceux de Khalifa, comme s'il le mettait au défi de le contredire. Khalifa avait déjà fréquenté des gens comme Sadeq, il les avait même pratiqués tout au long de sa carrière et il savait qu'avec eux il y avait des moments pour l'ouvrir et des moments pour la fermer. Là, c'était le moment de la fermer.

Le silence s'installa. Khalifa remuait un peu les pieds. Sadeq sirotait son thé. Il finit par poser son verre avec un hochement de tête et reprit la parole.

— Curiosité personnelle, dites-vous ?

— Oui, monsieur.

— Vous êtes sûr ? insista-t-il en le fixant du regard.

— Oui, monsieur.

— Dans ce cas, je ne vois pas de raison de vous laisser dans le noir. Après tout, c'est une vieille histoire. Et d'une certaine façon, justice a été faite… J'imagine que ceci est le dossier relatif à la disparition de Pinsker ? demanda Sadeq en le montrant du doigt.

— Oui.

— Passez-le-moi ! dit-il en rechaussant ses lunettes. Nous avons facilement identifié Pinsker, poursuivit-il. Certes, il n'avait pas de papiers sur lui, mais on n'oublie pas facilement un visage comme le sien. Des anciens dans les villages se souvenaient encore de lui, même au bout de quarante ans, et une fois qu'on a eu son nom, il a été très simple de retrouver les fiches datant de sa disparition. Du coup, nous sommes vite arrivés au fond du problème…

Il extirpa un feuillet du dossier et le tint devant lui. Il s'agissait de la déposition de Mohamed el-Badri, l'homme qui prétendait avoir vu Pinsker errer dans les collines thébaines, complètement saoul.

— Je connaissais bien les El-Badri, dit Sadeq. Une sale engeance, des fauteurs de troubles. On a attrapé le vieux Mohamed, il était encore là, à l'époque, et on lui a posé quelques questions. Il était coriace, mais il a fini par cracher le morceau. C'est ce qu'ils font toujours.

Il remit le feuillet dans le dossier.

— Il est apparu que Pinsker avait violé leur sœur, une fille qui s'appelait Iman. Elle était aveugle et n'avait pas vingt ans. Pinsker l'avait traînée près de la rivière, il l'avait battue puis avait pris son plaisir avec elle. La jeune fille avait tenté de résister, mais il était trop fort. Je n'ai pas la moindre confiance dans ce que racontent les El-Badri, mais Mohamed avait un témoin oculaire pour corroborer son histoire. Un type du coin, respectable. A l'époque, il était encore enfant, et il pêchait sur le fleuve le soir où cela s'était produit. Il a entendu la jeune fille crier et a vu toute la scène. Il est allé prévenir Mohamed et ses deux autres frères... Vous savez, cela se passait en 1931, les gens n'avaient pas encore oublié la cruauté des Britanniques dans l'incident de Denshawaï. Et vous savez comment sont les fellahs. Fiers. Ils font les choses à leur manière.

Il posa ses lunettes sur la table, à côté de son verre vide.

— Je n'approuve pas les milices ! affirma-t-il. Si cela s'était passé pendant mon mandat, j'aurais peut-être agi différemment, mais les événements avaient eu lieu quarante ans plus tôt. Deux des trois frères étaient morts, quant à Mohamed, il approchait les soixante-dix ans et n'en avait plus pour très longtemps. Pinsker n'avait pas de famille proche, du moins pas à notre connaissance, alors il n'était utile pour personne de chercher à rouvrir d'anciennes blessures. La jeune fille avait été violée, c'était déjà assez dur comme ça. Pourquoi aller clamer son infortune sur tous les toits ? Il valait mieux laisser les choses se tasser. J'ai fait battre le vieil homme pour lui donner une leçon, et j'ai laissé courir. Affaire classée. Et c'est ainsi que les choses vont rester.

Il joignit le geste à la parole et referma le dossier d'un coup sec.

— Je pense qu'à présent tout est clair ?

Khalifa se pencha pour reprendre le dossier. Bizarrement, l'histoire ne l'avait pas ému. Bien sûr, le viol était choquant, la fille avait environ l'âge de la sienne, et elle était aveugle, par-dessus le marché. Mais le sort de Pinsker... Un an plus tôt, Khalifa aurait été horrifié par ce qui lui était arrivé. Les lynchages, les gens qui prenaient la justice à leur compte, cela l'avait toujours fait reculer instinctivement, quelle que soit la gravité du crime. A présent, son compas moral semblait un peu plus flottant. L'homme avait connu une mort atroce, mais il avait commis un acte atroce. Comme disait Sadeq, les choses n'étaient pas clairement définies. Plus rien ne l'était. Plus de noir, plus de blanc. La vie était devenue... d'un gris impénétrable.

Pourtant, Khalifa se demandait quel pouvait bien être le rapport entre tout cela et le meurtre d'une femme dans une cathédrale à Jérusalem.

— Rien ne vous a suggéré une piste religieuse ? demanda-t-il à Sadeq. Etant donné que Pinsker était juif...

Sadeq le dévisagea.

— Une jeune fille a été battue, violée et presque tuée. Une jeune fille aveugle. Je pense que c'était un mobile suffisant pour ne pas être obligé de mettre la religion là-dedans. De toute façon, ça se passait avant la *Nakba*, la création de l'Etat d'Israël. On n'en voulait pas autant aux Juifs, avant 1948.

Khalifa entendit la porte d'entrée s'ouvrir dans un frottement de sacs de courses, et Sadeq consulta ostensiblement sa montre. Manifestement, il considérait que l'entretien arrivait à son terme.

— Vous ne savez pas ce que sont devenues les affaires de Pinsker ? demanda Khalifa, dans l'espoir de grappiller quelque chose avant qu'on le mette dehors.

— Si je me souviens bien, tout a été enterré avec lui, au Caire ! grogna Sadeq. Il n'y avait pas grand-chose. Juste ses vêtements et son masque.

— Aucun document ? Papiers ? Lettres ?

Le vieil homme se mit à tapoter les scarabées sculptés de ses accoudoirs, visiblement à bout de patience.

— Aucun document ! s'exclama-t-il avec brusquerie. Maintenant, si vous permettez...

— Et ses affaires de 1931, vous savez ce qu'elles sont devenues ?

— Je n'en ai aucune idée. Balancées dans le fleuve, pour ce que j'en sais. Ça s'est passé il y a quatre-vingts ans et ça n'a plus aucune importance.

— Je vous refais du thé ? demanda la femme de Sadeq depuis la cuisine.

— Ce ne sera pas nécessaire, répondit celui-ci. Nous avons terminé, n'est-ce pas, inspecteur ?

Ce n'était pas vraiment une question. Khalifa acquiesça et remercia Sadeq de l'avoir reçu, puis ramassa ses dossiers et suivit le vieil homme dans le couloir.

— Pour de la simple curiosité personnelle, vous semblez prendre cette histoire très au sérieux, inspecteur, déclara celui-ci en arrivant devant la porte. Je ne vois pas d'objection à ce qu'on fasse preuve d'initiative, encore faut-il y mettre un peu de bon sens. Je vais peut-être en toucher un mot à Hassani. Qu'il utilise vos talents pour un véritable boulot.

Khalifa sortit sur le palier. Il avait dépassé les bornes, il le sentait, et n'avait pas intérêt à trop tirer sur la corde. Les gens comme Sadeq pouvaient devenir désagréables. Très désagréables.

— Une dernière question…

Sadeq lui lança un regard furieux.

— Dans le dossier de 1931, il y avait une lettre de Howard Carter, l'archéologue. Apparemment, le soir où il est mort, Pinsker a dit à Carter qu'il avait trouvé quelque chose. Un objet ou un endroit qui « faisait des kilomètres ». Ça vous évoque quelque chose ?

Khalifa pensait que le vieil homme se mettrait en colère, mais il n'en fit rien. Au contraire, il posa doucement la main sur l'épaule de l'inspecteur.

— Je suis au courant de la tragédie que vous avez vécue. Je vous prie d'accepter mes sincères condoléances. J'espère que votre famille se porte bien. Et qu'elle continuera à bien se porter.

Dans la bouche de Sadeq, cela ressemblait plus à une menace qu'à des vœux de bonheur.

— Et pour répondre à votre question, la lettre de Carter n'évoque rien pour moi. A présent, si vous permettez, c'est l'heure de déjeuner. Bon voyage de retour. Nous ne nous reverrons plus.

Il pressa l'épaule de Khalifa, enfonçant vraiment ses doigts dans la peau, puis, après un léger signe de tête, lui claqua la porte au nez. A travers le battant, l'inspecteur entendit le grésillement étouffé d'un insecte pris dans l'appareil tue-mouches électrique.

TEL-AVIV, ISRAËL

Ben-Roï fit deux brefs détours avant de se présenter à Abou Kabir pour son interview de l'Über-mac, Genady Kremenko.

Il passa tout d'abord au centre Hofesh, à Petah-Tikva, pour déposer les jouets qu'il avait achetés au Toys“R”Us de Jérusalem. Il n'en fit pas tout un plat, se contentant de les remettre au gardien à l'entrée pour qu'il les fasse parvenir aux enfants. L'homme voulait appeler Maya Hillel, mais Ben-Roï déclara qu'il était pressé et poursuivit son chemin. Il ne voulait pas qu'elle pense qu'il cherchait à l'impressionner. Ou pis, qu'il était un mec tendre.

Il se rendit ensuite dans le centre pour récupérer Dov Zisky, qui passait le week-end en ville avec des amis et qui lui avait demandé s'il pouvait assister à l'entretien avec Kremenko. Ben-Roï n'y voyait pas d'inconvénient, même s'il ne comprenait pas pourquoi le gamin allait gâcher son jour de congé pour écouter une telle ordure.

Zisky l'attendait devant le Grand Beach Hotel, sur Nordau, appuyé contre un lampadaire, en jean serré, tee-shirt moulant, sandales et Ray-Ban. Ben-Roï se rangea contre le trottoir et ouvrit la portière côté passager.

— Tu te présentes à la synagogue habillé comme ça ? demanda-t-il tandis que Zisky s'installait, et avec lui une forte odeur d'après-rasage.

— Bien sûr.

— Tu es parfumé comme un gigolo.

— On dit que le parfum sied au Seigneur.

Il referma la portière et tendit un sac en papier à Ben-Roï.

— Déjeuner !

— On dit aussi que le parfum des *latkes* sied à ton patron, répondit Ben-Roï avec un sourire. T'es un bon gars !

Il prit une galette de pommes de terre et mordit dedans, puis s'engagea dans le trafic de la rue Ha-Yarkon. Ils roulèrent un moment en silence, puis Zisky demanda :

— Vous avez souvent humé le parfum des gigolos ?

Ils échangèrent un regard puis éclatèrent de rire.

Le centre de détention d'Abou Kabir, aussi connu sous le sobriquet de Jaffa Hilton, se trouvait à la pointe sud de la ville, juste à côté de la morgue où Rivka Kleinberg avait été autopsiée. C'était un immeuble imposant, trois étages aux fenêtres grillagées, flanqué d'une grande tour d'observation et entouré d'un mur surmonté d'un grillage. Une âme sensible avait eu l'idée de parsemer le mur de sculptures en terre cuite, histoire de l'égayer un peu, mais en pure perte, pensa Ben-Roï. Une prison était une prison, et à moins d'enlever les murs, les barreaux et les portes, on n'en ferait jamais quelque chose de gai.

Ils se garèrent sur le parking à côté des grilles coulissantes du portail en acier et se présentèrent devant la guérite d'accueil. Le garde en faction les fit entrer et annonça leur arrivée par un interphone. Une ou deux minutes plus tard, un autre garde apparut et les pria de le suivre.

— Adam Heber n'est pas là, aujourd'hui ? s'enquit Ben-Roï en pensant à son ami qui travaillait ici.

— Il est de nuit, en ce moment. Il vous fait passer le bonjour, et il m'a dit qu'il vous souhaitait bien du plaisir avec Kremenko !

— Je suis sûr que ça va être super, grogna Ben-Roï.

Ils arrivèrent devant le bâtiment principal et entrèrent, abandonnant la lumière du jour pour celle, triste et glauque, qui régnait à l'intérieur. Ils durent remplir deux formulaires, puis le garde leur fit traverser un couloir et une deuxième cour sur laquelle on avait tendu un filet de protection, pour enfin parvenir à l'autre aile. En entrant, Ben-Roï fut saisi par le vacarme des radios, le bruit des conversations et, juste au-dessus d'eux, le tintement lancinant d'un objet métallique qu'on frappait contre les barreaux d'une cellule. Pourtant, il ne voyait personne. Comme toutes les prisons dans lesquelles Ben-Roï avait mis les pieds, celle-ci semblait produire ses propres sons toute seule, sans intervention humaine.

— C'est là-dedans ! annonça le garde en leur ouvrant une porte. Je vais chercher le détenu. Son avocate est déjà là.

Une femme entre deux âges, bien habillée, l'air pincé comme si ses traits étaient à l'étroit dans son visage, se tenait de l'autre côté d'une table en bois où l'on avait disposé une carafe d'eau, des gobelets en carton et un cendrier. Zisky et Ben-Roï s'assirent en face d'elle.

— C'était censé rester une discussion informelle, dit Ben-Roï quand le garde eut refermé la porte. Il n'avait pas besoin d'un conseiller juridique.

— Mon client veut faire les choses dans les règles.

— Dommage qu'il n'ait pas montré autant de scrupules dans ses affaires...

La femme émit un petit clappement de langue et croisa les mains. Elle ne portait pas d'alliance, remarqua Ben-Roï. Une accro au boulot, tellement focalisée sur le fait de remettre en liberté des fumiers comme Kremenko qu'elle n'avait plus de temps à consacrer à une famille. Ou alors une gouine. Dans un cas comme dans l'autre, il ne l'aimait pas. Il n'aimait pas ce genre de femmes. Arrogantes, fuyantes, qui rentraient chez elles le soir satisfaites d'avoir ridiculisé la police et aidé un autre pédophile à retourner dans la rue. Salope !

— Je pense que nos échanges peuvent rester courtois, dit-elle. C'est l'anniversaire de ma fille et j'aimerais pouvoir rentrer chez moi de relativement bonne humeur.

Au temps pour ses hypothèses !

— Voici les règles, reprit-elle. Mon client a accepté de répondre à toutes vos questions et de vous aider autant qu'il peut. En échange, nous attendons de vous que vous respectiez les limites de temps dont nous avons convenu, et étant donné que M. Kremenko n'est pas suspect dans l'affaire qui vous amène, que vous le traitiez avec respect et courtoisie.

— Faut que je lui change sa couche, aussi ?

— Passez à l'âge adulte, inspecteur. Et dépêchez-vous, sinon cet entretien va prendre fin immédiatement.

Va te faire foutre, pensa Ben-Roï.

— Monsieur est... demanda-t-elle avec un signe de tête en direction de Zisky.

Ben-Roï fit les présentations.

— La demande d'entretien ne concernait que vous.

— Zisky n'est ici qu'en observateur. Je lui montre un peu les ficelles du métier. L'importance du respect et de la courtoisie.

Elle sourit, mais avec une expression non dénuée d'amertume.

— OK, je veux bien autoriser cela... dit-elle en inscrivant le nom et le titre de Zisky sur un carnet. Je vais enregistrer cette conversation, ajouta-t-elle en posant un Dictaphone sur la table. Cet enregistrement est admissible devant un tribunal au cas où vous outrepasseriez nos accords. Je vais aussi surveiller de près la durée de l'entretien. Nous avons convenu de soixante minutes, si je ne m'abuse.

— Vous ne vous abusez pas.

— C'est donc ce que nous ferons.

Ces préliminaires terminés, elle se tut et croisa les bras. On entendait l'écho lointain d'une musique. Ben-Roï résista à l'envie de lui demander si elle voulait danser.

Une ou deux minutes s'écoulèrent, puis il y eut un bruit de pas dans le couloir et la porte s'ouvrit. Kremenko entra. Son avocate se leva, mais les deux flics restèrent assis.

Les macs et les trafiquants ont des natures diverses et variées, ils peuvent venir de n'importe où, mais si un stéréotype devait les décrire, ce serait Genady Kremenko. Trapu, presque obèse, chauve, des bajoues roses, des yeux enfoncés, il combinait des airs de vieil oncle débonnaire avec une aura de menace voilée. Il arborait tout un assortiment de bijoux en or – chaîne, bracelet, bagues – et, pour le plus grand déplaisir de Ben-Roï, un maillot vert et blanc du Maccabi Haïfa, dont lui-même était fan. Une fille s'étalait sur son avant-bras, les jambes écartées, le haut du corps tatoué à l'encre verte tandis que le vagin ressortait dans un rose agressif.

— Eh bien, c'est très sympa ! s'exclama-t-il dans un hébreu teinté d'un fort accent d'Europe de l'Est. C'est toujours un plaisir de voir arriver la cavalerie. Surtout quand ils sont si beaux gosses ! ajouta-t-il avec un sourire à Zisky, qui ne réagit pas. Je vous embrasserais bien tous les deux, malheureusement…

Il leva les poignets pour montrer ses menottes.

— Je ne pense pas que ces menottes soient nécessaires, fit l'avocate.

Le garde regarda Ben-Roï, et comme celui-ci acquiesçait, il les ôta.

— On ne peut pas leur en vouloir ! s'exclama Kremenko en riant. Il suffit de me regarder pour constater que je suis un tueur bien entraîné. Il y a deux ans, j'ai désintégré tout un régiment de tanks d'un simple pet.

Il lâcha une caisse et gloussa.

— On ferait mieux de commencer, dit l'avocate d'un ton guindé.

Le garde leur indiqua un bouton près de la porte, à presser en cas de besoin, et sortit en verrouillant derrière lui. Kremenko fit le tour de la table avec nonchalance pour s'asseoir à côté de son avocate.

— Voulez-vous que je sonne, qu'on nous livre un peu de champagne ? demanda-t-il en laissant échapper un nouveau gloussement.

L'avocate ignora la remarque puis, après avoir vérifié l'heure sur sa montre, alluma le Dictaphone et le glissa entre Ben-Roï et Kremenko. Elle annonça l'heure, la date, le lieu, nomma les personnes présentes, puis s'adossa à sa chaise en indiquant que l'entretien pouvait commencer.

— Je voudrais tout d'abord mentionner que l'inspecteur le plus jeune a une très belle peau, ricana Kremenko.

Zisky sourit en croisant les jambes, sans que la remarque ait semblé le perturber. Ben-Roï posa sur la table le dossier qu'il avait apporté et se mit au travail :

— Monsieur Kremenko, vous avez récemment…

— Genady, je vous en prie. Nous sommes tous amis, dans cette pièce.

— Vous avez récemment reçu la visite d'une journaliste : Rivka Kleinberg.

— Ah bon ?

— Oui.

— Si vous le dites. J'ai des trous de mémoire, ces temps-ci. Il y a quelque chose dans l'air, ici, qui ralentit le cerveau.

Ben-Roï serra les dents. Ça n'allait pas être de la tarte.

— Laissez-moi vous rafraîchir la mémoire, *Genady*. Le 30 mai, Mlle Kleinberg a contacté les services pénitentiaires israéliens pour leur demander l'autorisation de vous rencontrer. On vous a présenté cette requête, et vous avez accepté.

— Sans que j'en aie été informée, intervint l'avocate.

— Elle a indiqué que les raisons de cette visite étaient « personnelles ». Mlle Kleinberg est arrivée le 6 juin, et vous avez discuté en tête à tête dans cette pièce de 13 h 30 à 14 h 05...

— On n'a pas baisé, je vous le promets !

— Ça vous revient, maintenant ?

— Subitement, oui. Une grosse vache avec des seins énormes. Un spectacle pas très ragoûtant. C'est pour ça que j'ai dû l'occulter involontairement.

A côté de lui, l'avocate demeurait impassible.

— Bon. Maintenant que vous venez de le désocculter, vous pouvez me dire ce que Mlle Kleinberg faisait là ?

Kremenko haussa les épaules.

— J'ai l'impression qu'elle se sentait seule. Vous savez ce que c'est : grosse, imbaisable, vieillissante, je crois qu'elle voulait un peu de compagnie. Elle a vu ma tête dans le journal, elle a trouvé que j'avais l'air amical et qu'elle pourrait peut-être discuter un moment avec moi.

— Et vous avez discuté de quoi ?

— Laissez-moi réfléchir, dit Kremenko en croisant les bras. C'est sûr qu'on a évoqué la météo – il a fait trop chaud pour la saison, vous ne trouvez pas ? –, et je crois qu'on a aussi un peu parlé politique : les municipales, *ha-matzav*, est-ce que Tzipi Livni va se faire enculer...

L'avocate rougit et se raidit. Kremenko sourit en remarquant sa gêne.

— Je plaisante ! Ce n'est pas de ça qu'on a parlé...

— Je suis surpris, là ! murmura Ben-Roï.

— OK, assez tourné autour du pot, allons-y ! lança Kremenko en allumant une Marlboro.

Il souffla un nuage de fumée en direction de Zisky, qui le dissipa de la main.

— Cette femme a dit qu'elle souhaitait me parler. Je ne la connais ni d'Eve ni d'Adam, mais j'ai pensé : Pourquoi pas ? On s'ennuie, ici, et on accueille avec joie n'importe quelle distraction. En plus, elle aurait pu être bonne, susceptible d'agrémenter une petite branlette. Bien sûr, ce n'était pas le cas. Elle était foutue comme un putain de pilier de rugby. Très décevant.

Il balança un nouveau nuage de fumée vers Zisky, qui se vit forcé de reculer sa chaise de quelques centimètres.

— Désolé, chérie...

— Et de quoi voulait-elle vous parler ? demanda Ben-Roï, sans perdre patience.

— De choses et d'autres.

— Quelles choses ?

— Mes affaires, les filles...

L'avocate l'interrompit aussitôt :

— Je pense qu'en de telles circonstances nous devrions éviter d'aborder...

Kremenko tendit un doigt pour la faire taire. Un geste discret, à peine visible, mais qui en disait long. Kremenko était un homme qui avait l'habitude d'être obéi, spécialement par les femmes.

— Relax ! dit-il. Je suis ici pour aider ces messieurs. Je n'ai rien à cacher, je n'ai honte de rien.

Il tira une longue bouffée sur sa cigarette. A côté de lui, la femme regardait droit devant elle, les lèvres pincées.

— Vous avez tout faux ! poursuivit Kremenko. La police, les journaux. Ils prétendent que je suis un maquereau, un trafiquant, mais je ne sais même pas ce que ces mots-là veulent dire. Je suis un homme d'affaires, c'est pas plus compliqué que ça ! Un propriétaire d'immeubles. Le seul crime dont je suis coupable, c'est d'être trop gentil ! s'exclama-t-il avec un geste théâtral. Ces jeunes filles arrivent en Israël, elles ne connaissent personne, elles ne parlent pas la langue, alors je les aide. Je leur trouve des appartements à petits loyers, je leur prête un peu d'argent quand elles sont à sec, je les remets en selle...

— D'après ce que j'ai entendu, vous les mettez plutôt sur le dos, non ?

L'avocate intervint de nouveau :

— Encore une blague de mauvais goût comme celle-ci et cette conversation s'arr...

— Doucement, tigresse ! lança Kremenko en souriant. Ce n'était qu'une blague. On ne va pas s'énerver dès que quelqu'un fait une petite blague. T'es pas d'accord, Bambi ?

Cette dernière réplique était adressée à Zisky, qui ne s'en émut pas plus que des précédentes. C'était tout à son honneur, pensait Ben-Roï devant le sang-froid du gamin. S'il avait été à sa place, cela aurait fait longtemps qu'il serait tombé sur Kremenko.

— Et vous avez parlé à Mlle Kleinberg de vos affaires et des filles ? demanda-t-il.

— Exactement. Je lui ai dit que j'étais comme un père pour ces filles. Comment j'aurais pu savoir que dès que j'avais le dos tourné elles se livraient à toutes ces mauvaises choses ? Croyez-moi, la victime, ici, c'est moi. Je suis victime de ma crédulité.

Il secoua la tête, l'air faussement outragé. Ben-Roï jeta un coup d'œil à Zisky, puis à l'avocate, dont l'expression demeurait résolument neutre, alors même qu'il était évident que son client racontait des conneries. Ben-Roï se demanda si cela la perturbait. Probablement pas. La loi est impartiale, aurait-elle argumenté, et tout le monde a le droit d'être défendu. Elle n'aimait vraisemblablement pas l'homme, mais de son point de vue, elle servait une cause plus importante. Selon Ben-Roï, elle se prostituait tout autant que les filles de Kremenko. Plus même – car au moins, elle, elle avait le choix.

— Parlez-moi de la route d'Egypte.

— Qu'est-ce que c'est ?

De faussement outragée, son expression était passée à faussement étonnée.

— La route que les trafiquants empruntent pour amener les filles en Israël, à travers le Sinaï et le Néguev.

— Je ne vois pas ce que je pourrais savoir là-dessus.

— On dit que c'est vous qui la contrôlez.

— Les gens disent tellement de choses ! s'exclama Kremenko. Que les flics ne sont qu'une bande de salopes, par exemple. C'est pas pour autant qu'ils ont un clito et qu'ils pissent le sang une fois par mois.

L'avocate fit la grimace. Si Ben-Roï n'avait pas été aussi frustré par le mur que lui opposait Kremenko, il se serait amusé de la gêne qu'elle éprouvait.

— Mlle Kleinberg a-t-elle parlé de l'Egypte ?

— Peut-être bien. Si elle l'a fait, j'ai dû lui répondre exactement la même chose qu'à vous.

— C'est-à-dire ?

— Que j'en sais foutre rien, putain !

— Revenons-en aux filles, dit Ben-Roï. Mlle Kleinberg s'est-elle renseignée sur l'une d'elles en particulier ? A-t-elle cité un nom ?

— Pas que je me souvienne.

— Maria ? Ça vous dit quelque chose ?

Kremenko plissa les yeux, comme s'il réfléchissait intensément, puis fit non de la tête.

— Vosgi ?

— Non. Comme je l'ai dit à cette grosse, j'ai beaucoup de locataires, je ne me souviens pas de tous leurs noms.

— Vous vous souviendrez peut-être d'un visage, répliqua Ben-Roï en posant une photo de Vosgi sur la table. S'agit-il d'une de vos… locataires ?

Percevant le sarcasme dans sa voix, l'avocate lui jeta un regard de mise en garde. Kremenko fit celui qui ne comprenait pas et sembla s'absorber dans la contemplation du cliché.

— Je ne l'ai jamais vue, déclara-t-il après un silence exagérément long.

— Vous êtes sûr ?

— Aussi sûr que du fait que j'ai un trou dans le cul.

— Elle est arménienne. Elle a disparu d'un centre, il y a quelques semaines.

Ben-Roï avait balancé l'info pour voir si elle provoquait une réaction. Kremenko n'en eut aucune, se contentant de le regarder, l'air amusé. Ben-Roï tenta de déchiffrer ce que dissimulaient ces yeux, mais fut bien forcé d'admettre qu'ils ne laissaient rien filtrer. Kremenko, d'un autre côté, savait parfaitement ce qui se passait sous le crâne de l'inspecteur. Il se mit à pouffer.

— Vous allez à la pêche, inspecteur. Avec une canne à pêche cassée et dans un étang vide. Alors ne vous demandez pas pourquoi vous ne ramenez rien, putain !

Une métaphore à la con, mais qui collait quand même à la réalité. Kremenko éteignit son mégot dans le cendrier.

— Je vais essayer de vous aider, lança-t-il. Vous m'avez l'air d'un petit couple sympa…

Il fit un clin d'œil à Zisky.

— … et moi, je suis le genre de mec toujours prêt à rendre service. Alors voilà. Je vous le dis franchement, je n'ai pas aimé cette Kleinberg. J'étais d'accord pour la rencontrer, pour lui donner de mon temps, et elle me remercie en se comportant comme une chienne mal dressée ! Elle m'a posé toutes sortes de questions déplacées, sans cesser de faire des insinuations sur ma vie personnelle et professionnelle. Au bout d'un moment, j'ai bien peur d'avoir perdu patience et de lui avoir demandé d'aller se faire foutre, chose pour laquelle, d'ailleurs, elle aurait eu du mal à trouver un volontaire. En bref, je vous le dis comme je le pense, on n'a pas accroché. Mais si vous me demandez – et je soupçonne que c'est ce que vous faites, l'air de rien – si j'ai quelque chose à voir avec le meurtre de cette femme...

L'avocate voulut intervenir, mais Kremenko lui fit à nouveau signe de se taire.

— Si c'est ça que vous me demandez, alors, la main sur le cœur, je peux vous donner ma parole d'honneur que je ne l'ai pas tuée. Et si vous prétendez le contraire, il vaudrait mieux que vous ayez des putains de preuves, ou la charmante dame à côté de moi va vous plonger la tête dans la merde la plus noire jamais sortie d'un trou du cul.

Il fixa du regard les deux inspecteurs, les poings serrés. Derrière ses airs sympathiques, sa vraie nature venait subitement d'apparaître : dure, brutale, violente. Puis, tout aussi subitement, il redevint le Kremenko rayonnant du début de l'entretien.

— Bien ! Maintenant qu'on a réglé ça, on peut continuer. Quelqu'un veut-il un rafraîchissement ? proposa-t-il en désignant la carafe d'eau avec un grand sourire.

L'entretien se poursuivit pendant une quarantaine de minutes, mais Ben-Roï ne s'attendait pas à obtenir quoi que ce soit de l'Ukrainien. Celui-ci, qui avait passé sa vie à jouer au chat et à la souris avec les flics, répondait à côté des questions et mentait avec une aisance remarquable. Ben-Roï en revenait encore et toujours à Vosgi, la fille au centre de l'affaire, car il était sûr que c'était d'elle que Kleinberg voulait parler à Kremenko. Vosgi avait-elle bossé pour lui ? Ses hommes l'avaient-ils enlevée, pour l'empêcher de témoigner ? Kleinberg s'était-elle approchée si près de la vérité qu'elle s'était fait descendre ? Pourquoi pas ? Jusqu'à présent, c'était même le scénario le plus crédible qu'il avait imaginé, même s'il laissait encore de nombreuses questions sans réponse. Cependant, Kremenko ne lâchait rien. Peut-être faudrait-il l'emmener à Kishle, pour lui souffler vraiment dans les bronches, mais Ben-Roï doutait que ça changerait grand-chose. Comme Kremenko le disait, il était à la pêche, beaucoup d'hypothèses, aucune preuve, et le mac le savait. Quand l'heure toucha à sa fin, Kremenko avait vraiment l'air d'un type qui vient de passer un bon après-midi.

— Ce fut un plaisir, messieurs ! Ou plutôt, mesdames et monsieur ! s'exclama-t-il avec un regard appuyé vers Zisky. Si je peux encore vous être utile, n'hésitez pas. Je vais résider ici pendant quelques semaines, après quoi, vous me trouverez chez moi.

L'avocate pressa le bouton d'appel. Ils attendirent en silence l'arrivée du garde. Lorsqu'il ouvrit, Ben-Roï et Zisky se levèrent pour sortir.

— Faites attention à vous ! dit Kremenko en agitant sa main potelée et couverte de bagues. Au revoir !

Ben-Roï aurait voulu répliquer avec une vanne, quelque chose pour avoir le dernier mot, par dignité, mais rien ne lui vint à l'esprit. Il fit signe de la tête à Zisky et les deux inspecteurs se dirigèrent vers la porte. Au moment de franchir le seuil, Zisky se retourna.

— Genady, que faisiez-vous exactement pour Barren ?

C'était un coup au hasard, mais il avait pris Kremenko par surprise. L'espace d'un instant, pas plus d'une ou deux secondes, l'expression du mac avait changé, puis il s'était aussitôt repris.

— Oh, je t'aime bien, toi ! s'exclama-t-il en gloussant. Une vraie petite bagarreuse. Bien mignonne aussi. Si j'étais un mac – chose que, comme nous le savons tous, je ne suis pas –, je pense que tu bosserais pour moi.

Il sourit à Zisky, puis glissa son majeur dans sa bouche et le frotta contre le vagin de la fille tatouée sur son bras. Une pure bravade. Il était ébranlé. Aucun doute là-dessus. Sérieusement ébranlé, même. Dans le couloir qui les menait vers la sortie, Ben-Roï passa le bras autour des épaules de Zisky.

— Bien joué, gamin ! s'écria-t-il.

ÉGYPTE

Khalifa arriva à Louqsor en milieu d'après-midi, à l'heure où la majorité des habitants de la ville avait déserté les rues surchauffées. Sur la place devant la gare, des vieux jouaient au *siga*, le jeu de dames ancestral, à côté du bassin vide d'une fontaine, la tête couverte d'un keffieh. Une calèche à touristes descendait l'avenue Sharia-al-Mahatta dans l'espoir de trouver un client, mais à part ça, l'endroit était désert.

Il appela chez lui. Zenab avait passé une mauvaise nuit, pire que d'habitude, et dormait à présent, veillée par Batah. Il contacta ensuite Mohamed Sariya, au quartier général de la police. Apparemment, l'inspecteur-chef Hassani était sur le sentier de la guerre et le poste tremblait sous les cris qu'il poussait à propos des affiches anonymes, apparues un peu partout en ville, qui accusaient la police d'incompétence et de corruption. L'absence de Khalifa n'avait même pas été remarquée. Sadeq n'avait pas mis à exécution sa menace de parler à Hassani. Pas encore, en tout cas.

— Rends-moi service, Mohamed, dit Khalifa. Quand tu auras un moment, regarde ce qu'on a sur une famille de l'ancien village de Gournah. Les El-Badri. Si certains sont encore en vie, ils ont dû déménager à El-Tarif, quand le village a été rasé.

— Tu cherches quelque chose en particulier ?

— Ça remonte à loin, mais ils étaient quatre, trois frères et une sœur. L'un d'eux s'appelait Mohamed, la fille Iman. Ils sont morts depuis longtemps, mais j'aimerais bien savoir s'ils ont encore des parents vivants. Ce n'est pas très urgent. Quand tu auras le temps.

Sariya déclara qu'il allait s'en occuper. Khalifa raccrocha, fit demi-tour et s'éloigna en direction du fleuve et de la Vallée des Rois. Si des poseurs d'affiches anonymes avaient eu l'obligeance d'attirer toute l'attention sur eux, autant en profiter.

« La Vallée des Rois » est un nom qui prête à confusion. L'ancienne nécropole, qui n'est pas le domaine exclusif des rois, mais aussi un lieu où reposent des reines, des princesses, des princes, des nobles et des animaux domestiques royaux, ne consiste pas en une mais deux vallées. C'est dans la plus connue, à l'est, que se trouvent toutes les tombes des grands rois, dont celle de Toutankhamon. L'autre, à l'ouest, qu'on appelle aussi la Vallée des Singes, est bien moins fréquentée. A la jonction des deux, Khalifa marqua une pause devant un grand panneau publicitaire qui célébrait la construction du nouveau musée : « Barren Corporation : Nous honorons le passé de l'Egypte – Nous bâtissons son avenir. » Il s'engagea dans la Vallée des Singes, en se disant que si un Egyptien de l'Antiquité marchait à côté de lui aujourd'hui, il ne serait pas tellement dépaysé par le spectacle.

Khalifa mit quarante minutes à parvenir jusqu'à l'autre bout de l'oued. La chaleur ralentissait sa progression, mais il finit par arriver devant l'entrée d'une tombe de la XVIIIe dynastie, celle d'Aÿ, le vizir devenu pharaon. Une vieille moto était garée non loin, ce qui soulagea l'inspecteur – il aurait détesté faire tout ce chemin pour rien.

Il descendit les quelques marches jusqu'à la porte de la tombe et, passant la tête à l'intérieur, il appela :

— Professeur Dufresne !

Pas de réponse.

— Professeur Dufresne ! Vous êtes là ?

Nouveau silence. Puis, de l'extrémité sombre du couloir qui s'enfonçait en pente, survint une voix désincarnée, comme d'outre-tombe :

— Youssouf Khalifa, je te l'ai déjà dit cent fois ! C'est Mary !

Khalifa sourit.

— Oui, professeur.

Un bruit de pas se fit entendre et une tête apparut dans la pénombre.

— Qu'est-ce que tu fais là ?

— Je voulais te poser une question.

— Ça doit être bigrement important !

— Tu veux que je descende ?

— Non, j'allais ressortir, de toute façon. Tu as soif ?

— Très.

— Tu as de la chance. J'ai une bouteille de citronnade.

Bonne vieille Mary Dufresne !

— Donne-moi deux secondes, dit-elle avant de disparaître à nouveau dans l'obscurité.

Khalifa alla s'asseoir à l'ombre d'un auvent et, au bout de quelques minutes, une grande femme sortit du tombeau, cheveux gris, jean et chemise kaki, une *imma* de lin blanc autour du cou. Elle monta jusqu'à lui avec une agilité surprenante, étant donné qu'elle ne devait plus être très loin de ses quatre-vingt-dix printemps. Khalifa se leva pour lui serrer la main.

— Comment vas-tu, beau gosse ?

— Très bien, *hamdulillah*. Et toi ?

— Aussi bien que possible, pour une vieille chouette comme moi. Et Zenab ?

— Elle est… OK.

La vieille femme soutint son regard, puis, se rendant compte qu'il ne souhaitait pas poursuivre sur cette voie, changea de sujet :

— On boit un coup ? demanda-t-elle en levant la bouteille de limonade qu'elle avait à la main.

— J'ai cru que tu n'allais jamais te décider à me le proposer…

— Ça fait du bien de te revoir, déclara-t-elle en remplissant deux gobelets en carton.

— Toi aussi, *ya doctora.*

Elle fronça les sourcils.

— Mary, se reprit-il, surmontant son penchant pour la formalité quand il s'adressait à des personnes plus sages et plus âgées.

Mary Dufresne – *ya doctora amrekanaya*, comme tout le monde l'appelait à Louqsor – était un anachronisme vivant. Le dernier lien qui subsistait encore avec l'âge d'or de l'égyptologie. Son père, Alan Dufresne, qui avait été conservateur au Met, était venu travailler ici avec le grand Herbert Winlock, dans les années 1920, amenant avec lui femme et enfants. Depuis, elle n'avait jamais quitté les lieux, si ce n'est pendant une brève période, le temps d'obtenir son doctorat à Harvard. Winlock, Howard Carter, Flinders Petrie, John Pendlebury, Mohamed Goneim... Elle les avait tous connus. Un groupe d'enthousiastes, où elle avait toute sa place. De l'avis général, Mary Dufresne était le meilleur dessinateur d'archéologie à avoir jamais posé le pied en Egypte. Même Zahi Hawass, malgré son arrogance notoire, était impressionné par son talent.

— Comment va le travail ? demanda Khalifa.

— Doucement, comme il se doit. De nos jours, le monde va trop vite à mon goût.

Au cours de la dernière décennie, Mary Dufresne s'était attachée à reproduire à l'échelle toutes les peintures et les inscriptions de la Vallée des Singes. Elle avait travaillé dans la tombe d'Aÿ pendant trois de ces dix années.

— Quelle est donc cette mystérieuse question que tu veux me poser ?

— C'est à propos d'un certain Samuel Pinsker, un Anglais. Il travaillait ici. Je me demandais si tu te souviens de lui.

— Samuel Pinsker... Mon Dieu ! Ça remonte à loin !

— Alors tu te souviens de lui.

— Vaguement. Quand il a disparu, je n'étais qu'une enfant. Ils ont retrouvé son corps dans les années 70. Il était tombé dans un puits, dans le haut djebel.

Khalifa ne mentionna pas le fait que Pinsker avait été assassiné, histoire de simplifier la narration, comme aurait dit Sadeq.

— Quand j'étais petite, il me faisait peur ! Ça, je m'en souviens ! Il avait toujours un masque : deux petits trous pour les yeux et une fente pour la bouche. Ça lui donnait des airs de... Je ne sais pas, de monstre ou de goule, ou quelque chose comme ça.

Je crois qu'il avait été blessé dans un accident à la mine, une explosion de gaz, mais ça, je n'en suis pas sûre. C'était il y a quatre-vingts ans, les choses tendent à devenir un peu floues, après tout ce temps…

Elle fit un geste de la main, qu'elle avait très belle, longue, fine et gracieuse. Chez certains, le temps efface toute trace de ce à quoi ils ressemblaient quand ils étaient jeunes, mais chez d'autres, non. Malgré ses cheveux gris et les taches de son sur sa peau, on voyait bien que Mary Dufresne avait été une très jolie femme. Qu'elle l'était encore, à sa façon.

— Samuel Pinsker, reprit-elle. Mais qu'est-ce qui t'a donc fait penser à lui ?

— Le nom est apparu dans une affaire sur laquelle un de mes amis travaille. J'ai proposé de lui fournir quelques infos sur le bonhomme.

Il alluma une cigarette.

— Mon ami, c'est un Israélien, ajouta-t-il.

— Ah bon ? dit-elle en haussant les sourcils. Mais quel rapport entre Samuel Pinsker et une enquête de police en Israël ?

— J'espérais que tu allais me le dire.

— Désolée, Youssouf, répondit-elle en secouant la tête. Je ne crois pas pouvoir beaucoup t'aider. J'aime à penser que je ne suis pas sénile, mais huit décennies, c'est extrêmement long ! Je n'avais que six ou sept ans quand il a disparu, et comme je te l'ai dit, les choses tendent à devenir floues et à s'effacer avec le temps.

Elle écarta une mèche qui lui tombait devant les yeux et resta silencieuse quelques instants.

— Je me rappelle le boucan que faisait sa moto… Et aussi qu'un jour il m'a fait une peur bleue dans un temple. Je ne me souviens plus lequel, ni pourquoi j'y étais, mais soudain, il a surgi de derrière un pilier juste sous mon nez. J'en ai fait des cauchemars pendant des semaines.

— Il t'a fait quelque chose ? demanda Khalifa en pensant à la fille que Pinsker avait violée.

— Quelque chose ? Comme m'agresser par exemple ?

Khalifa haussa les épaules.

— Pas que je me souvienne. Il est apparu devant moi, j'ai hurlé et je suis partie en courant, tandis qu'il me suivait avec son masque horrible… Mais c'est à peu près tout, j'en ai bien peur. Et encore, je ne peux même pas t'assurer que ça s'est bien passé comme ça. Tu sais comment la mémoire se déforme et se délite avec le temps… Cela dit, Max le connaissait.

— Max ?

— Legrange. L'archéologue français. Un génie de la poterie, qui a travaillé avec Bruyère et Cerny à Deir el-Médineh.

— Jamais entendu parler.

— C'était bien avant ton époque, jeune homme. Il est mort, à présent. Ils sont tous morts, en fait, il ne reste plus que moi de cette cuvée-là, dit-elle en laissant échapper un soupir.

Quelques secondes à peine, elle laissa son regard dériver sur la Vallée des Singes, l'air de s'être perdue dans un autre espace-temps. Puis, très vite, elle reprit la parole :

— Juste après qu'ils ont retrouvé le corps, je me souviens d'avoir entendu Max parler de Pinsker, de comment il était. D'après Max, pas un type très bien. Gros buveur, toujours à s'engueuler avec les gens. Une fois, il s'est battu avec des villageois de Gournah et en a laissé un sur le carreau.

De nouveau, Khalifa pensa à la jeune fille que Pinsker avait violée. Elle était de Gournah, elle aussi. Il commençait à cadrer Pinsker. Sa difformité faciale le distinguait des autres, mais en dehors de ça il était le stéréotype de l'Anglais violent et grossier, convaincu de sa supériorité et prêt à revendiquer l'héritage égyptien tout en considérant que les Egyptiens eux-mêmes étaient une race inférieure. Le bon vieux colonialiste, quoi.

— Carter l'aimait bien, apparemment, poursuivait Dufresne. Il faut dire qu'il avait lui-même pas mal de caractère. Tu sais qu'une fois il s'est fait virer du Service des antiquités parce qu'il avait donné une claque à un touriste français, à Saqqara ?

— Il a parlé d'autre chose ?

— Je ne me souviens pas de la conversation mot à mot. C'était il y a quarante ans… Il me semble pourtant que Carter a dit que Pinsker était un ingénieur très talentueux, qu'il avait consolidé tout un tas de monuments ici et sur l'autre berge du Nil… Ah oui, il avait aussi l'habitude de disparaître dans le désert pendant des semaines.

La propriétaire de la chambre que Pinsker louait à Kom Lolah avait dit la même chose dans sa déposition, pensa Khalifa. Mais elle n'avait pas parlé de désert.

— Dans quel désert ? demanda-t-il.

— L'Arabique, je crois… Oui, c'est bien ça, l'Arabique.

— Et tu ne sais pas ce qu'il allait faire là-bas ?

Elle secoua la tête. Un scénario vraisemblable semblait se dessiner dans la tête de Khalifa. La nuit de sa mort, Samuel Pinsker revient d'un de ses mystérieux séjours dans le désert, il se saoule, viole une jeune fille, puis se traîne jusqu'à chez Carter pour se vanter d'avoir trouvé quelque chose qui « fait des kilomètres ». L'inspecteur sentait que tout ça devait mener quelque part. Quant à savoir si c'était en rapport avec l'enquête de Ben-Roï, c'était une autre histoire. En tout cas, c'était intrigant.

— Tu as entendu parler d'une trouvaille que Pinsker aurait faite ? demanda-t-il.

— Une trouvaille… qu'est-ce que tu veux dire ?

— Je ne sais pas… Une tombe qu'il aurait découverte, peut-être, ou… Quelque chose de gros, conclut-il de façon un peu bancale.

Dufresne lui lança un regard étonné, comme si elle ne voyait pas bien où il voulait en venir. L'inspecteur tira la lettre de Carter du dossier de 1931 et la tendit à l'archéologue. Au fur et à mesure qu'elle la lisait, ses yeux s'agrandissaient de surprise.

— C'est extraordinaire ! s'exclama-t-elle une fois qu'elle eut fini. J'entends pratiquement la voix de Howard en la lisant. « Des billevesées », il employait ce mot à tout bout de champ.

— Et ça évoque quelque chose pour toi, le passage sur cette chose qui fait des kilomètres ?

— Rien du tout, j'en ai bien peur. Je suis dans le noir autant que toi. C'est mystérieux, sans aucun doute.

Elle allait lui rendre la lettre quand, soudain, une lueur traversa son regard.

— A moins que… murmura-t-elle. Non ! Ce n'est pas possible.

— Quoi ?

— C'était des années plus tard, dans un tout autre contexte. Mais c'était Howard. Et les mots étaient certainement les mêmes.

Elle avait presque l'air de parler toute seule. Un bref instant, Khalifa se demanda si son âge ne l'avait pas finalement rattrapée. Puis elle le regarda droit dans les yeux et à l'évidence ses facultés mentales étaient restées intactes.

— Je ne veux pas compliquer les choses, et il y a de fortes chances pour que cela n'ait rien à voir, mais… C'est une conversation que j'ai entendue environ huit ans après la disparition de Pinsker. Ça m'est resté dans la tête et, en lisant « Carter, j'ai mis la main dessus », ça m'est revenu. En fait, c'est un des rares événements de cette période dont j'aie gardé un souvenir très clair. Probablement parce que c'est la dernière fois que j'ai vu Howard en vie.

Elle se tut quelques instants, rassemblant ses pensées. Puis :

— C'était trois ou quatre mois avant sa mort, c'est-à-dire fin 1938, début 1939. Il était retourné vivre à Londres, mais il avait l'habitude de passer l'hiver à Louqsor et venait souvent dîner chez nous. On m'envoyait toujours dans ma chambre après dîner, mais comme la plupart des enfants le font, je me glissais en cachette sur le palier pour espionner les adultes. Je ne me souviens plus exactement de qui était présent ce soir-là : mon père et Howard, c'est sûr, et peut-être Herbie Winlock et Walt Hauser... Ça n'a pas d'importance ! En tout cas, la discussion était vive, et à un moment donné Howard s'est mis à crier. Il avait toujours été irascible, et avec son syndrome de Hodgkin, ce travers empirait. Je ne sais pas sur quoi portait leur discussion, mais je me souviens que Howard a crié très fort : « Il n'a pas mis la main dessus ! Ce ne sont que des billevesées ! Des mythes ! Vous pouvez retourner tout le désert Arabique si ça vous amuse, mais vous ne trouverez rien, pour la simple et bonne raison que ce labyrinthe n'a jamais existé ! »

— Et tu sais de quel labyrinthe ils parlaient ?

— Franchement, non. Le seul que je connaisse est celui d'Amenemhat, mais il est situé à Hawara, dans le Fayoum, et de toute façon, Petrie l'a découvert à la fin des années 1880.

— C'est tout ce dont tu te souviens ?

— J'en ai bien peur.

— Tu ne sais pas qui est le « il » dont ils parlaient ?

— Je suis désolée, Youssouf. Je n'ai que ce petit fragment de souvenir à ma disposition. Peut-être qu'ils parlaient de Petrie et de Hawara, et que Howard s'était mélangé les pinceaux, ou alors c'est peut-être moi qui confonds les déserts à l'est et à l'ouest. La mémoire, ça joue des tours ! C'est juste la similarité de ton et la mention du désert Arabique qui m'ont rappelé ce souvenir... conclut-elle en haussant les épaules.

Khalifa n'était guère plus avancé. Un instant, il avait cru qu'elle allait lui révéler une information primordiale, mais elle n'avait fait que rendre la situation encore plus brumeuse. Sa perplexité s'était manifestement reflétée sur son visage, parce que Dufresne lui lança :

— Il y a bien quelqu'un avec qui tu pourrais en parler ! Un Anglais. Digby Girling. Un type plutôt marrant, grassouillet, on dirait un ballon. Il y a quelques années, il a écrit un bouquin sur les seconds rôles qui ont participé à la découverte de la tombe de Toutankhamon. Je suis pratiquement sûre qu'il y parle de Pinsker. Digby pourrait peut-être t'en apprendre plus sur lui.

— Et tu sais où je pourrais le trouver ?

— Il relève de la Birkbeck University, à Londres, mais en cette saison il est probablement en train de donner des conférences sur les bateaux de croisière sur le Nil.

Khalifa en prit note mentalement, puis consulta sa montre. Il était plus tard qu'il ne croyait.

— Je n'ai pas vu le temps passer. Je n'aime pas… Tu sais… Zenab.

— Je comprends, Youssouf, dit-elle en lui pressant le bras. Je suis désolée de ne pas avoir été plus utile.

— Tu m'as beaucoup aidé !

— Au moins, je t'ai réhydraté, répliqua-t-elle en désignant sa bouteille de limonade. Tu veux que je te dépose à Dra Abou el-Naga ? demanda-t-elle avec un coup d'œil à sa moto.

Khalifa déclina son invitation, mais elle insista, mentant effrontément en prétendant qu'elle devait y aller de toute façon. Ravalant sa fierté, Khalifa finit par se laisser convaincre.

— Merci !

— Merci à toi ! Ce n'est plus si souvent que j'ai l'occasion de me promener avec un beau jeune homme en croupe.

Elle alla fermer la grille qui interdisait l'accès à la tombe, puis tous deux descendirent cahin-caha jusqu'à la route bitumée qui reliait la Vallée des Rois aux plaines cultivées en contrebas. Il trouvait agréable de rouler ainsi, le visage dans le vent. Puis, plutôt que de le laisser à Dra Abou el-Naga, elle l'emmena jusqu'au ferry de Gezira, où ils se dirent au revoir.

Khalifa paya les cinquante piastres de la traversée et embarqua, en se repassant mentalement tout ce qu'il savait sur Samuel Pinsker : le viol de la jeune femme, sa fin atroce, l'endroit mystérieux qu'il avait découvert. Ce n'est qu'une fois débarqué sur l'autre berge, en grimpant les marches qui menaient à la Corniche, qu'il s'arrêta net.

Pour la première fois depuis neuf mois, il était allé sur l'eau sans penser à son fils Ali. Il fit demi-tour et porta les yeux sur le fleuve, choqué, ne sachant s'il devait se réjouir d'avoir momentanément oublié son chagrin ou être horrifié à l'idée que son fils commençait à lui échapper.

TEL-AVIV

Ben-Roï déposa Zisky dans le centre de Tel-Aviv, puis téléphona à Nathan Tirat pour lui demander s'il n'avait pas envie de boire un coup. Ben-Roï comptait profiter de l'occasion pour lui poser des questions sur Barren. Tirat était charrette – une fascinante histoire de trou noir dans la comptabilité du fonds de pension de l'armée israélienne –, mais si Ben-Roï avait le temps d'attendre, il serait libre dans une heure. Comme rien ne l'obligeait à rentrer immédiatement à Jérusalem, l'inspecteur accepta, et ils se donnèrent rendez-vous dans un bar de la rue Dizengoff.

Il passa ensuite un coup de fil à Sarah et laissa un message sur son répondeur, puis, ayant une heure à tuer, il partit se promener sur le front de mer. Comme tous les samedis soir, l'endroit était grouillant de monde et les terrasses des cafés étaient bondées. Tel-Aviv n'était pas une ville différente de Jérusalem, c'était carrément un autre monde. Les gens étaient beaucoup plus détendus, moins stressés. Jérusalem semblait faire peser sur vos épaules le poids de toute son histoire, de son passé, de ses religions, de la situation politique palestinienne. Ici, sur la côte, ce fardeau n'existait pas, on avait presque l'impression qu'Israël était un pays normal. Il se demanda pour la énième fois ce qui l'avait poussé à partir d'ici.

Ben-Roï s'acheta une glace et s'engagea sur la promenade, la mer sur sa droite, les façades des hôtels formant une muraille de béton sur sa gauche. Il déambula une vingtaine de minutes entre les joggeurs, les passants et les groupes de danseurs de salsa, en songeant à la direction que son existence avait prise depuis qu'il vivait à Jérusalem, à Sarah, au bébé… Il s'arrêta un instant pour écouter un quatuor à cordes qui jouait sous un palmier, avant de revenir sur ses pas, plus fatigué qu'il ne l'aurait cru par cette courte balade. Ses pensées revinrent à l'enquête. Grâce à la remarque de Zisky, il semblait clair que Genady Kremenko et Barren étaient liés d'une manière ou d'une autre. Par ailleurs, Kremenko était relié à Vosgi, et donc aux Arméniens. Quant à Nemesis Agenda et au voyage inexpliqué de Kleinberg à Mitzpe Ramon, on pouvait encore les faire cadrer dans le tableau en forçant un peu, même s'il restait à l'évidence des failles à combler.

Néanmoins, que faire avec les articles que Kleinberg avait consultés à propos des mines d'or et de Samuel Pinsker ? Les mines étaient liées à Barren, et plus indirectement à Pinsker, étant donné qu'il était ingénieur dans le génie civil. Et Pinsker suggérait l'Egypte, le point d'entrée du trafic. Malgré tout, ces deux histoires ne semblaient pas s'intégrer aux autres de façon naturelle.

Pinsker, en particulier, lui chatouillait les tripes. D'expérience, il savait que chaque enquête recèle au moins un élément bizarre, une pièce qui refuse de s'emboîter dans le puzzle, et Pinsker était cet élément. Ben-Roï avait espéré que Khalifa lui apprendrait quelque chose, mais cinq jours s'étaient écoulés et il n'avait pas eu de nouvelles de l'Egyptien, ce qui ne manquait pas de l'embarrasser. Il avait vraiment besoin de développer l'angle d'approche Pinsker, mais ne voulait pas mettre de pression sur Khalifa, pas avec tout ce que celui-ci endurait en ce moment. Il l'avait déjà appelé une fois en laissant un message sur son répondeur, sans susciter de réaction. Cependant, Ben-Roï ne pouvait pas attendre indéfiniment. Devait-il se lancer dans sa propre enquête ? Il se posait la question lorsque son portable sonna.

Tiens donc ! Khalifa ! Le Juif et le musulman sur la même longueur d'onde !

— Je pensais justement à toi, dit Ben-Roï en écartant de la main un vendeur ambulant qui tentait de lui fourguer un de ses chapeaux de paille.

— Pas en mal, j'espère ?

— Rien que de l'amour et des soleils couchants, mon ami.

Si la blague avait amusé Khalifa, il n'en montra rien, se contentant de s'excuser de ne pas avoir téléphoné plus tôt, en expliquant qu'il avait voulu parler à une ou deux personnes avant de contacter Ben-Roï. Puis il lui résuma ce qu'il avait appris : le viol, le meurtre qui en était résulté, la lettre de Carter, la mystérieuse découverte que Pinsker se vantait d'avoir faite, qui avait peut-être quelque chose à voir avec un labyrinthe. Si Ben-Roï s'était attendu à des révélations tonitruantes, il en était pour ses frais, et ce n'était pas la première fois au cours de cette enquête.

— Qu'est-ce que tout ça te suggère ? demanda-t-il une fois que Khalifa eut terminé.

— Je n'en sais vraiment rien, répondit l'Egyptien. Cette histoire de labyrinthe est intrigante, mais est-ce que ta victime s'y intéressait...

Il s'interrompit pour crier quelque chose en arabe sur un ton virulent.

— Désolé, des gamins qui traversent la route sans regarder.

Ben-Roï ébaucha un sourire, qu'il ravala en songeant aux réminiscences qu'un tel spectacle devait provoquer chez son ami. Il demanda plutôt à Khalifa s'il pensait qu'il existait un lien entre les deux meurtres : Louqsor en 1931, Jérusalem aujourd'hui.

— Je n'en vois aucun d'évident, à part le fait que les deux victimes sont juives, mais même cela semble... comment dire... plutôt mince, étant donné que les deux meurtres ont eu lieu à quatre-vingts ans d'écart. D'un autre côté, je ne connais pas tous les détails de l'affaire, alors peut-être que quelque chose m'échappe…

Il n'avait pas tout à fait tort. Ben-Roï ne lui avait communiqué qu'un bref résumé de la situation, en partie parce que sa hiérarchie aurait vu d'un mauvais œil qu'il dévoile les détails confidentiels d'une enquête à un tiers, qui plus est arabe. En partie aussi parce qu'il ne voulait pas entraîner Khalifa trop loin, ni qu'on puisse croire qu'il tirait profit de leur amitié.

En revanche, si Khalifa n'était pas correctement briefé, il pourrait ne pas voir certaines connexions. Des connexions vitales.

Ben-Roï hésitait, partagé entre le désir d'obtenir des réponses à ses questions et la réticence à mettre la pression sur son vieil ami. Ce fut Khalifa qui résolut le dilemme :

— Est-ce que tu pourrais m'envoyer plus d'infos ? demanda-t-il.

— Tu veux plus d'infos ?

— Pourquoi pas ? Je suis prêt à tout pour faire avancer la cause des bonnes relations entre Arabes et Israéliens.

Cette fois-ci, Ben-Roï eut un large sourire.

— Je t'envoie tout ça demain. Je préférerais que ça reste entre nous.

— Bien sûr ! A part dans mon interview à la télé, je n'en parlerai à personne.

Ben-Roï sourit de nouveau. Malgré tout, son vieil ami était encore là. Abîmé, couvert de bleus, mais encore là.

— J'ai peut-être une piste, poursuivit Khalifa. Un universitaire anglais. Apparemment, il aurait fait des recherches sur Pinsker et il pourrait peut-être combler quelques failles dans ce qu'on sait. Il donne des conférences sur le Nil, en ce moment. Je me suis renseigné sur son agenda : il semble qu'il doive accoster à Louqsor demain après-midi. J'irai lui dire un mot, voir ce qu'il peut m'apprendre.

— J'apprécie beaucoup, merci.

— Aucun problème.

— Vraiment ?

— Vraiment aucun problème !

Il ne semblait pas possible d'ajouter grand-chose, à propos de l'enquête en tout cas, aussi se turent-ils. Ben-Roï continuait à marcher le long du front de mer ; à Louqsor, Khalifa avait les yeux posés sur des portraits de famille dans la vitrine d'un magasin Fujifilm à l'angle d'Al-Medina et El-Mahdy. Sans qu'aucun d'eux puisse l'expliquer, ils avaient du mal à mettre fin au coup de fil.

— Comment va Zenab ?

— Comment va Sarah ?

Ils avaient parlé en même temps, et s'excusèrent en même temps aussi.

— Toi d'abord, dit Ben-Roï. Comment va Zenab ?

— Elle va bien... En fait, ce n'est pas vrai, reprit-il après un bref silence. Elle ne va pas bien du tout. Elle ne dort pas bien, elle fait des cauchemars et se réveille en pleurant. La mort d'Ali l'a gravement affectée. Elle nous a gravement affectés tous les deux.

Ben-Roï cherchait quelque chose de réconfortant à dire, mais ne trouva rien qui n'ait l'air vraiment désinvolte.

— Désolé, murmura-t-il.

— Les choses sont ce qu'elles sont, reprit Khalifa. On fait avec.

Sur l'une des photos dans la vitrine du Fujifilm, un garçon du même âge qu'Ali fixait l'objectif, impassible. Khalifa croisa son regard pendant quelques instants, puis poursuivit son chemin.

— Et Sarah ? Elle va bien, j'espère ?

— Très bien, répondit Ben-Roï.

En fait, elle avait été malade la nuit précédente, mais cela semblait anecdotique en comparaison des épreuves que les Khalifa traversaient, et il préféra ne pas en parler.

— Le bébé ?

— Très bien aussi, merci de poser la question.

Le silence s'installa de nouveau, sans que l'un ou l'autre ressente le besoin de le meubler pour souligner leur amitié. Ben-Roï s'arrêta devant le Crowne Plaza Hotel pour observer des danseurs qui valsaient au son d'un *ghetto blaster*, joyeux mélange de couples jeunes et vieux, gauches ou gracieux.

— C'est quoi, cette musique ? demanda Khalifa.

Ben-Roï lui décrivit la scène.

— J'aime bien ça, déclara Khalifa. Des gens qui dansent dans la rue. On ne fait pas ce genre de choses en Egypte, à part pendant le Zikr ou les révolutions. On danse toujours pendant les révolutions.

— Je déteste danser, avoua Ben-Roï. Les éléphants ont un meilleur sens du rythme que moi.

Khalifa gloussa. Un tout petit gloussement, mais un gloussement quand même.

— Zenab dansait tout le temps, avant, précisa-t-il après un nouveau silence. Dans notre ancien appartement. Quand je revenais du boulot, je trouvais souvent une cassette d'Amr Diab qui jouait à fond sur les enceintes et Zenab en train de sauter partout dans la maison. Elle adorait danser. Mais plus maintenant, malheureusement.

Sarah aurait su exactement ce qu'il fallait dire, pensa Ben-Roï. Elle avait un don pour cela, elle trouvait toujours les mots justes. Lui, en revanche, malgré toute sa bonne volonté, était dépourvu de ce talent. Pourtant, il sentait bien qu'il devait dire quelque chose.

— Un jour, elle redansera.

Ben-Roï se rendit compte de l'inanité de ces mots au moment même où il les prononçait. On aurait dit le titre d'une mauvaise chanson.

— *Inch Allah*, répondit simplement Khalifa.

Ils discutèrent encore quelques instants, puis raccrochèrent. Ben-Roï poursuivit sa promenade du côté de la marina, regardant d'un œil distrait les yachts et les hors-bord, et songeant qu'il était probablement le plus inutile des amis. C'est alors que le nom lui vint à l'esprit. Il resta un moment à le considérer, puis appela Sarah pour lui demander ce qu'elle en pensait.

— Je trouve que c'est une idée géniale ! s'exclama-t-elle. Mais si c'est une fille ?

Il n'avait pas de réponse à cette question. Et il avait la sensation qu'il n'en aurait pas besoin. Au plus profond de lui, il savait que ce serait un garçon. Il le savait, c'est tout.

Désert du Néguev

Elle avait lu sur Internet toutes les spéculations et les théories à propos d'eux et des liens qu'ils entretenaient avec Nemesis. Que des conneries. Il n'y avait pas eu de lutte de pouvoir au sein de Nemesis, pas de groupe dissident, et certainement pas d'agent infiltré par les gouvernements ou les multinationales pour se livrer à des provocations. En réalité, elle avait simplement envoyé un e-mail à Nemesis, par l'intermédiaire de leur site, pour demander des actions plus radicales, et on lui avait répondu d'y aller. Après quelques brefs échanges, l'aile militante de Nemesis Agenda était née. Aujourd'hui encore, elle était surprise de constater à quel point tout cela avait été simple.

Bien sûr, il y avait un contexte. Elle ne s'était pas réveillée un matin en se disant : Il faut baiser le système ! Tout cela avait poussé sur un terreau qui s'était constitué au fil des ans. Tout d'abord aux Etats-Unis, après sa fugue, quand elle passait d'un groupe de militants à un autre. Anticapitalistes, antiglobalisation, communistes, anarchistes, environnementalistes radicaux. Elle avait manifesté, chanté, agité des banderoles et participé à des émeutes, enterrant son passé et se reconstruisant une identité.

Puis, plus tard, en Israël, où elle avait fui après l'accident et où sa colère avait atteint une autre échelle. Sa honte aussi, même si elle savait qu'elle n'avait aucune honte à avoir. Ce n'était pas comme si elle avait réclamé tout ça. Rien n'était de sa faute.

C'était en Israël qu'elle avait rencontré Tamar, dans un panier à salade, arrêtée tout comme elle à la fin d'une manifestation, et par son intermédiaire elle avait connu Gidi et Faz. Ils partageaient une idéologie commune, certes, mais plus que leurs croyances, c'étaient leurs personnalités qui les avaient rapprochés, le fait qu'ils étaient tous guidés par une raison cachée, quelque chose de bien plus intime que la volonté de mettre des bâtons dans les roues du capitalisme. Faz, l'Arabe israélien dont la vie n'avait été qu'un long parcours du combattant parsemé de discriminations et d'une privation de ses droits civiques. Gidi, le conscrit calomnié pour avoir dénoncé les atrocités que l'armée israélienne commettait à Gaza. Tamar, fille de parents ultraorthodoxes qui lui reprochaient sa sexualité et l'avaient ostracisée. Chacun projetait sur le vaste tableau des injustices globales un peu de son propre vécu. Chacun, comme elle, avait ses démons secrets, et chacun, comme elle, cherchait à les exorciser.

Plus important encore, ils en étaient tous venus à la conclusion que les façons de protester habituelles – les manifestations, les sit-in, les pétitions – étaient une véritable perte de temps. Ils étaient en guerre, et les guerres ne se gagnent qu'en faisant usage de la violence.

Alors, ils avaient commencé à travailler ensemble. De petites opérations pour commencer, l'effraction d'un bureau par-ci, le déclenchement d'un incendie par-là. Puis les missions étaient devenues plus complexes. Le sabotage d'un pipeline au Nigeria ; un attentat à la bombe dans une usine de munitions en France ; l'enlèvement et la fausse exécution d'un des plus grands spéculateurs sur les denrées alimentaires, un Américain dont les manipulations sur les marchés avaient rapporté des millions à sa banque d'investissement à Wall Street en condamnant à la famine tout autant de millions d'êtres humains en Afrique et en Inde. Ils déplaçaient le champ de bataille chez l'ennemi.

Ensemble, ils travaillaient bien, ils formaient une bonne équipe, très soudée. Faz récupérait les infos sur son ordinateur, Tamar s'occupait de la logistique, Gidi fournissait les armes.

Et elle ? Elle était le cerveau du groupe. Même les collectifs ont besoin d'un chef, et elle était ce chef, indiscutablement.

C'était elle qui choisissait les missions, qui planifiait tout dans les moindres détails, elle aussi qui s'était rendu compte très vite que les missions ne suffiraient jamais. Pour chaque cible qu'ils visaient, il en existait mille qui le méritaient tout autant et qui restaient indemnes. Leur groupe était trop petit. Une goutte dans l'océan. Parce qu'en fin de compte ce n'était pas tant la violence en tant que telle qui importait, mais ses répercussions, l'inertie qu'elle générait. Et leur groupe n'en générait aucune.

Voilà pourquoi elle avait proposé aux autres de s'associer avec Nemesis Agenda, de profiter de la notoriété de leur site pour donner à leurs actions un retentissement qu'ils n'obtiendraient jamais tout seuls, quel que soit le nombre de dirigeants qu'ils terroriseraient ou d'installations qu'ils feraient sauter. Au début, les autres s'étaient montrés sceptiques, mais elle avait insisté, en soulignant que Nemesis disposait déjà d'une large audience, et que par leur intermédiaire ils parviendraient peut-être enfin à faire bouger les choses. Il lui avait fallu faire preuve de persuasion, mais elle avait fini par imposer son point de vue.

Ils s'étaient filmés en train de placer une bombe dans des bureaux à Tel-Aviv, en guise de carte de visite, et avaient posté la vidéo sur le site de Nemesis en leur proposant une alliance. Pendant un mois, ils n'avaient pas eu de nouvelles. Puis, un soir, alors qu'elle était assise avec Faz devant l'ordinateur, l'écran s'était subitement éteint. Avant que Faz ait eu le temps de déterminer ce qui n'allait pas, un petit point était apparu au milieu de l'écran, puis s'était mis à grossir jusqu'à former les lettres d'un message : *PROPOSITION ACCEPTÉE. NOUS COMBATTRONS ENSEMBLE.*

Le contact était établi. Pas plus compliqué que ça.

Elle n'avait jamais vraiment su qui étaient les types derrière Nemesis. Deux ou trois geeks dans un coin obscur quelque part ? Un réseau mondial de militants ? Chacun pouvait croire ce qu'il voulait, mais rétrospectivement, elle soupçonnait les gens de Nemesis de l'avoir à œil depuis un bon bout de temps. En fait, depuis qu'elle était entrée dans le mouvement, elle avait la sensation d'être observée. Ça lui arrivait encore aujourd'hui, même au milieu du désert. Elle tentait de ne pas s'en préoccuper. Après tout, elle était dedans, maintenant, et c'était tout ce qui comptait. Servir la cause au mieux de ses capacités. Punir ceux qui le méritaient. Agresser les agresseurs.

Par la suite, les rapports entre Nemesis et eux furent réduits au strict minimum. Ils effectuaient leurs missions, postaient leurs vidéos sur le site de Nemesis, et c'était à peu près tout. Son groupe se concentrait sur les actions de terrain, et Nemesis s'occupait des aspects informatiques, en fournissant de temps à autre des pistes ou des suggestions. En outre, grâce aux talents de Faz, le groupe pouvait aussi lancer ses propres cyberattaques sans passer par Nemesis. Il n'y avait pas vraiment de règle. Ils combattaient ensemble, point.

Il n'y avait qu'un seul sujet pour lequel les rôles étaient clairement établis : Barren. La multinationale était pour elle. Elle avait insisté sur ce point dès le début. Nemesis ne devait pas y toucher. Si Barren devait boire la tasse, il fallait que ce soit grâce à elle. Parce qu'en fin de compte c'était de cela qu'il s'agissait, et de rien d'autre. C'est quand Nemesis avait piraté le réseau informatique de Barren qu'elle les avait remarqués, et c'était Barren qui occupait ses pensées, jour et nuit, spécialement depuis le meurtre de la cathédrale. A Barren, tout était pourri, et tous les chemins menaient là-bas. Barren était sa raison cachée. Elle l'avait toujours été, et le resterait à jamais.

— Merde !

Elle écrasa la pédale de frein. Le Land Cruiser dérapa sur le bitume chaud. Elle était tellement absorbée dans ses pensées qu'elle avait loupé l'ouverture dans le grillage. Elle fit demi-tour en grommelant, roula pendant un kilomètre le long de la Route 10 et se rangea sur le bas-côté, juste devant les barbelés qui marquaient la frontière. De ce côté-ci, le Néguev et Israël, de l'autre, l'Egypte et le Sinaï. Le gouvernement avait le projet de rendre cette frontière moins perméable aux trafiquants de drogue ou de sexe en érigeant des postes de surveillance et des barrières électriques sur les deux cent quinze kilomètres qui séparaient Eilat de Gaza. Néanmoins, ils n'avaient pas commencé à travailler sur ces zones désertiques, et pour l'instant on pouvait encore la franchir sans trop de difficulté. Pour cette mission, elle était venue toute seule. Souvent, lorsqu'il s'agissait de Barren, elle préférait travailler en solo.

Elle sortit de la voiture pour examiner les alentours. Aucun signe de vie. Elle aurait tout aussi bien pu se trouver sur Mars. Elle patienta une bonne minute, puis se dirigea vers le grillage et écarta le bout qu'ils avaient découpé. Ensuite, elle passa de l'autre côté avec le Land Cruiser, remit le grillage en place, fixa des plaques égyptiennes sur la voiture et repartit. Le Caire se trouvait à presque quatre cents kilomètres, et elle voulait faire l'aller-retour avant l'aube.

Tel-Aviv

— Tu crois que la Barren pourrait être impliquée dans un réseau de traite des Blanches ?

Nathan Tirat faillit s'étrangler avec sa Goldstar.

— C'est une blague, ou quoi ?

— Je sais que ça semble peu probable, mais…

— C'est pas « peu probable », c'est complètement surréaliste, tu veux dire !

Tirat se balançait sur sa chaise, sa bouteille de bière à la main.

— Enfin, Arieh ! C'est une boîte avec un chiffre d'affaires de quarante ou cinquante milliards de dollars ! Dix milliards de bénéfices par an, et c'est une estimation basse. Ils sont vraisemblablement plus près des vingt milliards, en fait. Et tu suggères qu'ils compléteraient ces revenus avec une petite activité annexe, et accessoirement illégale, à savoir la prostitution ?! Tu trouves que ça tient debout ?

Ben-Roï était bien obligé d'admettre qu'il n'y croyait pas trop lui-même.

— Cela dit, ça ferait une bonne histoire, poursuivit Tirat. Un grand article : « Des prostituées en Terre sainte, une multinationale impliquée dans le scandale ! » s'exclama-t-il en dessinant la une dans les airs avec un grand geste. Un scoop comme ça ferait décoller ma carrière, c'est sûr. Je serais tranquille pour le restant de mes jours.

Ben-Roï lui conseilla de ne pas trop compter là-dessus. Ils étaient installés à la terrasse d'un bar dans la rue Dizengoff, entourés de gens plus jeunes qu'eux d'au moins dix ans, qui sirotaient des cocktails à la mode dans des fringues à la mode et profitaient des derniers rayons de soleil avant d'aller passer la nuit en boîte. Ben-Roï avait la trentaine, mais dans cet environnement il avait l'impression d'être déjà sur la pente descendante. Pas autant que Tirat, toutefois, qui avec son gros bide, sa veste en cuir et ses cheveux grisonnants rassemblés en queue-de-cheval ressemblait à la relique d'un groupe de rock des années 1970 qui n'aurait jamais connu le succès.

— Tu n'as jamais entendu des rumeurs selon lesquelles la Barren aurait trempé dans un truc louche ? N'importe quel truc ?

Le regard de Tirat avait dérivé vers le décolleté généreux de la fille installée à la table d'à côté. Ben-Roï dut répéter sa question pour parvenir à récupérer son attention.

— Ton collègue m'a demandé la même chose, l'autre jour, au téléphone...

— Et ?

— Et rien. Du moins, personne n'a jamais pu prouver quoi que ce soit contre Barren. C'est une multinationale, alors je serais surpris qu'il n'y ait vraiment rien de rien. Ces boîtes-là font toujours de la comptabilité créative, des petits arrangements avec les lois sur l'environnement ou des révélations *off-the-record* sur leurs concurrents... Comme je l'ai dit à ton collègue, elles sont là pour faire du fric, pas pour remporter le prix de camaraderie.

Il vida sa Goldstar en deux longues gorgées et la posa à côté de la précédente.

— D'ailleurs, c'est un bon petit gars, ton collègue ! ajouta-t-il. Il est intelligent, tu devrais essayer de le garder, celui-là. Il pourrait t'aider à résoudre des affaires.

Tirat alluma une cigarette en jetant un nouveau coup d'œil au décolleté de la fille.

— Barren a la culture du secret, ça c'est sûr. Même pour une multinationale. Ils surveillent leur image avec attention, et n'aiment pas trop qu'on leur pose des questions. Comme ils ne sont pas cotés en Bourse, ils restent imperméables aux audits que pratiquent les autorités de régulation des marchés. Alors, qui sait, ils ont peut-être quelques cadavres dans leurs placards, mais franchement, Arieh, je ne les vois pas du tout en train de se lancer dans la traite des Blanches. Ou dans l'assassinat, si c'est là où tu veux en venir.

Il leva les sourcils, mais Ben-Roï ne répondit pas à sa question muette, se contentant de siroter sa bière. Deux femmes soldats de la brigade Guivati passèrent en flânant, leur M-16 accroché dans le dos, des sandales aux pieds. A Jérusalem, les militaires faisaient partie du décor. Ici, ils détonnaient plus. Ben-Roï les suivit un instant du regard, avant de reprendre la conversation.

— Apparemment, Barren a de l'influence, politiquement parlant, dit-il en modifiant son angle d'approche. Des amis haut placés...

— Tu parles d'un scoop, répliqua Tirat. Toutes ces multinationales ont leurs entrées dans les coulisses du pouvoir. Cela dit,

Barren semble particulièrement bien en cour. En fin de compte, c'est assez simple : l'argent achète l'influence. Et Barren a beaucoup d'argent. Enormément. D'après ce que j'ai pu entendre, ils ont la moitié de la Knesset sur leurs fiches de paye. Et la moitié du Congrès, aussi, si l'on en croit la rumeur.

— Tu sais quelque chose à propos des contrats qu'ils ont en Egypte ?

— Rien de plus que ce que j'ai déjà dit à ton collègue.

— Et le grand manitou. Sa femme était israélienne, non ?

— Oui. Ils se sont rencontrés au cours d'une fête à l'ambassade, à Washington. Elle était attachée culturelle. Il paraît qu'il lui a envoyé des fleurs tous les jours pendant un an avant qu'elle accepte de l'épouser. Elle est morte dans un accident de voiture, il y a des années. Il ne s'en est jamais remis, d'après ce qu'on dit.

— Et le fils ? Dov me dit que ce n'est qu'un petit voyou.

— Plus que petit, grommela Tirat. Accro à la poudre, violent, il cogne des prostituées, un habitué des magazines people. Même si, pour être franc, j'ai aussi entendu dire qu'il est beaucoup plus intelligent que ce qu'on croit et que ses conneries ne sont qu'une simple façade.

Il prit quelques amandes dans une soucoupe sur la table.

— En fait, personne ne sait vraiment ce qu'il vaut. Et c'est vrai pour les autres membres du staff. Beaucoup de spéculations, beaucoup de rumeurs, mais peu de faits… Le secret dont ils entourent leurs pratiques commerciales n'est rien à côté de celui qui préside à leur vie privée. Pratiquement personne ne savait qu'il y avait un fils jusqu'à ce qu'il se pointe au conseil d'administration, il y a dix ans. Il avait été scolarisé sous un nom d'emprunt et tenu bien à l'écart des projecteurs. Quand on est riche à ce point, on peut s'acheter de l'influence, certes, mais aussi beaucoup de discrétion.

Tirat pencha la tête en arrière, engloutit toutes les amandes d'un coup et se mit à mâcher vigoureusement.

— Le fils vient souvent en Israël, si ça peut t'être utile.

— Pour affaires ?

— Oui, si sniffer de la coke et baiser des putes, ce sont des affaires. Il a un penthouse à Park Heights. Le QG de la vie nocturne, si ce qu'on raconte est vrai.

Ben-Roï s'attarda sur ce que Tirat venait de lui apprendre. Cela créait un lien entre la Barren et la prostitution. Genady Kremenko fournit les putes à l'héritier de l'empire, Rivka Kleinberg l'apprend et menace de tout révéler, Barren junior vient à Jérusalem, suit Kleinberg jusqu'à la cathédrale, la défie, perd son sang-froid…

Encore un scénario qui cadrait avec certaines infos, mais pas avec l'ensemble. Il y avait toujours quelque chose qui clochait.

— Il y a un petit mystère qui pourrait peut-être t'intéresser... reprit Tirat.

— Dis toujours !

— C'est en rapport avec l'accident de voiture, celui qui a causé la mort de la femme de Nathaniel Barren.

— Et ?

— Le coroner avait conclu à une mort accidentelle.

— Et ?

— Eh bien, ça laissait pas mal de questions sans réponse.

— Comme quoi ?

Nathan tira une bouffée sur sa cigarette avant de répondre.

— Comme : pourquoi donc une voiture qui sortait tout juste de chez le garagiste a-t-elle fait une embardée, en plein jour, sans raison apparente, pour aller s'encastrer dans un poteau télégraphique ?

Il jeta son mégot par terre.

— C'est ta tournée, je crois bien !

Le Caire

Dès qu'il eut rejoint l'appartement que la société louait pour lui à Gezira, Chad Perks traversa le salon et sortit sur le balcon. Il se pencha à la rambarde pour contempler le Nil, lâcha un pet sonore et, comme il le faisait une douzaine de fois par jour, pensa que la vie était belle.

Directeur régional pour l'Afrique du Nord chez Barren... un poste dont l'intitulé était plus imposant que le travail qu'il dissimulait. Tous les détails des contrats étaient négociés à Houston. Le rôle de Chad était plutôt celui d'un préposé aux relations publiques. En tant que directeur de l'antenne du Caire, il rencontrait les gros bonnets égyptiens et les emmenait dîner dans des restaurants hors de prix – comme ce soir chez Justine –, il payait les gens qu'il fallait payer et se rendait une fois par mois à Louqsor pour surveiller les travaux dans le nouveau musée, dont l'inauguration devait avoir lieu dans quinze jours. Chad était le visage de la Barren sur le terrain, en quelque sorte. Ses yeux et ses oreilles, aussi. Avec tous les espoirs qu'elle plaçait dans la concession de gaz saharienne, la Barren tenait absolument à surveiller de près l'évolution de l'atmosphère politique en Egypte, surtout depuis qu'on avait foutu Moubarak à la porte. Et Chad Perks était le meilleur lorsqu'il s'agissait de surveiller de près l'évolution des choses. Si le contrat était signé, il aimait à penser que son rôle aurait été aussi important que celui des gens qui s'occupaient des alinéas en petits caractères. Un fait que soulignait le bonus gratifiant qu'on allait lui verser une fois que le document serait paraphé.

Une indemnité d'expat très généreuse, une bonne grosse cotisation retraite, un appartement luxueux avec vue sur le Nil, un titre ronflant : ouais, la vie était vraiment belle.

Du moins jusqu'à ce que quelqu'un surgisse, lui passe un lacet autour du cou et le tire à l'intérieur, le projetant à terre.

Chad Perks avait de nombreuses qualités, mais le courage n'en faisait pas partie. Il se débattit pendant quelques instants, plus par instinct que par une volonté délibérée de combattre son assaillant, puis son corps devint flasque. Il perçut une vague odeur musquée, du parfum ou du déodorant, et ses yeux s'arrêtèrent, de façon plutôt incongrue, sur l'enseigne du Ramsès Hilton, de l'autre côté du fleuve. Subitement, il se retrouva face contre terre, et le lacet qui l'étranglait avait disparu. Il se recroquevilla et entre deux quintes de toux tenta de dire « S'il vous plaît, ne me faites pas mal ! » en arabe, mais les langues n'étaient pas non plus le point fort de Chad.

Cependant, il avait tort de s'inquiéter. Lorsque son assaillant parla, ce fut en anglais. Le fait que ce soit la voix d'une femme lui redonna une brève bouffée d'espoir, aussitôt dissipée par le contact d'un pistolet contre sa tempe.

— Je veux savoir ce que ta société fabrique ici, en Egypte ! cracha la voix. Dans tous les détails ! Et si tu essaies de me raconter des conneries, je fais sauter ta putain de cervelle.

Chad lui assura qu'elle pouvait compter sur sa coopération pleine et entière.

— Très bien. Alors parle !

Chad se mit à parler.

JÉRUSALEM

Le dimanche matin, Ben-Roï se leva de bonne heure. Il rédigea vite fait quatre pages qui récapitulaient tous les points importants de l'affaire et les envoya à Khalifa par e-mail. Ensuite, juste comme ça, il fit une recherche sur Internet à propos de l'accident de voiture où la femme de Nathaniel Barren avait trouvé la mort, sans apprendre grand-chose de plus que ce que Nathan Tirat lui avait dit. Au nord de Houston, la voiture avait fait une sortie de route et s'était encastrée dans un poteau télégraphique. La femme était morte sur le coup. Un témoin prétendait avoir vu quelqu'un d'autre dans la voiture peu avant l'accident, mais personne n'avait pu corroborer cela, et l'enquête avait conclu que l'accident n'était que cela : un accident. Au bout de quarante minutes de surf sur le Net, Ben-Roï décida que cette piste ne le menait nulle part – cela semblait se produire souvent, dans cette enquête – et éteignit son ordinateur. Il appela Dov Zisky pour le prévenir qu'il serait en retard, acheta un bouquet de roses chez le fleuriste en bas de chez lui et partit à pied chez Sarah.

— Que me vaut le plaisir ? dit-elle en ouvrant.

— J'avais envie de te voir.

Il tira les fleurs cachées derrière son dos.

— J'ai eu beaucoup de boulot ces derniers temps… Je me suis dit qu'on pourrait prendre le petit déj' ensemble, et ensuite, je peux te déposer à l'école.

— Je commence à midi.

— Super ! On peut passer la matinée ensemble.

Elle lui jeta un regard soupçonneux.

— Ça ne te ressemble pas, Arieh.

— Qu'est-ce qui ne me ressemble pas ?

— Prendre une matinée de congé en plein milieu d'une enquête. Il se passe quelque chose ?

A son ton, Ben-Roï se rendait compte qu'elle le taquinait, plus qu'elle ne recherchait le conflit.

— Allez ! poursuivit-elle. Avoue ! Tu as fait quelque chose. Ou alors, tu veux quelque chose.

— Je veux juste passer un moment avec toi et Bubu. Vous m'avez manqué, tous les deux.

Ce qui était vrai. Quelque chose dans cette affaire – peut-être les trafiquants sexuels, ou la disparition brutale du fils de Khalifa – semblait toucher une corde sensible chez lui. La veille, en rentrant de Tel-Aviv, il s'était couché en pensant à Sarah et au bébé. Il aurait aimé qu'ils soient là, à côté de lui, et s'en voulait que ce ne soit pas le cas. En général, et plus particulièrement quand elles se révélaient aussi intenses que celle-ci, les enquêtes avaient tendance à vous éloigner des gens que vous aimiez le plus. Dans le cas présent, elle semblait au contraire le rapprocher des siens. Plus il y pensait, plus il se disait qu'ils devraient réessayer. Que lui-même devrait réessayer. Après tout, c'est lui qui avait tout foutu en l'air.

— Tu ne vas pas prendre ces roses ?

— Bien sûr que si ! Merci. Elles sont magnifiques.

— Et j'ai autre chose. Regarde !

Il sortit son portable et l'agita devant elle comme s'il allait faire un tour de magie. Avec un grand geste, il fit décrire un arc de cercle à son index et pressa le bouton « off » en s'exclamant : « Ta-Ta ! » Elle éclata de rire et le prit dans ses bras. Le contact du ventre rebondi de Sarah contre son estomac lui parut fantastique.

— J'ai toujours cru que j'avais plus de chances de voir le grand rabbin manger un cocktail aux crevettes que de te voir faire ça !

— Comme quoi, les miracles, ça existe ! Je peux te préparer un petit déjeuner ?

— Oui, je t'en prie.

C'est ce qu'il fit. Son omelette espagnole finit par évoluer vers des œufs brouillés et ses toasts déclenchèrent l'alarme anti-incendie de la cuisine en brûlant. Elle le taquina sur ses aptitudes culinaires, s'attirant des remarques sur les gens qui mordent la main qui les nourrit. C'était le genre de plaisanteries qu'ils échangeaient tout le temps auparavant et qui depuis un an lui manquaient cruellement. Dieu qu'elle était jolie !

Quand ils eurent fini de manger – sur le balcon, dans une ambiance un peu étrange, comme celle d'un premier rendez-vous –, il accomplit son deuxième miracle de la matinée en faisant la vaisselle.

— Mais qui est donc cette fée du logis ! s'exclama-t-elle en feignant la stupéfaction.

— Pas moi, en tout cas. Il doit y avoir un intrus chez toi. Tu devrais appeler les flics.

Ils éclatèrent de rire. Le plus joli son du monde.

Ensuite, elle s'allongea sur le canapé pour qu'il puisse poser la main sur son ventre et sentir son bébé, apparemment en plein milieu d'une séance de gymnastique rythmique. Puis elle suggéra qu'ils aillent lui acheter des vêtements au Manilla Mall. Ben-Roï détestait le shopping, activité qu'il plaçait au même niveau que remplir sa déclaration d'impôts. Il affronta l'épreuve avec courage, heureux de passer du temps avec Sarah, même si cela impliquait de faire le pied de grue pendant deux heures tandis qu'elle examinait une par une toutes les grenouillères de Jérusalem.

« Tu es sûr que ça ne t'ennuie pas ? demandait-elle sans arrêt.

— Pas du tout ! » mentait-il à chaque fois.

Peu avant midi, il la conduisit jusqu'au centre de loisirs qu'elle dirigeait, à Silwan, un quartier arabe surpeuplé, sur un flanc de colline au sud de la vieille ville. C'était un centre expérimental qui essayait d'intégrer des enfants israéliens et palestiniens en les encourageant à jouer ensemble. Quatre ans plus tôt, il était fréquenté par une trentaine d'enfants, mais aujourd'hui, leur nombre était tombé à douze, ce qui en disait long sur l'évolution du processus de paix.

— Que se passe-t-il avec les colons ? demanda Ben-Roï en s'engageant sur la pente abrupte de Wadi-Hilwa.

— La merde habituelle, qu'est-ce que tu crois ?

Un groupe de colons ultraorthodoxes, financé comme la plupart du temps par des capitaux américains, avait acheté la maison mitoyenne au centre et n'arrêtait pas de créer des problèmes depuis son emménagement.

— L'autre jour, l'un d'eux a balancé un sac rempli de pisse dans notre cour ! dit-elle. Il a failli tomber sur un des enfants. Un enfant juif, nom de Dieu !

Elle secoua la tête, dégoûtée.

— Cela dit, il faut rendre à César ce qui est à César ! La semaine dernière, un groupe de jeunes Palestiniens a lancé une bombe incendiaire sur notre minibus.

Ben-Roï n'en avait rien su. Il avait été tellement pris par son travail qu'il n'avait même pas songé à demander à Sarah des nouvelles du sien.

— Au moins, grâce à toi, les cinglés des deux camps sont enfin d'accord, dit-il pour plaisanter.

Sa blague tomba à plat.

— Pour être franche, je ne pense pas que nous allons pouvoir continuer très longtemps. A une époque, on avait l'impression que ça allait fonctionner, mais aujourd'hui, quand on voit ce qui se passe… Les fous sont en train de prendre le contrôle de l'asile, Arieh. Ils l'ont déjà pris. Dans les deux camps. Parfois, je me demande si j'ai envie que mon enfant grandisse dans ce pays.

Ben-Roï ralentit et lui donna la main.

— Notre enfant va avoir le plus beau foyer du monde, Sarah. Le plus heureux et le plus sûr ! Je te le promets ! De tout mon cœur.

Ils échangèrent un long regard, puis elle se pencha et l'embrassa sur la joue.

— Je t'aime, Arieh. Tu me rends chèvre, mais je t'aime. Maintenant, allons-y, parce que je vais être en retard.

Il lui passa affectueusement une main dans les cheveux, puis, lorsqu'ils arrivèrent devant l'école, un bâtiment en béton avec des fenêtres grillagées et une porte en acier recouverte de graffitis, il descendit de la voiture et l'accompagna jusqu'à l'entrée, sans prêter attention au drapeau israélien géant qui déployait ses couleurs blanc et bleu sur le toit de l'immeuble voisin. Sarah appuya sur la sonnette. Deux enfants arabes passèrent, juchés sur un âne émacié, tandis que la voix amplifiée d'un muezzin résonnait, appelant les croyants à la prière de midi. Elle prit les mains de Ben-Roï dans les siennes.

— Merci pour cette matinée magnifique, dit-elle en se mettant sur la pointe des pieds pour lui faire un bisou sur le bout du nez.

— Merci à toi.

— On devrait faire ça plus souvent.

— C'est sûr.

— Les toasts étaient délicieux.

— Oh ! Dégage !

Ils éclatèrent de rire. Ben-Roï aurait voulu dire quelque chose de plus substantiel, lui expliquer à quel point elle comptait pour lui, à quel point il voulait partager un avenir avec elle, mais avant qu'il ait pu s'exprimer, le portail s'ouvrit. Sarah leva les yeux au ciel : elle avait peut-être pensé la même chose...

— Appelle-moi, dit-elle.

— Bien sûr.

— Salut, papa, murmura-t-elle en pressant doucement son nombril contre celui de Ben-Roï.

La porte en acier se referma derrière elle avec un bruit métallique, et Ben-Roï resta quelques instants les yeux fixés dessus, songeant que la vie serait vraiment plus simple s'il avait un boulot normal, un emploi qui ne lui encombre pas en permanence l'esprit avec des meurtres, de la violence et des malheurs. Finalement, il secoua la tête et retourna à sa voiture en sortant son téléphone. Lorsqu'il le ralluma, une série de bips lui signala la présence de messages. Beaucoup de messages. Il fronça les sourcils : quelque chose avait dû se passer.

A l'intérieur de l'école, Sarah discutait dans la cour avec sa collègue Deborah, lui racontant la bonne matinée qu'elle venait de passer et suggérant qu'elle pourrait peut-être envisager de faire une nouvelle tentative avec Ben-Roï. Soudain, elle entendit une voix familière de l'autre côté du mur d'enceinte :

— Oh, non ! Non ! Non ! Sombre crétin ! Mais qu'est-ce que tu fous ?

Le sourire de Sarah s'estompa.

— Ça n'a pas duré très longtemps, lâcha-t-elle en soupirant.

Ben-Roï traversa la ville comme un malade, pied au plancher, sirène hurlante, et rejoignit Kishle en à peine cinq minutes. La place Omar-ibn-al-Khattab était bondée : plusieurs centaines d'Arméniens manifestaient et hurlaient des insultes devant la rangée de policiers en uniforme qu'on avait déployée pour les empêcher d'investir le poste de police, sous le regard d'une foule de journalistes, de photographes et d'équipes télé. C'est plus ou moins ce qu'il s'était attendu à trouver, étant donné que l'archevêque Armen Petrossian venait d'être arrêté pour le meurtre de Rivka Kleinberg.

Zisky l'attendait sur le parking.

— C'est un coup de Baum, non ? hurla-t-il en sortant de sa voiture. C'est Baum qui est derrière tout ça !

— Il a fait jouer son grade, confirma Zisky. Il prétend qu'il a assez de preuves pour le mettre en examen.

— Mais quelles preuves, nom de Dieu ?

Zisky ne connaissait pas les détails, il savait simplement que le superintendant Baum affirmait qu'il avait un dossier en béton.

— Connaissant les antécédents de Baum, son dossier va plutôt couler comme un bloc de béton, oui ! Où est Leah ?

Apparemment, on l'avait renvoyée se calmer chez elle. Shalev avait pété un plomb lorsqu'elle avait eu vent de ce qui se passait. Ben-Roï donna un grand coup de poing sur le toit de sa Toyota, puis traversa le parking à grands pas, Zisky sur ses talons.

— Et le commandant Gal ?

— A l'autre bout de la ville, en train de faire son rapport au ministre.

— Putain de merdier ! Il y a une communauté, dans cette ville, qui se tient tranquille. Une seule ! Et ce crétin se débrouille pour les transformer en émeutiers. Sous les yeux de la presse ! Mais quel con !

Ben-Roï se rua dans le bâtiment. Uri Pincas, Amos Namir et le sergent Moshe Peres étaient affalés sur leurs chaises, les pieds sur leur bureau. Ils semblaient convaincus que la messe était dite.

— Sympa de ta part…

— Où est Baum ? aboya Ben-Roï, coupant la parole à Pincas.

— … de passer nous voir, termina cependant celui-ci. Baum est là-haut. Au téléphone avec la presse.

— Ça, je veux bien le croire ! gronda Ben-Roï en ressortant aussitôt.

En repassant dans la cour, il constata que la foule se pressait désormais contre les grilles qui protégeaient le poste de police et que le cordon d'agents en uniforme peinait de plus en plus à la contenir.

— Vous voulez que je vienne avec vous ? demanda Zisky, qui le suivait toujours.

Ben-Roï fit volte-face.

— Ce que je voudrais, c'est que tu me trouves un type qui s'appelle George Aslanian. C'est le patron de la Taverne arménienne. Tout le monde le connaît. Dis-lui que je suis sur l'affaire et demande-lui s'il peut faire quelque chose pour calmer ces gens-là. OK ?

— OK.

— Et emmène une paire d'uniformes avec toi. Je ne voudrais pas qu'il arrive quoi que ce soit à ta jolie petite gueule.

Il donna une bourrade amicale au gamin, puis gravit quatre à quatre les marches de l'escalier menant au bureau de Baum.

Celui-ci était assis au téléphone, sanglé dans un uniforme repassé avec soin, la feuille et l'étoile de sa *Sgan Nitzav* brillant sur ses épaulettes. Baum avait toujours suinté l'autosatisfaction, mais ce matin, tandis qu'il déclarait n'avoir aucun commentaire à faire sinon que la police ne cherchait pas d'autre suspect dans l'affaire du meurtre de Kleinberg, c'était pire. Ben-Roï traversa la pièce et coupa la communication d'un geste rageur.

— Mais vous vous croyez où ? glapit Baum, outragé. J'étais en ligne avec le *Jerusalem Post*...

— Qu'ils aillent se faire foutre ! dit Ben-Roï en se penchant pardessus le bureau de Baum. Qu'est-ce qui se passe, bordel ?

Baum mit un certain temps à retrouver sa voix, sa bouche adipeuse se tordant dans tous les sens tandis qu'il essayait de contrôler sa colère.

— Ce qui se passe, inspecteur Ben-Roï, c'est que je suis en train de résoudre cette affaire de meurtre. Ce que vous n'avez pas fait depuis dix jours que vous êtes dessus...

— Petrossian ! s'exclama Ben-Roï. Un prêtre de soixante-dix ans ! On peut savoir comment vous arrivez à cette conclusion ?

— Par un processus méticuleux : je réunis des preuves et je vois où elles me mènent...

— Oh, épargnez-moi vos conneries, Baum !

— Et vous, montrez-moi un peu plus de respect...

— Allez vous faire foutre !

— Vous, allez vous faire foutre !

Baum s'était levé, et les deux hommes se défiaient du regard. Un jeune agent en uniforme avança la tête par l'embrasure de la porte en demandant ce qui se passait.

— Barrez-vous ! gueula Baum.

Il traversa la pièce, claqua la porte et retourna à son bureau.

— Vous feriez bien de vous contrôler, Ben-Roï. Me parler comme ça ! Vous avez vraiment intérêt à vous reprendre si vous ne voulez pas que je vous sanctionne !

— Je suis mort de trouille !

— Vous devriez ! Vous êtes une honte pour la police. Vous et votre petit pédé de collègue...

— Ne vous avisez pas de...

— Vous ! Ne vous avisez pas de continuer !

— Vous êtes un fou dangereux !

— Surveillez vos propos...

— Un dingue !

Les invectives continuèrent pendant un certain temps, puis les deux finirent par s'essouffler et se turent. On entendait les cris des manifestants arméniens. Dix secondes s'écoulèrent. Enfin, Baum se rassit et Ben-Roï fit un pas en arrière.

— Le commandant Gal est-il au courant de tout ceci ?

— Bien sûr que oui. Vous croyez que j'agirais dans son dos ? Je lui ai montré mes preuves, et il a signé le mandat d'arrêt.

Ben-Roï secoua la tête. Le commandant Gal n'était pas un imbécile, et s'il avait autorisé l'arrestation, c'était certainement parce que Baum avait présenté son dossier en le faisant paraître plus solide qu'il ne l'était.

— Alors c'est quoi, ces preuves ? Ces preuves en béton ?

Baum se cala sur son siège en bombant le torse.

— Il a un pedigree.

— Petrossian ?!

— Il s'en est pris à un prêtre grec orthodoxe dans le Saint-Sépulcre. Il a carrément failli l'étrangler. Complètement perdu les pédales.

— C'était quand ?

— En 2004.

Ben-Roï ricana.

— C'est un véritable ennemi public, dites-moi !

Baum parut se hérisser, mais ne releva pas.

— Ce n'est pas tout, reprit-il.

— Je suis tout ouïe.

— Dans les années 70, on a découvert qu'il maquillait les comptes de la cathédrale. Il était chargé des finances, et il avait prélevé de l'argent sur des comptes courants pour l'investir dans des obligations à risque. Ça s'est mal passé et il a failli mettre son Eglise sur la paille. *Ha'aretz* avait fait un grand article là-dessus.

Ben-Roï avait du mal à croire ce qu'il entendait.

— Et il y a un rapport ?

— Absolument.

Baum bomba un peu plus le torse.

— C'était le premier grand article d'une journaliste stagiaire qui s'appelait...

— Rivka Kleinberg.

— C'est Namir qui a trouvé cette info, dit Baum en souriant, comme s'il avait marqué un point. Amos est un bon policier. Il est méticuleux.

Il laissa ce dernier mot résonner un instant avant de poursuivre :

— A cause de Kleinberg, Petrossian a été renvoyé en Arménie, en disgrâce, et il y a passé trois ans à expier ses péchés en faisant des travaux de proximité dans un trou paumé. Il a aussi perdu toute chance de devenir un jour patriarche. Ce qui, à mon avis, lui donne un sacré mobile.

— Trente-cinq ans après ! Voyons, Baum ! Même selon vos critères, c'est du vent ! De la pisse de chat !

— Preuve par preuve, Ben-Roï. C'est comme ça que ça marche. On construit le dossier preuve par preuve. Laissez-moi vous en donner une autre. Petrossian a menti pour son alibi la nuit du meurtre.

Ben-Roï ouvrit la bouche, puis la referma sans rien dire. Cela avait l'air plus grave. Baum vit que l'inspecteur était sur la défensive et son sourire s'agrandit.

— Petrossian affirme qu'il se trouvait chez lui quand Kleinberg a été tuée. Grâce au travail de votre petit pédé, on sait que ses appartements disposent d'une issue privée donnant sur la rue. Et à présent, nous avons aussi des images de Petrossian en train de se balader dans le quartier arménien à une heure où il prétendait être au fond de son lit.

— Quelles images ? demanda Ben-Roï sans relever les propos homophobes. Il n'y a pas de caméras dans le quartier arménien.

— Pas de caméras de police. Mais il y a un magasin à l'angle d'Ararat et de Saint-Jacques qui en a installé une au-dessus de son pas de porte. Namir est allé vérifier ça, au cas où. Comme je disais, un très bon policier, ce Namir. Très méticuleux. Et que croyez-vous qu'il a trouvé ? De magnifiques images de votre archevêque préféré en train de descendre la rue Ararat à 18 h 04 le soir du meurtre, et qui la remonte à 20 h 46. Ce qui le met pile-poil dans la bonne tranche horaire...

Baum était lancé, et il s'amusait bien, à présent.

— On se trouve donc en présence d'un individu louche avec un mobile et un faux alibi, dit-il en comptant les preuves sur ses doigts boudinés qui n'avaient manifestement jamais pris part à un labeur physique. Et si vous avez encore des doutes, nous avons aussi des aveux.

A nouveau, Ben-Roï ouvrit la bouche, sans qu'aucun son en sorte. Baum secoua la tête avec satisfaction, conscient d'avoir pris le dessus. Il tira une feuille d'une chemise et se mit à lire lentement, en savourant chaque mot :

— « J'ai sa mort sur la conscience. C'est moi le coupable. C'est moi qui l'ai tuée. »

Il leva les yeux vers Ben-Roï, puis relut la phrase en entier, histoire d'enfoncer le clou.

— A l'évidence, il y a là-dedans un sens caché ! s'exclama Baum. Un message mystérieux et difficile à interpréter. Peut-être pourriez-vous m'aider ?

Le sarcasme était aussi lourd que palpable.

— Il vous a déclaré ça ?

— Il l'a dit à un autre archevêque. Un des indics de Namir l'a entendu et nous l'a rapporté.

— Donc, ce ne sont pas du tout des aveux.

Baum ne répondit rien. Il croisa les bras et dévisagea Ben-Roï en se balançant dans son fauteuil. Il menait la danse et il le savait.

— Ça vous met hors de vous, hein ? Ça vous met vraiment les nerfs ! Le grand *balash*, le grand flic qui a gagné trois citations pour l'excellence de son travail, celui qui va toujours au fond de ses enquêtes... Mais ce coup-ci, vous vous êtes planté. Quelqu'un d'autre a résolu l'affaire et toutes vos petites pistes de merde ont fait pschitt. Bon Dieu, comme ça doit faire mal, ça !

— Ce qui me fait mal, c'est que vous avez mis en ébullition toute la communauté arménienne et pratiquement déclenché une émeute avec un dossier que n'importe quel avocat de la défense à moitié compétent réduira à néant dès qu'il posera la main dessus. Vous n'avez que des preuves indirectes, Baum. Aucun lien direct entre Petrossian et le crime.

— On va trouver, répliqua Baum en arrêtant de se balancer. Croyez-moi, on va trouver. Petrossian est notre homme, et s'il ne l'a pas lui-même étranglée, il sait qui l'a fait, c'est certain. Les experts sont en train de passer ses appartements au peigne fin. Quant à Namir et moi, on va aller l'interroger et lui mettre un peu la pression. Et vous…

Il agita un index vindicatif sous le nez de Ben-Roï.

— Je veux que vous alliez vous asseoir à votre bureau et que vous commenciez à remplir les quelques blancs qui restent…

— Je veux être présent dans la salle d'interrogatoire.

— Vous serez présent dans mon cul ! cria Baum, qui marqua une brève pause en s'apercevant que ce qu'il venait de dire ne sonnait pas vraiment comme il l'aurait voulu. Vous avez toujours été un connard arrogant, Ben-Roï, mais je ne suis plus disposé à le supporter. Je vous ai donné notre axe de travail, et vous allez vous y tenir. Compris ? Ou sinon, Dieu m'est témoin que je vous fais muter à la surveillance de l'immeuble le plus paumé que je pourrai trouver. Alors maintenant, descendez et mettez-vous au boulot. Et c'est un ordre !

Ben-Roï le dévisagea sans faire d'effort pour masquer son dégoût, puis se dirigea vers la porte. Au moment de sortir, il se retourna.

— Vous savez ce que tout ceci me rappelle ?

Baum haussa les sourcils.

— L'omelette que j'ai préparée ce matin.

Le superintendant ne sembla pas comprendre.

— Les œufs, poursuivit Ben-Roï. Un grand saladier d'œufs battus qui vous fonce dessus. Vous avez arrêté le mauvais bonhomme, et si j'étais vous, je préparerais un torchon, parce que quand ça sera fini, vous allez avoir un paquet de trucs à nettoyer.

Il sortit, puis repassa la tête dans l'embrasure.

— Et juste pour que ce soit clair, si jamais vous reparlez de mon partenaire en ces termes, je vous éclate la tronche. Même chose pour Leah Shalev. Espèce de dingue !

Avant que Baum parvienne à trouver quelque chose à rétorquer, Ben-Roï était déjà presque en bas de l'escalier.

Louqsor

L'*Œil-d'Horus* accosta au milieu de l'après-midi. C'était un des nombreux bateaux de croisière qui remontaient d'Assouan et qui manœuvraient pour approcher des berges comme un groupe de nageurs synchronisés, s'amarrant bord à bord sur trois rangs.

Khalifa attendait sur le quai. Dès que les passerelles furent baissées, il monta à bord et se mit à la recherche du Dr Digby Girling, l'homme dont Mary Dufresne pensait qu'il saurait peut-être quelque chose à propos du mystérieux Samuel Pinsker. Khalifa finit par le trouver dans un salon à la proue du navire, où il faisait un exposé sur les cosmétiques dans l'ancienne Egypte devant une assistance composée de femmes entre deux âges. Khalifa attendit dans le fond de la salle qu'il ait fini et que son auditoire commence à se disperser, puis se présenta et expliqua pourquoi il désirait s'entretenir avec lui.

— Un inspecteur ! s'exclama Girling d'une voix forte de baryton. Comme c'est intrigant ! Un crime a-t-il été commis ?

— Façon de parler. Je ne peux pas trop entrer dans les détails.

— Non, bien sûr que non ! Motus et bouche cousue ! fit-il en mettant l'index devant sa bouche avec un air de conspirateur.

Mary Dufresne avait dit de lui qu'il était rond comme un ballon, mais pour Khalifa il avait plutôt la forme d'une poire, une poire un peu trop mûre cintrée dans un costume de lin blanc, avec un nœud papillon et des sandales.

— Voulez-vous discuter ici ou sur la dunette ? demanda-t-il.

— Comme vous préférez, répondit Khalifa.

— Sur la dunette, alors ! Ici, dans vingt minutes, il y a un cours de danse du ventre pour débutants, et je ne voudrais pas qu'on soit dérangés. Un véritable inspecteur de police ! Bon sang, j'ai l'impression d'être dans une série télé avec l'inspecteur Morse !

Il rassembla ses notes, se planta un grand chapeau de paille sur la tête et traversa la salle, non sans saluer d'un geste flamboyant les rares membres de son auditoire encore présents.

— N'oubliez pas, pour ce soir, docteur Digby ! lança une des femmes.

— Je serai un véritable Salomon ! s'écria Girling. Juste, mais extrêmement sévère !

Après un deuxième salut très théâtral, ils empruntèrent un escalier qui montait vers le pont, tandis que les rires des femmes s'estompaient derrière eux.

— C'est le concours de la momie du dimanche soir, expliqua Girling. Trente divorcés plutôt ivres qui se promènent enveloppés dans des rouleaux de papier-toilette, et c'est à moi qu'incombe l'honneur de désigner le vainqueur... Oh, quelle honte !

Il secoua la tête avec peine. Sur le pont, des touristes bronzaient autour d'une petite piscine ; de l'autre côté, un auvent abritait quelques chaises vers lesquelles ils se dirigèrent. Le bateau était amarré sur le rang le plus éloigné du quai, et pendant quelques instants l'Anglais laissa rêveusement traîner son regard sur la ligne bosselée du massif Thébain, presque floue à l'horizon. Puis il claqua dans ses mains et s'assit en invitant Khalifa à faire de même.

— Alors, inspecteur ! Samuel Pinsker... J'espère pouvoir vous être utile !

Il n'était pas le seul. Après une réunion interminable au cours de laquelle le chef Hassani avait déblatéré pendant une heure et demie sur l'inauguration imminente du musée de la Vallée des Rois, qui devait avoir lieu dans moins d'une semaine, Khalifa avait passé le reste de la matinée à consulter les notes que Ben-Roï lui avait envoyées. Un coup de fil à l'hôtel où Rivka Kleinberg avait réservé une chambre à Rosette ne lui avait rien appris de plus que ce que les gérants avaient déjà dit à Ben-Roï. Il n'existait pas de liens connus entre Rosette et le trafic sexuel, le piratage informatique ou n'importe quelle autre forme de crime organisé, à part peut-être une affaire de braconnage de langoustes, à l'occasion. La concession saharienne de gaz que négociait la Barren, si elle était finalement signée, deviendrait l'un des plus gros contrats jamais passés par le gouvernement avec une société étrangère. Cependant, il n'y avait là non plus aucun lien évident avec un meurtre commis à Jérusalem. En bref, Khalifa avait ajouté exactement zéro information à ce que les Israéliens savaient déjà. S'il devait aider Ben-Roï sur cette enquête – et plus Khalifa s'y plongeait, plus il se sentait obligé de le faire –, ce ne serait qu'en découvrant pourquoi Rivka Kleinberg s'intéressait à Samuel Pinsker. Beaucoup de choses dépendaient donc de la conversation qu'il s'apprêtait à avoir avec Girling.

— On m'a dit que vous avez fait des recherches sur Pinsker, lança-t-il.

— Oui, pour une petite monographie que j'ai rédigée il y a quelques années : « Les Hommes de l'enfant roi – membres oubliés de l'équipe de fouilles de Toutankhamon »... Elle s'est vendue à vingt-six exemplaires dans la librairie du Petrie Museum, un véritable best-seller pour un ouvrage d'égyptologie. Pinsker y figure pour le rôle qu'il a joué dans l'aménagement de l'entrée du tombeau.

Girling commanda à boire à un garçon qui passait, Khalifa indiqua qu'il ne voulait rien et alluma une cigarette.

— Un type intéressant, ce Pinsker, poursuivit Girling. Il n'apparaît que brièvement dans ma monographie, mais j'ai beaucoup enquêté sur lui. Aujourd'hui, plus personne ne se souvient de Samuel Pinsker, mais de son vivant, c'était un personnage important. J'ai souvent songé à réunir toutes mes notes sur lui pour en faire un livre.

Il ôta son chapeau et s'en servit comme d'un éventail.

— Il était ingénieur. Un Juif ingénieur des mines originaire de Manchester, pour être précis, ce qui, j'imagine, ne doit pas être si fréquent. Il est venu en Egypte pour installer un treuil dans une mine de phosphate du côté de Kharga, mais il a fini par rester, en tant que conseil de certaines missions archéologiques à Louqsor. Pinsker fut le premier à se rendre compte de l'importance qu'il y avait à ventiler correctement les tombes les plus profondes. Sans lui, il ne resterait plus une seule fresque aujourd'hui. Même si cela ne dérangerait guère ces gens-là, dit-il en désignant de la tête deux femmes en bikini juchées sur les épaules de leurs petits amis en train de s'affronter dans la piscine à coups de pistolets à eau. L'appel des sirènes des *Feminae Brittanicae*...

Girling leva les yeux au ciel et déplaça sa chaise pour ne plus les avoir dans son champ de vision. Un instant, Khalifa posa les yeux sur une péniche qui remontait le Nil en laissant un large sillon dans sa poupe, mais Girling se remit à parler avant qu'il ait eu le temps de plonger dans ses pensées :

— Il est né dans un taudis de Manchester, vous savez ? C'était le fils d'un cordonnier illettré qui ne parlait que le yiddish. Il a surmonté la misère et les discriminations religieuses pour se hisser jusqu'au diplôme d'ingénieur. Un homme brillant, selon tous les témoignages, mais plutôt difficile. Irascible, des convictions socialistes qui le mettaient en conflit avec la plupart des coloniaux. Il était toujours prêt à se bagarrer.

Khalifa mentionna l'homme que Pinsker avait agressé à Gournah, selon Mary Dufresne.

— Oui ! reprit Girling. Je n'ai jamais connu précisément tous les détails, mais il semblerait que Pinsker ait pris ombrage de quelque chose que l'homme avait dit et qu'il l'ait amplement rossé. Cela a suscité beaucoup de haine, apparemment, bien que, pour être honnête, ce n'était pas vraiment le genre de Pinsker de se comporter ainsi. Au contraire, il semblait très respectueux des Egyptiens. Probablement lié à son problème de...

Il fit le geste de boire un verre.

— Ça ou son visage. Il était très susceptible sur ce sujet.

— J'allais vous poser la question. Il avait... comment dire ?... une malformation de naissance ?

— De naissance ? Non, pas du tout. C'est bien plus tard qu'il a été défiguré. Au début, il était beau, si l'on en croit les rares photos qu'on a encore de sa jeunesse. Des yeux sombres, des traits méditerranéens marqués. Le visage, c'était les gaz.

— Les gaz ?

— Le gaz moutarde, en fait. Pendant la Première Guerre mondiale. Il commandait une équipe qui creusait un tunnel sous les lignes allemandes, mais quand les Boches ont fini par s'en apercevoir, ils ont envoyé du gaz moutarde à l'intérieur du tunnel des Britanniques. Ça vous brûlait vivant. Pinsker a risqué sa vie en essayant de colmater la brèche pour donner aux autres le temps de s'enfuir. Il a obtenu une Victoria Cross, mais à la suite de son acte de bravoure, il a souffert jusqu'à la fin de ses jours. Il avait mal en permanence, apparemment. Il avait besoin d'alcool et de morphine juste pour pouvoir être opérationnel. Un personnage tragique, en quelque sorte.

Khalifa doutait que la jeune fille assaillie par Pinsker ait été de cet avis, mais il ne dit rien, car il ne voulait pas entrer dans une digression à propos des détails du viol. Il préféra sortir une photocopie de la lettre de Howard Carter et orienter la conversation sur cet aspect de la question, qui l'intéressait beaucoup plus.

— Cela vous évoque quelque chose ? demanda-t-il en tendant la photocopie à Girling.

Girling remit son chapeau, chaussa ses demi-lunes et la lut, écarquillant de plus en plus les yeux.

— Mais où donc avez-vous trouvé ça ? demanda-t-il en arrivant au bout.

— Dans un vieux dossier de la police. Je ne l'ai découverte qu'il y a deux jours.

— J'aurais aimé connaître son existence plus tôt, j'aurais pu en parler dans ma monographie... Extraordinaire ! Absolument extraordinaire !

— Avez-vous la moindre idée de ce que cela signifie ? Le passage où il dit qu'il a mis la main sur quelque chose ?

— A l'évidence, je ne peux pas en être sûr à cent pour cent... Mais toutes choses égales par ailleurs, je n'hésiterais pas à parier une grosse somme sur le fait qu'il parle du Labyrinthe d'Osiris.

La conviction qu'il affichait surprit Khalifa. Il ne s'attendait pas à une réponse aussi directe. Il se pencha en avant, un frisson courant le long de sa colonne vertébrale, oubliant dans l'instant tout ce dont ils avaient parlé jusqu'ici.

— Et c'est quoi, ce labyrinthe ?

— Une des deux merveilles de l'ancienne Egypte, du moins selon les Grecs de l'époque. L'autre, bien sûr, est le complexe funéraire d'Amenemhat III à Hawara, même si, personnellement, je pense que le Labyrinthe d'Osiris est de loin la plus intéressante des deux.

— C'est une tombe, ce labyrinthe ?

— Non, pas du tout ! C'est une mine. C'est *la* mine, en fait. La principale ressource en or des pharaons du Nouvel Empire.

Le frisson s'intensifia. D'après les notes que Ben-Roï lui avait envoyées, Kleinberg s'était beaucoup intéressée aux mines d'or.

— Je n'en ai jamais entendu parler.

— Je dirais que c'est normal, à moins que vous ne vous intéressiez de près à la technologie de l'ancienne Egypte. Pour être franc, je n'en savais pas beaucoup plus que vous sur le sujet jusqu'à ce que je tombe dessus au cours des recherches que je faisais sur Pinsker, à la suite de quoi je me suis documenté. Apparemment, cette mine éclipse toutes les autres. Les trésors de Toutankhamon, ceux de Tell Basta, les bijoux d'Iâhhotep, la sépulture du général Djéhouty, tout l'or qu'on voit vient probablement du Labyrinthe. C'était une véritable ville souterraine, si l'on en croit Hérodote.

— Et Pinsker cherchait cette mine ?

— Absolument ! Il semble avoir été obsédé par cette idée. Je ne sais pas où il en a entendu parler pour la première fois, mais dès qu'il est arrivé en Egypte il a monté des expéditions dans le désert Arabique pour tenter de la localiser. Son intérêt semble logique, étant donné son métier. Il existe une lettre manuscrite de Pinsker, conservée aux archives Bracken, à Manchester – Joseph Bracken était un militant syndical des années 1920 et un vieux compagnon d'armes de Pinsker –, dans laquelle il n'arrête pas de parler de cette mine, et du fait qu'il serait extraordinaire de la retrouver. Pas tellement à cause de l'or, d'ailleurs, mais plutôt à cause de l'éclairage qu'elle permettrait d'apporter sur les techniques de travail de l'Antiquité. A une époque où tout le monde était à la recherche des pharaons et de trésors, Samuel Pinsker voulait juste en savoir un peu plus sur le prolétariat de l'époque… Un vrai disciple de Marx… Ah ! Voici la cavalerie !

Le serveur revenait vers eux, un plateau à la main. Il posa le Pimm's que Girling avait commandé, ainsi qu'un verre d'eau glacée pour Khalifa, qui n'avait pourtant rien demandé.

— « Ses puits sont si profonds, ses galeries si nombreuses, sa complexité si stupéfiante qu'en franchir le seuil, c'est se perdre totalement, et Dédale lui-même en serait confondu… » Voilà comment Hérodote décrit le Labyrinthe. Enfin, à peu près, je ne me souviens pas du passage mot à mot. Apparemment, le minerai était si riche qu'on taillait des tranches d'or dans la paroi comme si on découpait de la viande, et lorsqu'on en ressortait, si jamais on en ressortait, on avait les cheveux comme embrasés à cause de la poussière d'or qui les recouvrait. Ce bon vieil Hérodote n'était pas un adepte de la litote, ajouta-t-il en gloussant.

Il but une grande gorgée de Pimm's, tandis que Khalifa terminait sa cigarette.

— Bien sûr, seuls les Grecs appelaient cette mine le Labyrinthe. Les Egyptiens lui donnaient un autre nom : *shemut net Wesir* – les Passages d'Osiris, Osiris étant bien entendu le dieu du Monde souterrain.

Le *shemut net Wesir*... cela disait vaguement quelque chose à Khalifa, qui, malgré sa fascination pour l'ancienne Egypte, n'avait jamais accordé beaucoup d'attention aux techniques minières de l'époque.

— Hérodote est-il le seul à mentionner cette mine ? demanda-t-il.

— Non. On en trouve des références à différents endroits. Je ne suis pas spécialiste de la question, mais il est certain que Diodore de Sicile en parle. Il raconte qu'au plus fort de son exploitation plus de dix mille esclaves y travaillaient et produisaient chaque année l'équivalent du poids d'un éléphant. Je crois me souvenir qu'Agatharchide la mentionne aussi, de même que des sources de l'Egypte ancienne, mais celles-ci, par leur nature même, sont plus cryptiques et sujettes à l'interprétation.

Girling finit son verre, plongea les doigts dedans pour attraper les feuilles de menthe, qu'il suça goulûment, puis s'essuya avec son mouchoir. Une femme près de la piscine voulait savoir où Janine avait mis la crème solaire. Girling reprit la parole sans que Khalifa ait besoin de l'aiguillonner :

— Bien sûr, il y a ceux qui dénigrent toute cette histoire, qui affirment que ce n'est qu'un mythe, une sorte d'Eldorado égyptien. Carter le premier, qui a toujours réfuté son existence, même s'il avait tendance à réfuter tout ce qui pouvait faire de l'ombre à ses propres découvertes. Cependant, les textes sont assez cohérents, du moins selon les normes de l'époque, et je crois même que certaines inscriptions découvertes récemment viennent s'ajouter aux preuves de l'existence du Labyrinthe. L'obstacle principal, évidemment, c'est que personne n'a jamais trouvé ce foutu machin. Jusqu'à présent. Mais on dirait bien que Pinsker y était parvenu...

Il brandit la lettre.

— Extraordinaire ! Absolument extraordinaire !

— Et vous pensez qu'il dit la vérité ? demanda Khalifa.

— Je ne vois pas pourquoi il mentirait. C'était un type bourru du nord de l'Angleterre, pas vraiment porté sur la rêverie. S'il dit qu'il l'a trouvé, j'aurais tendance à le croire. Absolument extraordinaire. Ça vous dérangerait que je fasse une copie de cette lettre ?

— Je vous en prie, vous pouvez garder celle-ci, j'ai l'original dans mon bureau.

— Je suis votre obligé. Je devrais me mettre au boulot sur cette biographie de Pinsker. L'homme semble encore plus intéressant que je ne le croyais. Une sorte de Mallory égyptologue.

Khalifa ne voyait pas de qui il parlait mais ne posa pas la question. Ses pensées dérivaient, il tentait de comprendre pourquoi une journaliste israélienne qui écrivait un article sur les trafiquants sexuels s'était intéressée à la découverte d'une ancienne mine d'or égyptienne. Certes, ce n'étaient pas ses oignons, c'était l'enquête de Ben-Roï, mais il ne pouvait pas s'en empêcher. Quelque chose dans cette affaire l'avait ferré, et il l'était comme il ne l'avait plus été depuis...

— Sait-on autre chose à propos de cette mine ?

— Hmm ?

Girling, à nouveau plongé dans la lettre, était perdu dans ses pensées.

— La mine. Sait-on autre chose là-dessus ?

— Eh bien, comme je vous le disais, je ne suis pas vraiment un spécialiste de la question, répéta Girling en glissant la lettre dans sa poche. Je suis plutôt helléniste et latiniste, en fait. Mais la mine était immense, toutes les sources sont d'accord là-dessus. La mère de toutes les mines égyptiennes. Et on l'exploitait sous le Nouvel Empire. A peu près cinq cents ans de forage de puits et de tunnels. Si vous considérez que la tombe la plus profonde de la Vallée des Rois a été creusée en vingt ans, cela vous donne une idée de l'échelle potentielle du Labyrinthe. Ce serait une découverte fantastique.

— Et elle se trouverait quelque part dans le désert Arabique ?

— C'est effectivement là que les sources semblent la situer. La plupart des anciens artefacts en or proviennent de cette partie du monde, ainsi que de la Nubie. Un nom qui vient de *nub*, bien évidemment, le mot qui voulait dire « or » dans l'ancienne Egypte.

Il s'épongea le front.

— Vous devriez vous adresser aux Raissouli, poursuivit-il. Ils traînent dans ce coin-là depuis une vingtaine d'années et sont au courant de tout ce qu'il y a à savoir sur les anciennes mines.

De nouveau, le nom disait vaguement quelque chose à Khalifa.

— Un frère et une sœur ?

— Absolument. Une paire remarquable. Les nouvelles inscriptions dont je vous ai parlé, je suis pratiquement sûr que ce sont les Raissouli qui les ont trouvées. C'est à eux que vous devez vous adresser pour en savoir plus. Ils relèvent de l'université du Caire, si je ne m'abuse.

Khalifa prit mentalement note de les contacter. Il posa quelques questions supplémentaires, mais Girling lui avait révélé tout ce qu'il savait et commençait à jeter des coups d'œil à sa montre. Khalifa le remercia et mit fin à l'entretien.

— J'espère que je ne vous bouscule pas, s'excusa Girling. Mais à 17 heures je dois emmener un groupe visiter l'avenue des Sphinx et je n'ai plus beaucoup de temps.

— Ne vous inquiétez pas, j'ai tout ce qu'il me faut.

— Joli boulot, cette avenue, au fait ! s'exclama Girling en se levant. Une réalisation remarquable. Ça a complètement transformé la ville. En tant qu'habitant de Louqsor, vous devez être très fier.

Pour toute réponse, Khalifa se contenta de finir son verre d'eau et de se lever à son tour. Un bref instant, son regard se posa sur un héron qui trônait fièrement au milieu d'un banc de roseaux dérivant sur le fleuve, tel un fellah guidant sa barque.

Puis il secoua la tête et emboîta le pas à l'Anglais.

— En fait, j'ai encore une question, dit-il en le rejoignant.

— Allez-y !

— Quand vous avez effectué vos recherches sur Pinsker, êtes-vous tombé sur quelque chose qui pourrait faire le lien entre lui et Israël ?

Girling fronça les sourcils.

— Comme ça, de prime abord, je ne vois pas. Israël n'existait même pas de son vivant. C'était la Mandature britannique en Palestine. Ou celle des Nations unies ? Je ne m'en souviens jamais. D'une façon comme de l'autre, je suis pratiquement sûr que Pinsker n'y a jamais mis les pieds. Il s'était toujours montré sceptique envers le sionisme. Mais bon, il était en Egypte, alors il est difficile d'exclure qu'il y ait fait un saut à l'occasion. Cela dit, s'il l'a fait, je n'en ai jamais entendu parler.

Il allait s'engager dans l'escalier menant vers les ponts inférieurs lorsqu'il se retourna.

— Attendez ! Un membre de sa famille est parti vivre là-bas. Vers la fin des années 30. Un cousin, je crois. Très éloigné. Il a dû y rester deux ans, puis cela ne lui a plus convenu et il est retourné en Angleterre. Je ne me souviens pas de son nom.

Il réfléchit quelques secondes, puis haussa les épaules comme pour s'excuser et s'engouffra dans l'escalier.

Khalifa resta sur le pont à regarder le banc de roseaux qui dérivait lentement au fil du courant, vers le nord et la mer.

— Je dois reconnaître que c'est intrigant ! s'exclama Girling du bas des marches. D'anciennes mines d'or, des archéologues disparus, des mystères sur la Terre promise : on dirait l'intrigue d'un roman ! J'aimerais bien savoir de quoi tout ça retourne !

Khalifa alluma une nouvelle cigarette.

— On est deux, murmura-t-il.

JÉRUSALEM

Vers 19 heures, Ben-Roï et Leah Shalev regardaient le soleil se coucher dans un ciel rouge sang. Ils sirotaient du vin sur le balcon de l'investigatrice, des bruits de casseroles provenaient de l'intérieur, où Benny, le mari de Shalev, préparait le dîner. A l'autre bout de la loggia, une touffe de poils répondant au nom incongru de Mignonnette les regardait d'un œil rond.

— Alors, qu'est-ce que tu en penses ? demanda Shalev.

— « Foutoir total » sont les mots qui me viennent à l'esprit.

— C'est certainement une façon de décrire les choses.

Elle posa les pieds sur la rambarde et se balança en arrière. Ben-Roï avait appris que le matin même, quand ils avaient ramené Petrossian, elle avait failli faire tomber les murs du poste de police à force de hurler. A présent, elle était redevenue la Shalev habituelle, calme, posée et concentrée.

— Il est clair que le vieux doit répondre à certaines questions, reprit-elle. Il a menti sur son alibi, et le coup de téléphone ne sent pas très bon non plus.

Ce coup de fil était un nouveau rebondissement. Amos Namir avait passé l'après-midi à éplucher les relevés téléphoniques de Petrossian et, ô surprise, celui-ci avait reçu un appel depuis le portable de Kleinberg, trois semaines avant sa mort. Une conversation qui avait duré cinq minutes.

— Quand nous l'avons vu à la cathédrale, il a affirmé ne pas connaître Kleinberg.

— On ne l'avait pas encore identifiée.

— C'est quand même un lien direct avec la victime, argua-t-elle. Et depuis, son nom est apparu dans tous les journaux. Il aurait pu venir nous trouver. Il cache quelque chose, c'est sûr.

— A t'entendre, on dirait que tu es d'accord avec Baum !

— Le jour où je serai d'accord avec Yitzak Baum, je rendrai mon insigne. Mais Petrossian n'est pas blanc-bleu. Et pour l'instant, c'est le seul suspect que nous ayons.

— Il est vieux, Leah. Tu l'as fait remarquer toi-même !

— Parce que, subitement, il y aurait une limite d'âge ? Amon Herzig n'était pas précisément un perdreau de l'année...

Herzig avait été la première enquête sur laquelle ils avaient collaboré. Il avait tué sa femme et fait la une des journaux, à l'âge de quatre-vingt-trois ans.

— Petrossian ne l'a pas tuée, insista Ben-Roï. Tu le sais aussi bien que moi. Je ne sais pas ce qu'il magouille – et à l'évidence il magouille quelque chose –, mais ce n'est pas lui qui a étranglé Rivka Kleinberg.

— Alors il sait qui l'a fait et il le protège.

Ça, c'était déjà plus probable, mais Ben-Roï n'y croyait pas non plus.

— Ça ne colle pas, Leah. Ça ne colle pas, c'est tout !

— Alors, c'est quoi, ta théorie ? demanda-t-elle en le regardant dans les yeux. Dis-le-moi, Arieh. Parce que, malgré toute la bonne volonté du monde, ça fait dix jours qu'on bosse sur cette affaire et tu n'as jamais proposé mieux.

Pas faux. Les trafiquants sexuels, Vosgi, Barren, l'Egypte, Nemesis, Samuel Pinsker... Au bout du compte, ce n'étaient que des bouteilles à la mer, des pièces de puzzle isolées qui ne parvenaient jamais à dessiner un tableau cohérent. Il était sur la bonne piste, il le sentait – il le sentait avec chaque cellule de son corps de flic –, mais être sur la bonne piste et avoir un dossier viable étaient deux choses bien distinctes.

— J'y travaille, répondit-il piteusement.

— Tu m'en vois ravie ! Malheureusement, ton dur labeur ne risque pas d'émouvoir Baum. Il veut Petrossian. Et il n'est que le premier d'une longue file de prétendants.

— Qu'est-ce que tu veux dire ?

— Que l'archevêque ne s'est pas fait que des amis au fil des ans. Il a fait des déclarations assez incendiaires à propos des colonies, du blocus de Gaza ou de la corruption qui règne dans cette ville. Il a des ennemis haut placés. Beaucoup d'ennemis.

— Tu penses qu'ils vont essayer de l'épingler avec ça ?

— Ce que je veux dire, c'est qu'il y a beaucoup de types influents qui ne seraient pas fâchés de lui rabattre le caquet. On est encore dans un Etat de droit – tout juste –, et si on ne trouve pas de preuves, ils ne prendront pas le risque d'un procès. Mais on nous met une grosse pression pour les trouver, ces preuves. Et l'archevêque ne nous aide pas beaucoup.

Ben-Roï se massa les tempes du bout des doigts. La journée avait été longue. Pour changer.

— Que dit le commandant Gal ? demanda-t-il.

— Pas grand-chose. Pour l'instant, c'est Baum qui vit son heure de gloire.

— Il compte le garder en détention ?

Shalev haussa les épaules.

— Le superintendant ne me fait pas l'honneur de me dévoiler ses intentions, mais je crois qu'à moins de découvrir un truc en béton il ne prolongera pas la garde à vue. Les manifestants ne constituent pas une bonne publicité. Il va le garder vingt-quatre heures, histoire de marquer le coup, puis l'assigner à résidence.

— Il faut que je lui parle.

A la moue que fit Shalev, Ben-Roï vit que cela n'allait pas être simple. Baum veillait sur sa poule aux œufs d'or. Il approcha sa chaise et chercha le regard de sa supérieure.

— C'est à propos de la fille… Vosgi. C'est elle, la clé. Je ne sais pas pourquoi ni comment, mais c'est elle, la clé ! Et quelque chose me dit que Petrossian en sait plus long qu'il ne veut bien le reconnaître à son sujet. J'ai besoin de lui parler.

Benny annonça que le dîner était prêt. Sa femme jeta un coup d'œil derrière elle, claqua des doigts, et aussitôt la boule de poils sauta sur ses genoux avec des petits jappements ravis. Elle resta silencieuse un moment, à gratter Mignonnette derrière les oreilles, puis lui planta un bisou sur la truffe et la reposa par terre.

— Je verrai ce que je peux faire, annonça-t-elle. Je ne peux rien te promettre de plus. Et tu as intérêt à faire gaffe. Vachement gaffe. Baum est une limace, mais il a des relations. Il peut causer pas mal de dégâts. Ne le prends pas à rebrousse-poil. OK ?

— C'est l'hôpital qui se fout de la charité ! répliqua Ben-Roï en s'esclaffant. D'après ce que m'a dit Zisky, tu n'y es pas allée de main morte, ce matin.

— C'était ce matin. Demain, je vais aller faire des courbettes devant le superintendant Baum. J'ai bossé dur pour arriver où j'en suis et je n'ai pas envie de foutre tout ça en l'air.

— Même si ça implique de ne pas arrêter le bon mec ?

Elle finit son verre et se leva sans répondre. Ben-Roï l'imita. Ils rejoignirent Benny, qui entrait dans le salon une marmite dans les mains, suivi de Malka, sa petite dernière, qui portait une pile d'assiettes.

— Tu restes dîner, Arieh ? proposa Benny. Il y en a largement assez pour tout le monde.

— Merci, mais j'emmène Sarah au resto, ce soir. Je lui ai préparé le petit déjeuner ce matin et il faut que je me rattrape.

Leah le raccompagna jusqu'à la porte.

— Ne lâche pas l'affaire, dit-elle. Je te couvrirai, j'essaierai de te donner un peu d'air, mais fais profil bas. Et surtout, fais gaffe ! J'ai un mauvais pressentiment sur ce dossier.

— Tu l'as déjà dit.

— Je sais. Mais c'est de pire en pire.

Elle hésita un instant, puis, s'approchant de Ben-Roï, elle se dressa sur la pointe des pieds et lui fit un bisou sur la joue. Depuis cinq ans qu'ils travaillaient ensemble, c'était la première fois qu'elle faisait une chose pareille. Le geste sembla d'ailleurs la surprendre autant que lui.

— Fais attention à toi, Arieh, murmura-t-elle en rougissant.

Elle referma la porte. Sur le palier, la minuterie s'éteignit, plongeant Ben-Roï dans l'obscurité.

Louqsor

Tout de suite après son entretien avec Digby Girling, Khalifa avait passé un coup de fil à l'université du Caire, dans l'espoir d'en apprendre un peu plus sur le Labyrinthe d'Osiris. La femme à qui il avait parlé, une secrétaire du département d'archéologie, lui avait confirmé que Hassan et Salma Raissouli étaient effectivement les deux sommités du pays en matière d'anciennes mines d'or. Malheureusement, le frère et la sœur se trouvaient en ce moment au milieu du Sinaï et ne devaient pas rentrer au Caire avant au moins trois semaines. Khalifa lui ayant affirmé que c'était urgent, la secrétaire avait accepté d'essayer de les joindre sur leur téléphone satellitaire, mais elle l'avait prévenu que les communications étaient en général sporadiques et qu'il pouvait très bien s'écouler plusieurs jours avant qu'ils lui répondent. Khalifa était ensuite rentré chez lui préparer le dîner avec Batah, avait couché

Youssouf, puis, pris d'une soudaine envie de voir à quoi cela ressemblerait de redevenir un couple normal, il avait convaincu Zenab d'aller se promener en ville.

Ils ne sortaient pratiquement plus jamais. Avant le décès d'Ali, ils traversaient souvent le fleuve pour aller dîner au Toutankhamon, boire un café et fumer une chicha au souk, ou tout simplement profiter d'une balade nocturne dans l'enceinte déserte des temples de Karnak (avoir une carte de police présentait parfois quelques avantages). A présent, en revanche, Khalifa avait du mal à la traîner de la chambre au salon, et ce soir elle avait encore dit qu'elle ne voulait pas sortir. Néanmoins, il avait insisté et elle avait fini par accepter, voyant que c'était important pour lui. Et pour elle aussi, d'une certaine manière. Alors, ils étaient partis bras dessus bras dessous se promener en direction du centre-ville, le long de l'avenue El-Madina-al-Monawwara, sans vraiment se dire grand-chose, juste contents de flâner dans la foule. Ils s'arrêtèrent un instant devant des bambocheurs qui célébraient un mariage dans une fête à ciel ouvert, puis se posèrent à la terrasse d'un petit café, en face du parc du Medina Club, où ils se trouvaient encore.

— Un peu de thé ? demanda-t-il.

— Non, merci.

La voix de Zenab était presque inaudible, ces temps-ci.

— Une bouffée de chicha ? proposa Khalifa en lui tendant la pipe qu'il avait dans les mains.

Elle secoua la tête.

— C'est de la *tufah*... Tu aimais bien ça, avant...

Elle haussa les épaules. Tirée par un âne, une charrette pleine de bonbonnes de gaz passa devant eux en bringuebalant.

— On devrait peut-être rentrer, dit Zenab.

— On vient juste d'arriver.

— Je n'aime pas laisser les enfants tout seuls. Tu sais bien que Youssouf se réveille...

— Les enfants vont bien, assura-t-il en lui passant un bras sur les épaules. Batah est une grande fille, parfaitement capable de s'occuper de son frère pendant une heure ou deux. Elle nous appellera s'il se passe quoi que ce soit.

Il tapota le portable dans la poche de sa chemise.

— Alors, prenons un peu de temps pour nous et profitons de la soirée, d'accord ?

Un instant, elle parut vouloir discuter, puis elle acquiesça faiblement et lui donna la main, entrelaçant leurs doigts.

— Tu as raison, admit-elle. Ça nous fait du bien de sortir. C'est juste que…

Elle se mordit les lèvres.

— Je sais, dit-il en l'attirant contre lui. Crois-moi, Zenab, je sais. Mais on doit essayer de continuer, malgré tout.

Il lui pressa la main et, tirant une bouffée de sa chicha, exhala lentement une volute de fumée aromatisée à la pomme. Autour d'eux, les conversations se mêlaient au bruit des dominos qui claquaient sur les tables, tandis que dans le parc en face des enfants poussaient des cris en faisant des bonds sur un trampoline géant.

— Hé ! Mohamed Sariya m'en a raconté une bien bonne, l'autre jour ! s'exclama-t-il en essayant de détendre un peu l'atmosphère. Moubarak, Kadhafi, Ben Ali et un chameau sont dans une montgolfière, et soudain une tempête se déchaîne…

Son portable sonna. Zenab se raidit.

— Tout va bien, marmonna-t-il. Tout va bien.

Il tira le téléphone de sa poche. Ce n'était pas le numéro de chez eux, ni un numéro qu'il connaissait. Il montra l'écran à Zenab pour la rassurer, puis répondit. Il n'entendit que de la friture.

— Allô ?

Toujours de la friture.

— Allô ?

Rien. Probablement un mauvais numéro. Khalifa allait raccrocher quand il entendit subitement une voix :

— … nous parler des mines d'or. Elle a dit que c'était urgent.

C'était une voix de femme, qu'il entendait à présent tout à fait distinctement.

— Mademoiselle Raissouli ?

— Salma, je vous en prie.

— Et je suis Hassan, intervint une voix masculine. Désolés d'avoir pris autant de temps pour vous répondre.

Au contraire, Khalifa ne s'attendait pas à avoir de leurs nouvelles aussi vite.

— En général, on n'allume pas notre téléphone, reprit Salma.

— Pour préserver la batterie, ajouta Hassan.

— Mais il fallait qu'on réceptionne une livraison de vivres…

— … et c'est comme ça qu'on a eu le message de Yasmina.

L'un finissait les phrases que l'autre commençait, et Khalifa se les imagina assis de chaque côté du téléphone, se penchant tour à tour pour parler.

— Que peut-on faire pour vous ? demandèrent-ils à l'unisson.

Khalifa recouvrit de la paume le micro de son portable et se tourna vers Zenab.

— Je suis désolé, dit-il. Il faut que je parle à ces gens. Tu ne m'en veux pas…

Elle lui fit signe de poursuivre. Il éprouvait du remords, pensait qu'il aurait dû remettre cette conversation à plus tard, mais d'un autre côté il ne pensait pas en avoir pour longtemps, et il voulait vraiment en savoir plus sur ces mines d'or. Il effleura le bras de Zenab, lui murmura qu'il allait se dépêcher, puis exposa la situation aux Raissouli – pas le meurtre, juste ce qui concernait Samuel Pinsker. Quand il mentionna la lettre de Howard Carter, l'un siffla et l'autre se récria. Avec ces deux-là, difficile de savoir qui faisait quoi !

— Cela fait longtemps qu'une rumeur prétend qu'on aurait retrouvé le Labyrinthe, déclara Salma. Mais honnêtement, je n'y crois pas. Et je n'ai jamais entendu parler de ce Pinsker.

— Mais du Labyrinthe, oui ?

— Absolument. C'est l'une des rares anciennes mines d'or à avoir été désignées par un nom spécifique, plutôt que par le terme générique *bia*.

— Un mot ancien qui signifie « mine », ajouta son frère.

— Et cette mine a vraiment existé ?

— Oh, oui ! répondit Salma. Les historiens grecs la mentionnent tous, bien qu'ils n'aient rédigé leurs écrits que cinq siècles plus tard…

— Pratiquement dix dans le cas de Diodore, glissa Hassan.

— Cependant, il existe aussi des références contemporaines. Dont deux inscriptions que nous avons découvertes nous-mêmes. L'une était un graffiti, presque à l'autre bout de l'oued El-Shaghab.

— Dans une langue un peu obscure…

— Mais c'est toujours obscur…

— Le graffiti relate le passage d'un convoi d'or de la mine vers la vallée du Nil. Probablement laissé par un des gardes qui escortaient le convoi. Il y a aussi un cartouche de Ramsès VII…

— Ou peut-être Ramsès IX…

— … qui suggère que même à la fin du Nouvel Empire la mine fonctionnait encore à plein.

— Et l'autre inscription ? demanda Khalifa.

— Elle se trouve sur une falaise au-dessus de l'oued Mineh, répondit Salma. Nous ne l'avons trouvée que l'année dernière, alors l'article n'est même pas encore publié. Elle est particulièrement intéressante, parce qu'à ce jour c'est la plus ancienne référence connue à la mine.

— Début de la XVIIIe dynastie, ajouta Hassan. Règne de Thoutmosis II.

— Encore une fois, la langue est assez obscure, mais nous pensons qu'il s'agit d'une sorte de proclamation qui annonce le changement du dieu à qui la mine sera dédiée. Si vous avez deux secondes…

Khalifa entendit un bruissement de pages que l'on tourne, probablement celles du carnet où elle consignait ses notes.

— Voilà ! s'exclama-t-elle, avant de se mettre à lire : « La mine du pays de l'or qui fut révélée à mon père et qui appartenait au domaine de Hathor fait maintenant partie du domaine d'Osiris, et l'or lui appartient, et c'est lui qui détient les droits des nombreux chemins qui la traversent, et on la désignera désormais sous le nom de "passages d'Osiris"… » A l'évidence, plusieurs interprétations sont possibles, ajouta-t-elle. Mais nous pensons que cela signifie…

— Nous sommes sûrs que cela signifie…

— … que cette mine, dont l'exploitation a commencé sous le règne de Thoutmosis Ier…

— Ou peut-être même Aménophis Ier…

— … avait des galeries tellement profondes qu'elle a abandonné le patronage de Hathor, le dieu traditionnel des Mines dans l'ancienne Egypte, en faveur de celui d'Osiris, le dieu des Mondes souterrains. Ce qui, si nous avons raison, serait vraiment extraordinaire. La plupart des anciennes mines d'or égyptiennes n'étaient que des tranchées à ciel ouvert. Même celles qui étaient creusées en sous-sol ne s'enfonçaient jamais plus loin que quelques dizaines de mètres.

— Et cela a eu lieu au début de l'exploitation de la mine, précisa Hassan. A l'époque, elle allait encore être creusée pendant quatre siècles environ. Même si l'on considère les quelques interruptions d'exploitation qu'il a pu y avoir, la taille potentielle de cette mine défie l'imagination. Pas étonnant qu'ils l'aient aussi appelée *bia we aa en nub.*

— « La plus grande de toutes les mines d'or », traduisit Salma.

Khalifa tira une bouffée de sa chicha. Tout cela était passionnant, mais il ne voyait toujours pas le rapport entre une mine d'or vieille de trois mille ans et une femme étranglée dans une église à Jérusalem. Certes, Barren gérait des mines d'or. Et Khalifa avait assez d'expérience pour savoir que l'or et la violence vont souvent de pair, mais tout de même, cela semblait tiré par les cheveux.

Plus encore si l'on prenait en compte les trafiquants sexuels. Il jeta un coup d'œil à Zenab, qui avait l'air perdue dans ses pensées, puis posa la question évidente :

— Est-il certain que la mine fut épuisée dans l'Antiquité ?

Khalifa entendit un échange de murmures.

— C'est un point légèrement controversé, déclara enfin Salma.

— Controversé dans quel sens ?

— Eh bien, Hérodote est très clair là-dessus, dit Hassan. D'après lui, la mine fut abandonnée à la fin du Nouvel Empire, parce qu'elle était épuisée. En revanche, Diodore de Sicile, qui semble avoir travaillé à partir d'autres sources que celles d'Hérodote...

— Et qui, du moins sur ce sujet, est généralement considéré comme le plus fiable des deux...

— ... affirme que la localisation précise de la mine a disparu dans le chaos qui régnait à la fin du Nouvel Empire... Ce qui impliquerait qu'elle n'était pas épuisée, mais simplement perdue. En tout état de cause, on ne trouve plus de références à son exploitation après la fin de la XXe dynastie...

— Cela dit, un papyrus de la Basse Epoque décrit une expédition montée pour la retrouver, reprit Salma. Et à l'évidence, ils ne l'auraient pas entreprise s'ils pensaient que la mine était épuisée. Malheureusement, l'expédition se perdit dans le désert et tous ses membres moururent de soif avant de connaître le fin mot de l'histoire.

— Le fait est que personne ne le connaît ! Personnellement, je penche pour la version d'Hérodote. Salma, étant ma sœur, penche dans l'autre sens. Toute certitude est impossible.

— Ce qui restera vrai jusqu'à ce que quelqu'un retrouve cette mine.

— Chose que Samuel Pinsker semble avoir réalisée, murmura Khalifa. Apparemment, Hérodote aurait déclaré que le minerai était si riche qu'on pouvait...

— Détacher l'or des parois avec un couteau, termina Hassan à sa place.

— C'est vrai ? demanda Khalifa.

Les Raissouli éclatèrent de rire.

— Manifestement, vous ne connaissez pas grand-chose aux mines d'or.

Khalifa reconnut que c'était effectivement le cas.

— C'est une belle fable, mais totalement fantaisiste, dit Hassan. Les Egyptiens tiraient la plus grande partie de leur or de veines de quartz aurifère, en l'espèce du quartz blanc avec de minuscules pépites coincées dedans. Pour les extraire, ils devaient découper des morceaux de quartz dans la roche, les piler pour en faire de la poudre et tamiser celle-ci pour en tirer le métal précieux. Ce n'était donc pas aussi simple que le suggère Hérodote. Diodore de Sicile donne de cela une description beaucoup plus proche de la réalité.

— En revanche, intervint Salma, il ne fait aucun doute que les anciens filons étaient extrêmement riches, et toutes les sources concordent pour affirmer que le Labyrinthe d'Osiris était le plus riche d'entre eux. Alors, il y a peut-être un doigt de véracité dans les affirmations d'Hérodote. D'après les analyses que nous avons menées, les mines avaient un rendement minimum de cinquante à soixante grammes d'or par tonne de minerai, ce qui représente le double de ce que produisent les mines modernes les plus rentables. Et l'or était d'une pureté exceptionnelle. Vingt-trois et peut-être même vingt-quatre carats.

Khalifa ne comprenait pas tous les termes techniques, mais il voyait assez bien le tableau, et un frisson lui parcourait de nouveau la colonne vertébrale. Il y avait quelque chose qui se dessinait là-dedans, qui paraissait prendre forme, tenter de se dévoiler...

— La seule information dont on soit sûr, c'est que la mine se trouvait dans le désert Arabique, non ?

— On peut même rétrécir un peu le champ des recherches, dit Salma. Les deux oueds où nous avons trouvé ces inscriptions semblent avoir été des routes utilisées pour aller à la mine, El-Shaghab par l'ouest et Mineh par le nord. En outre, à Bir el-Gindi, deux autres graffitis mentionnent la mine. La triangulation de ces trois points situerait la mine quelque part sur les hauts plateaux au centre du désert. Ce qui représente encore une zone très vaste.

— Et très reculée, ajouta Hassan. On croirait être sur la Lune, à voir l'absence de tout signe de vie.

Khalifa avait l'impression d'avoir récemment entendu quelqu'un employer cette analogie, mais il ne se souvenait plus du contexte et ne s'attarda pas sur la question.

— Si quelqu'un trouvait cette mine aujourd'hui, aurait-elle de la valeur ?

La question avait franchi ses lèvres pratiquement d'elle-même, le corollaire non formulé étant « suffisamment de valeur pour provoquer un meurtre ».

— Ça dépend de ce que vous entendez par valeur, répondit Hassan. D'un point de vue archéologique, cela constituerait une découverte majeure, particulièrement si la mine était bien conservée et ne s'était pas effondrée.

— Je songeais plutôt aux aspects financiers. Si l'on considère qu'il reste encore de l'or dans la mine…

— C'est un grand si, répliqua Hassan. Malgré ce qu'affirme Diodore, je ne vois pas comment il pourrait rester la moindre trace des filons initiaux après cinq siècles d'exploitation continue.

— Mais si c'était le cas ?

— Alors, oui ! Bien sûr, elle aurait de la valeur. Après tout, l'or, c'est l'or ! Il y a une demande, non ?

— Il faut cependant ajouter quelque chose, précisa Salma. Comme nous vous l'avons dit, il ne suffit pas d'aller faire une balade avec une pioche pour rapporter son or à la maison. Le processus d'extraction est complexe, et étant donné que la zone est vraiment reculée, il faudrait pouvoir travailler à une échelle industrielle pour que l'opération soit économiquement viable. Les pharaons étaient en mesure de le faire parce qu'ils disposaient d'une armée d'esclaves. De nos jours, on aurait beaucoup plus de frais. Alors, pour répondre à votre question, la mine aurait de la valeur, mais pas pour un individu lambda. Seuls le gouvernement ou un grand conglomérat minier pourraient déployer les ressources nécessaires pour rendre l'opération rentable.

Un conglomérat comme la Barren, pensa Khalifa.

Quel lien pouvait-il donc exister entre une mine d'or en Egypte, un cadavre en Israël et une industrie du sexe à cheval sur les deux pays ? Quelques instants s'écoulèrent, puis il se rendit compte que les Raissouli étaient toujours au bout du fil, et qu'en définitive c'était à Ben-Roï d'établir ce lien, que lui-même n'était là que pour donner un coup de main, aussi remercia-t-il ses interlocuteurs pour leur aide précieuse avant de raccrocher, non sans avoir convenu de les recontacter s'il en éprouvait le besoin. Il récapitula mentalement ce qu'il venait d'apprendre, puis se tourna vers Zenab.

— Je suis désolé d'avoir été si…

Le siège de Zenab était vide. Khalifa regarda autour de lui, supposant qu'elle était entrée dans la salle, ou qu'elle se trouvait peut-être devant la vitrine d'un des magasins mitoyens. Aucun signe d'elle ! Il se leva, fouillant des yeux la rue, essayant de la repérer dans la foule, tandis que la préoccupation faisait rapidement place à l'inquiétude.

— Zenab ! cria-t-il. Zenab !!

Quelqu'un lui toucha le poignet. Il pivota, pensant que c'était elle, mais ce n'était que le client de la table voisine.

— Là-bas, fit l'homme en désignant de l'index le trottoir d'en face.

Regardant dans cette direction, Khalifa la vit, debout contre les grilles du parc, les yeux fixés sur les enfants qui sautaient sur le trampoline, les mains agrippées aux barreaux comme si elle les observait de l'intérieur d'une prison.

— Oh, Zenab, murmura-t-il. Oh, ma chérie.

Il jeta un peu d'argent sur la table et se précipita vers elle. Zenab était toute tremblante. Il l'enlaça doucement et l'attira contre lui en se maudissant de ne pas avoir fait plus attention à elle.

— Tout va bien, dit-il. Je suis là.

Elle se jeta dans ses bras en pleurant, inconsolable.

— Il me manque, Youssouf. Oh, mon Dieu ! Comme il me manque ! Je ne supporte plus ce silence...

La rue résonnait d'éclats de rire, de musiques, de coups de klaxon, du fracas des charrettes, mais il voyait exactement ce qu'elle voulait dire. Sans Ali, il y aurait toujours un recoin de leur existence qui resterait anormalement silencieux, comme une maison abandonnée.

— Tout va bien, répéta-t-il en ignorant les regards des passants, les murmures de tous ceux qui désapprouvaient une telle exhibition d'intimité entre un homme et une femme. On s'en sortira, je te le promets, Zenab. On s'en sortira.

Ils restèrent enlacés, oublieux de la foule qui passait autour d'eux, enfermés dans leur propre bulle de souffrance. Puis il lui serra la main très fort et la reconduisit chez eux, sans plus du tout penser à sa conversation avec les Raissouli.

Désert du Néguev

Depuis l'enfance, elle avait toujours été attentive aux sons nocturnes, et dès qu'elle entendit un bruit de pas peu familier à l'extérieur – trop lourd pour Tamar, trop lent et pesant pour Gidi ou Faz – elle se réveilla complètement et saisit le Glock sous son oreiller. Les pas s'arrêtèrent, reprirent leur progression pour stopper à nouveau, devant sa porte. Elle pouvait entendre une respiration, grave, sauvage comme celle d'un animal en maraude, puis elle vit la poignée commencer à tourner. Elle leva le canon du Glock vers la porte. La poignée fit un tour. Une poussée sur le battant pour tester le verrou, puis une autre, plus forte, plus insistante. Le verrou céda à la troisième tentative et la porte s'ouvrit lentement, le lourd panneau de chêne pivotant dans un grincement de gonds mal huilés.

— Va-t'en, siffla-t-elle, le doigt posé sur la détente. Je vais te tuer. Va-t'en.

— Je veux juste parler.

— Tu ne veux jamais parler ! Va-t'en ! Va-t'en !

— Ne m'oblige pas à te forcer, Rachel.

Elle pressa la détente. Sans effet. Elle essaya encore, et encore, sentant une remontée d'acide dans sa gorge et son cœur battre si fort qu'elle avait l'impression qu'il allait défoncer sa cage thoracique. Le Glock était enrayé. Elle se débattit, tenta de donner des coups de pied, des coups de poing, mais il était déjà sur elle, la forçant petit à petit à ouvrir les jambes.

— Oh, non, s'il te plaît...

— Chuuuut.

— Tu me fais mal. Arrête, s'il te plaît, tu me fais mal...

— Mais j'ai payé. Tout cet argent...

— Ça fait mal ! Ça me fait mal !

— Chuuut...

— Arrête ! Tu me fais mal ! Tu es en train de me déchirer... Non ! Pitié...

Elle se réveilla en sursaut, resta prostrée quelques instants, la scène encore si vivace dans sa tête qu'elle ne put faire la transition du rêve à la réalité que très lentement. Puis elle finit par se redresser, alluma la lampe de chevet et se mit à pleurer, le menton sur les genoux.

C'était toujours le même rêve. Nuit après nuit. Les détails variaient – parfois il entrait dans sa chambre, parfois il s'y trouvait déjà, parfois elle le reconnaissait, parfois c'était un inconnu. Cependant, l'essentiel, son souffle rauque, son poids, le choc dégoûtant de la pénétration, cela n'avait jamais changé, d'aussi loin qu'elle se souvenait. Chaque soir, elle se couchait en priant pour voir un autre film. Chaque soir, son subconscient lui projetait la même scène de viol insupportable, dans laquelle elle tenait le premier rôle. Elle s'essuya les yeux et resserra les jambes. Son vagin lui faisait mal, autant que s'il avait effectivement été forcé.

Plusieurs minutes s'écoulèrent. Peu à peu, ses larmes se tarirent, ses battements de cœur se calmèrent. Elle consulta son réveil : 2 h 17. Elle envisagea de rejoindre Tamar dans sa chambre, de se lover contre elle, de se réfugier dans la chaleur de son corps, mais à présent elle était complètement réveillée et elle savait qu'elle ne parviendrait plus à se rendormir. Alors, elle alluma son ordinateur portable. Le fond d'écran apparut : un grand immeuble de verre et de métal, dont les fenêtres brillaient dans le soleil – le siège de Barren Corporation à Houston. Elle tapa le log-in qu'elle avait obtenu de Chad Perks et recommença à fouiller leur serveur, à la recherche de quelque chose, quoi que ce soit, qui puisse les incriminer. Qui puisse permettre d'épingler Barren. La douleur entre ses jambes s'estompait au fur et à mesure qu'elle se concentrait sur la mission.

JÉRUSALEM

— Vous mentez.

— Je suis désolé si c'est l'impression que cela donne.

— Vous savez qui est cette fille.

— J'ai bien peur que non.

— Vous savez où elle est.

— Encore une fois, j'ai bien peur…

— Et Rivka Kleinberg pensait la même chose. Voilà pourquoi elle vous a appelé, trois semaines avant de mourir.

— Malheureusement, je ne me souviens pas de quoi nous avons parlé.

— Malheureusement, je ne vous crois pas.

— J'en suis désolé.

— Où est la fille ?

— Je ne saurais vous le dire.

— Pourquoi avez-vous menti pour votre alibi ?

— J'ai simplement oublié de dire que j'étais sorti me promener.

— Pourquoi avez-vous dit que vous étiez coupable du meurtre de Rivka Kleinberg ?

— J'ai dit que je me *sentais* coupable de son meurtre. C'est moi qui ai ordonné que la cathédrale reste ouverte plus tard, après tout. Si je ne l'avais pas fait, elle n'aurait pas été tuée à l'intérieur.

— Je ne vous crois pas.

— C'est votre droit le plus strict.

— Vous cachez quelque chose.

— Si vous le dites…

— Vous avez peur de quelque chose.

— Nous avons tous peur de quelque chose, inspecteur.

— Où est la fille ?

— Je ne saurais vous le dire.

— Vous mentez.

— Je suis désolé si c'est l'impression que cela donne.

Ben-Roï serra les poings, frustré. Ce petit manège durait depuis quarante minutes, comme une cassette en boucle, sans le mener nulle part. Depuis 22 heures, en fait. L'archevêque ne disait rien, n'avouait rien, et comme les experts scientifiques avaient fait chou blanc dans ses appartements, le dossier de Baum retombait comme une verge flasque. Raison pour laquelle il avait fini par accepter que Ben-Roï voie l'archevêque. C'était son dernier coup de dés avant la limite des vingt-quatre heures de garde à vue et la pluie d'œufs pourris qui allait lui tomber dessus. Ben-Roï était frustré, mais ce n'était rien à côté de ce que son bien-aimé superintendant devait ressentir en ce moment.

Il regarda sa montre – 22 h 40 –, se leva pour faire quelques pas dans la cellule, histoire de se remettre les idées en place. L'archevêque était assis, dans une sorte de silence méditatif, un léger sourire aux lèvres. Ni prétentieux ni moqueur, comme ceux des ordures professionnelles à la Genady Kremenko, mais plutôt calme, stoïque, sûr de lui. Presque pieux. Le sourire d'un homme convaincu que ce qu'il fait est juste… et disposé à assumer toutes les conséquences qui en découleront. Le sourire d'un martyr, pensa Ben-Roï. Et s'il savait une chose à propos des martyrs, c'est qu'ils ne rompaient jamais, aussi fort qu'on les frappe.

Ben-Roï retourna s'asseoir et lui montra la photo de Vosgi.

— Bon, reprenons encore une fois tout ça. Vous connaissez cette fille ?

— J'ai bien peur que non.

— Pourquoi mentez-vous ?

— Je ne mens pas.

— De quoi avez-vous peur ?

— Comme je vous l'ai dit, inspecteur, n'avons-nous pas tous peur de quelque chose ?

Et encore et encore les mêmes questions qui appelaient les mêmes dérobades. Cela dura trente minutes supplémentaires, au bout desquelles Ben-Roï lâcha l'affaire, acceptant le fait qu'il se heurtait à un mur. L'archevêque était un coffre-fort que rien ne parviendrait à percer. Ben-Roï alla frapper à la porte pour qu'on vienne lui ouvrir. L'archevêque demeura assis, les mains croisées devant lui, la pierre violette symbole de sa charge brillant dans la lumière crue du néon, avec toujours ce même sourire aux lèvres.

— Vous savez, au début de cette enquête, un de mes amis m'a affirmé que rien ne se passait dans l'enceinte arménienne sans que vous soyez au courant, dit Ben-Roï.

L'archevêque leva les yeux vers lui.

— Il avait tort. Je ne pense pas que vous ayez la moindre idée de qui a tué Rivka Kleinberg. Et je ne pense certainement pas que c'est vous.

— Je suis heureux d'entendre cela.

— Mais vous savez ce qui est arrivé à cette fille, et en gardant pour vous cette information, non seulement vous faites obstruction à une enquête de police, mais vous permettez à l'assassin de s'en sortir. Peut-être de tuer à nouveau. Comment votre conscience s'accommode-t-elle de cela, Votre Eminence ?

Certes, le sourire demeura, mais quelque chose de fugace passa dans les yeux de l'archevêque. Peut-être une lueur de doute, peut-être simplement une poussière, quoi qu'il en soit, cela disparut aussitôt.

— Les questions de conscience ne sont jamais simples, inspecteur. Elles génèrent inévitablement des dilemmes et des conséquences inattendues. Celui qui donne sa vie pour combattre un régime corrompu laisse derrière lui une famille qui sera alors persécutée par ce même régime. Le croyant qui meurt sur le bûcher au nom de sa religion donne un exemple que d'autres se sentiront obligés de suivre. La conscience est un maître épineux. La mienne, cependant, est aussi tranquille que possible. Maintenant, si vous le voulez bien, j'aimerais pouvoir prier un peu.

Un instant encore, Ben-Roï regarda le vieil homme qui murmurait, la tête basse, puis il sortit.

— Alors ?

Le superintendant Baum l'attendait au bout du couloir, livide d'inquiétude. Ben-Roï secoua la tête, provoquant une bordée d'injures. Petite consolation en regard du fait que l'entrevue n'avait été qu'une perte de temps.

Louqsor

Le lundi matin, quand Khalifa arriva au poste de police, un visiteur l'attendait – Omar al-Zahwi. Les deux amis s'embrassèrent en échangeant des « *Sabah el-kheir* ».

— Rasha va bien ? demanda Khalifa en faisant signe à un agent de leur apporter du thé.

— Très bien, merci. Et Zenab ?

— Chaque jour un peu mieux, répondit-il en guidant Omar vers l'escalier.

Pour la première fois depuis neuf mois, il n'avait pas l'impression de proférer un mensonge éhonté en affirmant cela. La nuit précédente, il avait craint que l'incident devant le parc ne fasse encore régresser sa femme, mais au contraire il semblait avoir déclenché quelque chose en elle. Ce matin, elle s'était levée la première et avait préparé le petit déjeuner, ce qui ne s'était pas produit depuis un bon bout de temps. Ensuite, elle avait insisté pour conduire elle-même Youssouf à l'école. Sa douleur était encore palpable – autour de ses yeux, gravée sur son visage, elle lui voilait la voix –, mais elle se doublait désormais d'un semblant de détermination que Khalifa n'avait pas constaté depuis de longs mois. Au cours des dix minutes de marche jusqu'au commissariat, il s'était senti mieux que jamais.

— Professionnel plutôt que personnel, j'imagine ? lança-t-il tandis qu'ils montaient.

— Extraordinaire pouvoir de déduction ! s'exclama Omar en brandissant la mallette et la carte roulée qu'il avait dans les mains.

— Ce sont les résultats des analyses de l'eau ?

— Tout à fait. Désolé de t'avoir fait attendre.

Les excuses n'étaient pas nécessaires. Depuis qu'il avait commencé à fouiller dans la vie de Samuel Pinsker, l'histoire des puits coptes empoisonnés lui était complètement sortie de la tête. Aucun nouvel incident n'avait été signalé, et tout était calme du côté de la ferme des Attia. Il avait fini par conclure que tout cela n'était qu'une tempête dans un verre d'eau.

— Tu vas m'annoncer qu'ils ont tourné tout seuls, c'est ça ?

— En aucune façon ! Ils ont été empoisonnés tous les sept, c'est indubitable.

— Tous les trois, corrigea Khalifa.

— Non, les sept. J'ai fouillé un peu aux alentours et, outre ceux que tu m'avais fournis, j'en ai trouvé quatre qui avaient aussi été touchés.

Khalifa s'immobilisa. Subitement, c'était le Labyrinthe d'Osiris qui lui était sorti de la tête.

— Tu en es sûr ?

— Absolument. Et il ne s'agit que de ceux qui ont été signalés. Il pourrait bien y en avoir d'autres.

— Tous coptes ?

— Pour quatre d'entre eux, oui.

— Et les trois autres ?

— Ils appartiennent à des musulmans. Un point d'eau bédouin près de Bir el-Gindi, une petite exploitation du côté de Barramiya et le dernier… je ne me souviens plus où exactement… J'ai tous les détails là-dedans, dit-il en désignant sa mallette.

Le tableau était désormais assez différent de ce que Khalifa avait imaginé.

— C'est très intéressant, poursuivit Omar. C'est même important, je pense. Il faut que je te montre tout ça…

Khalifa n'avait pas envie de supporter la présence envahissante d'Ibrahim Fathi, le collègue qui partageait son bureau, aussi conduisit-il directement Omar dans la pièce voisine.

— Je t'ai résumé la situation par écrit, indiqua Omar en lui tendant les feuillets qu'il avait sortis de sa mallette. Mais ça ira plus vite si je t'explique…

Il déroula sa carte sur la table, et Khalifa l'aida à trouver de quoi en lester les quatre coins : une carafe, un cendrier, une perforeuse et le *Texte intégral du manuel de la police*, auquel, pour la première fois en vingt ans, il venait de trouver un usage. C'était la carte d'une toute petite zone, un rectangle de désert coincé entre le Nil à l'ouest, la mer Rouge à l'est, et les Routes 88 et 99, respectivement au nord et au sud. Au milieu des filigranes représentants les oueds, les pistes, les djebels et les élévations, sept petites croix étaient tracées à l'encre rouge : les puits, de toute évidence. Khalifa alluma une Cleopatra et les deux hommes se penchèrent sur la carte.

— Je vais essayer de faire bref et d'éviter le cours magistral… lança Omar.

— *Hamdulillah.*

— … mais avant d'en venir aux puits, je dois te donner un peu de contexte pour que tu comprennes au moins de quoi je parle.

Khalifa tira une bouffée de sa cigarette et lui fit signe de continuer.

— Ceci est le centre du désert Arabique, dit Omar en posant sa paume au milieu de la carte. Géologiquement parlant, c'est au bord de ce qu'on appelle le bassin de Nubie, une vaste nappe phréatique souterraine qui s'étend sur deux cent cinquante mille kilomètres carrés…

Khalifa n'avait rien à gagner à aider Ben-Roï, mais au moins il s'instruisait.

— L'eau qui compose cette nappe est de nature principalement fossile, c'est-à-dire qu'elle a été filtrée par les couches de roches depuis des dizaines voire des centaines de milliers d'années, et que, depuis, elle n'a pas bougé. Elle présente une certaine conductivité hydraulique rémanente, en raison des modifications dues à la gravité et aux différences de pression atmosphérique… Bon, je ne vais pas entrer dans les détails…

— *Hamdulillah*, répéta Khalifa, qui commençait déjà à perdre pied.

— … mais en résumé cette eau est statique. Elle ne bouge pas, elle ne va nulle part et elle n'est pas remplacée. Elle est prisonnière dans des couches poreuses coincées entre d'autres qui ne le sont pas. Tu peux imaginer une éponge entourée de béton…

— J'imagine…

— Pratiquement tous les puits du désert Arabique, et ceux du désert de Lybie aussi, d'ailleurs, sont alimentés par cette nappe. A l'évidence, la profondeur des forages varie en fonction du relief, de vingt mètres à deux kilomètres, mais le principe de base reste le même. Pour réemployer la métaphore de l'éponge, c'est comme si on traversait le béton avec une paille pour aspirer l'eau.

Il marqua une pause pour donner le temps à Khalifa d'absorber tout ça.

— Cependant, reprit-il, il existe certaines exceptions à cette règle, plutôt rares mais très intéressantes.

— Quelles exceptions ? demanda Khalifa, qui avait dressé l'oreille devant le changement de ton de son ami.

— Eh bien, par endroits, la géologie de la nappe est beaucoup plus floue. Je ne veux pas entrer dans les détails, mais il existe des lignes de fracture qui zigzaguent à travers la nappe, très loin dans le sous-sol. Des failles, en gros. La plupart du temps, elles ne font que quelques centaines de mètres de long, mais certaines font quelques kilomètres et parfois même quelques dizaines de kilomètres. Comme des pipelines souterrains…

On frappa à la porte et l'agent que Khalifa avait sollicité entra avec un plateau de thé. Omar attendit qu'il soit ressorti pour poursuivre :

— L'espace supplémentaire créé par ces failles permet à l'eau de se déplacer un peu plus vite, dit-il en mettant trois sucres dans son thé. On est loin du torrent souterrain, mais l'eau bouge un peu plus que dans le reste de la nappe, une douzaine de mètres par an, environ. Cependant, si la faille est en pente, ou si quelque part le long de son trajet l'eau des précipitations peut pénétrer jusqu'à elle, le débit peut considérablement augmenter. L'année dernière, ils ont mené une expérience au djebel Hammata. Ils ont injecté de la teinture dans une faille peu avant une crue et ont observé que l'eau teintée s'était déplacée de cinq kilomètres en autant de mois.

— Fascinant, murmura Khalifa, en se demandant où Omar voulait en venir.

— Ce n'est que récemment qu'on s'est mis à examiner ces failles plus en détail, depuis qu'on dispose de la technologie pour le faire, mais une équipe de l'université de Hilwan a commencé à les cartographier, du moins les plus importantes, et comme nous avons de la chance, ils ont travaillé sur celle qui nous intéresse...

Il tapota la carte du doigt.

— Je les ai contactés pour leur donner les coordonnées des puits empoisonnés, et tu sais ce qu'ils ont trouvé ?

— Qu'ils étaient tous situés sur une faille ?

— Exactement. Les sept sont alimentés par de l'eau mouvante. Garde ça en tête et regarde maintenant la distribution des puits, dit-il en pointant les croix rouges. De prime abord, elle semble aléatoire, non ? Aucun schéma ne se dégage. Mais si l'on met dans l'équation la date à laquelle ils ont été empoisonnés, ça change tout. Le premier incident a eu lieu ici, à Deir el-Zeitoun...

Il toucha la croix la plus proche du centre de la carte, celle du monastère dont Demiana Barakat avait parlé à Khalifa.

— Et le plus récent ici, dans la ferme des Attia. Entre ces deux points, les positions varient linéairement en fonction de la date. En clair, plus on s'éloigne du centre, plus tard les puits sont empoisonnés.

Une carotte s'était formée au bout de la cigarette de Khalifa, mais il ne s'en rendit même pas compte. En revanche, le frisson dans sa colonne vertébrale était revenu.

— On pourrait expliquer cela de plusieurs façons : coïncidence, agissements de quelqu'un qui aurait décidé d'empoisonner les puits en partant du plus éloigné... Cependant, pour moi, la seule explication vraisemblable, c'est que les puits ne sont pas empoisonnés de l'extérieur, mais en sous-sol. Et ce qui provoque cet empoisonnement pénètre dans la nappe phréatique par ici, dit-il en mettant le doigt au centre de la carte, puis se propage le long des lignes de fracture hydroconductrices.

La carotte de cendres tomba sur la carte. Khalifa souffla dessus. Le frisson dans sa colonne devenait plus intense.

— Tout cela nous amène aux résultats des analyses, poursuivit Omar en prenant son rapport. Il m'a fallu un peu de temps et j'ai dû frapper à quelques portes, mais hier, j'ai fini par obtenir les analyses des sept échantillons. Comme je m'y attendais, les sept ont été empoisonnés par la même chose, aux variations de concentration près. En revanche, la nature du poison m'a surpris.

Il ouvrit son rapport et se mit à lire :

— Des traces de mercure. Des niveaux élevés de sélénium, de fluorure et de chlorure. Ainsi que des niveaux anormalement élevés…

Il marqua une pause.

— … d'arsenic.

Khalifa en resta bouche bée.

— Quelqu'un balance de l'arsenic dans l'eau ?!

— On dirait, oui. Bien que le plus intéressant ne soit pas tant l'arsenic que sa combinaison avec ces autres éléments. Ce n'est pas du tout mon domaine, mais j'en ai discuté avec des amis plus qualifiés, et le consensus qui semble se dégager est que nous avons affaire aux résidus d'un précipité gazeux émanant d'un four à sulfure.

— Et ça veut dire quoi ? demanda Khalifa, les yeux écarquillés.

— J'ai dû poser la question, moi aussi ! s'exclama Omar en riant. Apparemment, il s'agit d'une des étapes permettant de séparer un métal du minerai. On s'en sert pour divers métaux, le cuivre, le zinc, le plomb. Mais dans le cas qui nous occupe, la haute teneur en arsenic suggère qu'il s'agit…

— D'extraction d'or.

Son frisson avait disparu, mais ses battements de cœur s'étaient accélérés. Il regarda la carte, les hauts plateaux au centre du désert, puis écrasa son mégot dans le cendrier au sud-ouest.

— Excuse-moi un instant, Omar. J'ai un ou deux coups de fil urgents à passer.

JÉRUSALEM

Vers le milieu de la matinée, l'archevêque Petrossian fut renvoyé chez lui, astreint à un régime d'assignation à résidence. Les foules qui campaient sur la place Omar-ibn-al-Khattab se dispersèrent, les journalistes rangèrent leur matériel, et Baum se prit un sérieux savon de la part du commandant Gal à propos de sa gestion de l'affaire. Ben-Roï et Zisky venaient à peine d'entrer dans leur bureau quand leurs téléphones sonnèrent en même temps. Zisky décrocha le fixe, tandis que Ben-Roï répondait sur son portable. C'était Khalifa, qui s'abstint des formules de politesse habituelles :

— J'ai peut-être trouvé quelque chose ! dit-il.

Il mit Ben-Roï au courant : Pinsker, le Labyrinthe, la possible existence d'une mine d'or encore viable, les puits empoisonnés. Ben-Roï prenait quelques notes, mais écoutait surtout, passant de l'intérêt à l'étonnement et, devant l'histoire des puits, à l'incrédulité.

— C'est forcément une coïncidence ! s'exclama-t-il quand Khalifa eut terminé. Ton enquête et la mienne qui se rejoignent… J'ai vraiment du mal à le croire. Ça se goupille trop bien. Beaucoup trop bien.

— C'est ce que je me suis dit. La mine de Pinsker n'est pas la seule dans le désert Arabique. Mais quand j'ai posé la question au ministère du Pétrole et des Ressources en minerais, ils m'ont répondu qu'ils n'exploitaient aucune mine dans cette zone. Les plus proches se trouvent à deux cents kilomètres au bas mot.

A l'autre bout de la pièce, Ben-Roï entendait Zisky parler d'un bus et d'un arrêt non prévu, mais il n'y prêtait pas attention, trop absorbé par ce que Khalifa racontait.

— J'ai quand même du mal à le croire, répéta-t-il. Il doit y avoir une autre explication.

— Qu'est-ce que tu dis de ça, alors ? D'après la femme du ministère à qui j'ai parlé, on n'a jamais exploité de mine dans le coin, du moins à l'époque moderne. La seule chose qu'elle a pu trouver, c'est une concession d'exploitation accordée à une société, Prospecto Egypt, qui est arrivée à terme il y a quinze ans. Cette boîte a passé dix-huit mois à faire des sondages précisément sur cette zone…

— Et ?

— Et Prospecto est une filiale de Barren Corporation.

Ben-Roï se mordit les lèvres. Devant lui, Zisky était en train de consulter la carte d'Israël accrochée au mur.

— Qu'est-ce que tu suggères ? Que Barren a trouvé cette mine et l'a exploitée en douce ?

— Je ne suggère rien du tout, je te donne juste les faits. Mais on dirait bien que c'est là que les faits nous mènent. Après tout, les licences d'exploitation ne sont pas données, et Barren ferait pas mal d'économies en exploitant la mine illégalement. Si ta journaliste a découvert le pot aux roses et menacé de donner l'alerte…

Zisky fit mine de lui adresser la parole, mais Ben-Roï leva la main pour indiquer qu'il était occupé. Marrant ! se dit-il. Une semaine plus tôt, il avait demandé à Khalifa de creuser un peu les éléments qui se trouvaient à la périphérie de son enquête, et à présent l'Egyptien semblait presque l'avoir résolue. Il repassa le scénario dans sa tête, en essayant de le confronter aux autres indices qu'il avait mis au jour. Il ne savait pas s'il était possible d'exploiter une mine en secret, même si, d'après Khalifa, l'endroit était désert, littéralement ! Alors pourquoi pas ? A mettre de côté pour l'instant. Beaucoup d'autres pièces du puzzle semblaient bien s'ajuster. Les articles dans les journaux, Pinsker, Barren, l'Egypte... Le Nemesis Agenda, aussi, en considérant que Kleinberg avait pu les contacter pour savoir si, en piratant le réseau informatique de Barren, ils n'auraient pas trouvé des infos sur cette mine. Ou alors, elle les avait mis au courant. Dans un cas comme dans l'autre, ça collait. Ce qui posait encore problème, c'était Vosgi et les trafiquants sexuels. Comment établir un rapport entre ça et une mine d'or clandestine au milieu d'un désert en Egypte ? Pour l'instant, il n'en avait pas la moindre idée...

— Ben-Roï ? dit Khalifa.

— Désolé... Je récapitulais tout ça dans ma tête. Ecoute, je te dois une faveur, mon ami ! Vraiment ! Je vais suivre ces pistes et je te ferai savoir...

— Je vais voir ce que je peux trouver d'autre, l'interrompit Khalifa. Le coin est peut-être désert, mais je ne pense quand même pas qu'ils pourraient exploiter cette mine sans que quiconque soit au courant. Il y a forcément quelqu'un qui a vu ou entendu quelque chose.

Ben-Roï dit à l'Egyptien qu'il en avait déjà fait plus qu'assez, mais Khalifa insista, et après tout, pourquoi l'en dissuader ? Peut-être que d'une certaine façon cela l'aidait à s'en sortir, comme Ben-Roï lui-même s'en était sorti à l'époque, grâce à l'affaire Hannah Schlegel. D'ailleurs, c'était avant tout pour ça qu'il avait parlé de Kleinberg à Khalifa.

Ils convinrent de rester en contact et Ben-Roï raccrocha. Il rumina les faits pendant quelques instants, puis alla rejoindre Zisky à son bureau.

— Désolé... Des infos intéressantes, côté égyptien. Et toi, c'était quoi ?

— Le chauffeur du bus m'a rappelé.

Ben-Roï mit deux ou trois secondes à comprendre de qui le gamin parlait... Oui ! Le billet Egged, dans la poubelle de Kleinberg. Mitzpe Ramon, et le chauffeur de bus qui était parti en vacances...

— Et ?

— Et on a peut-être quelque chose, là.

C'était la deuxième fois qu'il entendait ça en un quart d'heure. Les affaires reprenaient, semblait-il.

— Raconte.

— Le type a reconnu Kleinberg dès qu'il a vu la photo. Il dit qu'elle a pris son bus plusieurs fois.

— C'est combien, plusieurs fois ?

— Huit ou neuf au cours des trois dernières années. Toujours pour la journée. Il la déposait, puis la ramenait quelques heures plus tard.

— Ce serait trop demander qu'il sache ce qu'elle allait faire à Mitzpe Ramon, j'imagine…

— C'est ça qui est intéressant. Elle n'y allait pas, justement. Le chauffeur la déposait une dizaine de kilomètres avant la ville, et c'est là qu'il la récupérait chaque fois, plus tard dans la journée.

Il fit signe à Ben-Roï de venir regarder la carte.

— C'est ici, dit-il en posant le doigt sur la Route 40. Au milieu de nulle part, à l'intersection avec une route secondaire qui mène vers la réserve naturelle du Har Ha-Néguev. Et de là… à la frontière égyptienne.

Des rouages tournaient dans la tête de Ben-Roï. Il monta sur une chaise pour décrocher la carte du mur.

— Rends-moi un service, Dov. Deux, en fait. Tout d'abord, essaie de voir ce que tu peux trouver sur une filiale de Barren, Prospecto Egypt, qui a fait des sondages dans le désert Arabique, il y a une quinzaine d'années. Ensuite, appelle le bureau de Barren à Tel-Aviv. Dis-leur que dans le cadre d'une enquête pour homicide on voudrait parler à quelqu'un qui sache ce que Barren fait en Egypte. On veut un dirigeant, pas un sous-fifre. Essaie d'avoir un rendez-vous pour cet après-midi, demain au plus tard. Il est temps qu'on écoute ce que ces types-là ont à raconter.

— Et vous, qu'est-ce que vous allez faire ?

— Moi ?

Ben-Roï roula la carte qu'il venait de décrocher.

— Je vais faire un petit tour à la campagne !

Houston

2 heures du matin, heure de Houston, et William Barren était parfaitement alerte. Ce n'était pas dû à la coke – il laissait tomber tous ces trucs-là, désormais. Il avait la tête claire. Il était plein d'énergie. Un état d'éveil dans lequel il baignait depuis quelques

jours, depuis que ses plans avaient commencé à prendre forme. Il contempla la vue par la grande baie vitrée, les tours qui scintillaient et les balafres lumineuses des voies rapides qui donnaient à Houston des airs de *Blade Runner*. Que faire ? Piquer une tête dans la piscine sur le toit, ou descendre au gymnase brûler un peu de ce trop-plein d'énergie ? Rien de cela ne le tentait. Il bondit hors de son lit et exécuta quelques mouvements de karaté devant la baie vitrée, puis se dirigea vers son bureau.

Dans la soirée, il avait emmené Barbara dîner au country-club. De plus en plus, il pensait qu'elle serait la bonne. Elle était triste à mourir et sexuellement timorée, voire amorphe (la seule et unique fois qu'il avait essayé de la sodomiser, elle avait crié comme un goret avant de fondre en larmes). Cependant, elle était belle, elle savait se tenir en société et était issue d'une lignée de WASP au pedigree sans tache – exactement le type d'épouse dont on a besoin quand on est à la tête d'une des multinationales les plus importantes du pays. Il prendrait soin de vérifier qu'elle était bien fertile et en mesure de perpétuer la lignée, puis ferait sa demande d'ici un an, quand toutes ces histoires avec Barren seraient terminées. Ou peut-être l'année d'après. Le mariage, comme n'importe quelle décision en affaires, exigeait un timing parfait.

Il s'adossa à son siège et posa les pieds sur le coin de son bureau recouvert de paperasse : dossiers, rapports, tableaux comptables, analyses... Le monstre Barren réduit à ses éléments constitutifs. Il saisit une feuille au hasard – les comptes prévisionnels d'une éventuelle opération de rachat de capital d'une compagnie canadienne de carburants bio – puis la reposa. Pas la tête à ça. Sur l'écran de l'ordinateur, l'image d'une webcam était toujours affichée : une piaule minable en Europe de l'Est, où des filles en prenaient pour leur grade. Mais il n'était pas d'humeur pour ça non plus. Il se passa la main dans les cheveux, s'étira et, jetant un coup d'œil à sa montre, composa un numéro de téléphone sur son fixe. Ça décrocha au bout de cinq sonneries.

— Je vous réveille ? demanda-t-il.

— Oui, mais ce n'est pas un problème, répondit une voix douce.

— Vous pouvez parler ?

— Oui.

— Je voulais simplement savoir si vous avez réfléchi à notre discussion ?

Oui, dit la voix, il y avait eu amplement matière à réflexion. A beaucoup de réflexion. Et une décision avait été prise. William avait raison. Il fallait que ce soit fait. Pour garantir l'avenir. Pour assurer la continuité.

William sourit.

— Je savais que vous comprendriez. La famille est une chose qui vous parle, après tout. Et nous devons nous entraider...

— Tout à fait.

— Je me suis dit qu'on devrait peut-être combiner cela avec le truc en Egypte. Pour tout avoir sous la main. Ça suscitera moins de questions, comme ça.

— Très bonne idée.

— On y va, alors ?

— On y va.

William dit à son interlocuteur qu'il le tiendrait au courant et lui enjoignit de faire profil bas, puis raccrocha. Il resta un instant les yeux dans le vide, puis retourna dans sa chambre chercher sa serviette et son maillot de bain. A la réflexion, piquer une tête était une bonne idée.

Israël

Mitzpe Ramon se trouvait à cent soixante kilomètres au sud de Jérusalem, soit trois heures de voiture en tenant compte de la circulation et des limitations de vitesse.

Ben-Roï en mit deux pour effectuer le trajet.

Pendant les quatre-vingts premiers kilomètres, il utilisa sa sirène pour se frayer un chemin jusqu'à Be'er Sheva sur les routes encombrées. Puis il pénétra dans les étendues désertes du Néguev, où il put ranger sa sirène et appuyer sur le champignon. Vers midi, il atteignit l'embranchement où le chauffeur de bus déposait Rivka Kleinberg. Il se rangea sur le bas-côté et sortit de sa voiture pour jeter un coup d'œil alentour.

Sur la carte, l'endroit semblait désert, mais la réalité était encore pire. Le ruban de bitume de la Route 40, la route secondaire qui s'éloignait vers l'ouest, et trois panneaux : le premier indiquait la distance à Mitzpe, *10 km*, le deuxième signalait aux touristes la réserve naturelle du Har Ha-Néguev et le dernier mettait en garde contre les chameaux errants. A part ça, rien. Le soleil cognait sur l'étendue désertique, et quelques mètres plus loin une carcasse de chèvre en décomposition répandait une odeur de putréfaction. Le bourdonnement des mouches était l'unique bruit à la ronde.

Il regarda autour de lui, sans bien savoir ce qu'il était venu faire là, mais en se disant qu'il avait plus de chances de comprendre ce que Kleinberg tramait en se rendant sur place qu'en restant dans son bureau. Il sortit une paire de jumelles de son coffre et monta sur le capot de sa voiture pour examiner les lieux sur trois cent soixante degrés, sans découvrir rien de plus que ce qu'il voyait à l'œil nu : des rocailles et de la poussière, des collines, quelques herbes folles, mais pas un seul être humain.

Il se concentra sur la route secondaire qui partait vers l'ouest. Dès le début, il avait songé que c'était la raison la plus vraisemblable pour expliquer la présence de Kleinberg ici. Avait-elle rendez-vous avec quelqu'un qui franchissait la frontière égyptienne ? Essayait-elle d'entrer discrètement en Egypte ? Ou était-elle venue ici pour tout autre chose, la proximité de la frontière n'étant qu'une coïncidence ? Quoi qu'il en soit, il y avait un rapport avec le Nemesis Agenda, c'était une certitude. Trois ans plus tôt, Kleinberg était venue jusqu'ici pour rencontrer un membre de Nemesis. Et d'après ce que racontait le chauffeur, elle y était régulièrement revenue depuis.

— Mais pourquoi précisément ici ? murmura-t-il. Qu'est-ce que tu pouvais bien fabriquer dans le coin ?

Il suivit la partie visible de la route secondaire jusqu'au point où elle disparaissait derrière un promontoire rocheux, examinant chaque pouce de bitume comme s'il pouvait lui révéler ce qu'il cherchait. Mais rien ne vint répondre à ses questions et au bout d'une dizaine de minutes il laissa tomber et rangea ses jumelles dans le coffre. Il se glissa dans l'habitacle, sortit la bouteille d'eau minérale et les Doritos qu'il avait achetés en chemin, à une station-service. Il avait avalé le quart du paquet lorsqu'il entendit le bruit d'un moteur au loin, le premier véhicule qu'il croisait dans les parages depuis son arrivée. Il prit la photo de Kleinberg et alla se poster sur la route.

C'était un camion-citerne, encore très loin de lui, qui roulait en direction de Be'er Sheva. Son image tremblait à cause de la chaleur, et Ben-Roï resta une bonne minute à le regarder approcher, si lentement que cela en devenait monotone. Lorsqu'il ne se trouva plus qu'à cinq cents mètres, il retourna à la voiture et mit en marche son gyrophare. Dans un crissement de freins atténué par la distance, le camion-citerne ralentit et finit par s'immobiliser à une dizaine de mètres de Ben-Roï. Celui-ci se dirigea vers la cabine en faisant signe au chauffeur de baisser sa vitre.

— On m'a déjà contrôlé il y a trois semaines ! s'exclama l'homme, une cigarette aux lèvres. J'ai les papiers, si vous voulez vérifier.

— Ce ne sera pas nécessaire. Vous passez souvent par ici ?

— Deux fois par semaine. Je vais d'Ashdod à Mitzpe Ramon, et retour par Yeruham et Dimona.

— Vous avez déjà vu cette femme ?

Ben-Roï lui tendit la photo. L'homme l'examina et la lui rendit en secouant la tête.

— Elle se serait tenue ici, à l'embranchement, comme si elle attendait quelqu'un, insista Ben-Roï.

— Jamais vu cette femme.

— Vous êtes sûr ?

— Certain.

— Bon. Vous pouvez y aller.

Ben-Roï s'écarta et lui fit signe d'avancer.

— Et éteignez-moi cette cigarette, nom de Dieu ! Vous êtes assis sur une cuve pleine d'essence !

L'homme jeta sa cigarette en grommelant et s'engagea sur la route. Ben-Roï retourna manger ses Doritos dans la voiture.

Dans l'heure et demie qui suivit, il arrêta quatorze véhicules, dont un pick-up rempli de Bédouins, un bus de l'armée de la base aérienne de Ramon et, pour finir, une Audi décapotable conduite par l'un des plus gros individus que Ben-Roï eût jamais rencontrés, accompagné par deux filles plus belles l'une que l'autre. Illustration, si besoin était, de la séduction qu'exerce un gros paquet de fric.

Deux personnes avaient reconnu Kleinberg parce qu'elles avaient vu sa photo dans les journaux, mais aucune ne l'avait rencontrée et encore moins dans ce lieu reculé. Lorsque l'Audi s'éloigna vers l'horizon, musique à fond, les chevelures des filles flottant dans le vent, Ben-Roï admit qu'il était en train de perdre son temps. Il décida de suivre la route secondaire jusqu'à la frontière égyptienne, histoire de voir si quelque chose retenait son attention. Ensuite, il passerait par Mitzpe Ramon pour s'entretenir avec la police locale, puis rentrerait chez lui. Parfois on gagnait, parfois non. Mais ça valait quand même la peine d'essayer.

Il alla pisser un coup au bord de la route puis grimpa dans sa Toyota. Au loin, une autre voiture approchait. Il hésita, se demandant s'il devait faire une dernière tentative, puis décida que non. Il fallait bien s'arrêter à un moment ou à un autre, alors pourquoi pas maintenant. Il démarra et commença à bouger, mais presque aussitôt changea d'avis et stoppa à nouveau.

— La seizième est la bonne, murmura-t-il en sortant de la voiture avec le cliché.

Le véhicule roulait extrêmement vite. Un 4 × 4, apparemment. Quand il se trouva à quatre cents mètres, Ben-Roï leva le bras, mais la voiture ne fit pas mine de ralentir. Trois cents mètres, deux cents... Il allait s'écarter lorsque le chauffeur pila subitement, faisant fumer ses pneus arrière, et le 4 × 4, un Toyota Land Cruiser, vint s'immobiliser sur le bord de la chaussée à cinq mètres à peine de lui. Comme dans l'Audi, un homme était derrière le volant, accompagné de deux femmes. Ben-Roï sortit son insigne.

— Si j'avais un radar vous n'auriez plus de permis.

— Désolé, dit l'homme. J'étais ailleurs.

— Pas très judicieux quand vous roulez à cette vitesse.

— Désolé, répéta l'autre.

Ben-Roï se pencha à la portière pour regarder à l'intérieur de l'habitacle. La femme à l'avant était menue, les cheveux courts, la forme de ses seins clairement visible sous son tee-shirt. A l'arrière, l'autre avait des cheveux auburn rassemblés en chignon et de longues jambes aux cuisses toniques, appuyées contre le siège du conducteur. Il ne put s'empêcher de remarquer que les deux femmes étaient jolies. Quoique pas de la même façon que celles de l'Audi. Ces dernières étaient des bimbos, tout en elles respirait le sexe, alors que celles qui se trouvaient à présent devant lui étaient moins voyantes... Elles avaient un certain port...

— Vous habitez dans le coin ? demanda-t-il en s'adressant à l'homme.

— A Tel-Aviv. On est descendus passer quelques jours à Eilat.

Vous avez bien de la chance, pensa Ben-Roï.

— Vous venez souvent par ici ?

— Tous les deux mois, peut-être.

Le regard de Ben-Roï se posa brièvement sur la femme à l'arrière, puis il leur montra la photo de Kleinberg.

— Je suppose que vous n'avez jamais vu cette femme ?

Ils regardèrent le cliché, la jeune femme à l'arrière s'avançant pour mieux voir.

— Moi, si ! dit-elle.

Ben-Roï se pencha un peu plus dans l'habitacle.

— Par ici ?

— Non, dans le journal. C'est la femme assassinée à Jérusalem.

Elle avait un accent. Léger, mais un accent quand même. Américain, peut-être, ou britannique. Des yeux gris, un regard intense, des taches de rousseur sur le nez – vraiment jolie.

— Mais vous ne l'avez jamais croisée par ici ? insista-t-il.

Elle secoua la tête.

— Et vous ?

Ils firent de même.

— Elle était de la région ? demanda l'homme en lui rendant la photo.

— On suit juste des pistes.

— Bon. J'espère que vous l'attraperez ! déclara la femme aux cheveux auburn en remettant ses jambes sur le siège avant.

Ben-Roï la dévisagea. Quelque chose le turlupinait, mais il n'arrivait pas à mettre le doigt dessus. Au bout de quelques instants, il les remercia et s'écarta du 4 × 4.

— Et faites gaffe avec la vitesse ! Tous les flics ne sont pas aussi coulants que moi.

L'homme sourit, le salua de la main et démarra. Ben-Roï les regarda s'éloigner, les yeux fixés sur la silhouette à l'arrière. Puis, haussant les épaules, il retourna à sa voiture et s'engagea sur la route secondaire, vers la frontière égyptienne. Il avait presque parcouru un kilomètre lorsque les mots surgirent pratiquement d'eux-mêmes de sa bouche :

— *Sally, Carrie, Mary-Jane...*

Un instant, il fut désorienté, comme si quelqu'un d'autre avait parlé. Puis il pila en lâchant un chapelet de « Bordel de merde ! ». Il prit le Jericho dans sa boîte à gants, fit demi-tour et se rua dans l'autre sens, toutes sirènes hurlantes.

Gidi roula tranquillement jusqu'à ce que la voiture du flic disparaisse dans son rétroviseur, puis appuya sur le champignon. A l'arrière, Dinah se retourna pour regarder s'il les avait suivis.

— Je pense que ça va, dit Gidi.

— Non, ça ne va pas. Tu as vu comment il me regardait...

Elle sortit son téléphone satellitaire – les simples mobiles ne captaient pas de réseau par ici – et composa un numéro. Trois sonneries, puis :

— Faz, commence à tout remballer. Il se peut qu'on bouge.

Elle raccrocha, prit le Glock dans son sac à dos. A l'avant, Tamar l'imita. Gidi poussa l'aiguille du compteur au-delà de cent soixante dans une série de longues courbes, avant de ralentir brusquement. Tandis qu'il s'engageait sur la piste qui menait à leur camp, Tamar sauta de la voiture et partit en courant vers la colline en surplomb de la route. Dinah monta à l'avant, composa un autre numéro et attendit – six sonneries cette fois – avant que ça décroche.

— J'y suis presque… fit la voix de Tamar dans l'appareil.

Dinah entendait son souffle rauque, le bruit de ses pas sur la rocaille.

— Ça y est, je suis en haut…

— Tu le vois ?

— Non.

Le Land Cruiser roula dans une ornière, projetant Dinah contre la vitre. Elle lança le Glock sur la banquette arrière, passa son portable dans sa main gauche et de la droite agrippa la poignée au-dessus de la portière pour se stabiliser.

— Toujours rien ?

— Toujours rien.

Un autre cahot les projeta en l'air, et Gidi se battit avec son volant pour redresser la voiture.

— Je ne le vois toujours pas, indiqua Tamar. Il a dû… Attends ! j'entends quelque chose…

— Quoi ?

Pas de réponse.

— Quoi, Tamar ?

— La sirène ! Il arrive.

— Merde !

Dinah fit signe à Gidi d'accélérer. Du haut de la colline, Tamar poursuivait son rapport.

— Il est à deux kilomètres environ… Il arrive vite. A fond ! Il prend la courbe… Un kilomètre… Il ne ménage pas son moteur… Il passe devant moi… Il est passé ! Il a loupé la sortie ! Il continue vers le nord…

Ils arrivèrent au camp et se rangèrent à côté de la salle des communications, où Faz débranchait frénétiquement des câbles et emballait des disques durs. Gidi courut l'aider, Dinah restant quant à elle dans la voiture, l'oreille vissée au téléphone. Elle avait presque l'impression d'entendre la sirène dans l'écouteur, au loin.

— Tamar, dis quelque chose !

— Il s'éloigne toujours.

— Quelle distance ?

— Un kilomètre environ. Il monte la côte vers l'arête.

— Toujours aussi vite ?

— On dirait.

— Et maintenant ?

— Il grimpe toujours… Il arrive en haut… Ça y est, il est passé de l'autre côté. Je ne le vois plus.

Dinah claqua des doigts. Gidi et Faz vinrent la rejoindre à l'extérieur. Ils restèrent là à se dévisager nerveusement. Trente secondes s'écoulèrent.

— Tamar ?

— Toujours aucun signe de lui.

— Donnons-lui encore une minute.

Ce qu'ils firent.

— Toujours rien. C'est bon. Il est parti !

Dinah fit un signe de tête à Gidi et Faz, et tous laissèrent échapper un soupir de soulagement.

— Attends ! Il revient !

— Merde !

Les deux autres s'approchèrent, et Dinah plaça son téléphone au milieu, pour qu'ils puissent entendre ce que Tamar disait.

— Il redescend la côte. Il roule vite… Moins d'un kilomètre… Cinq cents mètres… Il est passé… Il ralentit. Attendez ! Il fait demi-tour ! Il a trouvé la piste ! On est grillés !

— Surveille la route ! s'exclama Dinah. Préviens-nous si ses potes se pointent. Et baisse la tête.

Elle raccrocha et mit le téléphone dans sa poche. Faz était déjà retourné dans le local technique, et Gidi, qui farfouillait dans le Land Cruiser, en ressortit avec un mini-Uzi.

— Tu es prêt pour ça ? demanda-t-elle.

Il enclencha un chargeur.

— Prêt !

— OK ! Alors mettons-nous au boulot.

Ils se touchèrent le poing, puis se fondirent entre les bâtiments, tandis que la sirène se rapprochait.

Ben-Roï ralentit en s'engageant sur la piste. Il conduisait de la main gauche, le Jericho prêt à faire feu dans la droite. Au bout de quatre cents mètres, la piste plongeait dans un fossé puis tournait sur la droite, un virage en épingle à cheveux. A deux kilomètres environ, il vit des constructions blanches se découper sur l'ocre du désert. Il s'arrêta, éteignit sa sirène et alla chercher ses jumelles.

Le Land Cruiser était là, garé devant l'un des cinq bâtiments, la portière ouverte côté conducteur. Un second véhicule se trouvait à l'ombre d'un appentis adossé à la bâtisse. Quelques panneaux solaires, une grosse parabole, un truc qui avait l'air d'être un jardin potager. Aucun signe de vie.

Il examina le désert alentour puis revint brusquement sur les bâtiments, comme s'il voulait surprendre quelqu'un. Rien. Soit ils étaient déjà partis, soit ils se cachaient. Probablement la seconde hypothèse. Ils étaient au moins trois, sans doute armés et, d'après ce qu'il savait de Nemesis Agenda, dangereux. Très dangereux. Ben-Roï était certain que l'homme et les deux femmes étaient bien des membres de Nemesis Agenda. Il valait peut-être mieux appeler des renforts. Il jeta les jumelles sur le siège passager et prit son portable. Pas de réseau. Idem avec la radio de sa voiture. Merde ! Il ne lui restait plus qu'à retourner sur la Route 40 pour tenter d'arrêter quelqu'un et le charger de rameuter la cavalerie. Ou alors, y aller tout seul, ce qui était aussi dingue que stupide.

Il décida d'y aller tout seul.

Il remonta dans la Toyota et s'approcha très lentement, en seconde, s'arrêtant tous les trois cents mètres pour jeter un nouveau coup d'œil aux bâtiments avec les jumelles. Il ne voyait personne. A cent mètres du camp, il descendit de voiture. Le silence était total.

— Hé !

Rien.

— Hé ho !

La chaleur rendait sa voix plus ronde, plus ouatée, comme s'il criait à travers une couverture. Il s'avança, ses chaussures crissant sur le sol, en balayant l'air du canon du Jericho, de gauche à droite et retour.

— J'ai vu votre photo dans son appartement ! cria-t-il. L'appartement de Rivka Kleinberg... Vous étiez une petite fille... J'ai mis un certain temps à vous reconnaître, mais je n'oublie jamais un visage !...

Rien. Pas un son, pas un mouvement. Il atteignit le Land Cruiser, contre lequel il s'aplatit. Les clés se trouvaient encore sur le contact. Il s'accroupit et tira un coup en l'air. Aucune réaction. Peut-être étaient-ils vraiment partis, après tout ? Ou bien ils se cachaient quelque part dans le désert, à attendre, à l'observer...

— Elle est venue vous voir ! Quatre jours avant sa mort. Elle venait régulièrement ici. Pourquoi ?

Silence.

— Elle vous aidait ? C'est ça ? Rivka Kleinberg était membre de Nemesis Agenda ?

Toujours rien. Un calme absolu, comme si le monde avait été figé sous une cloche à vide. Une goutte de sueur tomba sur sa paupière. D'un mouvement fluide, il contourna la voiture et se plaqua contre le mur du bâtiment. La porte était ouverte. Il jeta un coup d'œil au véhicule sous l'auvent, puis compta jusqu'à trois et plongea dans l'embrasure. A l'intérieur, des écrans, des disques durs, des modems et des câbles jonchaient les tables, comme si quelqu'un avait essayé de tout emballer dans l'urgence. Il balaya la pièce du regard, puis ressortit. Les portes des autres bâtiments étaient fermées. Il les passa en revue. Les trois premières n'étaient pas verrouillées – de simples chambres, spartiates, vides. La dernière, si. Il donna un grand coup de pied dans le battant et le chambranle tout entier se détacha du mur dans un nuage de plâtre.

Un vague parfum de déodorant flottait dans la pièce, que des persiennes baissées protégeaient du soleil et de la chaleur. Un lit, une armoire, une table de nuit et une porte donnant sur une salle de bains. Ben-Roï s'assura qu'elle était vide, retourna jeter un coup d'œil dans la cour puis s'intéressa à la table de nuit, ou plutôt à l'ordinateur portable qui se trouvait dessus. En guise d'économiseur d'écran, la photo d'un immeuble de verre sur fond de ciel bleu et, en lettres dorées, un nom sur la façade : *Barren Corporation.* Il s'assit sur le bord du lit et tenta d'ouvrir le tiroir de la table de nuit. Verrouillé. Il essaya de le forcer, perdit assez vite patience et tira une balle dans la serrure. A l'intérieur, il trouva deux chargeurs, une enveloppe pleine de lettres, deux passeports, un israélien et un américain, à deux noms différents : Dinah Levi et Elizabeth Teal. Tous deux arboraient la photo de la fille à l'arrière du Land Cruiser. Il versa le contenu de l'enveloppe sur le lit. Des lettres, des cartes postales et une autre enveloppe, plus petite celle-là, qui renfermait des photos réunies par un élastique. Sur la première, une jeune femme potelée aux cheveux frisés, un bébé dans les bras, était assise dans un fauteuil – un fauteuil d'hôpital, probablement. Sur le cliché, le temps n'avait pas encore prélevé son tribut, mais il la reconnut instantanément : Rivka Kleinberg.

— Alors ça, ça me troue le cul !

— Si vous bougez d'un millimètre, dit une voix derrière lui, c'est exactement ce qu'il risque de vous arriver.

Un instant, elle pensa qu'il allait essayer quelque chose, à voir comment ses yeux hésitaient entre le Glock qu'elle avait dans les mains et l'Uzi que brandissait Gidi. Puis il sembla admettre que sa puissance de feu était inférieure à la leur et leva les bras. Elle s'avança et lui prit son pistolet, ainsi que les photos, qu'elle jeta sur le lit d'un geste brusque, comme si elle ne voulait pas qu'il les touche.

Ils l'emmenèrent dehors pour le fouiller, trouvèrent ses clés de voiture ainsi que son portable. Elle balança le téléphone à Faz, qui disparut aussitôt dans la salle informatique, puis, toujours accompagnée de Gidi, conduisit Ben-Roï jusqu'à sa voiture, où elle le menotta : le poignet droit au volant, la cheville gauche à la pédale de frein.

— Vous êtes sa fille, c'est ça ? dit-il tandis qu'elle se penchait pour vérifier que les menottes étaient bien en place. Vous êtes la fille de Rivka Kleinberg !

— Et alors ?

Elle palpa les sièges et l'intérieur de l'habitacle pour s'assurer qu'il n'avait pas dissimulé une arme quelque part, débrancha les câbles de la radio et après un dernier coup d'œil aux menottes repartit vers les bâtiments. Gidi alla chercher les explosifs et les minuteurs, elle-même s'occupa des bidons d'essence.

Ils avaient répété tout cela à de nombreuses reprises, selon différents scénarios qui dépendaient du temps dont ils disposeraient. Un départ immédiat, en laissant tout sur place. Un rush de deux minutes, juste le temps de prendre l'essentiel. Une retraite plus ordonnée, avec suffisamment de temps pour réunir leurs affaires et effacer leurs traces. Pour l'instant, Tamar, sur sa colline, ne donnait pas de nouvelles, ce qui semblait suggérer qu'aujourd'hui la troisième option était la bonne. Dinah était contente. De tous les endroits où elle avait vécu, celui-ci était le seul où elle s'était sentie un tant soit peu chez elle. Elle avait toujours su qu'il faudrait s'en aller un jour, mais au moins, elle serait en mesure de faire ses adieux.

Elle ouvrit la remise et traîna cinq bidons jusqu'au centre de la cour, puis retourna dans sa chambre rassembler ses affaires. Pas grand-chose, en fait : quelques vêtements, les lettres de sa mère, les photos.

Le passé était une autre vie, une vie qu'elle avait volontairement enterrée. Les lettres et les photos en étaient les uniques vestiges, comme des puits qui s'enfonçaient dans les ténèbres de son existence antérieure. Les rêves aussi, bien sûr. Dans ses rêves, le passé revenait toujours la hanter.

Elle fourra tout cela dans un sac, avec deux épais dossiers et son ordinateur portable. Elle rangea les passeports en dernier. Dinah Levi, Elizabeth Teal – deux noms parmi tous ceux qu'elle avait adoptés au fil des ans. Dinah, Elizabeth, Sally, Carrie, Mary-Jane… Il y en avait eu tellement. Des alter ego, des déguisements derrière lesquels elle se cachait, Dinah étant probablement le plus approprié en raison de ses connotations bibliques, l'histoire de Dinah et de Sichem, un récit de viol et de vengeance.

Tant de noms différents, tant de masques différents. Tant de versions d'elle-même.

Mais seule Rachel existe vraiment.

Elle referma le sac, jeta un dernier regard à sa chambre et sortit. Gidi était en train de poser des charges d'explosifs dans chaque bâtiment. Un coup de fil à Tamar confirma que personne n'approchait. Elle lui demanda de revenir au camp, déposa son sac dans le Land Cruiser et partit vérifier que le flic n'avait pas bougé. Dès qu'il la vit, il recommença à lui parler de sa mère. Elle ne prit même pas la peine de répondre.

— Elle travaillait avec vous, c'est ça ? insistait-il en tirant vainement sur ses menottes. Rivka Kleinberg faisait partie de Nemesis Agenda ! C'est pour ça qu'elle venait ici régulièrement…

Elle sourit, malgré elle. Pas parce que le flic tapait à côté de la plaque, mais plutôt parce qu'en dépit de sa situation inconfortable il essayait encore. Attachés dans une voiture à quarante degrés à l'ombre sans savoir s'il leur restait encore une heure à vivre, la plupart auraient supplié qu'on les épargne, mais lui cherchait encore à comprendre, à examiner son dossier sous tous les angles. C'était tout à son honneur, même s'il se gourait complètement.

— Rivka Kleinberg n'avait rien à voir avec Nemesis Agenda, dit-elle, en considérant qu'il avait bien gagné le droit d'entendre au moins quelques explications. Elle venait me voir, c'est tout.

— Elle venait passer un peu de temps avec sa fille…

Elle ne réagit pas.

— Elle savait ce que vous faisiez ? Il y a trois ans, quand elle voulait écrire un article pour son magazine…

Manifestement, il avait bien fait ses devoirs.

— Sur ce coup-là, elle avait mis la charrue avant les bœufs, répondit-elle. Elle avait déclaré à son rédacteur en chef qu'elle pouvait nous interviewer, mais avant de nous en parler. A l'époque, elle traversait une mauvaise passe, elle avait perdu son boulot… Elle ne raisonnait pas correctement. Je lui ai dit que c'était trop risqué, qu'on avait pas mal de pression sur le dos, et que si elle écrivait cet article, elle aussi subirait pas mal de pression. Qu'il faudrait alors que nous cessions de nous voir. Elle a compris la situation. Par la suite, nous n'avons plus jamais parlé de Nemesis.

— Même au cours de sa dernière visite ? Quatre jours avant son assassinat ?

Elle hésita. Après tout, c'était un flic, et elle ne voulait pas se laisser entraîner dans une discussion avec lui. Se taire, ne jamais révéler ses petits secrets – une leçon qu'elle avait durement apprise. D'un autre côté, il y avait cette chose en elle qui avait envie de parler, au moins suffisamment pour rétablir la vérité. Ben-Roï, qui sentit qu'elle doutait, la relança :

— Elle voulait que vous piratiez le site de Barren, c'est ça ? C'est pour ça qu'elle est venue, la dernière fois. Elle voulait que vous l'aidiez à trouver ce que Barren fabrique en Egypte.

Elle sentit ses tripes se nouer, comme chaque fois qu'elle entendait parler de Barren. Elle le dévisagea, se demandant comment jouer ce coup-là, évaluant la démarche qui servirait au mieux ses intérêts, puis au bout de quelques instants parvint à une décision. Elle tira le Glock de sa ceinture. Il se raidit.

— Détendez-vous ! On n'est pas des tueurs de flics...

Elle consulta sa montre, puis s'assit sur une pierre au bord de la route et posa le Glock sur ses genoux. Il s'adossa à son siège en se massant le poignet, à présent rouge vif.

— J'ai raison ?

Elle acquiesça.

— Elle écrivait un article sur des trafiquants sexuels, et elle avait trouvé un lien entre son sujet et Barren. Elle savait qu'on les avait à l'œil, qu'on pouvait s'introduire dans leur réseau, alors elle voulait qu'on fouille pour voir si on pouvait dénicher quelque chose à propos d'une mine d'or en Egypte, ou du port de Rosette...

— Elle a dit pourquoi ? Ou évoqué ce qu'elle pensait découvrir ?

— Non. Je ne crois pas qu'elle-même le savait. Ou si c'était le cas, elle n'a rien dit. Elle était comme ça, du genre à ne pas dévoiler son jeu. Nous étions sur le point de partir, alors je lui ai dit qu'on verrait ça à notre retour. Mais quand on est rentrés, elle était morte.

Rachel baissa la tête. Il ne fallait pas montrer sa douleur, pas aux inconnus, pas à qui que ce soit.

— Depuis, on fouille dans leurs bases de données, mais on n'a rien trouvé. Pas de Rosette, pas de mine d'or. Rien. S'ils trament quelque chose, ils le font discrètement.

— Vous savez si elle a contacté Barren ? Pour leur faire part de ses soupçons ?

— J'en doute, répondit-elle avec un haussement d'épaules. Elle n'était pas du genre à aller voir les gens sans preuves solides.

— Et vous pensez que Barren l'a tuée ?

Elle éclata de rire devant la naïveté de sa question.

— Bien sûr qu'ils l'ont tuée, putain ! C'est le genre de choses qu'ils font. Elle est tombée sur quelque chose qui les incriminait, alors ils l'ont abattue. C'est comme ça qu'ils fonctionnent. Ces types-là sont des merdes.

— Et pourtant, vous n'avez jamais réussi à les épingler.

— Ils sont intelligents... Mais on les aura.

Tamar arrivait en trottinant sur la piste. Assez parlé, il était temps de partir. Elle se leva.

— Vous êtes dans le grand bain, désormais, et vous n'avez plus pied, déclara-t-elle. Vous ne vous rendez absolument pas compte de la puissance de ces gens-là, vous n'avez pas idée à quel point ils sont... dégoûtants. Un type comme vous, un flic à la con qui se plie aux règles et qui respecte la loi, n'a aucune chance de coincer Barren. La seule façon d'agir avec une boîte comme ça, c'est de tricher autant qu'ils trichent. C'est pour ça que Nemesis Agenda existe. Pour faire ce que la loi ne peut pas faire et ne fera pas.

— Aidez-moi, alors ! Donnez-moi des infos !

— Ce n'est pas comme ça que ça marche, beau gosse. Vous êtes peut-être le flic le plus honnête du monde, mais vous n'êtes quand même qu'un rouage de la machine. Et la machine est au service de Barren et de ses semblables. Ils ont trop de valeur. Ils sont trop intriqués dans le système. Vous perdez votre temps, mais bonne chance quand même...

— Dites-moi au moins ce que vous avez trouvé sur eux, insista-t-il en essayant de prolonger la discussion autant que possible. Comment savez-vous que c'est eux qui l'ont tuée ? Et qu'entendez-vous par « dégoûtants » ?

Elle balaya les questions de la main. Elle avait dit tout ce qu'elle avait à dire, même si le policier, menotté, en sueur, était l'image même de l'impuissance et de la frustration. Tamar la rejoignit et elles partirent vers le camp. Faz chargeait du matériel dans le second Land Cruiser, Gidi en avait tout juste fini avec les explosifs. Pendant qu'ils emballaient rapidement leurs affaires, elle alla asperger d'essence les murs des cinq bâtiments et régla les minuteurs. Lorsqu'elle eut terminé, elle fit un dernier tour du camp afin de s'assurer que tout était en ordre. Puis, comme sur un coup de tête, elle ouvrit son sac, fouilla dans l'un des dossiers et en tira une feuille qu'elle glissa dans sa poche. Les Land Cruiser étaient prêts.

Gidi et Faz démarrèrent aussitôt. Tamar et elle roulèrent jusqu'à la voiture du flic. Elles lui donnèrent deux bouteilles d'eau minérale et un jerricane vide pour qu'il puisse uriner dedans. Elles mirent son téléphone, les clés des menottes et celles de la voiture dans son coffre, puis essuyèrent soigneusement toutes les surfaces qu'elles avaient touchées, afin de ne laisser aucune empreinte.

— On va se donner deux heures d'avance, annonça-t-elle. Ensuite, on passera un coup de fil à la police de Mitzpe, pour lui dire où vous êtes.

— Trop gentil à vous, murmura-t-il.

— On a truffé les bâtiments d'explosifs. Rien de très violent, mais si j'étais vous, vers 16 heures, je baisserais la tête. Juste au cas où.

Il grommela quelque chose, mais semblait avoir renoncé à lui poser des questions sur Kleinberg.

— Ne prenez pas la peine de faire des recherches sur les numéros de nos plaques d'immatriculation, on va les changer. Et ne tentez pas de nous retrouver. On est trop intelligents pour vous.

De sa main libre, il lui fit un doigt d'honneur. Elle sourit, tira la feuille de sa poche et la posa sur les genoux du flic.

— C'est tout ce que vous obtiendrez de nous ! Voici la liste des sociétés qui ont des liens avec Barren en Egypte. Il y a peut-être quelque chose là-dedans. Peut-être pas. C'est vous le flic. A vous de trouver.

Elle retourna à sa voiture.

— Qu'est-ce qu'il y a entre Barren et vous ? demanda-t-il. Pourquoi cette haine ?

Elle ralentit. Comment lui expliquer ? Comment expliquer cela à quiconque ? Même son équipe ignorait la vérité. Certaines motivations gagnaient à rester secrètes. Certaines identités aussi. C'était sa mission, et cela seul avait de l'importance. Les explications étaient superflues.

— Ils ont fait du mal à quelqu'un dont j'étais proche, murmura-t-elle, trop doucement pour qu'il puisse entendre.

Il répéta sa question, mais elle ne répondit pas. Après un dernier regard en direction du camp, elle monta dans le Land Cruiser, claqua la portière et démarra. Quelques instants plus tard, la voiture avait disparu dans un nuage de poussière.

En fin de compte, ce n'est qu'au bout de quatre heures, au moment où le soleil plongeait derrière l'horizon, qu'une patrouille de Mitzpe Ramon arriva pour libérer Ben-Roï. Les bâtiments avaient été réduits à un tas de décombres fumants et lui-même était d'une humeur massacrante.

— J'ai besoin d'un téléphone ! aboya-t-il en s'extirpant de la Toyota. Un qui fonctionne !

— Dans la voiture, répondit un des agents, une jeune fille au teint mat et au visage de mannequin, ce qui rendait la scène encore plus humiliante.

— Allez donc voir si vous trouvez quelque chose ! dit-il en désignant les ruines des bâtiments.

En fait, il voulait surtout pouvoir téléphoner sans témoins.

— Et rengainez-moi ce sourire ! grogna-t-il avec un regard noir.

Il passa un premier coup de fil à Sarah. Elle semblait contente de l'entendre et lui demanda s'il voulait venir dîner le lendemain soir, en tête à tête. Dans d'autres circonstances, la proposition l'aurait enchanté – elle ne lui avait plus jamais préparé de repas depuis leur séparation. Cependant, pour l'instant, les dîners aux chandelles ne figuraient pas dans son agenda. Il déclara qu'il serait ravi de venir, mais d'un ton qui péchait par manque d'enthousiasme, malgré tous ses efforts. Il raccrocha, puis contacta Dov Zisky.

— Tu étais où ? demanda celui-ci. J'ai essayé de te joindre tout l'après-midi.

— J'ai été retenu, répondit Ben-Roï avec brusquerie. Tu as parlé aux types de la Barren ?

C'était le cas. Rendez-vous avait été pris pour 21 heures, de façon que les huiles de Houston puissent participer en vidéoconférence.

— Mais si tu es toujours à Mitzpe, tu ne pourras jamais...

— J'y serai. Quelque chose sur Prospecto ?

Pas grand-chose. C'était une ancienne filiale de Barren, fondée en 1990 afin d'explorer les perspectives d'extraction de minerai en Egypte. Elle avait été démantelée au bout de deux ans. William Barren en avait été le P-DG, ce qui était intéressant.

Ben-Roï écouta, puis demanda à Zisky de se rendre dans l'appartement de Kleinberg.

— En fait, j'allais partir, dit Zisky. J'ai rendez-vous...

— Annule ton rencard et fonce chez Kleinberg ! l'interrompit Ben-Roï, qui n'était pas d'humeur à se montrer compréhensif. Il y a une photo dans la chambre. Une fille. Je pense qu'il s'agit de la fille de Kleinberg. En ce moment, elle utilise deux identités : Dinah Levi et Elizabeth Teal. Il faut que tu trouves tout ce que tu pourras à son sujet. Et jette aussi un coup d'œil à l'autre photo. Celle de Kleinberg pendant son service militaire. On aurait dû faire tout ça il y a dix jours !

Ce qu'il voulait dire, c'est que lui-même aurait dû le faire. Il avait merdé, il n'avait pas été assez méticuleux, et pour être franc, c'était la principale raison de sa mauvaise humeur, même si quatre heures sous le cagnard à pisser dans un jerricane n'arrangeaient pas les choses.

Il demanda à Zisky de lui envoyer les détails du rendez-vous avec la Barren par texto et raccrocha. Il rappela les deux agents et leur donna les numéros des plaques des Land Cruiser ainsi que la description de leurs quatre occupants, puis leur ordonna de circuler. C'était probablement une perte de temps, mais il fallait tout de même le faire. Il se dirigea ensuite vers sa Toyota et démarra en trombe. Deux cents mètres plus loin, il s'arrêta, ouvrit sa portière et balança le jerricane sur le bas-côté.

Il était vraiment d'une humeur massacrante.

Louqsor

— Vous n'avez rien constaté d'étrange, là-bas ? Des bâtiments, des machines, des camions ?

A l'autre bout du fil, l'homme assura à Khalifa qu'il n'avait rien vu qui sortait de l'ordinaire. Juste des rochers, du sable et encore des rochers. Exactement ce qu'on s'attend à trouver au milieu du désert.

— Mais pour être franc, dit l'homme, le paysage est tellement torturé, tellement montagneux, qu'on pourrait passer à cent mètres d'un terrain de football sans le voir.

— Des gens ?

— Absolument personne. Aucune faune à part de temps à autre un lièvre du désert ou un bouquetin. C'est un coin si reculé que même les Bédouins n'y mettent pas les pieds.

— Et avez-vous entendu quelque chose d'inhabituel ?

— Comme quoi ?

— Je ne sais pas… Des sons d'extraction ? Des coups, des bruits de forage…

— Je ne crois pas.

— Vous êtes sûr ?

— Oui.

Khalifa remercia l'homme avec un soupir, raccrocha et se dirigea vers la fenêtre. Il ralluma la cigarette qui pendait tristement au coin de ses lèvres. Depuis le début de la matinée, il n'avait pas arrêté de passer des coups de fil aux patrons de toutes les petites sociétés qui proposaient des safaris dans la région des hauts plateaux du désert

Arabique. Aucun n'avait rien vu ni entendu qui suggère qu'une mine soit exploitée dans le coin. Ni qu'elle l'ait été par le passé. Même son de cloche chez les compagnies aériennes qui assuraient des liaisons entre Louqsor et Hurghada ou Port Safaga, ainsi que chez ceux qui organisaient des sorties en montgolfière pour les touristes, au-dessus des massifs de la mer Rouge. Le ministère du Pétrole et des Ressources en minerais ne savait rien de plus que ce qu'il avait déjà dit. Khalifa attendait un éventuel coup de fil des Raissouli, mais sans grand espoir. S'ils avaient vu quelque chose, ils lui en auraient parlé pendant leur discussion, la veille.

Seuls deux petits indices permettaient de penser qu'il n'était pas complètement engagé sur une fausse piste. Un des organisateurs de safaris lui avait confié qu'il était tombé sur des traces de pneus faites par des véhicules lourds, dans un oued isolé débouchant sur le djebel El-Shalul. Cela ne voulait pas dire grand-chose, parce que dans ce climat désertique, où rien ne bougeait ni ne changeait, ces traces pouvaient très bien se trouver là depuis plusieurs décennies. Ensuite, juste au cas où, Khalifa avait contacté l'équipe de l'université de Hilwan, dont son ami Omar lui avait parlé, celle qui menait des recherches sur les failles hydroconductrices. Ils n'avaient rien vu qui indique la présence d'une mine d'or, mais quelques mois plus tôt, un de leurs pilotes avait repéré un convoi de camions se déplaçant vers l'ouest, dans les régions reculées entre les hauts plateaux et la vallée du Nil. Le pilote n'avait pas su dire d'où ils venaient ni où ils allaient, mais il y en avait beaucoup. Au moins une vingtaine, voire plus. Cela signifiait-il quelque chose ? Khalifa n'en savait rien. Cela dit, si les types de la Barren avaient trouvé le Labyrinthe et l'exploitaient clandestinement, ils le faisaient de façon miraculeusement efficace.

Il soupira de nouveau, en se demandant pourquoi il était à ce point obsédé par une enquête qui n'était pas la sienne. Puis, tirant une dernière bouffée sur sa cigarette, il s'appuya au rebord de la fenêtre. A cinq cents mètres, de l'autre côté d'un terrain vague jonché d'ordures, il distinguait à travers le feuillage des casuarinas le petit immeuble aux murs blanchis à la chaux où il vivait. Au-delà, la banlieue de Louqsor se perdait dans les champs, qui, au fur et à mesure qu'on avançait vers l'est, se transformaient à leur tour en terrain désertique. Un avion venait de décoller et s'éloignait vers Assouan, peut-être vers Abou Simbel… A l'horizon, presque hors de portée du regard, les massifs montagneux semblaient flotter dans l'air comme une sorte de brume. Et quelque part derrière ces montagnes…

— Où es-tu ? s'écria-t-il à haute voix. Nom de Dieu, mais où es-tu donc ?

— Juste derrière toi !

Khalifa se retourna. Mohamed Sariya se tenait devant la porte avec deux tranches de *basboussa* dans une assiette en carton.

— Tu fais des heures sup ? demanda-t-il.

— Je vérifie un truc. J'allais partir, en fait.

— Tu vas bien m'aider à manger ça avant, non ? dit Sariya en montrant ses pâtisseries.

— Je n'ai pas faim...

— Allez ! Il faut que tu m'aides à rester mince ! s'exclama Sariya en riant.

Khalifa rendit les armes et les deux hommes s'installèrent à l'un des bureaux.

— Qui c'est, « tu » ? demanda Sariya en attaquant sa part avec appétit.

— Quoi ?

— Dans « où es-tu » ?

— Ah, ça !... C'est une longue histoire.

— Et tu ne veux pas me la raconter ?

— C'est une histoire qui semble n'avoir ni queue ni tête, répondit Khalifa en mordillant le coin de sa pâtisserie.

Il briefa son collègue sur les développements intervenus au cours des dernières vingt-quatre heures – la mine, les puits empoisonnés, le résultat des analyses d'eau. Il ne mentionna ni Ben-Roï ni Kleinberg. Même si Sariya était l'un des hommes les plus accommodants de la police égyptienne, il aurait tiqué à l'idée de travailler pour des Israéliens.

— Tu en as parlé aux Attia ?

— Pas encore. Avant, je voudrais tirer au clair certains détails.

— Tu veux que j'aille y faire un tour ? Demain, je suis de congé. Je pourrais passer les prévenir, ça les rassurerait de savoir qu'il ne s'agit pas d'un complot contre les chrétiens.

— Ça ne t'ennuierait pas ?

— Au contraire. Ça me donnerait une excuse pour échapper à ma belle-mère. L'autre jour, elle m'a raconté une histoire si gonflante que j'ai cru que j'allais en crever.

Khalifa sourit.

— Tu veux que je passe aussi à Bir Hashfa ? demanda Sariya.

— Pas pour l'instant. Je ne veux pas que les gens se mettent à paniquer. Laisse-moi retrouver cette mine, et ensuite on pourra aller leur parler, mais avec des faits.

Sariya acquiesça, la bouche pleine. Le silence s'installa pendant quelques instants.

— Au fait, j'ai retrouvé la famille, annonça Sariya quand il eut avalé sa dernière bouchée.

— Quelle famille ?

— Tu sais, la famille de Gournah. Les El-Badri.

Bien sûr. La famille de la fille que Pinsker avait violée. Il avait demandé à Sariya de se renseigner sur eux. Maintenant qu'il avait découvert l'existence de la mine, cela n'avait plus beaucoup d'importance. Cependant, par politesse, il fit signe à Sariya de poursuivre. Il ne voulait pas qu'il ait l'impression d'avoir perdu son temps.

— Je n'ai pas trouvé grand-chose. Comme tu me l'avais dit, ils sont presque tous partis à El-Tarif lorsque Gournah a été rasé. Mais la sœur n'était déjà plus là, à ce moment-là.

— La sœur ?

— Oui ! La sœur ! C'est toi qui m'as parlé d'elle… Elle vit depuis trente ans, voire plus, dans un bled à côté d'Edfou.

Khalifa était perdu.

— Trois frères et une sœur, reprit Sariya sur le ton d'un père faisant la leçon à ses enfants. Les frères sont morts et enterrés depuis longtemps, mais la sœur vit toujours du côté d'Edfou.

— Iman el-Badri ?

— Absolument.

Khalifa secoua la tête.

— Quelqu'un a dû s'emmêler les pinceaux, Mohamed. Iman el-Badri est morte il y a des années. Il doit s'agir d'un homonyme.

— Ce n'est pas ce qu'on m'a dit. Il y avait trois frères, Mohamed, Saïd, et un troisième dont le nom m'échappe… Ahmed, je crois. Et la sœur : Iman. Elle vit juste à côté d'Edfou. C'est une espèce de sainte, apparemment. Elle passe son temps à bénir des femmes enceintes.

Khalifa commença à soulever des objections, à dire à Sariya qu'il devait se tromper, mais s'interrompit. Maintenant qu'il y repensait, personne ne lui avait jamais dit que la femme que Pinsker avait violée était morte.

— Ce n'est pas possible, murmura-t-il. Elle doit avoir plus de cent ans…

— Cent ans pile, en fait. Et d'après ce qu'on m'a raconté, elle est en pleine forme.

A présent, Khalifa était très intéressé par les découvertes de Sariya.

— Tu es sûr de ce que tu avances ? demanda-t-il.

Son collègue lui lança un regard faussement outragé.

— Tu as le nom du village ?

Sariya se suça les doigts, encore collants du sucre des pâtisseries, puis inscrivit le nom sur un bout de papier. Khalifa l'examina quelques instants et le mit dans sa poche.

— A côté d'Edfou, tu dis ?

— A cinq kilomètres au nord, environ.

Consultant sa montre, Khalifa fit un rapide calcul, puis se leva, donna à Sariya une tape dans le dos et fonça vers l'escalier en engloutissant sa part de *basboussa*. Il y avait une heure de route jusqu'à Edfou, et il n'aurait probablement rien d'autre pour dîner.

Route de Jérusalem

Plus tôt dans la journée, Ben-Roï avait appuyé sur l'accélérateur pour descendre de Jérusalem à Mitzpe Ramon.

Sur le chemin du retour, il passa presque le pied à travers le fond de caisse de la Toyota, effectuant le trajet en vingt minutes de moins qu'à l'aller – le hurlement de sa sirène reflétait bien son état d'esprit.

Tout en conduisant, il repassait dans sa tête les événements de l'après-midi en essayant de les faire cadrer avec le scénario qu'il avait imaginé.

Le fait que la femme du groupe Nemesis Agenda soit la fille de Kleinberg expliquait pas mal de choses, mais en même temps suscitait toute une série de nouvelles questions, la première étant : pourquoi Kleinberg avait-elle été aussi discrète sur l'existence de sa fille ? Cela dit, son rédacteur en chef avait déclaré qu'elle avait divisé sa vie en compartiments étanches.

Avec un peu de chance, Zisky dénicherait quelques réponses. Pour l'instant, Ben-Roï se préoccupait surtout de ce que la femme lui avait dit à propos de la Barren, et plus particulièrement du fait que, selon elle, c'était la Barren ou quelqu'un travaillant pour la boîte qui avait assassiné Kleinberg. Pour Dinah Levi, Elizabeth Teal, ou qui que ce soit qu'elle fût vraiment, la Barren était coupable. Pas peut-être, pas probablement. Coupable, point.

Comment pouvait-elle en être aussi sûre ? Dissimulait-elle des infos ? Nemesis Agenda avait-il découvert des preuves concrètes de leur culpabilité ? Si oui, pourquoi ne pas les révéler ? Même si elle ne voulait pas lui parler, elle pouvait les diffuser sur leur site. D'ailleurs, étant donné leur passif avec Barren, on aurait pu croire qu'ils auraient diffusé ces infos à la minute même où ils en auraient pris connaissance.

Elle devait donc dire la vérité, du moins en ce qui concernait le meurtre. Elle n'avait probablement pas plus de preuves que lui. Mais alors, la question demeurait. Qu'est-ce qui la rendait si sûre de la culpabilité de Barren ? Etait-ce le grief personnel qu'elle avait à leur égard, quelle qu'en soit la cause ? Etait-ce simplement qu'elle ne pouvait imaginer qu'ils ne le soient pas ? Jouait-elle un jeu compliqué avec lui, en l'envoyant sur des fausses pistes pour des raisons qu'il ne connaissait pas ?

Ou bien savait-elle quelque chose d'autre sur Barren, un fait si accablant – si « dégoûtant », avait-elle dit – que le meurtre de Kleinberg n'en était qu'un corollaire ? Ce qui soulevait à nouveau la question de savoir pourquoi, si elle disposait d'un tel renseignement, elle ne le rendait pas public.

Cela n'avait pas de sens. Rien de tout cela n'en avait. Quatre heures à pisser dans un jerricane au milieu du désert et il n'était pas plus avancé. Une seule chose semblait claire : qui qu'elle soit, Dinah Levi avait un contentieux personnel avec la Barren. Quelque chose qui dépassait de loin l'animosité naturelle du militant anticapitaliste envers une multinationale. Il l'avait lu dans ses yeux, dans ses attitudes, à la façon dont son visage se crispait chaque fois qu'on prononçait ce nom, comme si quelqu'un lui vrillait un tournevis dans le cerveau.

Pour la fille de Rivka Kleinberg – si elle l'était effectivement –, la Barren Corporation, c'était le diable.

Et en ce moment même, il fonçait vers Jérusalem pour le rencontrer. Comme il l'avait déclaré à Zisky juste avant de partir, il était grand temps de savoir ce que ces types-là avaient à dire.

Les représentants de la Barren avaient demandé que la rencontre ait lieu au King David, l'hôtel le plus célèbre et le plus sélect de Jérusalem. Ils disposaient d'une suite qu'ils louaient à l'année et dont ils se servaient comme d'une sorte de bureau informel, tout de même équipé d'un système de vidéoconférence permettant de parler avec le quartier général à Houston. Habituellement, les interrogatoires liés à une affaire de meurtre se passaient au poste de police, mais Ben-Roï avait décidé de nager dans le sens du courant. En fin de compte, discuter c'est discuter, où qu'on se trouve. A partir du moment où ils répondaient à ses questions, Ben-Roï était prêt à les rencontrer dans les toilettes, si ça leur faisait plaisir.

Il arriva deux minutes avant l'heure du rendez-vous. En 1946, la plus grande partie de l'aile sud de l'hôtel avait été détruite par un attentat de l'Irgoun – la pire attaque terroriste de l'histoire de la région. Aujourd'hui, on avait du mal à le croire. L'endroit était une ode à la tranquillité, un espace luxueux, meublé avec grâce et aussi éloigné des problèmes du monde qu'il est humainement possible. Ben-Roï s'y était déjà rendu à quelques reprises au cours des années, mais il ne s'y sentait jamais à l'aise, et ce soir encore moins que d'habitude, étant donné les raisons de sa présence. Il traversa le hall en regardant droit devant lui et s'engouffra dans l'ascenseur, en compagnie d'un couple de personnes âgées, apparemment venues assister à la bar-mitsvah de leur petit-fils.

La suite de la Barren se trouvait au quatrième étage, à l'arrière de l'immeuble, au bout d'un long couloir à la lumière tamisée. Il resta un bref instant devant la porte, pour rassembler ses esprits et récapituler son plan d'attaque, puis frappa. On ouvrit aussitôt et il fut invité à entrer.

La suite était un duplex, un grand salon dont la baie vitrée offrait une vue spectaculaire sur la vallée de Hinnom, le mont Sion et le lacis lumineux des rues de la vieille ville, tandis qu'au fond une volée de marches menait vers une chambre. Cinq personnes l'attendaient, ce qui lui parut un peu exagéré. Deux hommes en costard – des cadres de la Barren – et, assis côte à côte sur un canapé, un homme et une femme dont les traits anguleux et les regards glacés trahissaient leur fonction d'avocats.

Cependant, ceux-là n'étaient que des figurants. C'est la cinquième personne qui captiva immédiatement l'attention de Ben-Roï. A l'évidence, elle commandait, elle emplissait l'espace de sa présence même si, physiquement, elle n'était pas sur place. Sur un écran de télévision géant, un visage boursouflé à la barbe grisonnante les regardait, tel un prophète de l'Ancien Testament : Nathaniel Barren.

— Vous êtes en retard !

Sa voix n'était qu'un grincement rauque, le genre de son qu'on s'attendrait à voir sortir des visages du mont Rushmore.

— Je n'aime pas qu'on me fasse attendre. Nous avions rendez-vous à 13 heures, heure de Houston.

Il était 13 h 02. Le retard était minime, mais Ben-Roï s'excusa, peu désireux de lui voler dans les plumes avant même d'avoir commencé à lui poser des questions. Il aurait bien le temps de s'y mettre plus tard. Le vieil homme le dévisageait, et l'expérience était déconcertante, comme si un présentateur télé vous fixait. Après une pause, il lui fit signe de s'asseoir.

— Quand j'ai demandé à parler à quelqu'un de haut placé, je ne m'attendais pas à discuter avec le président, dit Ben-Roï en s'asseyant sur le seul siège disponible.

A onze mille kilomètres de là, les épaules de Nathaniel Barren s'affaissèrent légèrement. Ben-Roï remarqua que la veste en tweed du vieil homme plissait un peu aux aisselles.

— Lorsque j'apprends que le nom honorable de Barren Corporation se trouve mêlé à une enquête pour homicide, je ne délègue pas l'affaire. Je n'assure peut-être plus la gestion de la société au jour le jour, mais il s'agit toujours de ma société. De mon nom. J'ose croire que vous appréciez à sa juste valeur ce que je vous confie, monsieur... ?

— Ben-Roï, souffla l'un des cadres.

— Inspecteur Ben-Roï, précisa le principal intéressé. Et soyez sûr que j'apprécie pleinement ce que vous faites.

— Je suis content de voir que nous nous comprenons.

Le système de vidéoconférence était manifestement à la pointe de la technologie, parce qu'en dépit de la distance la voix du vieil homme parvenait sans aucun délai, et l'image était si claire qu'on distinguait chaque tache de son sur sa peau. Barren tenait un masque à oxygène dans la main gauche.

— Désirez-vous boire quelque chose, monsieur Ben-Roï ?

— Rien, merci.

— Dans ce cas, je suggère que nous commencions. Posez vos questions.

Barren se mit à tapoter un rythme sur le bureau qui se trouvait devant lui. A Houston, c'était le début de l'après-midi, mais la pièce où il était assis – une salle d'étude, ou une bibliothèque peut-être – semblait plongée dans la pénombre. Même de l'autre bout du monde, Ben-Roï ressentait l'ambiance oppressante qui s'en dégageait. Il se frotta les poignets, encore endoloris par les heures qu'il avait passées menotté, puis ouvrit son carnet à une nouvelle page.

— Il y a douze jours, Rivka Kleinberg, journaliste, a été assassinée à Jérusalem, dans la cathédrale arménienne. Etranglée, pour être exact.

La déclaration ne suscita aucune réaction visible de la part de Barren. Il se contenta de fixer Ben-Roï de ses yeux chassieux mais perçants. Les autres le regardaient aussi – cinq regards qui semblaient vouloir le transpercer, pas vraiment menaçants, mais loin d'être amicaux. Il allait devoir la jouer fine.

— Auriez-vous eu vent de l'existence de contacts entre Mlle Kleinberg et votre société, dans un passé récent ?

Barren loucha vers les deux cadres, qui nièrent de la tête.

— A l'évidence, vous pensez qu'il y a des raisons pour que ce contact ait eu lieu, grinça-t-il.

— Au cours de notre enquête, nous avons découvert que peu avant sa mort Mlle Kleinberg effectuait des recherches sur la Barren, expliqua Ben-Roï.

Un des avocats demanda en quoi consistaient ces recherches, et Ben-Roï leur fit part de l'article à propos de la mine d'or roumaine.

— Elle s'intéressait aussi à un certain Samuel Pinsker, qui en 1931 aurait découvert le site d'une ancienne mine d'or égyptienne dont on avait perdu la trace : le Labyrinthe d'Osiris.

L'avocate intervint aussitôt, demandant quel rapport cela pouvait bien avoir avec la Barren. Nathaniel Barren la fit taire d'un claquement de doigts. Pratiquement le même geste que Genady Kremenko avait fait devant la sienne. Deux hommes habitués à ce qu'on leur obéisse sans discuter.

— Continuez, monsieur Ben-Roï, grommela-t-il.

Ben-Roï s'agita sur son siège.

— Il semble que cette ancienne mine d'or se trouvait quelque part dans le désert Arabique, en Egypte. Il n'y a pas si longtemps, une de vos filiales, Prospecto Egypt, a fait des sondages précisément dans cette région...

Ce fut au tour de l'autre avocat d'intervenir. Il demanda quel était le rapport entre cela et une enquête pour meurtre à Jérusalem. A nouveau, Barren le fit taire d'un geste.

— Pourriez-vous me parler de Prospecto ? demanda Ben-Roï.

— Mickey ? lança Barren en s'adressant à l'un des cadres en costard, un jeune homme mince avec des pattes soigneusement dessinées et une montre voyante.

— C'étaient des opérations secondaires dans l'une de nos filiales, expliqua l'homme d'une voix aussi soignée que son apparence. Nous avons signé une licence d'exploration dans le massif de la mer Rouge, pour une durée de deux ans. Une fois cette période écoulée, la filiale a été dissoute.

A peu près ce que Zisky lui avait dit.

— Cette compagnie était-elle gérée comme une entité distincte ?

— Non, répondit l'homme. Directement depuis Houston, avec une antenne au Caire.

— Et vous avez trouvé quelque chose ?

— Des petits gisements d'émeraudes de très mauvaise qualité, pas assez rentables pour l'exploitation, et deux veines de phosphate, mais là aussi trop limitées pour donner lieu à un quelconque suivi. A part ça, du sable et des rochers.

— Pas d'or ?

— Pas d'or.

— Pas de labyrinthe non plus ! lança le deuxième cadre, déclenchant des rires.

Ben-Roï sourit, lui aussi, puis changea de sujet :

— J'ai cru comprendre que l'extraction d'or génère une quantité significative de déchets.

Les avocats bondirent, et de nouveau Barren les fit taire. A se demander pourquoi il leur avait demandé de venir. Il porta le masque à oxygène à sa bouche et inspira plusieurs fois profondément, sans jamais quitter Ben-Roï des yeux. Quand il eut fini, il reprit la parole :

— Je dois avouer que ni moi ni mes collègues ne comprenons très bien en quoi la compréhension des détails techniques liés à l'extraction d'or va vous permettre d'amener un coupable devant la justice. Cependant, nous sommes prêts à le croire, et en vertu des excellentes relations que nous avons toujours entretenues avec Israël, je serais heureux de vous faire profiter des cinquante ans d'expérience que j'ai dans ce domaine.

A l'entendre, il n'avait pas l'air particulièrement heureux, mais Ben-Roï jugea bon de ne pas le faire remarquer.

— Ainsi, pour répondre à votre question : oui, l'extraction d'or génère un niveau substantiel de déchets toxiques. Les processus se sont améliorés au fil des ans, mais cela reste quand même une industrie sale. Elle l'a toujours été, elle le sera toujours. Comme tout ce qui est beau, l'or a ses mauvais côtés.

— L'arsenic en fait-il partie ?

Il observa Barren avec attention, à l'affût d'une quelconque réaction, mais comme précédemment sa question n'en provoqua aucune.

— Cela peut se produire, répondit le vieil homme. Le dérivé principal est le cyanure, mais si l'on extrait l'or de l'arsénopyrite, on obtient aussi d'importants résidus d'arsenic. Sur le long terme, c'est beaucoup plus dommageable, parce que l'arsenic se dégrade beaucoup moins vite que le cyanure. Voulez-vous que j'entre dans les détails ?

Quelque chose dans le ton du vieil homme semblait mettre Ben-Roï au défi de répondre par l'affirmative. Il s'en abstint, peu soucieux de se voir infliger un cours de chimie. Après tout ce qu'il avait vécu aujourd'hui, il ressentait une certaine fatigue et voulait aborder aussi vite que possible les sujets importants, tant qu'il avait encore l'esprit à peu près clair. Il changea à nouveau d'angle :

— D'après l'article de journal dont je vous parlais, les déchets de votre mine d'or en Roumanie sont transférés aux Etats-Unis.

— C'est exact, répondit Barren après un bref silence.

— Vous faites cela pour toutes vos mines ?

— Certes non ! s'exclama le vieil homme avec un reniflement de mépris. Ils sont traités sur place. En fonction, bien sûr, des lois du pays dans lequel nous opérons. A Drăgeş, nous n'avons procédé ainsi que parce qu'une des clauses du contrat pour obtenir la concession nous y obligeait. Une clause sacrément onéreuse, ajouterais-je, parce que nous avons dû rapporter les déchets par bateau, les stocker et les traiter. Cependant, ce gisement est tellement riche que nous parvenons à absorber ces coûts. Quarante millions d'onces d'or à une concentration de trente-cinq grammes la tonne : croyez-moi, monsieur Ben-Roï, en termes de mine d'or, nous tenons ici la mère de tous les filons.

— Et bien sûr, la Barren Corporation a été enchantée de contribuer à la sauvegarde de l'environnement, glissa le second cadre. Nous prenons très au sérieux nos responsabilités en matière d'écologie.

— Très au sérieux, fit Barren en écho, sur un ton qui suggérait le contraire.

Ben-Roï remua les jambes en regardant le vieil homme. Sans savoir pourquoi, il avait l'impression de louper quelque chose, de ne pas poser les bonnes questions. Peut-être aurait-il dû remettre la réunion au lendemain ? Il aurait été plus alerte. Cependant, maintenant qu'il était là, il doutait qu'on lui offre une deuxième chance, alors il poursuivit :

— Votre société a-t-elle des liens avec le port de Rosette ? Sur la côte nord de l'Egypte ?

— Pas que je sache, répondit Barren en se remettant à tapoter sur son bureau. Et vu que rien ne se passe dans cette société sans que je sois au courant, la réponse est non.

Ses employés sourirent.

— Et avec un certain Genady Kremenko ?

— Jamais entendu parler.

— Dinah Levi ?

Il eut une hésitation infinitésimale, trop fugace pour que Ben-Roï puisse savoir si cela signifiait quelque chose.

— De lui non plus.

— C'est une femme.

Barren haussa les épaules. Ben-Roï tenta de lire ce qu'il pensait sur son visage, de déterminer s'il disait la vérité ou s'il mentait extrêmement bien. Il ne parvenait pas à se faire une opinion, même s'il penchait plutôt pour la seconde hypothèse. Il changea une nouvelle fois son angle d'approche, comme un boxeur tournant autour de son adversaire à la recherche d'une ouverture :

— J'en reviens un instant à Prospecto, dit-il. J'ai cru comprendre que cette société était dirigée par votre fils, monsieur Barren.

Le regard du vieil homme se fit plus dur, comme s'il ne se réjouissait pas à l'évocation de sa descendance. C'était sa première réaction perceptible depuis le début de l'entretien.

— Nous sommes toujours dans le cadre de votre enquête ? marmonna-t-il en serrant la main sur son masque à oxygène. Ou s'agit-il d'un intérêt d'ordre plus général pour la façon dont je gère mes affaires ?

Ben-Roï ignora sa pique et lui assura que cela avait tout à voir avec son enquête. Barren l'examina depuis l'écran, sa grosse tête semblait trembler légèrement, comme un rocher en équilibre au bord d'une pente. Puis il émit un grognement.

— Vous avez bien compris, dit-il en jouant avec son alliance. A l'époque, nous préparions William à siéger au conseil d'administration, aussi devait-il se familiariser avec notre organisation. Diriger Prospecto était une étape de ce processus.

Ben-Roï hésita un instant, tripotant son carnet, puis se lança :

— C'est un personnage haut en couleur, votre fils…

Il le provoquait délibérément et s'attendait à une réponse plutôt sèche. Les avocats se redressèrent, comme des dobermans qui tirent sur leur laisse, mais Barren les retint à nouveau. Il resta un moment sans rien dire, puis, de façon inattendue, sourit. Une expression dérangeante, comme si une blessure s'ouvrait au bas de son visage.

— Je suis un homme qui parle sans détour, monsieur Ben-Roï. Alors parlons sans détour, vous et moi. Comme vous le savez manifestement, mon fils a un… passé. La presse à scandale a fait en sorte que ce ne soit un secret pour personne. Cela vous amène à croire que sous sa direction Prospecto a peut-être… quoi ? Commis des malversations ? Découvert une sorte de caverne d'Ali Baba et commencé à l'exploiter dans notre dos ? Qu'il a ensuite dégommé une journaliste parce qu'elle l'avait appris ? Je me trompe ?

— Je ne l'aurais peut-être pas formulé ainsi, mais c'est à peu près ça.

— Eh bien, j'avoue que j'aime être brusque. La brusquerie ne laisse pas de place au doute. Alors je vais vous dire, avec brusquerie, que vous êtes complètement à côté de la plaque. Tout d'abord parce que, comme je vous l'ai déjà expliqué, rien ne se passe dans cette société sans que je sois au courant – rien. Ensuite, parce que même dans le désert le plus isolé de la planète on n'exploite pas quelque chose d'aussi gros qu'une mine d'or sans que quiconque s'en aperçoive. Troisièmement, et c'est le plus important…

Il se pencha vers la caméra, et son visage emplit l'écran.

— … on peut reprocher beaucoup de choses à mon fils, mais certainement pas d'être une sorte d'Al Capone qui lance des contrats sur la tête de ceux qui s'opposent à lui. C'est du délire, monsieur Ben-Roï, et je m'attendais à mieux de la part d'un représentant d'une des meilleures forces de police au monde. Je crois que cela règle la question.

Ben-Roï voulut bien l'admettre.

— Bien. Si vous vous avisez de mêler à nouveau ma famille à tout ceci, cette discussion prendra fin… Votre carrière aussi d'ailleurs, si j'y peux quelque chose… Mettez ça là, Stephen. Merci.

Cette dernière remarque s'adressait au majordome qui était apparu sur la gauche de Barren pour poser un verre d'eau devant lui, avant de s'évanouir silencieusement, la déférence incarnée. Le vieil homme porta le verre à ses lèvres, le front plissé de rides de colère.

— Vous avez terminé ? Ou vous avez d'autres théories débiles à me soumettre ?

Ben-Roï soutint son regard, deux billes bleues qui cherchaient à l'intimider. Il aurait aimé aborder d'autres sujets – la concession de gaz en Egypte, ou la liste de sociétés que Dinah Levi lui avait fournie. Il sentait bien qu'il ne lui restait pas beaucoup de temps, et le commentaire à propos de la fin de sa carrière l'avait énervé. Alors, plutôt que de continuer à tourner autour de son adversaire, il décida de lui balancer un bon crochet du droit :

— Monsieur Barren, avez-vous la moindre idée des raisons qui poussent Nemesis Agenda à penser que votre société a assassiné Rivka Kleinberg ?

La question provoqua une réaction instantanée des avocats et, cette fois-ci, Barren leur lâcha la bride. Ben-Roï laissa passer l'orage, les yeux fixés sur le visage couvert de rides du vieil homme, tentant d'analyser l'effet de ce qu'il venait de dire, tel un géologue devant un relevé sismographique. Barren était en colère, cela ne faisait pas de doute à voir sa mâchoire se serrer, sa bouche se tordre en un rictus menaçant. En même temps, quelque chose dans son regard détonnait avec le reste. Difficile de dire quoi exactement, malgré la qualité de l'image, le fait qu'il ne soit pas physiquement présent empêchait Ben-Roï d'interpréter des détails aussi fins. Ce n'était pas de la peur. Certainement pas. Ni de la culpabilité. Plutôt de la prudence, comme s'il n'avait pas été aussi surpris que les autres par la question.

— Expliquez-vous ! aboya-t-il enfin.

— Avec plaisir, répliqua Ben-Roï. Cet après-midi, une certaine Dinah Levi a braqué un pistolet sur moi. J'ai des raisons de croire qu'elle est la fille de Rivka Kleinberg. Elle est aussi membre de Nemesis Agenda.

Barren ne dit rien, se contentant de le dévisager avec cette étrange dissociation entre son visage et son regard, comme si l'un et l'autre n'assistaient pas à la même scène.

— Vous avez entendu parler de Nemesis Agenda, je pense... relança Ben-Roï.

— Plutôt deux fois qu'une, bon sang ! Il y a deux jours à peine, ils ont brutalisé un de mes employés au Caire. Si vous avez le signalement de cette femme, j'espère que vous l'avez transmis aux autorités compétentes.

— Je suis les autorités compétentes ! Et effectivement, j'ai fait circuler son signalement.

Subitement, Ben-Roï sentit qu'il avait à nouveau les idées claires.

— Quatre jours avant sa mort, poursuivit-il, Rivka Kleinberg a rencontré cette femme afin de demander à Nemesis Agenda de pirater votre réseau informatique. Elle voulait des informations sur une mine d'or en Egypte et sur le port de Rosette.

Il marqua une pause de quelques secondes, le temps de leur laisser digérer l'information.

— Dinah Levi pense que sa mère écrivait un article potentiellement destructeur sur Barren Corporation. Elle croit aussi – elle en est même convaincue – que pour empêcher cette histoire de sortir Barren Corporation ou quelqu'un en rapport avec l'entreprise a tué Rivka Kleinberg. Alors je répète ma question : avez-vous la moindre idée des raisons qui la poussent à penser cela ?

Ben-Roï avait déjà essuyé des regards mauvais – en tant que flic israélien à Jérusalem, il se passait rarement une journée sans que quelqu'un vous en lance un. Cependant, il n'avait jamais rien rencontré qui puisse rivaliser avec celui de Barren en ce moment. Il dégageait une telle intensité maléfique que même les avocats s'en trouvèrent réduits au silence. La pièce autour de Ben-Roï sembla rétrécir puis disparaître, et il ne resta plus que les deux hommes sur le ring. Le silence s'installa, seulement interrompu par le souffle grinçant du vieil homme. Puis, lentement, Barren s'adossa à son fauteuil, sa grosse masse s'étalant dedans comme un flot de magma sur le point de se figer.

— Je peux vous dire très exactement pourquoi elle pense cela, monsieur Ben-Roï. Elle le pense pour les mêmes raisons que celles des opposants à l'Etat d'Israël lorsqu'ils choisissent de croire que les policiers tuent délibérément des enfants arabes, ou celles des antisémites convaincus que les Juifs boivent le sang des bébés. Elle le pense parce qu'elle nous déteste. Pas à cause de ce que nous avons fait, attention ! Pas à cause de lois que nous aurions enfreintes. Mais à cause de ce que nous représentons. Et ce que nous représentons, c'est le triomphe du capitalisme. L'argent – c'est de cela qu'on parle, monsieur Ben-Roï, et ça ne me pose pas de problème. Je ne m'en excuse pas. Nous respectons les lois, nous payons nos impôts, nous aidons plusieurs causes caritatives, mais au bout du compte nous gagnons de l'argent. Et ils ne le supportent pas. Ils ne supportent pas que je dorme sur mes deux oreilles, que je ne me réveille pas couvert de sueur à l'idée qu'un arbre à la con est tombé en Amazonie. Cela fait sept ans qu'ils sont à nos basques et ils n'ont jamais réussi à trouver aucune preuve de nos prétendus méfaits, alors cela ne m'étonne pas qu'ils essaient à présent de nous coller un meurtre sur le dos. Je suis simplement surpris qu'ils ne nous accusent pas d'avoir assassiné Kennedy.

Il se tut, le souffle court, son visage un camaïeu de violets, des bulles de salive aux commissures des lèvres, puis inspira plusieurs fois dans son masque à oxygène, prenant le mouchoir que quelqu'un – probablement le majordome – lui tendait sur sa gauche.

— J'ai été heureux de satisfaire votre demande, monsieur Ben-Roï, grogna-t-il en s'essuyant la bouche. Mais comme il semble que nous ayons quitté l'enquête de police pour entrer dans la calomnie et les insinuations, je vais mettre un terme à cette discussion. Je vous souhaite bonne chance pour attraper votre assassin, même si je suis obligé de vous dire qu'après ce que je viens d'entendre au cours des vingt dernières minutes vous ne semblez pas près de le faire. Et croyez-moi, je ferai connaître ma façon de penser à votre hiérarchie. Bonne journée, monsieur.

Il leva la main pour couper la communication, mais Ben-Roï l'interrompit :

— Une dernière question, monsieur Barren.

Le vieil homme hésita. Ben-Roï aussi, qui ne savait pas vraiment sur quoi l'interroger. Rosette ? Les trafiquants sexuels ? La liste de sociétés fournie par Dinah Levi ? Sans vraiment savoir pourquoi, il tenta une approche en crabe :

— Pensez-vous que Nemesis Agenda a quelque chose à voir avec la mort de votre femme ?

Deux jours plus tôt, Dov Zisky avait surpris Genady Kremenko avec une question tordue de ce genre. Il n'en alla pas de même pour Barren. Le vieil homme fixa l'écran, le visage déformé par la rage, la respiration hachée.

— Foutez-le dehors, murmura-t-il.

Puis il se pencha et l'image disparut de l'écran.

EDFOU, ÉGYPTE

Au moment où Ben-Roï était éconduit par Barren, Khalifa rencontrait Iman el-Badri, la femme que Samuel Pinsker avait violée huit décennies plus tôt.

Il était arrivé dans son village deux heures auparavant, avec l'intention de retourner assez vite à Louqsor. En fait, il pensait qu'à cette heure-ci il serait déjà rentré. Cependant, quand il se gara en face de chez elle – une maison en torchis flanquée d'un pigeonnier – une douzaine de femmes en robe noire faisaient la queue devant sa porte. Sariya lui avait dit qu'elle était devenue une sorte de sainte, et il semblait que c'était vrai : les femmes voulaient se faire bénir.

En d'autres circonstances, il aurait montré son insigne et foncé à l'intérieur. Toutefois, son instinct lui dit que cette fois-ci ce n'était pas la bonne méthode. Il appela Zenab pour lui dire qu'il serait en retard, prit place dans la queue et attendit son tour en évitant soigneusement de croiser le regard des femmes qui attendaient, pour ne pas les compromettre. Dans ces coins reculés, ces choses-là étaient importantes.

Finalement, au bout de deux heures et d'une dizaine de cigarettes, une voix féminine le pria d'entrer. Il se leva, épousseta son pantalon et se recoiffa, soucieux de son apparence même si la personne qui le recevait était aveugle, puis franchit le rideau de perles.

L'intérieur était aussi différent de la suite du King David qu'il semblait possible de l'être. Pas d'électricité, pas de tapis, aucune décoration, pas de meubles luxueux. Un sol en terre battue, des murs en argile brut et un plafond en bois noircis par la fumée. Dans le fond de la pièce, une porte donnait sur une cour où un âne brayait par intermittence. Une simple lampe à pétrole fournissait juste assez de lumière pour éclairer la pièce en préservant l'obscurité dans les coins, et, pour tout mobilier, deux banquettes en bois avaient été poussées contre le mur, en vis-à-vis. Une vieille femme qui avait quelque chose d'une poupée était assise sur celle de droite, le dos appuyé contre le mur, les jambes croisées. Une djellaba noire la couvrait des pieds à la tête, ne laissant apparaître que son visage, et il était difficile de savoir où finissait son corps et où commençait l'ombre.

— Mes bénédictions vont à ceux qui attendent un enfant, dit-elle d'une voix croassante et étonnamment douce à la fois, apaisante comme des feuilles de palmier qui bruissent sous le vent. Malheureusement, j'ai peur de ne pouvoir vous aider à atteindre vous-même cet état.

Elle invita Khalifa à s'asseoir. Comment avait-elle deviné qu'il était un homme ? Il n'en savait rien. Peut-être le son de sa respiration, ou celui de ses pas...

— Vous n'êtes pas d'ici, ajouta-t-elle en inclinant la tête vers lui.

— Louqsor.

Il marqua une pause.

— Je suis policier.

Elle acquiesça lentement, comme si elle l'avait déjà deviné. Les aveugles qu'il avait rencontrés par le passé avaient des yeux mornes, des iris voilés qui trahissaient leur condition, mais les yeux d'Iman el-Badri étaient vert émeraude, presque surnaturels tellement ils brillaient, comme si son handicap se manifestait non par un défaut mais par un excès de couleur.

— Voulez-vous boire quelque chose ? demanda-t-elle. La soirée est étouffante et vous avez fait une longue route.

Khalifa avait soif, mais il déclina la proposition pour lui éviter cette peine. Elle sourit de nouveau, comme si elle comprenait les raisons de son refus. Elle se leva et se dirigea lentement mais sûrement vers l'arrière de la maison – s'il ne l'avait pas su, il n'aurait jamais deviné qu'elle était aveugle. Elle revint deux minutes plus tard avec un verre de thé.

— Une jeune fille m'aide pour les tâches ménagères, dit-elle en lui tendant le verre. Mais pour les choses simples, je peux me débrouiller toute seule. Buvez.

Khalifa trempa ses lèvres dans le thé, sans préciser qu'il le buvait toujours sucré. Il l'était déjà. Deux cuillères, semblait-il. Exactement comme il l'aimait.

— *Lazeez*, murmura-t-il. Délicieux.

— *Afwan*, répondit-elle. Je vous en prie.

Il y eut un silence.

— Je suis désolée de la perte que vous avez subie.

Il la remercia pour sa sollicitude et but une autre gorgée avant de se rendre compte en sursautant qu'il ne lui avait pas parlé d'Ali.

— Comment avez-vous...

— Certaines choses ne se voient pas avec les yeux, déclara-t-elle calmement. Vous êtes entouré par votre chagrin. Il flotte autour de vous comme une cape.

Khalifa ne savait plus quoi dire.

— C'était mon fils, parvint-il à articuler.

— Je suis vraiment désolée.

Elle posa les yeux sur lui, ou du moins sembla le faire. Ils scintillaient à la lumière vacillante de la lampe, contrastant avec la pénombre de la pièce.

— Quelque chose vous ennuie, fit-elle en frappant dans ses mains. Quelque chose vous met mal à l'aise en ma présence. S'il vous plaît, dites-moi pourquoi vous êtes venu me voir.

Khalifa remua sur sa banquette, gêné. Il avait entendu dire que les aveugles développaient leurs autres sens et percevaient souvent des choses qui échappaient aux voyants, mais là c'était différent. Elle semblait lire en lui, savoir exactement ce qu'il pensait, ce qu'il ressentait. Il courba la tête, touilla le thé dans son verre... Soudain, il éprouvait une réelle réticence à l'interroger.

— Allez ! s'exclama-t-elle. Ça ne peut pas être si difficile. Dites ce que vous avez à dire. Vous vous sentirez mieux. Et peut-être que moi aussi.

Elle ouvrit les mains, les paumes en avant, comme pour l'inviter à parler sans crainte. Il hésita encore un bref instant, puis se lança :

— Comme je vous l'ai dit, je suis policier à Louqsor. Je travaille sur une affaire... J'aide à résoudre une enquête... Une femme a été assassinée à Jérusalem. Je ne vais pas entrer dans les détails, mais il semble que cela ait un rapport avec un homme que vous avez connu, je pense. Un étranger, un *Ingileezi* qui s'appelait... Samuel Pinsker.

Elle leva la tête, puis la baissa.

— Ah, souffla-t-elle.

Ce fut sa seule réaction.

— Je sais ce qui s'est passé, poursuivit-il. Excusez-moi de vous rappeler cela.

Khalifa tentait de parler d'un ton doux, pour signifier qu'il comprenait ce qu'elle ressentait, mais qu'elle n'avait aucune raison d'avoir honte.

— Vous ne me le rappelez pas, murmura-t-elle. Pour cela, il aurait fallu que j'oublie. Mais il ne se passe pas un jour sans que je repense à ce qui s'est passé cette nuit-là. Pas une minute. Cela vit toujours en moi. Quatre-vingts ans, mais c'est comme si c'était hier.

Elle se posa l'index sur la tempe. Khalifa regardait par terre. Quelques minutes plus tôt, cet entretien lui avait paru être une bonne idée. Maintenant...

— Excusez-moi, répéta-t-il. Je ne voulais pas vous...

— Vous n'avez pas besoin de vous excuser. Ils ont fait ce qu'ils ont fait. J'ai appris à vivre avec ça.

Khalifa devait être fatigué, parce que de même qu'à propos d'Ali un peu plus tôt il lui fallut un moment pour enregistrer ce qu'elle venait de dire. Il leva la tête en fronçant les sourcils.

— « Ils » ?

— Ceux qui ont commis ce crime.

— Je ne comprends pas, *ya omm.* Je croyais...

— Quoi ?

— Que c'était Samuel Pinsker qui...

Il ne prononça pas le mot « violer », pour ne pas l'humilier.

— ... qui était responsable.

Les yeux d'Iman el-Badri semblaient brûler dans la pénombre.

— Ils étaient trois.

La gorge de Khalifa se serra.

— Trois criminels qu'on n'a jamais amenés devant la justice. Trois monstres qui sont morts paisiblement dans leur lit, tandis que leur victime...

Elle recula la tête, son visage disparut dans l'ombre. Impossible de voir son expression. Khalifa maudissait l'égoïsme qui l'avait poussé à faire revivre à cette vieille femme un événement encore plus traumatisant qu'il ne l'avait imaginé, si une telle chose était possible. Quelques secondes passèrent, puis il se leva.

— Je n'aurais pas dû venir. C'était il y a longtemps, et cela ne me regarde pas. *Ya omm*, pardonnez-moi, s'il vous plaît. Je vais m'en aller.

Il se dirigea vers la porte.

— Restez ! s'exclama-t-elle d'une voix étonnamment ferme.

Elle avança la tête. Son visage reparut, tellement strié qu'il semblait constitué de rides plus que de peau.

— Cela fait quatre-vingts ans que je porte ce secret. Il est temps de dire la vérité. Que Dieu me vienne en aide, je l'aurais fait avant si j'avais cru que quelqu'un m'écouterait, mais la prudence conseille de se taire. Même si j'avais parlé, cela n'aurait rien changé. Ils étaient malins, mes frères.

— *Allah-u-Akhbar*, vous êtes en train de me dire que vos frères étaient impliqués dans le viol ?!

Cette fois-ci, il ne s'était pas embarrassé de considérations sémantiques, trop choqué qu'il était. A sa surprise, la vieille femme sourit, même s'il n'avait jamais vu un sourire aussi triste.

— Il n'y a jamais eu de viol, murmura-t-elle en couvrant à peine le sifflement de la lampe à pétrole. Personne n'a posé un doigt sur moi. Et Samouel Pinisker moins que tout autre.

Elle prononçait « Samouel Pinisker », sans la moindre connotation amère, qu'on eût pourtant été en droit d'attendre en considérant que c'était le nom de l'homme qui l'avait violée. Au contraire. Il y avait de la tendresse dans sa voix. Presque de la vénération. Khalifa fit un pas vers elle.

— Mais le témoin ? Le petit garçon ? Il a vu…

— Qu'est-ce qu'il a vu ?

— Il a vu Pinsker vous agresser, dit Khalifa en se remémorant le récit de Sadeq. Vous avez crié, vous vous êtes débattue…

Elle soupira en secouant doucement la tête.

— Voir, ce n'est pas comprendre, inspecteur. Particulièrement pour un jeune enfant. Quand il voit des larmes, il ne pense pas que ce puisse être des larmes de joie. Quand il voit un homme serrer une femme dans ses bras, il pense qu'il l'agresse. Ce petit garçon n'a pas vu ce qu'il a cru voir.

Il n'y avait aucune rancœur dans sa voix, aucun reproche. Juste de la tristesse. Une tristesse infinie. Khalifa resta un moment sans rien dire. Puis, traversant la pièce, il s'accroupit à côté d'elle. Elle était si petite, si ratatinée, et la banquette était si basse que, même accroupi, il la dépassait d'une tête.

— Que s'est-il passé cette nuit-là, *ya omm* ?

— Cette nuit-là ? répondit-elle, cette fois avec un vrai sourire. Il s'est passé une chose merveilleuse. L'homme que j'aimais m'a demandé de l'épouser. Et j'ai accepté. C'était la nuit la plus heureuse de ma vie. Au début, en tout cas.

Elle soupira et rejeta la tête en arrière, ses yeux, pour aveugles qu'ils fussent, perdus dans les ombres du plafond. Les pensées tourbillonnaient dans la tête de Khalifa. Il tentait de comprendre. Tout ce qu'il avait entendu à propos de Pinsker au cours des derniers jours semblait s'effriter, partir en cendres comme une photographie qu'on brûle. Il prit les mains d'Iman dans les siennes.

— Racontez-moi, s'il vous plaît, *ya omm.* Je voudrais comprendre.

Dehors, l'âne s'était remis à braire, une plainte nasale qui semblait faire partie d'une autre réalité. Dans la pièce, le silence était si dense qu'on aurait presque pu le mâcher. Le temps passa. Secondes, minutes... Khalifa n'en savait rien. Depuis qu'il était entré ici, il avait perdu toute notion de durée. Enfin, d'un geste lent, elle retira ses mains et les porta au visage de Khalifa, parcourant du bout des doigts son nez, sa bouche, ses paupières, son front, reconstituant ses traits comme s'il s'agissait de lignes écrites en braille.

— Vous êtes un homme juste, murmura-t-elle. Un homme bon. Je l'entendais dans votre voix, et maintenant je le lis sur votre figure. Je lis aussi du chagrin et de la colère, beaucoup de colère, mais de la bonté par-dessus tout. Comme chez Samouel Pinisker. C'était un homme très bon. Le meilleur que j'aie jamais connu. Alors, il est peut-être juste que vous soyez celui qui entendra la vérité.

Elle laissa les mains sur son visage pendant encore quelques instants, puis ferma les yeux et commença à lui raconter son histoire.

Pinsker l'avait sauvée de ses frères. C'était ainsi que tout avait commencé.

Il travaillait dans une tombe, dans les collines au-dessus de Gournah, lorsqu'un soir, alors qu'il rentrait au village, il vit qu'on la battait. Il intervint. Dans la bagarre qui s'ensuivit, Pinsker mit K-O un des frères (la voix de Mary Dufresne retentit dans la tête de Khalifa, aussi clairement que s'il avait été devant elle : « Une fois, il s'est battu avec des villageois de Gournah et en a laissé un sur le carreau »). Par la suite, Iman avait découvert que Pinsker s'intéressait à elle depuis plus d'un an, mais qu'il avait trop honte de son physique pour oser l'aborder.

— Quel idiot ! s'exclama-t-elle. Pour moi, cela ne faisait aucune différence. Ce que je vois, c'est la beauté intérieure. Et de ce point de vue, il était l'homme le plus beau du monde. Jamais personne ne m'a traitée avec autant de respect. Autant de dignité.

Ils avaient commencé à se fréquenter – la paysanne aveugle et l'Anglais sans visage. Ils volaient les instants qu'ils passaient ensemble et peu à peu, dans le plus grand secret, leur amitié devint de l'amour. Aujourd'hui encore, une relation entre un étranger et une paysanne serait mal vue, voire aussitôt condamnée, mais en 1931 elle était inenvisageable. A plusieurs reprises, Pinsker avait voulu y mettre fin, craignant pour la sécurité d'Iman. Cependant, leurs sentiments étaient trop forts, leur amour trop grand, et leurs rencontres se poursuivirent.

— Il avait la trentaine, j'avais dix-neuf ans. Mais ce n'était pas une amourette de jeune fille. J'étais mûre pour mon âge, je savais parfaitement ce que je faisais. Il était mon aîné, mais ici...

Elle se toucha la tête.

— ... et là...

Elle posa la main sur son cœur.

— ... nous étions égaux. De même que dans les épreuves que Dieu avait choisi de nous imposer, ajouta-t-elle en faisant référence à sa cécité et à la difformité de Pinsker. Il était tellement blessé par son aspect. Il était fort, mais parfois la force ne suffit pas. Les murmures, les regards, les ragots... Ça l'usait. Un jour à Médinet-Habou, une petite fille le vit, une étrangère. Elle hurla et s'enfuit en courant, comme s'il était un monstre. Il pleurait en me le racontant, recroquevillé dans mes bras comme un bébé...

De nouveau, Khalifa pensa à Mary Dufresne : « Soudain, il a surgi de derrière un pilier, juste sous mon nez... »

Parfois, Pinsker partait dans le désert pendant des semaines, mais quand il revenait, Iman et lui reprenaient leurs rencontres exactement comme s'ils ne s'étaient jamais quittés.

— Il était si gentil. Il ne profitait jamais de moi. S'il avait voulu, je l'aurais laissé faire, mais il avait trop de décence, il pensait que ce ne serait pas correct. En sa présence, je me sentais en sécurité. Je me sentais... entière. Comme si jusque-là je n'avais été que la moitié d'une personne.

La cour avait duré pendant un an. Puis, un soir, après une absence encore plus longue que d'habitude, ils s'étaient retrouvés dans leur coin préféré, sur les berges du Nil, et Pinsker l'avait demandée en mariage.

— Je ne pensais pas qu'un tel bonheur était possible. J'ai cru qu'il se moquait de moi, je l'ai supplié de ne pas jouer avec mes émotions, mais il a éclaté de rire en me disant de ne pas être sotte.

Aujourd'hui encore, j'entends sa voix, je perçois l'odeur de cuir de son masque, de l'essence sur ses mains. J'ai pleuré de joie dans ses bras.

Elle voulait qu'ils s'enfuient aussitôt, mais Pinsker avait insisté pour faire les choses dans les règles. Le lendemain, il comptait aller voir le père d'Iman et lui demander officiellement sa main. Jusqu'à ce moment-là, leurs fiançailles devaient rester secrètes.

— J'avais peur, dit-elle. Je connaissais ma famille, je savais qu'il y aurait des problèmes, mais Samouel Pinisker était un homme d'honneur, l'homme le plus honorable que j'aie jamais rencontré. S'il ne l'avait pas été autant, il aurait peut-être survécu.

Cette nuit-là, une fois rentrée, elle avait préparé sa plus belle djellaba en prévision du lendemain. Puis elle était joyeusement allée se coucher et avait rêvé de lui et de la vie pleine de bonheur qui les attendait.

Aux petites heures du matin, elle s'était réveillée avec une douleur terrible dans la poitrine.

— J'ai tout de suite su qu'il lui était arrivé quelque chose. Quelque chose d'horrible. C'était comme si mon cœur hurlait.

Peu après, ses frères étaient arrivés sur leur carriole bringuebalante. Elle les avait défiés, exigeant de savoir d'où ils venaient et ce qu'ils avaient fait. « Le cas de l'étranger a été réglé », ce fut la seule réponse qu'ils donnèrent. Elle ne le revit jamais, personne ne le revit jamais. La volonté d'Allah avait été accomplie, la justice était passée.

— La justice ! cracha-t-elle. Ils savaient qu'il ne m'avait pas violée ! Ils le savaient très bien, avant même que je leur crie la vérité. Ce n'était qu'une excuse. Cela faisait un an qu'ils attendaient qu'une opportunité de se venger se présente, parce que Samouel leur avait tenu tête. Quand le petit garçon est arrivé en courant avec son histoire, ils ont saisi leur chance. Ils étaient mauvais. Cruels. Venimeux comme des serpents.

Iman avait pleuré, maudit ses frères, menacé de les dénoncer à la police. Alors, ils l'avaient traînée à l'intérieur en la tirant par les cheveux et lui avaient administré une bonne raclée. Ils l'avaient tellement battue qu'elle n'avait pas pu marcher pendant un mois.

— J'ai accueilli cette douleur avec joie. Elle me permettait de partager quelque chose avec Samouel, de vivre un peu ce qu'il avait dû vivre. Nous étions réunis dans la souffrance.

Pendant les quarante années qui suivirent, elle avait été virtuellement prisonnière, ne sortant presque pas de chez elle, ne parlant que rarement. Comme un mort vivant. Puis on avait retrouvé le corps de Pinsker, et c'était comme si elle mourait à nouveau.

— Pourquoi Allah a-t-il permis qu'une telle chose arrive ? Je ne le comprends pas. Un crime si terrible, si cruel. Et mes frères s'en sont tirés. Bien que d'une certaine façon justice ait été faite, car aucun d'eux n'a eu d'enfants. Les trois sont morts sans descendance. Les voies d'Allah sont mystérieuses, mais cela ne me console pas.

A la mort du dernier de ses frères, elle avait quitté le village et commencé une nouvelle vie dans le Sud. Elle œuvrait pour que d'autres puissent connaître une joie qui lui avait été refusée.

— Je ne suis jamais allée sur sa tombe. Je n'ai jamais voulu. Il vit encore là, dit-elle en désignant son cœur. Pour moi, c'est tout ce qui compte. Chaque matin au réveil, chaque soir quand je me couche et un million de fois entre ces deux moments, j'ai son nom sur les lèvres. Le plus beau nom du monde. Mon mari. Mon merveilleux mari. Le meilleur homme que j'aie jamais connu. Telle est l'histoire d'Iman et Samouel.

Khalifa avait baissé la tête. Il ne savait ni ce qu'il éprouvait ni même quoi dire. Seule l'image du corps momifié de Pinsker dans son caveau lui venait à l'esprit. Et celle de son fils Ali, pâle et immobile sur son lit d'hôpital, une fois les machines qui le maintenaient en vie débranchées. Les voies d'Allah étaient effectivement mystérieuses. A tel point que ce n'était pas la première fois qu'il se surprenait à considérer… non pas qu'Allah n'existait pas, car le contraire était indubitable, mais plutôt quel genre d'Etre Il était. Tant de souffrances, tant de tragédies… Les ténèbres semblaient si facilement prendre le pas sur la lumière…

— C'est à propos de la mine, n'est-ce pas ? demanda-t-elle.

Khalifa leva les yeux.

— Si vous êtes ici. La femme à Jérusalem. Le rapport avec Samouel. C'est la mine, n'est-ce pas ? La mine d'or qu'il a trouvée.

A nouveau, elle semblait en avance sur lui.

— C'est ce que nous croyons.

— Samouel a toujours affirmé qu'il n'en sortirait rien de bon. Si la découverte s'ébruitait. Pour lui, l'or ne signifiait rien, mais pour d'autres… Il y a beaucoup d'avidité sur cette terre.

Un chat qui rôdait derrière la maison entra dans la pièce et vint se lover contre les jambes d'Iman.

— Il était si content, reprit-elle en le caressant. Cette dernière nuit, le soir de son retour. Il la cherchait depuis des années. Des mois et des mois tout seul dans le désert. Et finalement, au cours de son dernier voyage… Une véritable ville souterraine, un monde souterrain. Il y était resté trois mois et, d'après lui, il n'en avait pas exploré la moitié. Il était si content. Nous l'étions tous les deux.

Elle sourit tristement et se tut. Il y avait tellement de questions que Khalifa aurait voulu poser, tant de choses qu'il aurait aimé savoir, mais après ce qu'il venait d'entendre, il était sans voix. Une minute s'écoula, sans autre bruit que le ronronnement du chat et le sifflement de la lampe à pétrole.

— Comment s'appelait-elle, la femme qui a été tuée ?

— Rivka Kleinberg.

— C'était quelqu'un de bien ?

Khalifa avoua qu'il ne savait pas grand-chose sur elle.

— Je pense que oui, dit-il. Je pense qu'elle essayait d'aider les gens. De dénoncer des mauvaises actions.

— Et la mine, c'est important ? Si vous apprenez des choses dessus, cela va vous aider à lui rendre justice ?

Khalifa ne pouvait pas le lui promettre.

— Je pense que oui, souffla-t-il.

Le silence s'installa de nouveau. La vieille femme semblait réfléchir, comme si ses yeux regardaient à l'intérieur d'elle-même. Puis, lentement, elle fouilla les replis de sa djellaba et en sortit quelque chose que Khalifa distinguait mal dans la pénombre. Ce n'est que lorsqu'elle lui tendit l'objet qu'il vit que c'était un carnet, un vieux carnet à la couverture reliée de cuir, craquelée, tachée, et aux pages jaunies.

— Samouel me l'a donné. La dernière nuit, lorsqu'il m'a demandée en mariage. Il m'a dit qu'il n'avait pas eu le temps de m'acheter une bague, mais qu'à la place il m'offrait son bien le plus précieux en gage de fiançailles : ses notes sur la mine. Elles sont restées contre mon cœur pendant huit décennies. Personne ne les a jamais vues, pas même moi.

Khalifa regarda le carnet, le cœur battant la chamade, le souffle court. Il se leva pour s'approcher de la lampe et avec précaution commença à tourner les pages.

Une écriture manuscrite, de vraies pattes de mouches, se mêlait à des listes de chiffres – des relevés de mesures, probablement – et des dessins. Des pages entières de dessins : outils anciens, objets de culte, copies d'inscriptions et de graffitis sacrés, un plan détaillé de la mine, du moins de la partie que Pinsker avait explorée, qu'on pouvait déplier. On y voyait un enchevêtrement hallucinant de tunnels, de galeries, de salles et de puits d'aération qui rayonnaient à partir d'une grande galerie centrale, comme un vaste système vasculaire souterrain.

Collée sur le rabat à la fin du carnet, il trouva une autre feuille qui se dépliait : une carte de la région. Pas aussi détaillée que celle d'Omar, mais suffisamment claire. On y distinguait le Nil, la mer Rouge, les oueds, les montagnes... Et dans une petite vallée sous le flanc ouest du djebel El-Shalul, une petite croix au crayon de papier, flanquée d'une légende : *L. d'O.*

— *Hamdulillah*, murmura Khalifa.

Il contempla la carte pendant quelques instants, puis la replia et ferma le carnet.

— Je sais que c'est beaucoup demander, *ya omm*, mais serait-il possible de...

— Prenez-le ! dit-elle. Avec ma bénédiction. Et celle de Samouel. C'est ce qu'il aurait voulu. La justice, c'était une chose importante à ses yeux. Comme aux miens.

— Je le protégerai de ma vie s'il le faut, assura Khalifa. Et je vous le rapporterai dès que nous aurons fini de l'étudier.

Elle acquiesça. Il soupesa le carnet, puis s'approcha de la vieille femme et l'embrassa sur les deux joues.

— *Shukran giddan, ya omm.*

— *Afwan.*

Il voulut se relever, mais elle lui prit la main, le visage tourné vers lui. Un visage qui, malgré son grand âge, évoquait le souvenir d'une personnalité plus jeune, comme si l'on distinguait celui d'une fille de dix-neuf ans à travers un vieux parchemin.

— Il est en paix, affirma-t-elle. Il y a une lumière dorée, et Ali s'y trouve en paix. Ne l'oubliez jamais.

Elle garda sa main dans les siennes pendant un instant, puis le reconduisit jusqu'à la porte. Khalifa eut à peine le temps de sortir avant de se mettre à pleurer.

RAS EL-CHAÏTAN, GOLFE D'AQABA, ÉGYPTE

— C'est dans lequel ?

— Celui du bout, là-bas.

— Je te crois pas.

— T'as qu'à venir voir ! C'est des agents secrets, je te dis.

Les garçons galopaient le long de la rangée de chalets. Leurs pieds s'enfonçaient dans le sable, tandis que sur leur droite le bruit des vagues ne couvrait pas tout à fait la musique du bar de l'hôtel, à l'autre bout de la plage. A part ça, tout était calme. Une énorme lune orange était accrochée comme un médaillon au-dessus de la mer.

Ils atteignirent le dernier chalet de la rangée, le seul encore occupé dans cette partie du village de vacances, firent le tour par-derrière. Deux Land Cruiser étaient garés côte à côte sur le parking en béton.

— Ils sont arrivés dans la soirée. Ils sont quatre, et ils ont plein de trucs d'espions. Regarde !

Les rideaux aux fenêtres avaient été soigneusement tirés. Cependant, en grimpant sur l'extracteur de la clim, tout doucement, sans faire de bruit, ils parvinrent à glisser un œil par le petit espace entre la tringle d'un des rideaux et le cadre de la fenêtre. De là, ils voyaient des sacs, des valises métalliques empilées et une table où un homme et une femme regardaient l'écran d'un ordinateur portable. Tous deux portaient un casque. Un deuxième homme, agenouillé par terre, tripatouillait un appareil électronique. Une femme allongée sur un lit lisait un magazine, et à côté d'elle, sur l'oreiller... un pistolet !

— Alors, tu vois ! murmura un des gamins. C'est des espions.

Il avait parlé plus fort qu'il ne croyait. La femme sur le lit leva les yeux et dit quelque chose. Ses compagnons se retournèrent. Terrifiés, les garçons se laissèrent tomber sur le sol et détalèrent sans demander leur reste.

Une heure plus tard, quand la curiosité devint plus forte que la trouille, ils retournèrent sur les lieux. Le chalet était vide, comme si jamais personne n'y avait mis les pieds. Ils se demandèrent s'ils devaient prévenir la direction de l'hôtel, mais décidèrent de ne pas le faire. Le tourisme n'allait pas très fort, et ils se feraient engueuler si on apprenait qu'ils avaient fait fuir des clients. En plus, on ne les croirait pas. Alors, ils gardèrent ça pour eux. C'était leur secret.

JÉRUSALEM

Lorsque Ben-Roï arriva à Kishle, le mardi matin vers 7 heures, il était de bonne humeur. Beaucoup plus qu'au cours des jours précédents. Il avait bien dormi, la matinée était belle et, le soir même, il allait dîner chez Sarah, qui n'avait plus cuisiné pour lui depuis leur séparation, ce qui était forcément bon signe.

Son humeur tourna dès qu'il franchit la porte du poste de police.

Tout d'abord, il tomba nez à nez avec Yigal Dorfmann, l'investigateur de l'affaire de l'étudiant de la *yeshiva* poignardé. Court sur pattes, fuyant, sarcastique, dans ses meilleurs jours Dorfmann était un insupportable connard. Ce matin, c'était pire. Il passa le bras autour des épaules de Ben-Roï et lui dit joyeusement que l'affaire de l'étudiant était bouclée.

— Le petit Arabe a avoué, il y a deux heures. Les experts ont un dossier en béton, le patron est ravi, grandes claques dans le dos pour tout le monde, enfin, la totale, quoi ! Et toi, ton enquête, ça avance ?

Le sous-entendu peu subtil étant : « pas aussi bien que la nôtre ».

Quelques minutes plus tard, encore échauffé par l'échange, Ben-Roï était convoqué par le commandant Gal dans son bureau pour se faire remonter les bretelles pour la façon dont il avait traité Nathaniel Barren la veille. Ses représentants avaient contacté le ministère de la Justice et le cabinet du Premier ministre dès la fin de l'entretien pour déposer une plainte formelle quant à la teneur des questions de Ben-Roï.

— Tu ne peux pas entrer comme un bulldozer chez ces gens-là et les insulter…

— Mais Barren, c'est louche. La société aussi bien que la famille. Ils apparaissent partout, dans cette enquête…

— Les Barren sont aussi les meilleurs potes de la moitié de la Knesset ! Tu as des preuves ? Des vraies preuves ?

Ben-Roï admit qu'il n'en avait pas.

— Alors laisse tomber jusqu'à ce que tu en trouves. Compris ? J'en ai pris plein la tronche à cause de cette histoire et je veux que ça cesse. Bon, tu peux y aller.

Lorsque Khalifa l'appela, peu avant 8 heures, la bonne humeur de Ben-Roï n'était plus qu'un lointain souvenir.

— S'il te plaît, dis-moi que tu as quelque chose pour moi ! s'exclama-t-il en faisant pivoter son fauteuil pour ne pas avoir sous les yeux Yoni Zelba et Shimon Lutzisch, qui fêtaient le succès de leur enquête en buvant une bière.

— J'ai trouvé ta mine.

— Tu plaisantes ?

— La police égyptienne ne plaisante jamais.

L'Israélien sourit. Soudain, il sentait son entrain revenir.

— Comment tu l'as retrouvée ?

Khalifa lui raconta son entretien avec Iman el-Badri.

— J'ai passé la moitié de la nuit à lire les notes de Pinsker, dit-il. C'est incroyable, absolument incroyable. La galerie principale de la mine descend sur presque deux kilomètres. Et il y a littéralement des milliers de puits, de tunnels et de sous-tunnels qui en partent. En plus, il s'agit juste de la partie que Pinsker a explorée. Le mot « labyrinthe » ne suffit pas pour décrire ça.

— Et l'or ?

C'était irritant, mais les notes de Pinsker n'en parlaient pas. Il disait juste qu'il avait prélevé quelques échantillons pour les analyser, mais à l'évidence il avait été assassiné avant de pouvoir le faire. A part ça, il ne mentionnait pas l'or.

— Ce qui ne veut pas dire qu'il n'y en a pas, ajouta Khalifa. D'après l'Anglais avec qui j'ai discuté sur le bateau avant-hier, l'or n'intéressait pas Pinsker, il voulait juste en savoir plus sur les ouvriers dans l'Antiquité. Alors, il est possible que la mine en regorge. On ne le saura que lorsqu'on y sera.

— Aujourd'hui ?

— Malheureusement, non. Une découverte aussi importante génère des obstacles bureaucratiques. J'ai informé le ministère. Demain, ils envoient quelqu'un examiner le carnet. Et j'ai rendez-vous avec le représentant du Conseil suprême des antiquités. Si on veut être réaliste, il ne faut pas compter y aller avant la fin de la semaine.

— Pas possible d'aller plus vite ?

— Crois-moi, la fin de la semaine, selon les standards égyptiens, c'est déjà la vitesse de la lumière.

Ben-Roï grogna. C'était frustrant, mais on n'y pouvait rien. Au moins, ils avaient trouvé la mine. C'était un grand pas dans la bonne direction. Entre-temps, Zisky et lui avaient beaucoup d'autres choses à faire. Il fallait résoudre l'histoire de Vosgi, et creuser un peu autour de William Barren. Il y avait aussi la liste de sociétés égyptiennes que Dinah Levi lui avait donnée. C'était peut-être un nouvel angle d'approche. D'ailleurs, étant donné qu'il avait Khalifa au bout du fil…

— Ecoute, Youssouf, tu en as déjà fait plus qu'assez, mais j'aurais encore un petit truc à te soumettre…

— Bien sûr ! Ce que tu veux.

Ben-Roï lui raconta ses aventures dans le désert, l'après-midi précédent.

— Cette femme m'a donné une liste de sociétés égyptiennes qui travaillent avec la Barren. J'aimerais te la lire, pour savoir s'il y en a qui t'interpellent, histoire de réduire un peu le champ des recherches…

Il sortit la feuille de sa poche. Une quarantaine de noms, classés par ordre alphabétique.

— Prêt ?

— Vas-y !

— Adarah Trading.

— Jamais entendu parler.

— Amsco.

— Non.

— Bank Misr.

— Bien sûr. C'est une des plus grandes banques du pays.

— Ils sont propres ?

— Pour autant que je sache. Ils sont lents, ça, c'est sûr.

Ben-Roï sourit, puis continua à lire :

— Delta Systems ?

— Non.

— Durabi.

— Non.

— EGAS.

— C'est la Compagnie nationale égyptienne de gaz. C'est un conglomérat d'Etat, qui contrôle toutes nos réserves naturelles.

Cela créerait un lien avec la concession d'exploitation du gaz saharien que Barren souhaitait obtenir. Ben-Roï gribouilla un astérisque à côté du nom. Ça valait le coup de jeter un œil.

— Fawzer Electronics.

— Non.

— Fuzki Metals.

— Non.

— Gemali Ltd.

— Non.

Il poursuivit ainsi jusqu'en bas de la page. Khalifa connaissait certains noms, mais n'avait jamais entendu parler de la plupart. Aucun n'avait une réputation sulfureuse. EGAS fut en fin de compte le seul que Ben-Roï marqua. Il retourna la feuille, de l'autre côté il n'y avait que trois noms.

— Ummara Concrete.

— Non.

— Wasti Logistics.

— Non.

— Zoser Freight.

— Oui.

— Oui, quoi ?

— Oui, j'en ai entendu parler.

Subitement, la voix de l'Egyptien était devenue distante, comme si son esprit avait dérivé et qu'il n'était plus du tout dans la conversation.

— Et ? demanda Ben-Roï.

Il dut répéter la question pour avoir sa réponse.

— C'est une compagnie de transport, marmonna Khalifa. Grosse. Très grosse. Route, rail, transport fluvial, ils sont partout. Beaucoup de liens avec le gouvernement.

— C'est tout ?

— Pratiquement. Il y a juste une chose...

— Oui.

Ben-Roï l'entendit prendre une profonde inspiration.

— C'est une de leurs péniches qui a tué Ali.

LOUQSOR

Une fois qu'il eut raccroché, Khalifa resta un long moment le regard dans le vide, à tripoter machinalement son paquet de cigarettes.

C'était une coïncidence, bien sûr. Zoser Freight était une énorme société, il n'y avait rien de surprenant à ce qu'elle entretienne des relations avec une autre société tentaculaire. Et pourtant... Pourtant...

Dès le début, il avait éprouvé quelque chose dans l'affaire Rivka Kleinberg, quelque chose qui l'attirait, qui l'aimantait, qui dépassait la simple envie de donner un coup de main à un ami ou d'élucider un mystère. Quelque chose qui l'avait poussé à creuser la question, à ne pas lâcher prise. Quelque chose... d'inexorable. Et à présent, ceci.

Il tira une cigarette du paquet, sans l'allumer.

Khalifa n'avait jamais fait porter la responsabilité de l'accident à Zoser Freight, ou du moins pas de but en blanc. Certes, la péniche ne naviguait pas dans son couloir et la vigie n'avait pas fait son travail correctement. Difficile d'attribuer clairement les responsabilités.

Cependant, maintenant qu'il y réfléchissait... D'ailleurs, curieusement, il n'y avait pas beaucoup pensé jusqu'à présent. Il l'avait accepté, tout comme les Egyptiens acceptent les inégalités et l'injustice, en considérant que cela fait partie intégrante de leur ADN… Mais maintenant qu'il y songeait, Khalifa se rendit compte qu'il en voulait à Zoser Freight. De même qu'il en voulait aux autorités locales d'avoir fait raser la moitié de Louqsor, et à l'ensemble du système de tourner le dos à des gens comme les Attia ou le petit garçon bossu recueilli par Demiana Barakat. Il leur en voulait non pas tant pour l'accident que pour leur arrogance et leur manque d'empathie. Cinq adolescents étaient morts sous une de leurs péniches et ils n'avaient même pas jugé nécessaire d'ouvrir une enquête interne sur la collision. Ils avaient haussé les épaules et continué leurs affaires comme si de rien n'était, avec cette façon qu'ont les riches d'ignorer les conséquences de leurs actes pour les autres.

Et soudain, leur nom apparaissait dans une enquête pour meurtre.

Cela signifiait-il quelque chose ? Existait-il une corrélation entre ces deux histoires apparemment distinctes ?

Ou essayait-il simplement de mettre du sens dans une situation qui n'en avait pas ?

Il n'en savait rien. Ses pensées demeuraient troubles et confuses.

La seule chose dont il était sûr, coïncidence ou pas, c'était de ressentir un lien intense et personnel avec l'enquête de Ben-Roï. Pour des raisons qu'il aurait été incapable d'expliquer rationnellement, il pensait qu'aider Ben-Roï l'aiderait lui-même. Peut-être pas à surmonter la mort d'Ali, mais au moins à ne pas rester bloqué dessus.

Et le chemin vers la lumière passait par le Labyrinthe, semblait-il.

Il alluma sa Cleopatra, la fuma jusqu'au filtre, puis balança le mégot et passa un coup de fil au responsable du parc de véhicules de la police. La veille, il avait emprunté une Fiat Uno vieillissante pour aller jusqu'au village d'Iman, mais pour le trajet qu'il allait faire, il aurait besoin de quelque chose d'un peu plus costaud.

J'ai beaucoup réfléchi au nettoyage à venir. Le nettoyage des nettoyages, si l'on peut dire. J'ai tellement réfléchi que la nouvelle de mon échec n'a pas provoqué chez moi autant d'angoisse qu'elle l'aurait fait en temps normal. J'ai tremblé, bien sûr, quand on m'a dit qu'à présent la famille était impliquée et qu'on m'a fait des remontrances, même si cela n'était pas totalement inattendu. Dès le début, j'ai eu des doutes à propos de la cathédrale. Je savais que je n'aurais pas dû agir avant le moment prévu.

Mais c'est comme ça. On ne peut pas réécrire le passé. Mon énergie est maintenant tournée vers la tâche que je dois accomplir.

Il faut respecter le passé, mais il ne doit pas nous distraire – encore une leçon que j'ai apprise de mes parents. Je regarde l'avenir. Le mien, et celui de la famille.

Le chlorure de potassium est une possibilité. L'insuline aussi. La clé, c'est de se montrer subtil, et ces deux produits sont indétectables. Cela dit, avec aussi peu de temps, se les procurer peut poser des problèmes.

Je dois encore y réfléchir. Etant donné la situation, je penche pour la simplicité. Pas d'aiguilles, pas de fardeau inutile, se servir uniquement de ce qui se trouve dans la pièce. J'ai repris l'entraînement, j'ai testé mes bras et mes poignets, calibré la meilleure position pour exercer de la force sans laisser d'hématomes. L'équilibre est délicat, mais je devrais pouvoir y parvenir. Et ça m'éviterait de devoir regarder son visage. D'ordinaire, je n'ai pas d'états d'âme avec ce genre de choses, mais ce nettoyage-ci n'est pas ordinaire. Comme je l'ai dit, il s'agit plutôt d'un raz-de-marée.

En parlant de raz-de-marée, j'espère que je ne vais pas pleurer. Je ne suis pas une personne particulièrement émotive – difficile de l'être, dans ma branche –, mais le pas que je m'apprête à faire est tellement grand que je ne peux écarter cette éventualité. Malgré la dynamique externe, le lien perdure. Le couper ne sera pas chose facile, pour nécessaire que ce soit.

Il faudra que je mette des mouchoirs dans mes bagages. J'espère que je n'en aurai pas besoin, mais on ne sait jamais. L'époque est troublée. Et dans une époque troublée, il est essentiel de tout prévoir.

Route du désert Arabique

A vol d'oiseau, il y a moins de cent quarante kilomètres de Louqsor au djebel El-Shalul. S'il avait existé une route directe, Khalifa y serait arrivé en une heure, mais une telle route n'existait pas. Les pistes qui traversaient la région, aussi rares que précieuses, se perdaient dans un labyrinthe naturel de canyons, d'oueds et de pentes escarpées qui protégeaient le labyrinthe du *shemut net Wesir*, bâti par l'homme, celui-là. Même dans un Land Rover Defender, un véhicule spécialement conçu pour le tout-terrain, cela n'allait pas être une partie de plaisir. En outre, c'était risqué, d'autant plus que Khalifa brisait la première règle de sécurité du désert : ne jamais voyager seul.

Cependant, il fallait qu'il tente le coup. Il ne pouvait pas se permettre d'attendre que la bureaucratie égyptienne suive son cours interminable. Il voulait savoir ce qui se passait dans cette mine. Il fallait qu'il le sache ! Et si c'était trop difficile, il pourrait toujours faire demi-tour. D'autant qu'il avait pris un téléphone satellitaire, au cas où les choses tourneraient vraiment mal. Mais ça irait, se disait-il. Ça serait difficile, mais ça irait.

Il passa chez lui prévenir Zenab qu'il rentrerait peut-être tard parce qu'il devait se rendre à Marsa Alam. C'était un mensonge, mais il ne voulait pas qu'elle s'inquiète. Téléphone satellitaire ou pas, les gens mouraient encore dans le désert, et elle avait déjà perdu un fils.

Il s'arrêta ensuite prendre l'équipement dont il avait besoin : un jerricane d'essence, de l'eau, une lampe torche, des cigarettes, du fromage, des falafels et de la pita, puis il se mit en route. La carte de son ami Omar était étalée sur le siège passager, à côté du carnet de Samuel Pinsker.

Trouver la mine ne serait pas un problème. Le défi, c'était d'arriver jusque-là.

Le plan de Khalifa, si l'on pouvait l'appeler ainsi, consistait à couvrir le maximum de route sur du bitume. Certes, cela doublait la distance à parcourir, mais cela ne lui laissait que cinquante kilomètres de navigation dans le désert pour accéder à la mine, et chaque kilomètre en moins sur ce terrain particulièrement hostile augmentait ses chances de succès. En outre, d'après le carnet, c'était par là que Samuel Pinsker était arrivé à la mine, et c'était aussi dans ce coin que l'équipe de l'université de Hilwan avait repéré le convoi de camions. Khalifa ne savait pas si ce convoi avait quelque chose à voir avec le Labyrinthe, mais sa présence suggérait que la zone était carrossable, au moins en partie.

Il lui fallut presque deux heures pour arriver à Edfou, en raison de la circulation. En revanche, dès qu'il s'engagea sur la Route 99, il se retrouva seul sur le ruban d'asphalte noir qui s'enfonçait dans l'étendue de sable et de rocaille. A la sortie d'Edfou, il passa devant un point de contrôle de la police, et plus tard, à El-Kanaïs puis Barramiya, il longea des cahutes en brique accrochées au bord de la route comme si leur vie en dépendait. A part cela, aucun signe de vie. Dans l'heure qui suivit, il ne croisa qu'un seul véhicule : un pick-up Isuzu qui transportait des moutons.

Finalement, peu après 11 heures, il se rangea sur le bas-côté. D'après le plan d'Omar, il se trouvait à l'endroit où la route s'approchait le plus du djebel El-Shalul. Il descendit et se tourna vers le nord, la main en visière pour se protéger du soleil. Au premier plan, une bande de sable rocailleux, puis des collines dont les pentes douces devenaient de plus en plus abruptes et finissaient par se confondre avec les hauts plateaux à l'horizon.

Il voulut allumer une cigarette, mais son briquet n'avait manifestement plus de gaz. Irrité, il se demanda si toute cette expédition était une bonne idée. Il savait que non, mais plus il y penserait, moins il aurait de chances de se lancer, alors il remplit le réservoir du Land Rover, dégonfla un peu ses pneus pour avoir une meilleure traction et s'avança vers l'inconnu. Quelqu'un avait laissé une cassette de Mohamed Mounir dans l'autoradio, qu'il écoutait en boucle pour se remonter le moral.

Les dix premiers kilomètres furent incroyablement faciles. Il se fraya un chemin entre les collines, roulant à petite vitesse, en seconde ou en troisième, avant de s'engager dans un oued qui l'emmenait exactement dans la direction où il souhaitait aller. Autour de lui, les pentes se firent plus escarpées, mais l'oued restait relativement plat, et il avançait bien.

Cela ne dura pas. D'après le plan d'Omar, cet oued donnait sur une vallée qui s'incurvait vers l'ouest avant de pousser à nouveau vers le nord. Ce que le plan ne mentionnait pas, c'était l'éboulement de gros rochers qui en bloquait l'accès. Il tenta d'en déplacer un ou deux, sans parvenir à les faire bouger, et les pentes de l'oued avaient trop d'angle pour qu'il puisse contourner l'obstacle avec son Land Rover. Il n'avait pas le choix. Il lui fallait faire demi-tour et trouver un autre chemin.

Quatre heures plus tard, il s'escrimait toujours. Plusieurs fois, il s'était retrouvé dans un oued qui semblait l'emmener dans la bonne direction, pour finir par tomber sur un ravin infranchissable ou un mur de roche vertical, ou encore un méandre qui le faisait repartir dans la direction opposée. A un moment, ses pneus s'enfoncèrent dans du sable mou et il passa une bonne demi-heure à dégager le Land Rover. Il dut retourner deux fois à son point de départ au bord de la route pour attaquer le problème différemment. Le carnet de Pinsker ne lui était d'aucune aide, il indiquait simplement qu'il était arrivé à la mine par le sud, et, malgré la profusion de détails topographiques, la carte d'Omar semblait constamment être en contradiction avec le terrain. L'après-midi survint, et Khalifa commençait à penser qu'il ferait bien de rentrer chez lui et de laisser faire les experts.

Vers 15 heures, après avoir roulé sur une quinzaine de kilomètres dans un canyon prometteur qui déboucha finalement sur une infranchissable dune de quarante mètres de haut, il coupa le moteur et sortit de la voiture. Après s'être étiré et désaltéré, il prit ses jumelles, le sac de nourriture, et gravit le promontoire le plus proche pour se faire une idée des environs.

A présent, il se trouvait beaucoup plus à l'ouest du point où il avait quitté la route. Il examina le paysage, une mer de pentes et de failles sans voie d'accès visible, puis s'assit, découragé, noua un keffieh autour de sa tête pour se protéger du soleil et se mit à manger. Il essaierait encore pendant une paire d'heures avant de laisser tomber. La nuit tombe vite dans le désert, et malgré les phares supplémentaires dont le Land Rover était équipé, il ne tenait pas vraiment à se retrouver coincé ici dans l'obscurité.

Il glissa du fromage dans un morceau de pita et mordit dedans, le regard perdu sur le paysage aride qui lui faisait face, au-dessus de l'oued où il avait laissé le Land Rover. Un deuxième oued courait parallèlement au sien, mais il semblait plus large et, plutôt que de se diriger vers le nord, s'incurvait légèrement vers l'est. Un acacia au tronc noueux penchait le disque de sa ramure selon un angle inhabituel, comme épuisé de chaleur. C'était le premier signe de vie que Khalifa voyait depuis qu'il avait quitté la route et il se surprit à le contempler en mâchant son sandwich, heureux de poser les yeux sur quelque chose d'autre que du sable et des rochers. Il se demanda comment le vieil arbre avait pu survivre dans des conditions aussi extrêmes, et ce n'est qu'au bout de plusieurs minutes qu'il remarqua les traces sur le sol, de l'autre côté de l'oued. Beaucoup de traces. Profondes, compactes, rectilignes, comme si quelqu'un avait passé un râteau géant sur le sable.

Des traces de pneus.

Il se leva et attrapa ses jumelles. Le paysage était tellement plissé qu'on ne pouvait dire où l'oued commençait et où il finissait. Il suivit la crête du regard, en cherchant à repérer un passage entre les deux oueds. Il n'en trouva pas. On aurait dit deux routes séparées par un grand mur, sans interconnexion. Il se concentra sur les traces. Elles étaient larges, trop larges pour des 4 × 4 ou des pick-up, et plutôt crénelées, comme si les pneus qui en étaient la cause avaient une épaisseur peu habituelle. Des camions, sans aucun doute, et manifestement énormes. Les mêmes que ceux que les types de Hilwan avaient repérés ? Il n'en avait aucune idée, mais ça valait le coup d'aller voir. Il retourna au Land Rover et repartit vers l'entrée de l'oued en cherchant un passage dans le mur sur sa droite.

Il roula pendant presque quatre kilomètres avant d'en trouver un. La crête s'affaissait brutalement sur quelques mètres, ouvrant une brèche vers l'autre oued. Le vent avait accumulé du sable dans l'ouverture, formant une petite dune à pente douce, et Khalifa dut s'y prendre à quatre reprises pour parvenir à la franchir avec le Land Rover, dont les roues glissaient sur le sol.

Une fois de l'autre côté, les choses s'améliorèrent presque instantanément. Les camions semblaient emprunter cette voie très souvent, car leurs traces étaient nombreuses et compactes. Il glissa le Land Rover dans les sillons laissés par les convois, où il roulait presque aussi facilement que sur une route normale, à cinquante et parfois soixante kilomètres-heure. Dix kilomètres plus loin, il déboucha dans un deuxième oued, puis un troisième et d'autres encore par la suite, au milieu d'une toile d'araignée que tissaient les lits d'anciens cours d'eau, où il se serait irrémédiablement perdu s'il n'avait pas eu les traces pour le guider. Chaque oued était un peu plus étroit, un peu plus encaissé que le précédent, et Khalifa avait l'impression que le paysage se refermait peu à peu sur lui. Malgré d'occasionnels changements de cap, il se dirigeait globalement vers le nord, s'enfonçant de plus en plus profondément au cœur du massif, s'approchant un peu plus de son but à chaque tour de roue. Il se sentait petit et seul. Nerveux, aussi. Si ces traces conduisaient à la mine, comme tout semblait l'indiquer, et si la mine était encore exploitée, alors son sentiment de solitude serait bientôt le dernier de ses soucis. Il éteignit l'autoradio, s'assura que son téléphone était à côté de lui, ainsi que son Helwan 9 mm, prêt à faire feu.

Il roula encore pendant un bon moment, tandis que le jour déclinait et que les ombres s'allongeaient, jusqu'à un endroit où, subitement, les traces tournaient sur la droite et s'enfonçaient dans un canyon entre deux falaises. Il coupa son moteur et, saisissant le carnet de Pinsker, le feuilleta jusqu'à tomber sur le dessin qu'il cherchait. La légende indiquait : *les abords du Labyrinthe*. Il compara le dessin et le paysage devant lui. Ils correspondaient parfaitement.

Il avait réussi !

Il resta une bonne minute à tendre l'oreille. Rien... Juste le silence. Il redémarra et alla dissimuler le Land Rover une centaine de mètres plus loin, derrière un surplomb rocheux, puis il appela Ben-Roï sur le satellitaire. Il tomba sur sa messagerie.

— Je suis à la mine, dit-il sans perdre de temps en explications. Je vais jeter un coup d'œil. Je te rappelle dans trente minutes.

Il laissa le téléphone dans la voiture. Cela ne servait à rien de l'emporter, il n'y aurait pas de signal à l'intérieur. En revanche, il prit sa torche et son Helwan 9 mm, puis se dirigea vers le défilé.

Le passage était étroit, une dizaine de mètres tout au plus, à peine de quoi laisser passer un de ces énormes camions. Il progressa silencieusement, et très rapidement, après une brusque épingle, il déboucha sur un grand cirque minéral entouré de falaises, un vaste amphithéâtre naturel coincé sur le flanc sud du djebel El-Shalul.

— *Allah-u-Akhbar*, murmura-t-il.

Une lumière orange de fin d'après-midi luisait au-dessus des escarpements entourant le djebel, mais en bas il faisait déjà sombre, les couleurs s'estompaient dans un jaune grisâtre lézardé par le noir des failles et des fissures. De gros blocs de pierre s'empilaient au pied des falaises, résultat, pensa-t-il, de cinq siècles d'exploitation de la mine. Sur sa gauche, un amoncellement vaguement symétrique de rocs, peut-être les restes d'anciennes habitations. A part ça, et des fragments de poterie qui traînaient par terre, il n'y avait rien. Pas de bâtiments, pas de machines, aucun équipement, aucun indice d'activité industrielle, encore moins récente.

Pas de mine non plus, pas visible, en tout cas. Au sortir du défilé, les traces des camions s'emberlificotaient en un spaghetti géant au milieu de l'amphithéâtre, comme si les véhicules avaient fait des tours dans tous les sens, avant de ressortir par le même chemin. Rien ne semblait expliquer leur présence.

Il balaya l'étendue du regard en essayant de comprendre ce qu'il voyait, puis s'avança vers le centre, telle une fourmi dans un stade de football. Un bref instant, il crut entendre le vrombissement lointain d'une machine, un ronflement à peine perceptible, qui disparut dès qu'il tenta de se concentrer dessus. Il baissa la tête, écouta attentivement, sans parvenir à l'entendre à nouveau. Il avait dû l'imaginer. Il examina la surface des parois… Rien. Pas d'entrée, pas de grotte, aucune ouverture. Rien que la pierre nue.

Il fit un tour sur lui-même, puis grimpa sur la pile de rochers la plus proche pour mieux voir. Une fois en haut, il se rendit compte que, malgré ce qu'il avait tout d'abord cru, les traces de pneus semblaient se concentrer près de la falaise nord. Le jour tombait de plus en plus vite, et il ne trouvait toujours pas d'indice pouvant expliquer la présence des camions ici. Une minute s'écoula. Il allait redescendre quand il sentit un souffle d'air lui effleurer le visage. Au même moment, il distingua quelque chose qui bougeait sur la paroi. Ou du moins il en eut l'impression fugace, car de nouveau tout semblait immobile. Il plissa les yeux. Une autre brève rafale fit bouger quelque chose au pied de la falaise, comme une ondulation.

Il partit dans cette direction, pas tout à fait certain d'avoir vraiment repéré quelque chose. Peut-être était-il victime d'une illusion d'optique, ou du jour qui tombait ? A trente mètres de la paroi, il s'arrêta et, pris d'une impulsion, cria :

— *Salaam... !*

Alaam... alaam... alaam...

Sa voix se répercuta dans tout l'amphithéâtre. Aucune réponse. Aucun mouvement non plus, mais à présent il discernait un rectangle d'une teinte légèrement différente au bas de la paroi. D'une différente texture également, comme si quelqu'un...

— Bien vu, murmura-t-il. Très bien vu !

Il glissa le Helwan à sa ceinture, s'approcha, puis après avoir examiné de plus près la surface tendit les mains vers un renflement et tira d'un coup sec. La bâche se détacha et tomba à ses pieds. Cet artifice sommaire mais efficace dissimulait deux portes en acier fermées à l'aide d'une chaîne et d'un verrou. Au-dessus, dans la roche, un seul hiéroglyphe était gravé. Khalifa ne les lisait plus avec l'aisance d'autrefois, mais celui-ci n'était pas très difficile. Particulièrement avec le déterminatif de divinité.

Wesir. Osiris.

— Je te tiens, murmura-t-il.

Il secoua les portes, sortit son Helwan et tira une balle dans le verrou. La détonation résonna comme un coup de tonnerre dans l'amphithéâtre, effrayant une demi-douzaine de martinets qui s'envolèrent. A nouveau, Khalifa eut l'impression d'entendre un bruit de machine, au loin. Un moteur, peut-être. Quelque chose de mécanique. Il était impossible de savoir d'où cela venait, ni même si ce n'était pas simplement son imagination qui lui jouait des tours. Il tendit l'oreille, sans parvenir à le percevoir de nouveau. Décidément, c'était son imagination. Il secoua la tête, agrippa la poignée d'une des portes et fit coulisser le battant de métal.

Le Labyrinthe s'ouvrit devant lui.

JÉRUSALEM

Quand Khalifa avait passé son coup de fil à Ben-Roï, celui-ci, qui voulait savoir si Sarah avait besoin de quelque chose pour le dîner, était au téléphone avec elle.

Dès qu'il entendit le message de l'Egyptien, il rappela, mais à présent, c'était lui qui tombait sur le répondeur de son ami. Il laissa donc à son tour un message, lui conseillant de faire attention et de ne pas prendre de risques inutiles, d'autant qu'être allé tout seul jusqu'à la mine n'était déjà pas très prudent.

— Appelle-moi dès que tu auras ce message ! conclut-il. J'attends ton coup de fil.

Il raccrocha. En face de lui, Dov Zisky interrompit ses recherches sur Dinah Levi.

— Qu'est-ce qui se passe ? demanda-t-il.

Ben-Roï le mit au courant.

— Vous pensez qu'il va s'en sortir ? s'enquit Zisky.

— Je l'espère vraiment ! C'est un ami, et je n'aimerais pas me dire…

Il laissa sa phrase en suspens. Un coup d'œil à l'horloge murale – 18 heures –, soit encore une heure et demie avant de passer chez Sarah, et il aurait des nouvelles de Khalifa bien avant cela. A l'autre bout de la pièce, Zisky prit son mobile et se mit à taper un texto.

DJEBEL EL-SHALUL

Khalifa entra dans la mine et dirigea le faisceau de sa lampe torche autour de lui.

Il se trouvait dans une grande salle. Immense, profonde, une sorte de grotte, même si sur les parois d'anciennes traces de coups de burin indiquaient que la cavité avait été creusée par l'homme et non par la nature. Le sol était couvert de crottes de chauves-souris, et il régnait une forte odeur d'ammoniac. Se couvrant la bouche et le nez d'un mouchoir, il avança de quelques pas.

Des tunnels partaient de part et d'autre, une demi-douzaine de chaque côté, comme si des asticots géants s'étaient enfoncés dans la roche à la recherche de nourriture en laissant derrière eux ces couloirs sombres. Certains se trouvaient au niveau du sol, d'autres plus haut, et, sous l'un d'eux, une ancienne échelle d'accès reposait encore contre le mur. Khalifa fit passer le faisceau de sa lampe sur ses barreaux, fixés par des lanières de cuir. Ils avaient l'air aussi solides que le jour où quelqu'un avait posé le pied dessus pour la dernière fois, plus de trois mille ans plus tôt. Quand il abaissa le faisceau sur le tunnel en dessous, le cône de lumière ne révéla pas moins de neuf ouvertures sur les côtés, qui d'après les schémas de Pinsker donnaient sur un dédale de chambres et de cellules où logeaient les esclaves qui travaillaient dans la mine.

Une existence troglodyte qui devait être cauchemardesque, avec une espérance de vie qui se comptait probablement en mois, voire en semaines. Khalifa continua de balader le disque de lumière sur la paroi, relevant les anciens graffitis, une rangée de jarres d'argile, un panier d'osier renversé, puis il pointa sa lampe de l'autre côté, vers l'ouverture rectangulaire.

L'entrée de la galerie principale de la mine.

Pour l'instant, à part les portes métalliques, Khalifa n'avait rien vu qui suggérât une exploitation moderne de la mine. A l'entrée de la galerie, il en trouva une preuve évidente, mais pas celle qu'il attendait. Le mouchoir toujours plaqué contre son visage, il traversa la salle en soulevant des petits nuages de poussière de guano sous ses semelles.

Une grande plateforme d'acier occupait presque toute la largeur de l'ouverture. Un dock de chargement, pensa-t-il aussitôt, parce qu'elle se trouvait à hauteur d'une remorque de camion et que les traces de pneus s'arrêtaient devant. Deux rails, fixés sur le plateau, séparés de deux mètres environ, descendaient en pente douce vers le sol de la galerie et s'enfonçaient dans l'obscurité.

Khalifa s'accroupit, se glissa sous la plateforme, passa de l'autre côté et se releva entre les rails qui couraient non loin des parois de la galerie. Manifestement, on roulait ou on treuillait quelque chose d'en bas pour le charger dans des camions. Du minerai ? De l'or ? Il n'en savait rien. Il s'avança de quelques pas. L'obscurité le happa, une noirceur si dense qu'il pouvait presque la toucher, comme s'il se frayait un chemin dans des toiles d'araignée. Soudain, des formes voletèrent dans tous les sens : des chauves-souris effrayées par la lumière. Les rails s'enfonçaient toujours plus loin dans les ténèbres. Il progressa encore de quelques mètres. D'après les mesures de Pinsker, la galerie s'étendait sur pas loin de deux kilomètres. Jusqu'au fond ? Il n'en avait pas la moindre idée, même si quelque chose lui disait que oui. Ce qu'on prenait la peine de rapporter ici provenait des profondeurs de la mine. Et pour savoir ce que c'était, il allait devoir s'y rendre.

Il recula, le souffle court, haché. Son cœur battait à se rompre.

Il n'était pas du genre à s'effrayer d'un rien. L'obscurité, les espaces confinés ne lui avaient jamais fait peur. N'avait-il pas souvent exploré seul des tombes peu connues dans les collines autour de la Vallée des Rois ? Des endroits ignorés des touristes, qui auraient rechigné à se glisser à quatre pattes ou à plat ventre dans un boyau. Il adorait ça !

Aujourd'hui, c'était différent. Il sentait une menace dans cette noirceur, dans le poids de la roche qui l'entourait, dans ces incroyables catacombes où l'air semblait imprégné de toute la misère humaine, un je-ne-sais-quoi qui lui flanquait la trouille. La mine exsudait quelque chose de mauvais.

Il fit demi-tour, traversa la grande salle et ressortit. Au cours des dix minutes qu'il avait passées à l'intérieur, la nuit était presque tombée, mais dehors, tout semblait lumineux par rapport aux ténèbres de la mine. Il aspira une grande bouffée d'air.

Il n'y arriverait pas. Il ne parviendrait pas à descendre là-dedans. Pas tout seul. Au bout de cinq mètres, il avait bloqué, alors deux kilomètres… Impossible ! Il allait rentrer chez lui et revenir un autre jour, avec des collègues en soutien. A présent qu'il savait où se trouvait la mine et comment y aller, les réponses pouvaient attendre un peu. Il le faudrait bien, parce que retourner là-dedans…

Il le fit, pourtant. Il recommença les mêmes gestes, se glissant sous la plateforme et dans la galerie. La sensation d'être en présence de quelque chose de maléfique semblait plus intense que la première fois, comme si l'air même qu'il respirait le mettait en garde. Il balada le faisceau de lumière de droite à gauche, en se demandant comment Pinsker avait pu faire. Quelle forme de folie obsessionnelle l'avait attiré dans la mine et poussé à ramper dans un noir absolu pendant des semaines d'affilée pour dresser une carte des lieux ? Khalifa avait le vertige rien que d'y penser.

Une minute passa, puis une autre, tandis qu'il continuait à explorer les murs avec sa torche dans un silence pesant, parfois interrompu par le battement d'ailes d'une chauve-souris. Finalement, il ôta le mouchoir de devant sa bouche, sortit son arme et s'avança entre les rails en grimaçant. Il se mit à psalmodier :

— Qu'Allah me protège… Qu'Allah prenne soin de moi, qu'Il soit ma lumière…

Au début, il progressa avec précaution dans la galerie en pente. Il se retournait fréquemment pour jeter un œil à la lueur ténue qui filtrait encore par la porte de la mine. Chaque atome de son corps lui criait de se ruer dessus, mais Khalifa luttait contre cet instinct. Au bout de deux cents mètres, cette ultime lumière disparut. Il pressa le pas, désireux de trouver ce qu'il y avait à trouver et de ressortir au plus vite.

— Qu'Allah me protège. Qu'Allah prenne soin de moi, qu'Il soit ma lumière…

D'autres couloirs, d'autres galeries partaient de chaque côté. Il tenta de les compter, mais il y en avait tellement qu'il laissa rapidement tomber. Certains semblaient s'élever, certains descendre, certains étaient aussi larges que la galerie principale et d'autres à peine assez pour qu'une personne s'y glisse. D'après les notes de Pinsker, ils se divisaient en branches et en sous-branches, en corridors et en boyaux qui se tordaient, creusaient, colonisaient la roche comme un cancer monstrueux. Il frémit à cette idée. C'était déjà assez dur comme ça dans la galerie principale, pourtant toute droite, alors imaginer se perdre dans ces boyaux... il se força à penser à autre chose. Pinsker avait peut-être été assez dingue pour explorer la mine, mais lui, Youssouf Khalifa, n'entendait pas dévier d'un centimètre de son chemin actuel. Descendre, remonter, sortir. Le plus vite possible.

— Qu'Allah me protège. Qu'Allah prenne soin de moi, qu'Il soit ma lumière...

A plusieurs reprises, la galerie traversait de grandes salles semblables à la première, dont les plafonds noircis aux feux d'anciennes torches étaient soutenus par des piliers taillés dans la roche. Il passa devant un tunnel latéral, où il vit un trou dans le sol, telle une grande flaque d'encre noire. Pinsker en avait mentionné un dans son carnet, où il avait descendu soixante mètres de corde lestée sans parvenir au fond.

Plus d'une fois, Khalifa pensa qu'il allait devoir faire demi-tour, tant il sentait la peur grandir en lui. Quelque chose de mauvais l'attendait en bas, il le sentait. Une chose maléfique, qu'il avait tort de défier. Par deux fois, il fit volte-face et commença à se diriger vers la sortie, mais il parvint à reprendre la descente malgré l'obscurité et la roche qui l'oppressaient, avec pour seul guide les rails qui s'enfonçaient chaque fois plus loin dans les entrailles de la terre.

— Qu'Allah me protège, psalmodiait-il. Qu'Allah prenne soin de moi, qu'Il soit ma lumière...

La pente de la galerie devenait plus prononcée, l'air plus chaud. Des gouttes de condensation perlaient çà et là sur les parois. Une vague odeur de métal rouillé vint se mêler à celle de l'ammoniac.

Une autre, aussi, qu'il n'identifia pas tout de suite. Ce n'est que lorsqu'elle se précisa qu'il la reconnut : de l'ail. Petit à petit, au fur et à mesure qu'il descendait, l'odeur se fit plus forte, au point de couvrir toutes les autres. Khalifa avait grandi à l'ombre des pyramides, et quand il était petit, sa mère accrochait des gousses d'ail au-dessus de leur porte pour chasser les djinns qui rôdaient autour des anciens monuments. Alors sentir cette odeur au fond d'une mine, absolument sans raison, ça lui foutait encore plus la trouille que le dédale de tunnels et de boyaux.

L'odeur le désorientait, aussi, le poussant à se demander s'il avait bien toute sa tête. Peut-être n'était-elle que le fruit de son imagination, l'effet de sa frousse ?

Dès que ce premier doute s'insinua, d'autres suivirent. Etait-ce un tapotement étouffé qu'il entendait au loin, ou juste l'écho de ses propres pas ? Des murmures dans l'ombre ou simplement le bruit de sa respiration ? Il crut à nouveau entendre des machines. Plusieurs fois, il fut certain d'apercevoir des silhouettes qui bougeaient dans un des couloirs adjacents, des ombres aux formes indéterminées qui voletaient à la limite du visible. Aussitôt qu'il tentait de pointer sa lampe torche sur elles, elles disparaissaient, tout comme les sons lui échappaient dès qu'il se concentrait dessus. Seule l'odeur d'ail semblait pérenne. Non, décidément, il n'était pas en train de l'imaginer. Elle s'intensifiait. Comme les battements de son cœur et des veines de ses tempes, de même que la conviction qu'une chose horrible l'attendait, tapie dans le noir.

Pourtant, il avançait, centimètre après centimètre, l'envie de savoir ce qui se passait juste assez forte pour contrebalancer la terreur qu'il ressentait. La descente semblait interminable, même si, d'après sa montre, elle ne durait que depuis trente minutes, lorsque, enfin, le faisceau de sa lampe accrocha quelque chose.

La pente était si forte que l'on avait creusé des marches dans le sol pour faciliter la descente. Khalifa s'accroupit. Balayant l'espace de sa torche, il essaya de distinguer ce qu'il avait cru voir. Quoi que ce fût, c'était à la limite de la portée du faisceau, et il ne le discernait pas bien.

— Hello !

Sa voix était sourde, pesante, comme si quelque chose l'empêchait de résonner.

— Hello !

Rien.

Il avança de quelques pas. L'odeur d'ail était si forte qu'il ne parvenait presque plus à respirer, mais il ne pouvait pas tenir son pistolet, sa torche et garder en même temps le mouchoir plaqué contre son visage. A tout prendre, il préférait supporter les remugles plutôt que rester sans défense.

— Hello !

Il n'arrivait toujours pas à se faire une idée de la chose devant lui. Plutôt ronde, elle semblait obstruer toute la galerie, et les rails se dirigeaient droit dessus. Un éboulement ? Il fit un pas supplémentaire, luttant contre l'obscurité qui paraissait vouloir le repousser en arrière. Le faisceau accrocha une courbe… une roue, peut-être, ou un cerceau dentelé ? Un objet fabriqué par l'homme, en tout cas.

— Qu'est-ce qui se...

Encore une marche. Lentement, le corps tendu, comme s'il trempait le bout du pied dans de l'eau glacée. Soudain, il se laissa tomber sur un genou et pointa son canon sur la droite. A présent, il les entendait clairement, les bruits de machinerie. Ou de moteur. Quelque chose de mécanique.

Il tendit l'oreille. La lampe torche tremblait un peu dans sa main gauche. Impossible de repérer exactement l'origine du son, la seule chose dont il était sûr, c'était qu'il provenait de plus haut. D'un point par où il venait de passer. Il laissa s'écouler une minute, le souffle haché, arythmique, et soudain il n'eut plus envie de savoir ce qui lui bouchait le passage, il ne voulut plus qu'une chose : sortir de cette mine. Il se leva et commença à remonter vers la surface.

Une vingtaine de mètres plus loin, il marqua une pause. Le bruit était toujours là, ni plus ni moins fort qu'auparavant, mais désormais accompagné d'un deuxième son. Des cliquettements lointains, comme ceux que feraient des roues sur des rails. Il agita vainement sa torche, essayant de comprendre ce que cela pouvait bien vouloir dire tout en se maudissant d'être descendu jusque-là. Les cliquettements semblèrent s'intensifier un peu. Il resta immobile pendant quelques instants, si tendu qu'il avait l'impression que son corps allait éclater. Puis, voulant faire un pas de côté, il posa le pied sur le rail de droite. Une légère vibration se propagea le long de sa jambe. Il essaya sur l'autre rail. Idem. Quelque chose approchait. Quelque chose de gros, à en juger par le bruit que cela faisait. Il se mit en position de tir, le pied toujours collé au rail. En cinq secondes à peine, la vibration avait considérablement augmenté. Manifestement, ce truc se déplaçait vite.

— *Allah-u-Akhbar*, siffla-t-il.

Il fit faire un tour complet au faisceau de sa torche. A sa gauche, la paroi, à sa droite, un passage d'un mètre de large environ, et à peine plus haut que lui. Il se demanda s'il devait s'y cacher, mais il paraissait tellement étroit et maléfique qu'il ne put se résoudre à se glisser dedans. En fait, il ne parvenait à rien d'autre qu'à rester coincé entre les rails, la torche dans une main, le pistolet dans l'autre, figé comme un lapin devant les phares d'une voiture. Les rails se mirent à trembler.

— Stop ! cria-t-il. Stop ! Police !

C'était une injonction ridicule, risible d'impuissance. A présent, le bruit était si fort que Khalifa entendait à peine sa propre voix.

Si quelqu'un se trouvait dans ce truc – probablement un wagonnet de mine –, il ne l'entendrait pas non plus, et même dans le cas contraire, que ferait ce type ? Stopper son wagon et mettre les mains en l'air en s'excusant ? Se laisser arrêter ? Complètement dingue ! Cela dit, la peur vous fait faire des choses complètement dingues. Il se mit à agiter sa torche à grands cris, dans l'espoir qu'en la voyant quelqu'un remarquerait qu'il était là.

— La galerie est bloquée ! cria-t-il. Stop ! Police ! C'est bloqué !

Aucune réponse. Le vacarme augmentait toujours. Il devenait terrifiant, comme si un train de marchandises se ruait vers lui à toute vitesse. Les rails semblaient tirer sur les boulons qui les fixaient aux traverses. L'engin était proche, tout proche. Il se mit à hurler et, d'un geste désespéré, tira un coup de feu vers les ténèbres, qui n'arrêta ni l'engin ni le bruit infernal. Un deuxième coup de feu… sans plus d'effet, si ce n'est qu'à présent la galerie tout entière était secouée par les vibrations. Soudain, le voile d'obscurité se déchira comme la crête d'une vague, et quelque chose se matérialisa dans le faisceau lumineux de sa torche. Il eut à peine une fraction de seconde pour enregistrer ce qu'il vit – une sorte de gros cylindre qui dévalait la pente et lui fonçait dessus – et se jeta dans le boyau sur sa droite.

Il se prit le pied dans le rail et tomba la tête la première dans l'étroit passage. Instinctivement, il tendit une main en avant pour amortir sa chute, mais sa lampe torche lui échappa et il se retrouva plongé dans le noir. Il se mit à la chercher frénétiquement tout autour de lui, tâtant le sol des mains, tandis que le cylindre s'éloignait dans un grondement.

Cependant, ça ne s'arrêta pas, bien au contraire. Dans le noir, Khalifa était incapable de dire s'il s'agissait d'un seul objet ou de plusieurs les uns derrière les autres. Un bref instant, il pensa qu'il s'agissait d'une espèce de machine géante qu'on avait envoyée déblayer l'éboulement qu'il avait trouvé plus bas. Si c'était le cas, elle ne s'était pas révélée très efficace parce que, quelques secondes plus tard, il entendit un choc métallique assourdissant lorsque la ou les choses vinrent percuter la roche où, à en croire le bruit, elles stoppèrent net. La mine tout entière sembla secouée par la collision. Une pluie de poussière et de fragments de roche lui tomba sur la tête. Le vacarme continuait de plus belle, au fur et à mesure que ce train dont il ne parvenait pas à comprendre la nature déboulait derrière lui pour aller s'écraser plus bas dans la galerie. Pris de panique, il fouilla tout autour de lui à la recherche de sa torche, passant fiévreusement les mains sur le sol en suppliant Allah de lui permettre de la trouver.

Ses prières ne furent pas exaucées.

Petit à petit, le son des collisions s'intensifiait, semblait se rapprocher, et bientôt il n'eut plus d'autre choix que d'abandonner ses recherches pour se mettre à l'abri, plus loin dans le boyau.

Il ne s'enfonça que de un ou deux mètres et attendit. Il se trouvait dans une obscurité totale. Tendant la main, il prit appui sur le mur et resta à écouter les coups, roche contre métal, qui ébranlaient la mine. Il n'avait aucune idée de ce qui se passait et se sentait aussi aveugle qu'Iman el-Badri. Il comprenait une chose, cependant. Les trucs qui déboulaient dans la galerie étaient en train de la combler. Bientôt, il allait être bloqué, comme quelqu'un qui voudrait traverser une autoroute alors que devant lui des voitures s'empileraient dans un énorme carambolage.

Soudain, le son devint plus sourd, plus étouffé, puis sembla s'éloigner sur sa droite, s'estomper peu à peu. Les vibrations diminuèrent à leur tour, sans pourtant tout à fait disparaître.

Pendant près d'une minute, il resta enraciné sur place, momifié dans les ténèbres. Tremblant, toussant sous l'effet de l'odeur d'ail insupportable, tellement forte à présent qu'elle lui mouillait les yeux, il finit par se décider à bouger. Il tendit la main devant lui, avança de deux ou trois pas.

Ses doigts touchèrent du métal.

— *Allah-u-Akhbar.*

Subitement, il songea à son briquet. Fouillant ses poches avec frénésie, il mit la main dessus et tenta de l'allumer, avant de se rappeler qu'il était vide...

Il glissa la main vers le haut, puis vers le bas. Encore du métal. Des saillies et des bords coupants, ainsi qu'une sorte de poudre qui s'écoulait par les fissures.

Des barils, voilà ce que c'était ! D'énormes barils. Ils avaient roulé depuis le haut de la galerie, s'étaient amoncelés les uns sur les autres quand l'éboulement les avait arrêtés et détruits, répandant leur contenu.

Plus important dans l'immédiat, ils avaient obstrué l'entrée du boyau. De haut en bas, d'un côté à l'autre, sans même laisser suffisamment d'espace pour y glisser un doigt. Un obstacle aussi compact que la porte verrouillée d'une cellule dans un quartier de prison à sécurité maximale.

Il était seul, effrayé, enfermé dans les ténèbres du Labyrinthe.

JÉRUSALEM

Vers 7 heures moins le quart, Ben-Roï commença à s'inquiéter.

Il rappela Khalifa, laissa un nouveau message, recommença un quart d'heure plus tard et une troisième fois vingt minutes après. Trois messages, zéro réponse.

En arrivant chez Sarah, vers 8 heures moins le quart, il était sérieusement angoissé.

— Il y a un truc qui sent bon ! s'exclama-t-il lorsqu'elle lui ouvrit.

— De l'agneau *cholent*.

— Un mardi ?

— Si tu fais ton *frumm*, je peux commander une pizza !

Il l'attrapa par le bras, la fit pivoter et lui posa un bisou sur le nez. L'agneau *cholent*, c'était son plat préféré. Elle avait sorti le grand jeu, et pas seulement en cuisine : elle était magnifique. Ses longs cheveux brossés tombaient sur ses épaules. Un soupçon de parfum, la courbe de son ventre gonflant le tissu de sa robe, elle lui parut plus belle que jamais. Lui-même avait prévu de faire un effort, et notamment de mettre la chemise Ted Baker qu'elle lui avait offerte pour son anniversaire, avec, pourquoi pas, son meilleur après-rasage, mais avec l'histoire de Khalifa il n'avait pas eu le temps de passer se changer. Même pas eu le temps de lui acheter des fleurs. Il jeta un coup d'œil furtif à son téléphone. Rien. Que se passait-il donc ?

— Il y a des bières dans le frigo, lança-t-elle lorsqu'ils entrèrent dans la cuisine. J'ai aussi du vin, si tu veux.

— Une bière, c'est parfait, dit-il en se servant. Tu en veux une aussi ?

Elle lui jeta un regard de reproche en désignant son ventre.

— Bien sûr ! Désolé !

Ben-Roï se mit à siroter sa Tuborg tandis que Sarah s'agitait devant sa cuisinière. Un CD de Joni Mitchell passait sur la chaîne du salon. *Blue.* Le premier qu'il lui avait offert. Elle sortait vraiment le grand jeu. Il essaya de se concentrer.

— Bubu va bien ?

— Nickel. Tu veux lui… proposa-t-elle en tournant son ventre vers lui.

Il s'approcha et posa la main dessus.

— Plus je pense au nom que tu as trouvé, plus il me plaît, déclara-t-elle.

— Moi aussi.

— Et que dirais-tu d'Iris, pour une fille ?

Il fit la grimace. Iris, c'était le nom de la prostituée avec qui il avait parlé à Neve Sha'anan.

— Peut-être pas, fit-elle en voyant son expression. Je vais continuer à réfléchir.

Elle lui pressa la main. Leurs regards se croisèrent et elle sourit.

— Je suis contente que tu sois venu, Arieh.

— Et moi, je suis content d'être ici, Sarah.

Ils restèrent un instant face à face. Involontairement, Ben-Roï serra les doigts autour de son portable. Elle se mit sur la pointe des pieds et l'embrassa, juste un bref baiser, mais sur les lèvres, puis rajusta sa boucle d'oreille et retourna à son *cholent*.

— Pourquoi ne vas-tu pas allumer les bougies sur le balcon ? dit-elle en lui lançant la boîte d'allumettes. J'ai presque fini, ici.

Il souligna de nouveau à quel point il était content d'être là, en espérant que la répétition compenserait le fait qu'il n'avait pas pris la peine de se changer, et obtempéra. La table était très bien dressée, fleurs, bougies, chemin de table, un bol d'olives et une panière de pita. Manifestement, il n'était pas le seul à penser qu'ils pourraient retenter le coup.

Il piqua dans les olives, puis alluma les bougies en sirotant sa bière. Une fois qu'il eut terminé, il poussa légèrement la porte du balcon et s'isola pour appeler discrètement Khalifa.

— Je commence à être vraiment inquiet ! Appelle-moi dès que tu entendras ce message ! OK ?

Il raccrochait au moment où Sarah le rejoignit.

— Tu as l'air coupable.

— C'est mes pensées qui sont coupables quand je te vois, répondit-il en glissant son portable dans la poche arrière de son pantalon.

Elle éclata de rire et se jeta dans ses bras.

— On va passer une bonne soirée.

— Je le pense aussi.

Il l'embrassa, lui dit combien elle était belle…

Mais pas une seconde il ne cessa de penser au Labyrinthe et à ce téléphone qui refusait de sonner.

Le Labyrinthe

Khalifa passa une demi-heure à tenter de faire bouger à grands coups de pied les barils qui bloquaient l'entrée du boyau. La collision les avait concassés les uns contre les autres, et même si par miracle il avait réussi à en déplacer un, cela n'aurait pas changé grand-chose. Le bruit persistant des chocs métalliques, encore audible, indiquait que la galerie principale devait à présent être obstruée sur une distance d'au moins cent mètres en amont de sa position, sinon plus. Une muraille épaisse de centaines, voire de milliers de barils. Il aurait tout aussi bien pu tenter de creuser la roche pour se frayer un passage. Il fallait qu'il trouve un autre moyen.

S'il en existait un.

— Au secours ! cria-t-il, la gorge en feu sous l'effet des remugles d'ail, qui semblaient provenir de la poudre à l'intérieur des barils. Au secours ! S'il vous plaît ! Au secours !

C'était futile, mais les gens désespérés font des choses futiles, et l'idée de retrouver la sortie en tâtonnant comme un aveugle dans les boyaux du Labyrinthe était tellement insupportable…

Il se retourna, face au tunnel. L'obscurité était si dense, si impénétrable, que ce n'était même plus une teinte, mais le vide le plus absolu, devant lequel le noir le plus noir aurait paru grisâtre. Il tendit la main en avant. Une fois… Deux fois… Trois… Puis, lentement, il avança, les battements effrénés de son cœur comme un écho au bruit encore perceptible des chocs métalliques.

Ses puits sont si profonds, ses galeries si nombreuses, sa complexité si stupéfiante qu'en franchir le seuil, c'est se perdre totalement, et Dédale lui-même en serait confondu.

Il faisait un pas à la fois, testant le sol du pied avant de le poser, de crainte de tomber dans un trou comme celui qu'il avait vu plus haut. Le boyau était étroit, peut-être un mètre cinquante de large, un peu plus de deux en hauteur. Il balayait la main gauche devant lui, la droite toujours fermement agrippée au Helwan. Pas très utile, étant donné qu'il ne voyait rien, mais l'arme lui procurait quand même un semblant de réconfort et dans la situation actuelle il avait besoin de la moindre miette d'optimisme.

Le boyau était rectiligne et plat. Les parois avaient été taillées avec soin, comme celles des tombeaux dans la Vallée des Rois. Il ne croisait aucun tunnel latéral, du moins Khalifa n'en trouva-t-il aucun, ce qui, d'une certaine façon, le soulagea. Les embranchements engendraient des décisions complexes à prendre, la possibilité de se perdre, de rester prisonnier de la toile d'araignée diabolique que constituait le Labyrinthe.

Cependant, il s'inquiétait aussi. Et chaque pas qui l'éloignait de la galerie principale augmentait cette angoisse. Pour conserver le moindre espoir de sortir d'ici, pour trouver son chemin dans ce dédale, il était crucial de rester aussi près que possible de la galerie principale. Or ce boyau semblait l'en éloigner chaque fois davantage, s'enfoncer de plus en plus profondément dans l'inconnu.

Comme il n'y pouvait pas grand-chose, il poursuivit sa lente progression. A un moment, sa main passa sur une cavité de la taille d'un poing, creusée dans le mur qui par ailleurs semblait plat. Un peu plus loin, il marcha sur quelque chose. En se baissant, il se rendit compte qu'il s'agissait de fragments de poterie. A part ça, rien. Rien que le sol, les murs et l'obscurité suffocante.

Puis, subitement, il atteignit le bout du tunnel.

— Oh non ! Mon Dieu...

Il glissa le Helwan dans sa ceinture et passa ses deux mains sur le mur. Rien que de la roche. A gauche, à droite, au plafond, au sol... Aucune ouverture, pas même une fissure. Un cul-de-sac.

Il recommença l'inspection de la paroi, centimètre par centimètre, sans plus de succès. Il se laissa glisser par terre. Le bruit sourd des barils cessa subitement. Un silence sépulcral s'installa.

Khalifa ramena ses genoux sous son menton.

Il était enterré vivant.

JÉRUSALEM

En entrée, Sarah avait préparé du *baba ganoush* fait maison, encore un des plats préférés de Ben-Roï. Le ciel était plein d'étoiles, le parfum des magnolias montait du jardin en contrebas, tandis que Joni Mitchell avait cédé la place à Etti Ankri.

La soirée aurait été parfaite s'il n'avait pas été aussi préoccupé.

— On dirait que l'école va fermer, finalement ! s'exclama-t-elle en coupant un morceau de pita.

— Oh, non !

Ben-Roï avait discrètement sorti son portable et jetait de temps à autre un regard à l'écran, sous la table.

— Ça fait un moment que c'était dans les tuyaux, et aujourd'hui nous avons appris que notre principal bailleur de fonds se retirait.

— Et vous ne pouvez pas en trouver un autre ?

— Pas dans le climat qui règne en ce moment. La politique de réconciliation n'est plus une priorité.

— Je suis vraiment désolé.

Elle haussa les épaules et trempa un morceau de pita dans la purée d'aubergines.

— Bizarrement, une partie de moi est soulagée. C'est comme regarder quelqu'un qu'on aime mourir à petit feu, il est plus charitable de mettre fin à ses souffrances. On a encore un mois de répit, et ensuite...

« Hava Nagila » résonna subitement sous la table. Ben-Roï regarda aussitôt l'identité de l'appelant : son ami Schmuel. De l'autre côté de la table, Sarah le dévisageait. Pas en colère. Pas même irritée. Juste... déçue.

— Je suis désolé, dit-il en laissant la communication basculer sur sa messagerie.

Elle tendit la main, leurs doigts s'entremêlèrent.

— J'avais cru que ce soir, juste ce soir, tu l'éteindrais. Ça t'est déjà arrivé de le faire, tu es assez fort pour ça, je le sais ! Allez ! Bats-toi contre cette pulsion ! Résiste ! Résiste !

Elle tentait de prendre ça à la rigolade, ce qui le mettait d'autant plus mal à l'aise.

— Ecoute, Sarah, dit-il en lui pressant la main. Je ne veux pas en faire tout un plat et je ne veux pas que ça nous gâche la soirée, mais mon ami Khalifa a peut-être des ennuis. Alors, je vais mettre mon téléphone ici...

D'un geste théâtral, il le posa au milieu de la table.

— ... et si quelqu'un appelle, n'importe qui à part lui, je te jure devant Dieu que je ne répondrai pas. Et dès qu'il aura appelé, j'éteins ce foutu téléphone et tu pourras faire tout ce que tu veux avec, même le balancer dans les toilettes si ça te chante.

Elle ne croyait plus à ce vieux refrain, cela se vit brièvement dans son regard, mais elle chassa ce doute et s'obligea à sourire.

— Ça me semble honnête.

Il lui pressa de nouveau la main, se pencha au-dessus de la table pour poser un baiser sur son front.

— Merci d'être toi.

— Merci d'être toi, répondit-elle. Même si « toi », c'est l'homme le plus énervant que j'aie jamais rencontré.

Il gloussa en se rasseyant, non sans jeter un coup d'œil à l'écran du portable, juste au cas où.

— Mange ! s'exclama-t-elle. Sinon, le *cholent* va refroidir.

Le Labyrinthe

Khalifa n'avait absolument aucune idée du temps qu'il avait passé au bout du tunnel, assis dans le noir, la tête entre les jambes, plongé dans un désespoir aussi opaque que les ténèbres qui l'entouraient. Deux minutes, deux heures ou deux jours… Ici, la notion de durée semblait perdre toute signification.

Pourtant, il finit par se relever. Les bribes d'une ancienne conversation lui revenaient en mémoire, une chose qu'il avait dite à quelqu'un qui se trouvait dans une situation presque aussi désespérée que la sienne : « Ayez confiance en Dieu, mademoiselle Mullray. Ayez confiance en qui vous voudrez, mais ne perdez jamais espoir. »

Il repartit vers l'autre extrémité du boyau en passant les mains sur chaque centimètre carré de la paroi. Il n'y avait peut-être qu'une chance sur un million qu'il n'ait pas repéré un embranchement quand il avait parcouru ce trajet dans l'autre sens, et franchement il savait bien que ce n'était pas le cas. Malgré l'obscurité, les parois latérales étaient bien trop proches l'une de l'autre pour qu'il n'ait pas senti la présence d'une ouverture en passant devant. Cependant, tout valait mieux que de rester assis seul à compter les minutes, les heures et les jours jusqu'à ce qu'une mort miséricordieuse mette fin à son supplice, à l'instar de Samuel Pinsker. Khalifa ne voulait pas mourir comme lui. Il ne voulait pas mourir, point.

Il adopta une sorte de rythme. Avancer de quelques centimètres, se baisser, passer les paumes le long des parois, de bas en haut, se mettre sur la pointe des pieds, toucher le plafond, avancer de quelques centimètres, se baisser, passer les paumes le long des parois, de bas en haut…

Il n'avait pas besoin de se montrer méticuleux à ce point, mais il trouvait un peu de réconfort à agir ainsi. En procédant très lentement, il reculait le moment où il devrait admettre qu'il était condamné. Tant qu'il restait du couloir, il restait de l'espoir. Un atome d'espoir, mais de l'espoir quand même. Après, il pourrait toujours se laisser aller.

Avancer de quelques centimètres, se baisser, passer les paumes le long des parois, de bas en haut...

Il atteignit l'endroit où il avait trouvé les fragments de poterie – des bouts épais, grossiers, probablement les restes d'une grande jarre de stockage – et quelques mètres plus loin, à hauteur de genou, une petite cavité, semblable à celle qu'il avait rencontrée plus tôt. L'autre, cependant, était à hauteur d'épaule. Ou alors, était-ce la même ? Sa mémoire lui jouait-elle des tours ? Dans ce noir infernal, impossible de faire confiance à ses sens. Il s'arrêta pour explorer des doigts la cavité. Deux centimètres de profondeur, c'était plus un créneau qu'un trou, et plutôt lisse, alors que dans son souvenir l'autre était rugueuse. Il poursuivit l'exploration de la paroi et en trouva une autre, à hauteur de hanche cette fois-ci, puis une troisième et une quatrième : celle de tout à l'heure ! Quatre cavités l'une au-dessus de l'autre sur une paroi par ailleurs totalement lisse... Intéressant !

Il glissa les mains un peu plus haut, toucha le plafond, tâtonna un peu et tomba sur... un trou !

Soudain, son cœur s'emballa. Il se mit sur la pointe des pieds et suivit les contours du trou du bout des doigts. C'était un carré de cinquante centimètres de côté environ, bien découpé, pile au milieu du plafond. Comme un conduit de cheminée. Il était passé en dessous sans s'en apercevoir.

Il sauta en l'air, main tendue... Aucun obstacle. Il redescendit tant bien que mal chercher des morceaux de poterie pour les lancer un par un dans le conduit. Ça semblait aller assez haut. Un autre cul-de-sac ou un chemin vers la sortie ? De toute façon, c'était une question rhétorique parce qu'une fois passé l'enthousiasme initial il ne voyait pas comment il pourrait se hisser là-dedans.

A moins que...

Il se tourna vers la paroi opposée et passa la main le long de sa surface, de bas en haut. Il trouva quatre nouvelles cavités semblables aux précédentes, plus ou moins en face d'elles.

Le souvenir lui revint comme une explosion de lumière. Un truc qu'il avait vu cinq ou six ans plus tôt, dans la Vallée des Rois, lorsque Ginger, du Service des antiquités, l'avait emmené visiter des tombes fermées au public. A un moment, Ginger lui avait montré le puits vertical de la tombe KV56, qu'une équipe d'archéologues britanniques venait de mettre au jour. De chaque côté de ce puits, il y avait le même genre de cavités.

« Ce sont des prises, avait expliqué Ginger quand Khalifa s'était enquis de leur raison d'être. Les anciens ouvriers prenaient appui sur les deux parois et s'en servaient pour monter ou descendre, comme des araignées dans un tuyau. C'est facile quand on a de grandes jambes. »

Khalifa n'avait pas de grandes jambes, mais son envie désespérée de survivre compensait largement ses déficiences morphologiques. Il s'assura que le Helwan ne risquait pas de tomber, puis se positionna perpendiculairement aux deux parois. Il fallait bien tendre les bras, mais c'était jouable. Il glissa le bout de son pied gauche dans la première cavité, puis récita une courte prière et, s'aidant des mains pour conserver son équilibre, tenta de faire de même avec le droit. Il loupa sa cible, tomba en avant, recommença et à la quatrième tentative parvint enfin à trouver l'équilibre, les muscles des cuisses douloureux du fait de cette posture inhabituelle. A nouveau, il hissa son pied gauche. OK. Le droit… Loupé ! Il tomba en avant.

— *Yalla !* s'écria-t-il, conscient que c'était la seule chance qu'il avait de s'en sortir. Vas-y !

La deuxième fois, il grimpa un peu plus haut avant de chuter. La suivante, il parvint à passer la tête et le torse dans le conduit avant que ses jambes le trahissent et qu'il retombe en se cognant. Refusant de s'avouer vaincu, il fit une nouvelle tentative, ignorant la douleur dans ses cuisses, l'écœurante odeur d'ail et le sang qui coulait sur son front, tout entier à l'idée de parvenir à entrer dans ce foutu conduit.

Il y parvint. Une fois debout sur les deux cavités les plus hautes, il trouva des encoches taillées où glisser les mains et les pieds, et pénétra entièrement dans le conduit.

— *Hamdulillah ! Hamdulillah ! Hamdulillah !*

Il s'accorda un instant de repos puis attaqua l'ascension. Ce n'était pas trop difficile. Disposées à intervalles réguliers, les encoches permettaient de progresser presque comme sur une échelle, mais Khalifa gardait toujours au fond de la tête la crainte que ce ne soit qu'un autre cul-de-sac. Il ne laissa pas cette pensée s'installer, se concentrant sur sa progression, grimpant petit à petit, assurant chaque prise avant de transférer son poids dessus, conscient qu'en cas de chute il risquait de se casser un membre et donc de mourir, car il serait alors incapable de recommencer l'ascension. A un moment, une chauve-souris arriva par le haut du conduit et lui effleura le visage. Plus loin, il rencontra quelque chose de doux et soyeux, probablement une toile d'araignée, mais à part ça, le conduit était dégagé, Dieu merci ! Au bout d'une vingtaine de mètres, il déboucha soudain sur un espace plus vaste. Khalifa se hissa sur le sol poussiéreux et s'effondra face contre terre, soulagé de s'être échappé du boyau, mais conscient d'être encore prisonnier du Labyrinthe.

JÉRUSALEM

Ben-Roï essayait. Il essayait vraiment. Sarah était tellement importante à ses yeux, elle avait fait un tel effort pour que la soirée soit un succès, pour qu'ils puissent tous deux se redonner une chance ! Tous les trois !

Cependant, il n'arrêtait pas de penser à Khalifa. Sarah lui parlait, lui racontait quelque chose d'intime à propos du bébé, et il laissait dériver son regard vers l'écran du téléphone en espérant qu'il s'allume. Dès qu'elle partait dans la cuisine, il se jetait sur l'appareil et laissait un nouveau message à Khalifa, en le suppliant de rappeler au plus vite.

Il essayait, pourtant. Vraiment ! Mais il pensait à autre chose, et Sarah s'en rendait compte aussi clairement que s'il s'était mis un gyrophare sur la tête. Elle ne dit rien, ne fit pas de scandale. Cependant, vers 21 h 30, tout en débarrassant les restes du gâteau aux amandes qu'elle avait préparé pour le dessert – encore un des plats préférés de Ben-Roï –, elle décida d'arrêter les frais :

— Rentre chez toi, Arieh. Va au bureau, va te promener, va quelque part où tu puisses te concentrer sur les choses qui te préoccupent.

— Mais il est encore tôt. Je pensais qu'on pourrait...

— Tu n'es pas là, Arieh. Si ton ami a des problèmes, je pense que tu devrais aller quelque part où tu pourras te concentrer. Pas rester ici à me faire la conversation.

Il tenta de protester, de la persuader qu'il pouvait au moins l'aider à faire la vaisselle, mais elle était catégorique. Pas catégorique en colère ou catégorique amère. Catégorique triste. Il ne l'avait jamais vue triste à ce point. Il avait laissé passer sa chance, et quelque chose lui disait que c'était la dernière.

Il glissa son téléphone dans sa poche et la suivit jusqu'à l'entrée. Quand il tenta de l'embrasser, elle tourna le visage pour lui présenter sa joue.

— Je suis désolé...

— Moi aussi.

— J'ai passé une très bonne soirée.

Elle ne fit pas écho à cette dernière phrase, le laissant juste poser les lèvres sur son ventre pour dire au revoir au bébé.

— J'espère que ça ira bien pour Khalifa, dit-elle en refermant la porte.

— Je t'appelle ! cria Ben-Roï à travers le battant.

Pas de réponse. Il n'en était pas sûr, mais il lui sembla entendre un sanglot étouffé.

Le Labyrinthe

— *Salaam !*

Au son de sa voix, Khalifa comprit qu'il se trouvait dans une salle assez vaste. Comme celles qu'il avait traversées en descendant la grande galerie. Il fouilla dans sa tête, tenta de se souvenir s'il avait vu quelque chose de ce genre dans le carnet de Pinsker, sans succès. Il avança de quelques pas, les bras tendus comme un aveugle, puis rebroussa chemin. Il tira son mouchoir de sa poche et l'étala par terre au bord du conduit. Au cours de l'ascension, son visage était tourné en direction de la galerie principale. Il se servit du mouchoir pour la repérer. Dans le boyau, il était facile de savoir où elle se trouvait, mais ici, dans le noir... Il s'assura qu'aucune confusion n'était possible, puis repartit en direction de la grande galerie.

Au bout de vingt pas, il atteignit une paroi.

Il commença à la suivre sur sa droite, l'explorant des mains. Les murs ne présentaient aucune faille. Il continua, centimètre par centimètre, tout autour de la salle. Rapidement, l'obscurité totale lui fit perdre tout sens de l'orientation. Il tomba sur un tas de pierres, prit quelques cailloux par terre et les lança pour évaluer les dimensions de la salle, mais c'était difficile. Dix mètres ? Vingt ? Comment savoir ? Elle était spacieuse... Il continua sa progression le long de la paroi, et trouva au passage deux jarres extrêmement grandes qui lui arrivaient à la taille, puis, un peu plus loin, quelque chose qui après examen se révéla être le squelette d'un petit animal.

En revanche, aucune ouverture, aucune sortie ! Il commençait à paniquer, à se dire que le boyau, le conduit et la grande salle constituaient peut-être un cul-de-sac, seulement plus grand qu'il ne l'avait tout d'abord cru. Soudain, il heurta quelque chose, posé contre le mur.

Il fit courir ses mains dessus.

Une échelle !

De gros barreaux fixés aux montants par des lanières en cuir. Apparemment solides. Il testa le premier. Impeccable. Il commença à grimper, avec précaution, un barreau à la fois. Au sixième, il découvrit une grande ouverture dans la paroi, comme celles qu'il avait vues dans la salle à l'entrée de la mine.

— *Salaam !*

De l'écho. C'était une autre galerie. Une issue ! Mais allait-elle vers la sortie, justement ? Et était-ce la seule, ou y en avait-il d'autres ?

Il redescendit et poursuivit son exploration en longeant la paroi sur sa droite jusqu'à revenir au tas de pierres. Il n'y avait donc aucune ouverture au niveau du sol. Aucun angle, non plus. La salle était globalement circulaire. Il continua jusqu'à l'échelle, puis, se mettant à genoux, tenta de retrouver l'ouverture du conduit. Il s'avança à quatre pattes vers ce qu'il pensait être le centre de la pièce, mais au bout de deux minutes il toucha une autre paroi. Bon Dieu ! Raté ! Il se releva, refit le tour le long de la paroi jusqu'à l'échelle et recommença en partant un peu plus sur la gauche, ce coup-ci. Cette deuxième tentative fut la bonne. Le mouchoir se trouvait du côté opposé, cela voulait donc dire que la galerie qu'il venait de trouver s'éloignait de la galerie principale. Il recommença tout une nouvelle fois pour s'assurer qu'il ne s'était pas trompé, puis retourna à l'échelle. Là, il ôta une chaussure et la posa au pied du mur, pour marquer l'endroit. Ensuite, il entreprit de faire le tour de la salle avec l'échelle, la déplaçant de un ou deux pas, montant voir s'il trouvait une deuxième ouverture en hauteur, puis renouvelant le processus. Il n'en trouva aucune. Lorsqu'il atteignit sa chaussure, il la remit, l'esprit en paix. La décision était facile à prendre. Il grimpa à l'échelle et s'engagea dans la galerie, les mains tendues devant lui, la tête baissée pour éviter de se cogner.

Au bout d'une vingtaine de mètres environ – il ne savait pas s'il devait se fier à ses estimations – le plafond s'éleva et il put se redresser. Vingt mètres plus loin, il tomba sur un embranchement. Le couloir gauche s'enfonçait, le droit grimpait. Il choisit le gauche, en prenant soin de mémoriser l'embranchement au cas où il devrait revenir sur ses pas. Il descendit un moment, puis un escalier le fit remonter jusqu'à une deuxième fourche. De nouveau, il prit à gauche, en calculant qu'il devait être dans une direction plus ou moins parallèle à celle de la galerie principale, quoique bien au-dessus d'elle. Ce couloir-ci courait tout droit puis plongeait subitement en épingle à cheveux pour repartir en sens inverse. D'après ses calculs – mais que valaient-ils, à ce stade ? – il s'éloignait encore de la sortie. Un passage s'ouvrit sur sa droite. Il s'y engagea et atteignit ce qui lui parut être une grande salle avec des piliers où de nombreuses galeries convergeaient. D'autres passages, d'autres décisions compliquées, encore plus d'angoisse.

— Mon... mon Dieu, aidez-moi ! s'étrangla-t-il. Par pitié, mon Dieu, aidez-moi !

Les ténèbres noyaient ses yeux, le silence étouffait ses oreilles, tandis que l'étreinte lente et inexorable du Labyrinthe se refermait sur lui.

JÉRUSALEM

Ben-Roï rentra chez lui en essayant de déterminer quelle ligne de conduite adopter avec Khalifa et Sarah.

Demain, il appellerait celle-ci, passerait la voir avec un bouquet de fleurs et plaiderait pour une nouvelle chance. Encore une. Quelque chose lui disait que ça ne marcherait pas. Qu'il avait tout foutu en l'air, et pour de bon. Bien sûr, il avait des excuses... mais il en avait toujours. Il y avait toujours une raison qui l'empêchait de se livrer tout entier. Quand ce n'était pas Khalifa, c'était autre chose, une autre crise, parce que telle est la nature du métier d'un flic quand il va sur le terrain. A moins de quitter la ligne de front et de se faire muter dans un bureau, ou tout simplement de démissionner, il ne pouvait rien faire contre ça. C'était une impasse. Elle avait besoin de plus de présence, elle la méritait, mais il ne pouvait pas la lui donner. Une impasse !

Il se laissa aller à l'introspection et aux remords pendant quelques instants, puis, acceptant le fait que dans l'immédiat il n'y pouvait rien, décida de se concentrer sur plus urgent : Khalifa.

Il lui était arrivé quelque chose. Ben-Roï en était sûr. Rien d'autre ne pouvait expliquer son silence. Et lui, Arieh Ben-Roï, en était responsable. C'était lui qui avait impliqué l'Egyptien dans l'enquête, il avait ça sur la conscience.

Il tournait en rond dans son appartement. Après avoir laissé un nouveau message sur le téléphone satellitaire de son ami, il en laissa un autre sur son mobile et lui envoya un e-mail pour faire bonne mesure.

Et ensuite ? Il n'avait pas le numéro de chez lui, mais de toute façon qu'en aurait-il fait ? Il parlait à peine arabe et même en anglais il se voyait mal leur dire : « Désolé de vous déranger, je voulais juste m'assurer que votre mari/père n'est pas mort... » Ils avaient déjà assez de soucis comme ça. Il ne les contacterait qu'après avoir épuisé toutes les autres options.

Il pensa également à la Barren, mais écarta aussitôt l'idée. Peu de chances qu'ils l'aident à retrouver un type parti enquêter sur une mine dont ils niaient l'existence.

Alors Ben-Roï décida de passer un coup de fil à Danny Perlmann, un ami qui travaillait à la coordination interservices, au quartier général de la police au mont Scopus, qui parlait arabe couramment et lui devait une faveur... plusieurs, en fait ! Perlmann décrocha en grommelant que ça pouvait peut-être attendre le lendemain, mais devant l'insistance de Ben-Roï il accepta de faire jouer ses contacts au sein de la police égyptienne afin de trouver des infos du côté de Louqsor.

— Je t'appelle dès que j'ai du nouveau, dit-il. Mais ne retiens pas ton souffle, parce que les Egyptiens sont un vrai cauchemar, ça peut prendre un moment !

Ben-Roï souligna l'urgence de sa demande, remercia son ami et raccrocha.

Il alluma la télé, passa deux minutes à regarder un documentaire sur – étrange coïncidence – des hommes coincés dans une mine au Chili, puis éteignit. Il vérifia ses e-mails, rappela Khalifa... Ne voyant pas ce qu'il pouvait faire d'autre, il décida de suivre le conseil de Sarah et d'aller faire un tour.

Tout valait mieux que de rester assis dans son appartement à contempler le fait qu'il avait détruit sa relation avec Sarah, et peut-être envoyé un ami à la mort.

Le Labyrinthe

La chose la plus importante, la nano-fibre d'espoir à laquelle Khalifa se raccrochait encore, était l'image mentale de sa position par rapport à la galerie principale. Tant qu'il savait dans quel sens il devait progresser pour s'en rapprocher, il pouvait encore ressortir, même si les chances étaient infimes.

Vingt minutes après qu'il eut quitté la grande salle du conduit, cette image s'était effacée.

Il était perdu. Totalement, irrémédiablement, absolument perdu.

Il tenta de revenir sur ses pas, de retrouver la salle initiale, mais dans sa tête plus rien n'était clair. Ici, à gauche ou à droite ? C'est le deuxième ou le troisième couloir ? En haut ou en bas ? Ç'aurait déjà été assez difficile si le Labyrinthe avait été éclairé, mais dans ce noir absolu c'était impossible.

Il avançait en titubant, aveugle, sans défense, désespéré. Plusieurs fois, il lui sembla reconnaître des endroits : un escalier abrupt, un passage particulièrement étroit, des bouts de poterie par terre, une rangée de paniers remplis de terre. Cependant, il ne parvenait plus à associer les choses à leur contexte. Quand était-il passé par là ? Que s'était-il produit avant, ou après ? Et d'ailleurs, était-il vraiment passé par là ? Ne confondait-il pas avec un autre endroit ? Tout semblait se mélanger à tout, chaque point de repère se dissolvait dans les ténèbres comme du papier dans de l'acide, pour ne laisser qu'une boue noire et lisse.

Il franchit une sorte de pont de bois au-dessus d'un puits profond – il entendait des sifflements qui en provenaient, et le frottement de corps glissant les uns contre les autres. Un peu plus tard, ou peut-être beaucoup plus tard, à moins que ce ne soit avant, le temps n'ayant plus grande signification pour lui, il se fraya un chemin parmi des rideaux de perles, dont il finit par se rendre compte qu'il s'agissait de squelettes accrochés au plafond.

Il entendit un bruit d'écoulement d'eau, sans pouvoir déterminer son origine.

Ou alors, tout ça n'était que dans sa tête. Il n'avait aucun moyen de le savoir, aucun moyen de distinguer ce qu'il imaginait de la réalité. Comme dans un cauchemar, les scénarios les plus étranges paraissaient vraisemblables, sauf qu'on peut se réveiller d'un cauchemar.

Il pensa à sa famille – Zenab, Batah, Youssouf. Comment allaient-ils encaisser sa disparition ? Sans jamais savoir ni comment ni pourquoi ils l'avaient perdu – Mon Dieu ! Pourvu qu'ils ne croient pas que je les ai abandonnés ! Il pensa à Samuel Pinsker, aussi. A Ben-Roï, Iman el-Badri, Digby Girling, les Attia, tous les personnages de ce drame dont le dénouement serait sa propre mort dans la mine.

Il pensa surtout à Ali. Son fils adoré. Seul et sans défense dans les sombres profondeurs du Nil.

Tout comme lui. Bizarre, la façon dont les choses se répétaient.

Il continua à marcher sans répit, malgré la fatigue et la soif, en appelant à l'aide, en priant pour que Dieu, ou quelqu'un

– n'importe qui en fait –, vienne lui porter secours. Il cria jusqu'à ce que sa voix s'éteigne.

Après, il n'y eut plus que le silence.

JÉRUSALEM

— Je vais me coucher.

— OK.

— Tu viens ?

— J'en ai encore pour un moment.

Joel Regev se leva du canapé à l'autre bout de la pièce pour venir regarder par-dessus l'épaule de Zisky. Divers papiers et photographies étaient étalés sur le bureau, tandis que sur l'écran une page affichait le logo de l'armée israélienne, l'étoile, l'épée et le rameau d'olivier. La page s'intitulait *Registre de conscription – 1972.*

— Ça a l'air excitant.

Zisky grogna.

— Toujours l'affaire de la cathédrale ?

— Toujours.

— Ça avance ?

— Peut-être.

Regev resta là quelques instants, puis, pressant l'épaule de Zisky, fit demi-tour et se dirigea vers la chambre.

— N'en fais pas trop ! lança-t-il en s'éloignant.

Zisky ne répondit pas. Penché sur son écran, il suivait du doigt une liste de noms et de dates de naissance, rangés sur quatre colonnes. Au milieu de la dernière, il fronça les sourcils et se mit à farfouiller dans les papiers devant lui, jusqu'à trouver la photo d'un groupe de femmes en treillis. Il lut la dédicace au verso : « A ma chère Rivka – Les jours heureux ! Lx »

Il compara ce qu'il voyait à l'écran et la photo, s'assurant qu'il ne se trompait pas. Un sourire lui vint aux lèvres.

— Je te tiens ! murmura-t-il.

Dehors, il entendit des pneus crisser et un grand coup de klaxon.

Ben-Roï fit une embardée pour éviter une moto brusquement surgie d'une rue latérale et écrasa le klaxon de son poing. Son premier réflexe fut de mettre en marche sa sirène, d'arrêter ce chauffard et de lui souffler dans les bronches, mais il se contenta de l'insulter et poursuivit son chemin.

Minuit passé. Il avait marché pendant deux heures, dérivant sans but dans le quartier de Rehavia, à travers le parc, derrière le musée d'Israël et la Knesset, puis à travers le Sacher Park, sans aucune nouvelle de Khalifa ni de Perlmann. Finalement, il s'était résigné à rentrer chez lui et à patienter jusqu'au matin.

Cela faisait vingt minutes qu'il était dans son lit, les yeux fixés au plafond, le téléphone portable encore serré dans la main, quand soudain il s'était dit qu'il pouvait quand même faire une chose. Il avait sauté dans ses fringues et était parti à tombeau ouvert en direction de la vieille ville.

Quinze minutes après la collision évitée de justesse devant chez Zisky, il tambourinait à la porte de l'enceinte arménienne.

Elle s'ouvrit au bout d'un instant. Un homme coiffé d'une casquette l'accueillit, la cigarette aux lèvres. C'était l'un des concierges qu'il avait vus quand il était venu examiner le corps de Kleinberg.

— L'enceinte est fermée, dit l'homme.

— Il faut que je parle à l'archevêque Petrossian, répondit Ben-Roï en lui montrant son insigne.

— Son Eminence s'est retirée pour la nuit. Il faudra repasser.

L'homme refermait déjà la porte. Ben-Roï tendit la main pour l'en empêcher.

— J'ai vraiment besoin de parler à l'archevêque Petrossian, reprit-il, conscient de l'animosité que l'arrestation de ce dernier avait dû provoquer au sein de la communauté. S'il vous plaît, j'ai besoin de son aide. C'est urgent. Très urgent.

L'homme le dévisagea en tirant sur sa cigarette. Puis il leva l'index pour faire signe à Ben-Roï de patienter et ferma la porte. Deux minutes s'écoulèrent. La vieille ville était totalement silencieuse, comme une ville fantôme. Enfin, le battant s'ouvrit et le concierge le pria d'entrer.

— Son Eminence va vous recevoir.

Après avoir soigneusement verrouillé derrière lui, l'homme conduisit Ben-Roï à travers le passage voûté vers le parvis de la cathédrale, où il lui désigna une petite porte.

— C'est ici. Tout en haut.

Ben-Roï le remercia et entra. Il gravit une volée de marches le long de laquelle courait le rail d'un monte-escalier et déboucha sur un vestibule carrelé. Un lustre pendait au plafond, de grandes toiles aux murs. L'archevêque Petrossian l'attendait sur le pas d'une des portes, vêtu d'une simple soutane noire. Ben-Roï se dirigea vers lui, remarquant que ses propres baskets couinaient sur le carrelage.

— Désolé de vous avoir réveillé.

Petrossian balaya ses excuses d'un geste.

— Je suis un vieil homme. Je ne dors pas beaucoup. Venez.

Il fit entrer Ben-Roï dans un petit bureau. Contrairement aux autres pièces de l'enceinte, celle-ci était sobre, voire spartiate. Un bureau, un téléphone, un ordinateur, deux fauteuils en cuir, des étagères avec des dossiers et quelques photos. Sur l'une d'elles, Petrossian serrait la main du pape Benoît XVI. L'archevêque invita l'inspecteur à s'asseoir.

— Mardig semblait dire que c'était urgent, dit-il en croisant les mains. En quoi puis-je vous aider ?

Sa voix était posée, douce. L'améthyste à son doigt scintillait. S'il ressentait de la colère à la suite de son arrestation, il ne le montrait pas. Ben-Roï agrippa ses accoudoirs. Pas d'entrée en matière. Pas de tergiversations.

— Il faut que je trouve Vosgi.

Petrossian sourit, l'air de s'excuser.

— Comme je vous l'ai dit hier matin, j'ai bien peur de ne pas la connaître.

— Et comme je vous ai répondu hier matin, je pense que vous mentez.

L'archevêque leva les bras au ciel.

— Il faut que je lui parle ! s'exclama Ben-Roï, qui luttait pour garder un ton calme. Je ne sais pas ce que vous tramez, je ne sais pas pourquoi vous mentez, et franchement je m'en moque. Je sais juste que vous, vous savez où elle est. De même que vous êtes au courant de tout ce qui se passe dans cette communauté. Et j'ai besoin que vous me le confiiez. La vie d'un homme en dépend. La vie d'un homme bon.

Petrossian souriait toujours, mais à présent quelque chose dans son expression semblait plus forcé, comme s'il devait désormais faire un effort pour garder le sourire.

— Vosgi a confié quelque chose à Rivka Kleinberg, insista Ben-Roï. Quelque chose à propos d'une mine d'or et d'une société, la Barren Corporation. C'est à cause de cette information que Rivka Kleinberg a été assassinée. Et à présent un homme innocent, un ami à moi, est sur le point de subir le même sort. Il est peut-être déjà mort, à Dieu ne plaise. Je dois savoir ce qui se passe. C'est le seul espoir que j'ai de lui venir en aide. S'il vous plaît, dites-moi où est Vosgi… Aidez-moi !

Petrossian, silencieux, ne trahissait toujours rien, mais Ben-Roï voyait bien qu'il doutait, qu'il menait un combat intérieur. Il posa ses mains à plat sur le bureau, décidé à convaincre le vieil homme.

— Il ne s'agit plus d'une femme déjà morte, d'un meurtre qui a déjà été commis et auquel on ne peut plus rien. Il s'agit de sauver une vie. La vie d'un Egyptien musulman, au cas où cela vous ennuierait de porter secours à un Israélien.

Pour la première fois, Petrossian eut une réaction visible.

— Une vie est une vie, inspecteur, déclara-t-il en secouant la tête. Aucune n'est plus précieuse qu'une autre. La religion et la nationalité n'ont rien à voir là-dedans.

Il hésitait, Ben-Roï le sentait. Quel que soit son secret et la raison pour laquelle il le dissimulait, des fissures étaient apparues dans sa muraille. Là où l'interrogatoire avait échoué, l'appel à son humanité semblait réussir. Il poussa son avantage :

— S'il vous plaît, aidez-moi à retrouver mon ami. Dites-moi où est Vosgi, laissez-moi lui parler. Je vous donne ma parole que ça n'aura aucune conséquence pour vous.

Petrossian joignit les mains devant son visage et dévisagea Ben-Roï un instant.

— Et si je lui ai fait du mal ? Cela n'aura aucune conséquence ?

La question était inattendue. Ben-Roï hésita, les mains agrippées au bord du bureau.

— Vous lui avez fait du mal ?

Une lueur passa dans les yeux de l'archevêque. A présent, c'était lui qui voyait le doute s'installer dans l'esprit de Ben-Roï.

— Difficile, n'est-ce pas ? Comme je vous le disais hier, la conscience est un maître épineux. Vous me demandez de trahir la mienne, et lorsque je vous mets face au même dilemme – un troc entre justice et information –, vous n'êtes plus aussi sûr de vous. Alors je vous pose de nouveau la question : ai-je votre garantie que si cette fille a subi des violences, aucune poursuite ne sera entamée contre moi ou mes collaborateurs ?

Ben-Roï s'adossa à son fauteuil. Quelques instants auparavant, il maîtrisait la situation, et subitement il était pris à contre-pied.

— Je ne peux pas vous donner cette garantie-là.

Petrossian plongea son regard au plus profond de celui de Ben-Roï. Quelques secondes s'écoulèrent. Dehors, une cloche sonna. Finalement, le vieil homme acquiesça.

— Je suis heureux de l'entendre. Comme vous le savez, mon expérience personnelle avec la police israélienne n'a pas été totalement positive, mais j'ai le sentiment que vous êtes un homme décent, un homme d'honneur. Avant le lever du jour, ces qualités seront mises à l'épreuve. Et pour que vous soyez tranquille, aucun mal n'a été fait à cette jeune fille.

— Vous allez m'emmener la voir ?

— Au cas où vous l'auriez oublié, je suis assigné à résidence. Je n'ai pas l'autorisation de quitter l'enceinte.

— J'en prends la responsabilité.

Petrossian gambergea un peu, puis décrocha son téléphone et s'adressa à quelqu'un dans une langue étrangère, probablement en arménien. Il raccrocha et demanda à Ben-Roï de le suivre.

— Venez. Et s'il vous plaît, gardez en tête ce que nous venons d'évoquer... l'honneur et la décence.

Ils sortirent du bureau et redescendirent l'escalier de pierre.

Elle s'était présentée cinq semaines plus tôt, sortie de nulle part, terrifiée, traumatisée. Le gouvernement israélien était sur le point de la mettre dehors, de la renvoyer en Arménie, droit dans les bras des gens qui l'avaient mise en esclavage. Elle était désespérée et demandait asile.

— Nous sommes une famille. Nous nous occupons des nôtres. Elle a déjà souffert au-delà du possible. Nous ne pouvons pas la livrer. Il est de notre devoir de lui porter secours.

Tout en le guidant à travers le quartier arménien, l'archevêque lui expliqua qu'au début ils avaient caché Vosgi pour la protéger des autorités israéliennes. Ensuite, après le meurtre, il s'agissait aussi de la mettre à l'abri de ceux qui avaient tué Kleinberg.

— Mlle Kleinberg avait deviné que cette jeune fille en cavale se tournerait vers les siens, poursuivit Petrossian. Elle m'a appelé pour me demander si j'avais vu Vosgi, ou si je savais où la trouver. Si je ne lui avais pas menti, elle ne serait peut-être pas morte. Mais je ne lui ai rien dit. J'ai prétendu ne rien savoir. Alors elle s'est mise à fréquenter régulièrement la cathédrale, dans l'espoir de la trouver par ses propres moyens. Sa mort, je vous l'ai dit, pèse sur ma conscience, mais je n'avais pas le choix. Elle ne faisait pas partie de notre communauté, je ne savais pas si je pouvais lui faire confiance.

Ils tournèrent dans la rue Ararat. Un chat surpris par leur arrivée détala par-dessus un mur.

— Quand Kleinberg vous a appelé, vous l'avez reconnue ? demanda Ben-Roï. Saviez-vous qu'il s'agissait de la journaliste qui avait ruiné votre carrière dans les années 70 ?

— Bien sûr que je me souvenais d'elle, répondit Petrossian en haussant les épaules. Mais croyez-moi quand je vous dis que je ne lui en voulais pas. J'avais fauté, et je ne pouvais m'en prendre qu'à moi-même. Elle n'était qu'un messager. J'ai été très éprouvé par sa mort.

Au bout de la rue Ararat, ils prirent à gauche dans une venelle. Petrossian s'arrêta devant une porte en bois munie d'un vidéophone. Une plaque en céramique était gravée : *Saharkian*. L'archevêque sonna.

— Ce n'est qu'une enfant, dit-il tandis qu'on entendait le son de verrous qu'on tirait. Une enfant qui a traversé des horreurs inimaginables. Elle a encore une chance de s'en remettre, de se construire une vie, mais si on la renvoie en Arménie, si les trafiquants remettent la main sur elle…

La porte s'ouvrit sur un homme, un pistolet glissé à sa ceinture.

— Juste une enfant, répéta Petrossian. Je vous demande de ne pas l'oublier. Ainsi que de ne pas aborder les circonstances exactes de l'assassinat de Mlle Kleinberg. Vosgi sait qu'elle est morte, mais nous ne lui avons pas donné de détails. Elle a déjà suffisamment peur comme ça.

Il soutint le regard de Ben-Roï, le temps de s'assurer que l'inspecteur l'avait compris, puis entra. Ben-Roï le suivit, tandis que l'homme verrouillait derrière eux. Ils traversèrent une pièce aux murs blancs, peu meublée, où un deuxième garde se tenait devant une table, un fusil à pompe dans les bras. En face, un escalier en bois menait à une galerie en surplomb sur laquelle donnaient quatre portes. Petrossian s'approcha, leva la tête et appela doucement Vosgi.

Deux secondes passèrent, puis la porte la plus éloignée s'ouvrit. Une espèce d'elfe aux cheveux bruns apparut sur la galerie. Ben-Roï serra la mâchoire et ses doigts se crispèrent d'eux-mêmes.

Comme s'il avait tourné une clé.

Sur un mot de Petrossian, les deux gardes arméniens disparurent dans une pièce attenante. L'archevêque se posta au pied de l'escalier et tendit la main à la jeune fille, qui hésita un instant avant de descendre.

Plus menue que Ben-Roï ne le pensait d'après les clichés qu'il avait vus, à peine un mètre cinquante. Plus jolie en chair et en os, aussi. De grands yeux en amande, des traits qui alliaient la délicatesse à un petit côté garçon manqué, on avait du mal à lui donner un âge précis, bien qu'à l'évidence elle fût très jeune. Les mots qu'il avait échangés avec la prostituée de Neve Sha'anan lui revinrent en mémoire. On leur faisait tourner des films ensemble, la femme mûre et la petite jeune, l'institutrice et son élève. Il sentit une boule se former dans sa gorge et chassa cette pensée. Chassa également l'idée qu'à sa façon lui aussi voulait quelque chose d'elle, et qu'il n'était qu'une autre sorte de client, en somme. Il se tenait devant Vosgi, les bras ballants, avec une expression qu'il espérait avenante.

Elle le regarda puis se tourna vers l'archevêque, éprouvant manifestement le besoin d'être rassurée. Le vieil homme lui murmura quelque chose à l'oreille. Elle posa de nouveau les yeux sur Ben-Roï, acquiesça, puis l'archevêque la conduisit jusqu'à un canapé et s'installa à côté d'elle. Ben-Roï s'assit en face d'eux. Il essayait de ne pas fixer les poignets couturés de cicatrices de Vosgi, mais elle suivit son regard et serra ses bras contre sa poitrine afin de les dissimuler dans les replis de son tee-shirt gris, trop grand pour elle. Elle se mit à jouer avec le crucifix argenté qui pendait à son cou.

— Vosgi comprend l'hébreu, expliqua l'archevêque. Mais elle ne le parle pas bien. Si cela vous convient, je traduirai ce qu'elle dit.

— Bien sûr, répondit Ben-Roï.

Petrossian s'adressa à elle à voix basse. Elle marmonna une réponse, les yeux fixés sur le carrelage.

— Allez-y à votre rythme, dit-il à Ben-Roï, mais n'oubliez pas ce dont nous parlions en arrivant. Essayez de…

Il fit un geste de la main, comme s'il lissait quelque chose.

— Bien sûr, répéta Ben-Roï.

Il se pencha vers elle, les coudes sur les genoux. Au fil des ans, il avait conduit des centaines d'interrogatoires, mais sans jamais entretenir de tels espoirs sur leur issue. L'affaire Kleinberg, probablement la vie de Khalifa… en fait, il lui semblait que tout allait se résoudre au cours de cette rencontre, ici et maintenant. C'était comme se tenir devant une porte en sachant que parvenir à l'ouvrir changerait tout. Vas-y tranquillement, pensa-t-il. Ne tourne pas la poignée à fond juste parce que tu es trop pressé de voir ce qu'il y a de l'autre côté…

— Salut, Vosgi.

Elle garda les yeux rivés au sol.

— Je m'appelle Arieh Ben-Roï. Je suis inspecteur de police à Jérusalem. Tu peux m'appeler Arieh, si tu veux, ou même Ari.

Sa tentative de détendre l'atmosphère ne suscita aucune réaction. Malgré tous les efforts qu'il faisait pour l'éviter, sa voix avait encore un ton formel, comme s'il se trouvait dans un poste de police. Ce n'était pas la première fois au cours de cette enquête qu'il était confronté à son manque d'empathie. Satané *sabra.*

— Merci d'accepter de me parler. Et laisse-moi te rassurer ! Cet entretien ne concerne en aucune façon ton permis de séjour, tu as ma parole. Aucune crainte à avoir. Tu comprends ?

Elle fit un signe de tête à peine perceptible.

— Je voudrais parler avec toi d'une femme qui s'appelle Rivka Kleinberg. Je pense que tu te souviens d'elle. Elle est venue te voir au centre Hofesh, il y a quelques semaines.

Elle leva les yeux pour les rebaisser aussitôt, puis murmura quelques mots.

— Elle demande si vous avez trouvé les gens qui l'ont tuée.

— On s'en approche, on y est presque. Tu peux peut-être nous aider à nous en approcher un peu plus. Tu veux nous aider, Vosgi ?

Sa main se referma sur le crucifix comme s'il s'était agi d'une bouée de sauvetage. Elle parla de nouveau, un peu plus fort, un peu plus vite aussi, comme si elle était gagnée par la détresse.

— Elle dit qu'elle ne veut pas témoigner.

— Personne ne te demande de témoigner, Vosgi. J'ai juste besoin que tu répondes à quelques questions. Tu crois que tu peux ?

Elle s'agrippait toujours à sa croix sans rien dire. Au bout d'un instant, elle aspira une grande bouffée d'air et acquiesça.

— Merci ! dit Ben-Roï. Je vais être aussi bref que possible.

Il avait le ton d'une infirmière sur le point de faire une piqûre.

— Quand Mlle Kleinberg est venue vous voir au centre, tu lui as parlé, tu te souviens ?

— *Ken*, murmura-t-elle. Oui.

— Tu lui as parlé d'une mine d'or ?

Elle secoua la tête.

— Une mine d'or en Egypte ?

A nouveau, elle fit signe que non.

— Tu en es sûre ? Prends ton temps.

Elle murmura quelque chose.

— Elle en est sûre, traduisit l'archevêque.

— Et Barren Corporation, une grosse société américaine ?

— *Lo*, dit-elle. Non.

Ben-Roï répéta plus lentement, épela le nom au cas où elle n'aurait pas compris sa façon de le prononcer, sans plus de succès. Il tenta de masquer sa déception. S'il avait mis dans le mille du premier coup, il aurait gagné du temps et Vosgi se serait épargné un long interrogatoire, mais ce n'était pas le cas. Il allait devoir viser plus large.

— Tu peux me dire de quoi vous avez parlé, Vosgi ?

Elle rentra la tête dans les épaules, marmonna quelques mots.

— Elle a raconté à Mlle Kleinberg d'où elle venait, son village, sa famille. Et aussi… ce qui lui est arrivé ensuite.

Ben-Roï tendit la main pour l'inviter à donner des détails. Quand elle répondit, elle parlait tellement bas que l'archevêque était obligé de se pencher pour l'entendre.

— Elle dit qu'elle avait quatorze ans quand ils l'ont emmenée. Elle rentrait de l'école, ils l'ont attrapée sur la route. Deux hommes. Elle ne les connaissait pas, des Azerbaïdjanais peut-être, son village était tout près de la frontière.

Un lien s'établit dans la tête de Ben-Roï. C'était Zisky qui avait déniché ça, en fouillant à propos de la Barren. La mine qu'ils exploitaient dans l'est de l'Arménie. Justement près de la frontière avec l'Azerbaïdjan. Il demanda à Vosgi si elle en avait entendu parler, elle répondit que non. Il n'y avait pas de mines, là où elle vivait. Il n'y avait pas grand-chose, en fait, à part des montagnes, des rivières et une usine de traitement de volailles où son père et ses frères travaillaient. Ben-Roï lui demanda de poursuivre son récit.

— Ils l'ont emmenée en voiture dans une maison, traduisit Petrossian. Et ensuite dans d'autres maisons. Ils les ont… Je pense que je n'ai pas besoin de vous faire un dessin, dit-il en croisant le regard de Ben-Roï.

L'inspecteur acquiesça.

— Tu sais où tu étais ?

— On la déplaçait souvent, traduisit Petrossian. Elle dit qu'elle savait qu'elle était en Turquie… Elle entendait des voix par la fenêtre. Elle a reconnu l'accent. Ensuite, on l'a vendue à d'autres gens et ils l'ont emmenée en bateau à un endroit avec des…

Petrossian s'interrompit pour la consulter. Elle lui répondit à voix basse.

— … des touristes. Des jeunes de différents pays. Des Allemands, peut-être. Ou des Anglais. Ensuite, encore la Turquie. Elle était dans une cave. Il faisait sombre. Les hommes faisaient la queue…

Au fur et à mesure qu'elle se détendait, Vosgi parlait un peu plus fort, mais son ton devenait aussi plus détaché, comme si elle décrivait quelqu'un d'autre et non elle-même. Maya Hillel avait dit à Ben-Roï que c'était la raison pour laquelle elles prenaient un autre nom, pour établir une certaine distance avec ce qu'on les forçait à faire. « Ça leur permet de penser que c'est quelqu'un d'autre qui fait cela. »

— Elle est restée là-bas à peu près un an, poursuivit Petrossian. Ensuite, certaines d'entre elles sont parties sur un autre bateau, et des Arabes leur ont fait traverser le désert. C'est comme ça qu'elle est arrivée en Israël. Elles étaient trois ou quatre dans un appartement. On les surveillait tout le temps. Parfois, on les emmenait pour…

Ben-Roï leva la main pour lui faire signe d'arrêter. Quelque chose dans ce qu'elle venait de raconter l'avait intrigué.

— Tu peux revenir un peu en arrière, s'il te plaît. Tu as dit que tu te trouvais dans une ville en Turquie…

Vosgi acquiesça.

— … qu'on t'a emmenée sur un bateau. Tu es arrivée dans un port ?

— Oui. Un petit port. La nuit. Des grues partout, lui répondit-elle directement.

— Ce port, tu en as parlé à Rivka Kleinberg ?

— Oui.

— C'était à Rosette ?

Elle haussa les épaules.

— En Egypte ? C'était en Egypte ?

Elle répondit en se tournant vers Petrossian, qui reprit son rôle de traducteur :

— Elle ne savait jamais où elle était. Ils leur ordonnaient de regarder par terre, de ne pas regarder autour d'elles.

— En partant de ce dock, ils vous ont directement fait traverser le désert pour entrer en Israël ?

— Ils les ont mises dans un van. Ils ont roulé jusqu'à l'aube. Ensuite, il y a eu une maison. Avec des Arabes, des hommes. Ils…

A la façon dont elle serrait son crucifix, il n'était pas difficile de comprendre ce qu'ils lui avaient fait. Ben-Roï lui fit signe de ne pas s'étendre sur la question.

— Le lendemain, ils les ont emmenées dans des jeeps. Ensuite, une longue marche. Pendant cinq heures environ. Il faisait froid. Une des filles a essayé de se sauver, ils l'ont tuée. Puis d'autres voitures sont venues les chercher, et elles se sont retrouvées en Israël.

Elle était donc entrée par le désert. Le Sinaï, forcément. Et avant ça, par un port, un dock, peu importe, mais c'était forcément Rosette ! L'endroit où Kleinberg devait aller le jour de sa mort. Il sentait les pièces du puzzle se mettre en place petit à petit, même s'il avait encore des difficultés à placer les deux plus importantes, la Barren et le Labyrinthe. Vas-y doucement, pensa-t-il. Couvre tous les angles.

— Tu connais l'identité des trafiquants qui t'ont amenée ?

Elle savait juste que c'étaient des hommes. Des hommes violents.

— Genady Kremenko ? Tu en as déjà entendu parler ?

— *Lo.*

— Tu en es sûre ? Et Zoser Freight ?

— *Lo.*

— Tu peux m'en dire un peu plus à propos du bateau qui vous a emmenées de Turquie ?

Elle se mordit les lèvres en triturant son crucifix en argent. Une minute s'écoula avant qu'elle retrouve la voix, et lorsqu'elle se mit à parler, Ben-Roï vit bien que Petrossian était choqué par ce qu'il entendait. Plus choqué qu'il ne l'avait jamais été jusqu'alors.

— Dieu du ciel, murmura-t-il avant de traduire : Ils les gardaient dans un container. Elles étaient treize, et elles y ont passé quatre jours. Il y avait juste une grille pour laisser entrer un peu d'air. Chaque nuit, on venait chercher certaines d'entre elles pour les amener dans les cabines des marins...

Vosgi se mit à tousser. Petrossian lui passa le bras autour des épaules dans un geste de réconfort, avec un regard appuyé en direction de Ben-Roï, l'air de demander si tout cela était vraiment nécessaire. Ben-Roï hocha la tête pour indiquer que c'était le cas. L'information dont il avait besoin, la pièce maîtresse qui viendrait compléter le puzzle, se dissimulait quelque part dans l'histoire de Vosgi. Pour la trouver, il fallait tout passer en revue. Même si cela impliquait d'obliger cette jeune fille à revivre le cauchemar de sa captivité.

— Tu peux me parler du bateau ? Il était grand ? Petit ? demanda-t-il en essayant de l'orienter sur des choses concrètes, pour l'aider.

Elle hésita, puis écarta les bras. En grand.

— C'était un paquebot ? Un bateau de pêche ? Un cargo ?

Un bateau de pêche, croyait-elle. Ou peut-être un cargo. Elle n'en avait pas vu grand-chose. Juste la coque au moment d'embarquer ; le container et la cabine où ils la violaient.

— Les membres d'équipage étaient comment ? Egyptiens ? Arabes ? Noirs ?

Ceux qu'elle avait vus, ceux qui lui apportaient à manger et qu'elle retrouvait dans la cabine, étaient des Blancs. Des Russes probablement. Durs. Très durs.

Des éclats d'émotion commençaient à percer dans son ton monocorde. Son langage corporel indiquait lui aussi un désarroi croissant, et si Ben-Roï avait pu obtenir ces informations de n'importe quelle autre manière, il l'aurait fait avec joie. Mais c'était la seule façon. Vosgi savait quelque chose, et il fallait qu'il parvienne à le lui faire dire. Cette nuit. Tout de suite. A nouveau, il pensa qu'il ne valait guère mieux que les hommes qui se servaient d'elle, et à nouveau il chassa cette idée.

— Les gens qui t'ont mise sur ce bateau, en Turquie : tu peux me dire quelque chose sur eux ?

Rien, sinon qu'ils étaient turcs. On l'avait emmenée sur le bateau et jetée dans le container. Il y avait déjà huit filles dedans, quatre autres étaient arrivées par la suite. C'est tout ce dont elle se souvenait.

— Et quand tu es sortie du bateau ? Sur ce dock ? Qu'est-ce qui s'est passé ?

Elle respirait difficilement, à présent, de plus en plus ébranlée par son insistance.

— Que s'est-il passé sur le dock ?

Elle marmonna une réponse, les yeux pleins de larmes, le menton collé contre la poitrine comme si elle tentait de se cacher. Petrossian, dont l'expression laissait entendre qu'il n'allait pas autoriser cela encore très longtemps, traduisit avec réticence :

— Ils leur ont demandé de s'aligner, et de se déshabiller. Elles étaient toutes nues. Ensuite, ils leur ont dit de mettre les mains sur la tête... Inspecteur, je tiens à...

— Contentez-vous de traduire !

Le vieil homme serra Vosgi dans ses bras en lui murmurant quelques mots de réconfort.

— Il y avait une voiture, poursuivit-il. Une grande voiture. Noire. Un homme à l'intérieur. A l'arrière. Il disait des choses. Il donnait des ordres. Après, elles se sont rhabillées. Il y avait trois minibus. Elles sont montées dedans et ils ont roulé toute la nuit. Jusqu'à la maison...

— L'homme dans la voiture, les interrompit Ben-Roï. Parle-moi de lui. A quoi ressemblait-il ?

Elle se mit à pleurer en se balançant d'avant en arrière. Ben-Roï répéta la question, se haïssant pour ce qu'il était en train de faire, mais la pièce du puzzle se trouvait là, à portée de main, il le sentait !

— Elle n'a pas pu bien le voir, traduisit Petrossian. Il faisait sombre. Les hommes les aveuglaient avec leurs phares et leurs lampes de poche. Il était assis au milieu de la banquette. Loin de la vitre...

— Mais tu as forcément vu quelque chose !

Elle secoua la tête.

— Forcément ! Il doit y avoir quelque chose !

— Je rien vu ! cria-t-elle dans un hébreu teinté d'un fort accent. Il pas assis à côté fenêtre. Je pas vu lui…

— Il parlait dans quelle langue ?

— Je sais pas ! Je dis toi ! Je sais pas !

L'archevêque fit signe à Ben-Roï de s'arrêter, mais ce dernier passa outre :

— Réfléchis ! S'il te plaît, Vosgi, réfléchis ! Il doit y avoir quelque chose…

— Non. Pitié ! Je dis vérité !

— Réfléchis !

— Inspecteur, ceci va trop loin…

— Réfléchis, Vosgi ! Il ressemblait à quoi, l'homme dans la voiture ?

— Inspecteur !

— Je pas vu visage ! cria-t-elle. Je dis toi ! Je dis toi ! Je vu bras, c'est tout. Quand il jette cigarette. Une seconde, je vu bras avec… avec…

Elle frappa dans ses mains, à la recherche du mot qu'elle voulait dire.

— Un bras avec quoi, Vosgi ? Un bras avec quoi ?

— Avec… Avec…

Elle serrait convulsivement les poings, cria quelque chose à Petrossian en arménien.

— Quoi ? insista Ben-Roï. Un bras avec quoi ? Qu'est-ce qu'elle vient de dire ?

— Un tatouage, répondit Petrossian. L'homme avait un tatouage sur le bras. Et c'est tout pour ce soir, inspecteur. Je vous avais demandé de ne pas…

Ben-Roï ne l'écoutait pas. Il repensait à sa visite à la prison, quatre jours plus tôt. La cellule, le côté bling-bling, le visage joufflu, l'homme qui s'était fait surnommer *Ha-Menahel* – « le maître d'école ». Sur son avant-bras, à l'encre, en vert et rose…

Il se pencha vers Vosgi, tendu comme un arc.

— Ce tatouage, Vosgi, il représentait une…

Il mit ses mains en conque, pour évoquer un sexe féminin. Elle hésita, tremblante, puis finit par acquiescer.

— Et la femme était…

Il ouvrit les mains, comme une paire de jambes. Elle hocha de nouveau la tête.

Genady Kremenko !

— Merci, Vosgi ! C'est tout ce que je voulais savoir. Je n'ai plus besoin de t'embêter.

Elle se recroquevilla dans les bras de Petrossian, incapable de contrôler son corps tremblant. Ben-Roï pensa qu'il devrait peut-être s'approcher, lui poser la main sur l'épaule et s'excuser pour ce qu'il venait de lui faire subir, mais il se dit que ça ne changerait rien pour elle. Un flic juif trop malin lui bafouille des excuses… Et alors ?

Ben-Roï consulta son portable – toujours rien du côté de Khalifa – et se dirigea vers la porte.

— Je crois que vous devriez rester avec elle, dit-il en ouvrant les verrous. Je préviendrai les gars au poste. Vous retournerez chez vous lorsque vous le jugerez nécessaire.

Il se tourna vers l'archevêque. Le vieil homme le dévisageait avec une expression difficile à déchiffrer. L'air protecteur, peut-être. Paternel, même. Il n'était pas en colère, ce qui surprit Ben-Roï, étant donné son comportement pendant l'interrogatoire. Ils échangèrent un long regard. Puis, avec un léger hochement de tête, mi-merci mi-excuse, Ben-Roï ouvrit.

— Une dernière question, Vosgi. Le dessin que tu as fait avec Rivka Kleinberg. La femme blonde. C'était qui ? Une des autres victimes des trafiquants sexuels ?

Vosgi leva les yeux vers lui. Elle resta un moment sans rien dire, puis elle s'adressa à Petrossian en arménien.

— Ce n'était pas une vraie personne, traduisit ce dernier. C'était une image. Sur la coque du bateau qui l'a amenée. L'image d'une sirène.

— Ah… fit Ben-Roï.

Il allait sortir, mais l'archevêque lui posa à son tour une question :

— Inspecteur, vous savez où elle est, à présent. Et vous connaissez sa situation. Puis-je vous demander ce que vous comptez faire ?

— Dans l'immédiat, je vais foncer à Tel-Aviv, discuter avec un certain Genady Kremenko.

— Vous voyez très bien ce que je veux dire. Pour Vosgi.

Ben-Roï croisa à nouveau le regard du vieil homme et haussa les épaules.

— Vous devez faire erreur. Je ne connais personne du nom de Vosgi.

Puis il fit un clin d'œil à l'archevêque, le salua et s'en alla.

LE LABYRINTHE

Un enfant criait quelque part, Khalifa en était absolument sûr. Un enfant s'était égaré quelque part dans cette mine, tout comme lui. Ce n'était pas le fruit de son imagination. Ce n'était pas un mirage provoqué par les ténèbres. Un enfant était en danger.

— Reste tranquille ! croassa-t-il, la voix cassée par la soif et la fatigue. Ne bouge pas et je vais te trouver. N'aie pas peur. On va te sortir de là !

Il titubait en aveugle, se servant des murs pour se guider, pour s'approcher des cris. Mais ils se dérobaient. Parfois devant lui, parfois derrière, parfois très loin, parfois désespérément proches.

— S'il te plaît, reste tranquille ! Si tu bouges, je ne pourrai jamais te retrouver ! Reste tranquille et je vais venir !

A présent, les cris provenaient d'une galerie sur sa droite. Des sanglots, des plaintes terrifiantes. Impossible de savoir s'il s'agissait d'une fille ou d'un garçon. Un enfant, c'est tout ce qu'il savait. Un enfant égaré. Il fallait qu'il le trouve. Parce que si lui avait peur, qu'est-ce que ce petit enfant pouvait bien ressentir ? Pauvre petit ! Pauvre petit gars sans défense !

— J'arrive ! N'aie pas peur ! J'arrive !

Il atteignit le bout de la galerie, descendit quelques marches et se retrouva dans une petite salle assez basse de plafond. Une chauve-souris lui effleura le visage en couinant. Des choses cavalaient par terre. Nombreuses. Elles passaient sur ses chaussures, contre l'ourlet de son pantalon. Il fit des moulinets avec les bras, donna des coups de pied et poursuivit sa progression dans le noir. Il parvint contre un mur et trouva en tâtonnant l'entrée d'une autre galerie. Elle semblait grande. L'enfant était quelque part par là.

— Ne bouge pas ! suppliait-il. Si tu bouges, je ne te trouverai jamais !

Il hâta le pas. L'envie désespérée de trouver l'enfant égaré prenait le pas sur la peur de trébucher ou de heurter un obstacle. La galerie était large et haute, le sol aussi plat qu'une chape de béton. Il se mit à trottiner, puis allongea la foulée, s'enfonçant dans les ténèbres avec insouciance, et pour unique crainte celle de perdre la voix de l'enfant. Il courait, à présent, les membres pleins d'une énergie nouvelle, il donnait tout ce qui lui restait pour rattraper cette voix qui persistait à le fuir. Encore un dernier effort…

Son pied heurta une pierre. Il trébucha, faillit retrouver l'équilibre, se prit les pieds dans autre chose et s'étala de tout son long. Un instant les cris du petit enfant résonnèrent au loin, et plus rien.

Silence.

Il resta allongé où il était tombé, juste devant une sorte de marche ou de palier. Les plaintes avaient disparu. Plus aucun bruit, excepté celui de sa propre respiration. Après tout, peut-être l'avait-il imaginé, cet enfant ? Peut-être sombrait-il peu à peu dans la folie ?

— Mon Dieu, venez à mon secours…

Il se mit à quatre pattes pour tester du bras le dénivelé jusqu'à la marche suivante. Sa main ne rencontra que le vide. Il s'allongea, tendit le bras le plus possible… Rien. Il fit de même sur toute la largeur de la galerie, sans plus de succès. Le couloir semblait se terminer ici, devant une sorte de puits. Prenant une pierre semblable à celle sur laquelle il avait trébuché – ronde et lourde, elle servait probablement de masse à l'époque – il la lança dans le trou. Au bout d'un long moment, tellement long qu'il s'était demandé si ce puits avait vraiment un fond, il entendit un choc sourd. Bon Dieu ! Il était passé à deux doigts du plongeon. Un frisson le parcourut. Ces cris d'enfant n'étaient-ils pas ceux d'un démon qui voulait l'attirer dans l'abîme ?

— Mon Dieu, venez à mon secours !

Il jeta encore une ou deux pierres dans le trou, puis lança un caillou pour en estimer la largeur. Il l'entendit rebondir sur une paroi et toucher le fond quelques instants plus tard. Il renouvela l'expérience avec plus de force. Cette fois-ci, il entendit le caillou rebondir droit devant lui. La galerie se poursuivait de l'autre côté du puits ! Il fit un nouvel essai. Idem. Il se trouvait juste au bord d'un puits dans une grande galerie…

Soudain, son pouls s'accéléra… Peut-être que ce n'était pas un démon qui l'avait amené jusqu'ici ? Peut-être – juste peut-être – était-ce un ange ?

Il réunit un petit tas de cailloux et commença à les lancer de l'autre côté, un par un, aussi fort qu'il pouvait, écoutant à chaque fois le bruit qu'ils faisaient en touchant le sol. *Clac, clac, clac, clac…*

Clong.

Il y avait quelque chose, là, comme il l'avait espéré.

Il visa le même endroit plusieurs fois, reproduisant l'expérience avec succès. Ce n'était pas le son de la pierre contre la pierre. C'était un son métallique. Une vibration métallique. Comme celle d'un...

Rail.

Alors, à moins qu'il n'y ait plusieurs circuits de wagonnets dans la mine, cela signifiait que contre toute attente il avait enfin réussi à rejoindre la galerie principale !

Il poussa un hurlement de joie, qui mourut en quittant ses lèvres.

Il n'était pas encore sauvé. Pas tout à fait. Entre lui et la sortie, il restait ce puits, ce gouffre ! A coup sûr celui dans lequel Samuel Pinsker avait lesté soixante mètres de corde sans parvenir à en atteindre le fond !

Il essaya de se souvenir des notes de l'Anglais. Que disait-il à propos de ce puits ? Qu'il se trouvait dans une galerie latérale, vers le milieu de la galerie principale. Carré, il occupait toute la largeur de la galerie, tout comme les puits que Khalifa avait vus dans les tombes de la Vallée des Rois. Pinsker avait pris des mesures, mais l'inspecteur avait beau réfléchir, il ne se souvenait pas de la plus importante, la largeur du puits. D'après ce qu'il pouvait en juger en lançant ses cailloux, de trois à cinq mètres. Une grosse marge d'erreur. Il pouvait probablement tout juste franchir trois mètres. Cinq, non. C'était la marge d'erreur qui séparait la vie de la mort.

Il revint sur ses pas dans l'espoir de trouver un passage, un couloir latéral qui lui permettrait de contourner le puits... Rien. Il retourna jusqu'à la pièce des chauves-souris, la traversa, remonta des marches, s'engagea dans une autre galerie, s'éloignant de plus en plus des rails. Il arriva à un embranchement où trois options se présentaient à lui. Il prit à droite. Vingt mètres plus loin, encore trois galeries... Il s'arrêta pour réfléchir. Il ne pouvait pas risquer de se perdre à nouveau. On lui proposait un ticket de sortie, et il allait devoir l'utiliser. Il fit demi-tour.

Le Labyrinthe ne lui donnerait probablement pas de seconde chance.

De retour devant le puits, il recommença à lancer des cailloux, afin de se construire l'image mentale la plus précise possible du saut qu'il aurait à faire. Ensuite, il rampa tout le long du couloir pour déblayer les pierres qui encombraient le passage.

Pour réussir ce saut, il lui faudrait une longue piste d'élan, aussi dégagée que possible.

Tel-Aviv

Il était 4 heures du matin lorsque Ben-Roï se gara devant la prison d'Abou Kabir. Adam Heber, son ami gardien, l'attendait à l'entrée.

— C'est toi qui portes le chapeau, OK ? dit-il en le conduisant vers les cellules. Je n'avais aucune idée de ce que tu voulais faire, on est d'accord ?

— On est d'accord.

Les quartiers des prisonniers étaient plongés dans le silence. Heber emmena Ben-Roï au dernier étage et s'arrêta devant la porte d'une cellule.

— Combien de temps ? demanda-t-il.

— Vingt minutes. Disons trente, pour être sûr.

— Assure-toi surtout de ne pas faire de bruit. Et souviens-toi, je n'avais aucune idée de ce que tu voulais faire.

— OK.

Heber ouvrit la porte et laissa entrer l'inspecteur.

— Tu lui en colles une pour moi ! dit-il. Une pour nous tous.

Il referma derrière Ben-Roï et s'en alla.

Ben-Roï balaya la cellule du regard. Une table, une chaise, un évier, une cuvette de toilettes, un lit pliant. Allongé dessus, les yeux couverts d'un masque de sommeil en satin pour se protéger de la lumière des réverbères, Genady Kremenko ronflait.

Ben-Roï s'approcha du lit sans faire de bruit. Le bras gauche du maquereau avait glissé de sous les draps et pendait, les doigts touchant presque le sol. Une lamelle de lumière coupait son tatouage en deux. Ben-Roï fixa cette image en pensant à Vosgi et à ce qu'elle avait enduré. A ce que toutes les victimes de Kremenko avaient enduré. Il prit une carafe d'eau sur la table et la vida sur le visage de Kremenko.

Le mac se réveilla en sursaut. D'un uppercut au plexus solaire, Ben-Roï tua dans l'œuf le cri de protestation qu'il allait pousser. Il cogna de nouveau, à la mâchoire cette fois, puis lui fit une clé autour du cou, le traîna jusqu'à la cuvette des W-C, lui plongea la tête dedans et actionna la chasse d'un coup de genou. Kremenko, la tête sous l'eau, se débattait et donnait des coups de pied, mais Ben-Roï était un flic costaud, affûté et en colère. Il n'avait aucun problème à le maintenir ainsi. Il tira la chasse encore et encore, jusqu'à ce qu'il sente s'affaler Kremenko, puis il l'allongea sur le dos, s'assit sur lui en lui serrant la gorge, sortit son Jericho, lui donna un bon coup de crosse sur le côté de la tête avant de lui planter le canon entre les deux yeux.

— Maintenant qu'on en a fini avec les préliminaires, gros porc, tu vas me dire tout ce que tu sais sur la Barren, Rivka Kleinberg et le bateau avec la sirène peinte sur la coque. Et si tu en parles à qui que ce soit, je reviens moi-même t'arracher les yeux. C'est clair ?

— Oui, monsieur.

— Très bien. Je t'écoute.

LE LABYRINTHE

Khalifa savait que s'il y pensait trop, il ne trouverait jamais le courage de sauter dans le noir, étant donné les chances qu'il avait d'y rester.

Alors il oublia sa fatigue physique et mentale. Après avoir nettoyé sa piste d'élan, il passa quinze bonnes minutes à répéter sa course, à calibrer ses foulées. S'il sautait trop tôt, il n'atteindrait pas l'autre bord, s'il sautait trop tard, il tomberait dans le puits.

Il jeta son Helwan de l'autre côté afin de minimiser son poids, récita une courte prière et s'élança.

Il interrompit ses deux premières tentatives à mi-chemin avec la sensation que sa course d'élan n'était pas bonne. La troisième fois, il alla jusqu'au bout en comptant les foulées à voix haute, engrangeant de la vitesse, accélérant de plus en plus, courant comme un fou dans le noir. Il avait vingt-neuf foulées d'élan et devait sauter à trente. A vingt-six, un signal d'alarme se déclencha dans sa tête. Il s'était encore décalé ! Mais il avait trop d'inertie, il se trouvait trop près du bord pour pouvoir y faire quelque chose. Il eut juste le temps de penser : Que Dieu vienne à mon secours ! A trente, son pied s'écrasa sur le sol et Khalifa s'élança de toutes ses forces au-dessus du vide, en poussant un cri désespéré :

— *Allah-u-Akhbar !*

Il sut dès le début qu'il était condamné. Malgré les ténèbres, il voyait bien qu'il n'atteindrait pas l'autre bord, qu'il n'avait pas réussi à prendre suffisamment de vitesse pour franchir le puits.

L'espace d'un instant, ce fut comme s'il avait rejoint une autre réalité, une dimension alternative où ne régnait que le vide. Sans lumière ni temps, sans poids ni forme.

Puis il heurta quelque chose.

Il s'agrippa frénétiquement, les bras sur une surface plane, le reste du corps contre la paroi. Son pied trouva une sorte de protubérance. Il prit appui dessus, mais elle céda et il se retrouva déséquilibré, les jambes battant dans le vide, tandis que ses mains ne trouvaient aucune prise sur le sol pour le retenir.

— Seigneur ! Pitié !

Il tenta de se hisser à la seule force des bras, mais il était épuisé. Il essaya alors de basculer sa jambe pour atteindre le plat-bord, mais sans y parvenir. Ses ongles crissaient sur la roche, il se sentait glisser.

Je vais mourir, se dit-il. Ça y est. Je vais mourir.

Il continua de ratisser la paroi pour trouver un moyen de s'en sortir. Sa jambe gauche heurta quelque chose. Quelque chose de métallique. Une crémaillère ? Un pieu ? Il n'en avait pas la moindre idée, et il s'en foutait. C'était un point d'appui ! Il bascula son poids sur sa jambe gauche, puis, sans trop savoir comment, à moitié poussant, à moitié se traînant, il parvint à se hisser sur le plat. Il roula sur lui-même pour s'éloigner du bord et s'affala face contre terre, le souffle court.

— Merci, mon Dieu ! Merci ! Merci ! Merci !

Il resta allongé ainsi le temps que les battements de son cœur se calment, à la fois traumatisé et euphorique. Cependant, il ne voulait pas passer une minute de plus que nécessaire dans la mine, aussi, dès qu'il eut retrouvé son Helwan, il entreprit de remonter la galerie. Trente mètres plus loin, il sentit qu'il pénétrait dans un espace plus grand, et au même moment sa cheville heurta quelque chose de dur.

Il avait rejoint la galerie principale.

Khalifa se glissa entre les rails et commença à grimper vers la sortie. Pendant qu'il descendait – cela semblait remonter à des jours, des semaines, une vie entière – il avait senti sa peur grandir à chaque pas. A présent, il la sentait s'estomper. Il avançait sans relâche, toujours plus haut, toujours plus loin des horreurs des profondeurs. Il finit par atteindre l'endroit où le sol devenait plat, et peu après la plateforme de chargement. Il se glissa en dessous, traversa la grande salle et se retrouva devant les portes métalliques coulissantes.

Quand il était entré, il les avait laissées ouvertes. C'était probablement celui qui avait balancé les barils qui les avait refermées. Il passa les doigts entre les deux panneaux et tira dessus, sans se soucier de savoir s'il y avait quelqu'un derrière, se préoccupant uniquement de revoir le ciel et de respirer de l'air frais.

Les panneaux s'écartèrent de quelques centimètres. Soudain, il vit de la lumière. Ténue, faible, brunâtre. Au début, il fut désorienté, mais il se rendit vite compte que la bâche en toile avait été remise en place. Il tendit la main et la souleva un peu, ce qui laissa entrer un peu d'air. Puis il prit son Helwan et, passant le bras dans l'espace entre les panneaux, tira une balle dans le nouveau cadenas. Il enleva la chaîne, ouvrit les portes en grand et écarta la bâche. La lumière lui explosa à la figure, lui donnant le vertige.

Il fit quelques pas hésitants, tomba à genoux en levant les bras au ciel pour remercier Allah de lui avoir accordé la vie sauve. Ensuite, il se redressa et partit en courant vers sa voiture.

ENTRE JÉRUSALEM ET TEL-AVIV

Ben-Roï était encore à mi-chemin de Jérusalem, à repenser à tout ce que Genady Kremenko lui avait révélé, lorsque son portable sonna. Quand il vit l'identité de l'appelant, il faillit partir dans le fossé.

— Khalifa ! cria-t-il en se plaquant le téléphone sur l'oreille. C'est bien toi ?

— C'est bien moi.

— *Toda la'El !* Merci, mon Dieu ! Putain, mais qu'est-ce que tu foutais ?

— C'est une longue histoire, dit l'Egyptien d'une voix cassée. Je te raconterai ça plus tard. Ecoute, je sais ce qui se passe. Je suis entré dans la mine. Ils ne l'exploitent pas. C'est une...

— Décharge.

Khalifa marqua une brève pause.

— Tu le savais ?

— C'est une longue histoire ici aussi, répondit Ben-Roï en se laissant glisser sur la file de droite. Je ne l'ai appris qu'il y a une quarantaine de minutes. La Barren se sert du Labyrinthe comme d'une décharge. Ils exploitent une mine d'or en Roumanie, et ils sont censés transporter tous les déchets aux Etats-Unis. Mais ils prennent un raccourci et les balancent. Ils les emportent par bateau jusqu'en Egypte, où ils les transbordent sur les barges de Zoser Freight, qui leur font remonter le Nil, puis des camions finissent le trajet. Cela fait des années qu'ils opèrent ainsi.

Tout en parlant, Ben-Roï avait du mal à estimer la véritable ampleur du scandale.

— Le frère du capitaine du tanker qui transporte les déchets toxiques se trouve être un maquereau de Tel-Aviv qui s'appelle Genady Kremenko. Les frangins avaient mis sur pied un petit complément de revenus en se servant de la logistique de la Barren pour organiser la traite des filles. Ils les embarquaient en Roumanie et les débarquaient à Rosette, en même temps que les déchets. Ensuite, ils leur faisaient franchir la frontière israélienne...

— Mon Dieu !

— Depuis que Kremenko est tombé, il y a deux mois, le trafic a été mis en sommeil, mais Rivka Kleinberg a rencontré une des filles qui étaient passées entre les griffes de Kremenko et elle a découvert toute l'histoire. La Barren est sur le point de signer un accord de plusieurs milliards de dollars pour exploiter un champ de gaz en Egypte. Si Kleinberg avait publié son article, elle aurait foutu les accords en l'air, ainsi que l'image de la Barren et tout le reste. Alors ils l'ont tuée. Il reste encore pas mal de failles à combler, mais en gros, tu vois le tableau. Maintenant, raconte-moi ce qui t'est arrivé. J'ai essayé...

— On peut les avoir, Ben-Roï.

— Quoi ?

— Toi et moi. La Barren et Zoser Freight. On peut se les faire ! Je sais où est la mine, je l'ai vue. Il y a un million de barils, là-dedans. On peut se faire ces salauds !

Subitement, la voix de Khalifa avait pris des accents bizarres. Comme s'il était sur les nerfs, ou un peu saoul.

— On peut en parler plus tard, dit Ben-Roï. Je vois bien que tu es fatigué...

— Je ne suis pas fatigué !

Le portable semblait avoir sursauté devant la violence de sa réponse.

— Je ne me suis jamais senti aussi peu fatigué de ma vie ! Ils ont tué mon fils, et je peux les amener devant la justice.

— Allons, Khalifa ! On ne sait pas...

— Si ! On sait ! Mon fils a été tué par une barge qui transportait les déchets toxiques de la Barren. Et on peut les avoir. Pour la première fois depuis neuf mois, je me sens réveillé !

Il déblatérait, la voix tendue sous l'effet d'une étrange euphorie. Ben-Roï tenta de le calmer, mais Khalifa l'interrompit à nouveau :

— Il faut que j'appelle Zenab et que je rentre à Louqsor. Je te contacterai cet après-midi pour qu'on voie ce qu'on peut faire. On peut les avoir, Ben-Roï ! Toi et moi ! L'équipe de choc. Comme au bon vieux temps !

Il partit d'un bref éclat de rire, puis coupa la communication. Un camion dépassa Ben-Roï en klaxonnant furieusement, pour le prévenir qu'il zigzaguait entre les voies.

Le désert Arabique

C'était peut-être la fatigue. Ou la déshydratation. Peut-être un choc consécutif à tout ce qu'il venait de vivre dans la mine. Khalifa ne tenta pas d'analyser la chose, ne l'envisagea même pas. Une barge de Zoser Freight avait tué son fils. Ces barges servaient à transporter des déchets toxiques sur le Nil vers des décharges clandestines. Donc son fils avait été tué par une barge pleine de déchets toxiques. C'était limpide, clair comme le jour. C'était pour ça que Zoser Freight avait fait obstacle à toute enquête sur l'accident. Qui n'en était peut-être pas un, d'ailleurs. Les garçons avaient peut-être été tués de sang-froid, pour les empêcher de voir ce que la barge transportait. Tout s'emboîtait dans sa tête. Tout se mettait en place. La Barren et Zoser Freight avaient assassiné Ali. A présent, Ben-Roï et lui allaient faire éclater le scandale. Redresser un tort terrible. Ainsi, la mort de son fils n'aurait pas été vaine.

Il appela Zenab et lui raconta qu'il avait crevé un pneu dans le désert.

— Je suis en route pour la maison, dit-il, sa propre voix lui paraissant étrange. Tout va bien se passer. Tout va très bien se passer.

Elle tenta de lui poser des questions, lui demanda pourquoi il ne l'avait pas prévenue.

— J'étais tellement inquiète, Youssouf !

Il coupa court à la conversation. De manière un peu brusque, peut-être, mais il y avait des choses à faire, des rouages à mettre en branle. Il avala toute une bouteille de Baraka et se fourra un bout de fromage et des falafels dans la bouche. Puis il démarra le Land Rover et repartit vers la Route 99 et la civilisation en suivant les traces des camions.

Neuf mois de souffrance, et à présent justice allait enfin être rendue. Il se sentait bien. Il se sentait vraiment bien.

JÉRUSALEM

Il n'était que 8 heures lorsque Ben-Roï arriva à Jérusalem. Il envisagea de passer au poste – il aurait bien aimé coincer Baum et Dorfmann pour leur dire qu'il avait résolu l'affaire, histoire de voir leur tête. Il décida que ça pouvait attendre. Il était crevé, et ne se sentait pas capable d'affronter tout un débriefing. Alors il rentra chez lui et passa une heure à mettre par écrit toute l'histoire : la Barren, la mine en Roumanie, le Labyrinthe, Vosgi, Rivka Kleinberg.

Il restait encore quelques failles, des infos que Kremenko n'avait pas pu lui fournir. Certaines parties de l'histoire restaient vagues. Il semblait à peu près sûr que la Barren avait découvert le Labyrinthe à l'époque où ils faisaient des forages dans le désert, en revanche Ben-Roï ne savait pas quand ils avaient commencé à s'en servir en tant que décharge clandestine, ni qui avait pris cette décision. Il ne comprenait pas non plus par quelles étapes Rivka Kleinberg était passée pour résoudre ce mystère – en particulier, comment diable avait-elle entendu parler de Samuel Pinsker ?

Trois questions, notamment, restaient sans réponse. Tout d'abord, comment les gars de la Barren avaient-ils découvert que Kleinberg était sur leur piste ? Ben-Roï pensait que c'était Kremenko qui les avait prévenus après qu'elle était venue le voir, mais le mac avait catégoriquement démenti. Pourquoi les aurait-il avertis, alors qu'il trafiquait des filles dans leur dos, sur l'un de leurs bateaux ?

Deuxièmement, qui avait donné l'ordre de tuer la journaliste ? Nathaniel Barren ? William Barren ? Un tiers au sein de la société, de sa propre initiative ?

Troisièmement, et c'était le plus important, qui avait exécuté la sentence ? Qui était la silhouette encapuchonnée qui avait suivi

Kleinberg à travers la vieille ville et l'avait étranglée dans la cathédrale ? Qui était l'assassin ?

Il restait encore beaucoup de points à éclaircir – Nemesis Agenda, par exemple : cette fille avait pointé un flingue sur lui, l'avait fait passer pour un imbécile, et il ne comptait pas oublier ça d'un haussement d'épaules.

Quoi qu'il en soit, il avait fait un pas de géant vers la résolution de l'affaire. Il imprima les cinq pages de son rapport, le relut et envoya des copies par e-mail à Leah Shalev, au commandant Gal et, juste pour l'emmerder, au superintendant Baum. Puis il alla s'écrouler dans son lit.

Trente secondes plus tard, il dormait à poings fermés.

Le désert Arabique

Les mensonges ont parfois une curieuse propension à devenir vrais.

C'est ce qui arriva à celui que Khalifa avait raconté à sa femme à propos des ennuis mécaniques du Land Rover. Il fonçait dans les traces des camions, aux alentours de soixante-dix kilomètres-heure, secoué comme un prunier par les cahots, lorsqu'il mésestima un virage et dérapa. Il se battit avec le volant pour reprendre le contrôle de la voiture, mais il roulait trop vite. Le Land Rover partit en glissade, heurta un obstacle et termina sa course planté à quarante-cinq degrés dans le fossé.

— Putain ! Merde !

Il se faufila hors de l'habitacle. De la vapeur sortait du capot, un des pneus arrière avait explosé et la roue était tordue selon un angle étrange : l'essieu était probablement cassé. Une chose était sûre, cette voiture n'irait pas plus loin aujourd'hui.

— Merde !

Il donna un coup de pied dans le pare-chocs. Puis, sans plus y penser, il rassembla les affaires dont il avait besoin : de l'eau, son téléphone, son pistolet, le carnet de Pinsker. Il improvisa un sac à partir d'une couverture trouvée dans le coffre, fourra le tout dedans et se mit en route. La veille, une balade de trente kilomètres en plein désert lui aurait fait peur, mais après ce qu'il venait de vivre dans la mine, ça avait tout de la promenade de santé au parc un vendredi après-midi.

JÉRUSALEM

Ben-Roï ne dormait que depuis quelques minutes lorsque son téléphone sonna. Il roula sur lui-même pour attraper son portable et répondit. Leah Shalev.

— Arieh, qu'est-ce qui se passe, nom de Dieu ! Tu étais où ?

— Euh ? Quoi ?

Ben-Roï se frotta les yeux, désorienté.

— J'ai essayé de te joindre tout l'après-midi ! dit-elle.

Il leva les yeux vers le réveil. 16 heures passées. Il avait dormi plus de sept heures, en fait !

— Merde ! Désolé. La nuit a été longue.

Non sans mal, il se redressa et posa les pieds par terre. Il avait des élancements dans la tête et la bouche comme pleine de poussière.

— Tu as eu mon rapport ? demanda-t-il.

— Oui. Il faut qu'on parle.

Ben-Roï, qui commençait à reprendre ses esprits, se rendit compte que Leah n'était pas comme d'habitude. Elle avait un ton brusque et monocorde.

— Tout va bien ?

— Il faut qu'on parle, répéta-t-elle en éludant la question. Viens au poste. Tout de suite. Je t'attends dans mon bureau.

— Mais qu'est-ce… ?

Elle avait raccroché. Ben-Roï resta un moment assis au bord du lit à se masser les tempes, une vague sensation de malaise dans les tripes. Il décida que le plus urgent était de prendre une bonne douche froide.

Il arriva à Kishle vingt minutes plus tard. Comme on le lui avait demandé, il se gara et alla aussitôt voir Shalev. Assise derrière son bureau, elle tripotait un mouchoir en papier plié en un petit paquet. Elle lui fit un sourire, un peu forcé. Elle avait l'air mal à l'aise, blafarde. Peut-être était-elle malade ?

— Tu vas bien, Leah ?

— Ferme la porte et assieds-toi.

Il obtempéra.

— Alors, tu as quoi sur le feu ? demanda-t-il.

— Un gros tas de merde.

— Mon rapport ?

— C'est ça. Et ce n'était pas une bonne idée d'en envoyer une copie à Baum. Pas avant que Gal et moi ayons eu le temps de nous mettre d'accord.

Il haussa les épaules.

— Je n'ai pas pu m'en empêcher. Il avait besoin d'une leçon sur ce que ça veut dire d'être flic, cette espèce d'étron pontifiant.

En général, ils se marraient quand l'un d'eux faisait ce genre de remarque – c'était leur petit acte d'insubordination personnel –, mais aujourd'hui, elle n'entra pas dans le jeu, restant là sans rien dire, à tripoter son petit paquet.

— Et ? reprit-il.

— Et l'étron pontifiant a fait suivre ton rapport à ses relations du ministère, lesquelles l'ont transmis à leur hiérarchie, jusqu'en haut de la chaîne.

— C'est chouette d'avoir du public…

— Oh ça, du public, tu en as ! Crois-moi ! Subitement, une flopée de gens puissants s'intéressent de près à cette affaire. De très près.

Ben-Roï se serait attendu à ce qu'elle prenne ça pour une bonne nouvelle, après tout, c'était elle qui dirigeait l'enquête. A voir sa tête, ça n'avait pas l'air d'être le cas.

— Et ?

Elle soutint son regard quelques instants, puis détourna les yeux.

— Ils ont transféré le dossier au département des investigations spéciales.

Ben-Roï mit quelques secondes à digérer l'information.

— Tu plaisantes ?

— Est-ce que j'ai l'air de plaisanter ?

A dire vrai, non. Elle avait plutôt l'air très en colère et très secouée. Ben-Roï n'en croyait pas ses oreilles.

— Mais on a pratiquement résolu l'affaire ! On sait pourquoi elle a été assassinée et qui se trouve derrière tout ça ! On sait qu'ils ont balancé des millions de tonnes de merde toxique dans une mine en Egypte…

La main tendue, il énumérait les arguments en comptant sur ses doigts et en parlant de plus en plus fort :

— On s'est tapé tout le travail sur le terrain, Leah ! Il ne reste plus que deux ou trois détails à régler… Pourquoi est-ce qu'on les laisserait finir le boulot ?

Elle fuyait son regard. Le silence s'installa, l'atmosphère était dense, tendue. Soudain, Ben-Roï serra les poings. Il venait de comprendre.

— Ils ne vont pas le finir, c'est ça ? Ils vont classer l'affaire !

Elle ne répondit rien, ce qui valait bien un oui.

— Tu plaisantes, Leah ! Dis-moi que tu plaisantes !

— Encore une fois, est-ce que j'ai l'air de plaisanter ? s'écria-t-elle.

Elle avait les lèvres serrées, ses mains tremblaient comme si elle avait été victime d'une déflagration.

— Mais pourquoi ? Pourquoi ? s'exclama-t-il en se levant. On sait que c'est eux ! On pourrait pratiquement traîner la Barren devant les tribunaux avec ce qu'on a déjà !

— On ne va les traîner nulle part, Arieh. L'enquête n'est plus entre nos mains.

— Mais pourquoi ? ne put-il s'empêcher de répéter. On classe une affaire qui est résolue ! Je veux savoir pourquoi !

— Parce qu'ils sont puissants. Parce que le système leur appartient, ou du moins les gens qui le gèrent leur appartiennent, ce qui revient au même. Ils tirent les ficelles et les marionnettes dansent, mais ces marionnettes sont au sommet de l'Etat ! Les ordres viennent d'en haut. La Barren est hors de portée. On nous met sur la touche.

— Tu es en train de me dire qu'on peut envoyer Katzav, notre propre président, devant un tribunal, mais pas une multinationale au portefeuille bien lesté ?!

— ...

— Je préférerais encore être sourd ! Ce n'est pas toi qui me disais que dans ce pays on est censé respecter la loi ?

— Certaines personnes sont manifestement au-dessus, répliqua-t-elle d'une voix plus calme. La Barren a beaucoup d'amis...

— Nom de Dieu ! Putain de nom de Dieu !

Il retomba sur sa chaise. Le silence s'installa de nouveau.

— Tu vas laisser passer ça ? finit-il par demander.

— Crois-moi, je suis aussi dégoûtée que toi.

— Mais tu vas laisser faire.

Elle rougit. Pas de colère, constata Ben-Roï, mais de honte. La honte de l'impuissance.

— Ça vient de tout en haut. Comme je te l'ai dit l'autre jour, j'ai travaillé dur pour me retrouver où je suis. Je ne peux pas me permettre de tout balancer aux orties.

— Et le commandant Gal ?

Elle laissa échapper un soupir.

— Il prend sa retraite dans cinq mois. Sa femme ne va pas bien, son fils fait carrière au sein du ministère de la Justice. Il ne va pas faire de vagues.

— Je n'en crois pas mes oreilles !

Shalev haussa les épaules, désabusée.

— Je vais prévenir la presse !

— Je ne ferais pas ça, si j'étais toi.

— Qu'est-ce que tu veux dire ?

— Si tu rends cette histoire publique, tu vas mettre en rogne un paquet de gens qui ne rigolent pas. Tu vas bientôt avoir un bébé...

— Tu es en train de me menacer, Leah ? rugit Ben-Roï.

— Je suis juste en train de t'expliquer...

— Et là, subitement, tu es devenue leur petit messager ?!

Shalev explosa à son tour :

— Ne t'avise pas de me prendre de haut, Arieh Ben-Roï ! Tu m'entends ? C'est assez dur comme ça, pas besoin de me farcir tes petites insinuations ! On laisse un meurtrier s'en sortir, tu crois que ça m'amuse ? Je me sens plus merdique que je ne l'ai jamais été ! Mais c'est comme ça ! On est des drones. On obéit aux ordres. Et pour l'instant, l'ordre est de laisser tomber. Plus tard, ça changera peut-être et justice sera faite – plaise à Dieu –, mais pour le moment on mange notre langue et on obéit. Si tu ne le fais pas pour toi, fais-le pour tes proches, parce que crois-moi, si tu franchis la ligne, ils vont se jeter sur toi comme une meute de chacals autour d'une putain de carcasse !

Elle le défiait du regard, le souffle court, le trait noir sous ses yeux comme une trace de charbon. Puis elle se leva et lui lança le paquet qu'elle tripotait depuis tout à l'heure.

— De la part du commandant Gal. Pour que tu comprennes que tes efforts ont été remarqués.

Ben-Roï déplia le mouchoir en papier. Il contenait une médaille en nickel avec un ruban bleu et blanc. La médaille pour services rendus à la police israélienne.

— Je pense que la mention dit un truc comme : « En reconnaissance de sa contribution extraordinaire à la réalisation des missions de la police »... Ce genre de connerie.

— Je la chérirai, grommela Ben-Roï.

— Il y a autre chose.

— Je suis tout ouïe.

Elle hésita, comme si elle se forçait à dire quelque chose contre son gré.

— Un nouveau poste d'enseignement a été créé à l'école de police, pour un cursus de spécialisation en investigation. Je ne suis pas au courant de tous les détails, mais il semblerait que tu sois le candidat idéal. Tu doublerais ton salaire pour quatre jours de présence par semaine. Plus un appartement de fonction et une retraite anticipée à taux plein.

Ben-Roï ricana.

— Un pot-de-vin. Pour que je la ferme !

— Je crois que les termes exacts étaient plutôt : « reconnaissance des capacités d'investigation exceptionnelles de l'inspecteur Ben-Roï », mais si on vire les mots qui sont là pour faire joli, c'est bien un pot-de-vin, oui.

— Et toi, qu'est-ce qu'ils t'ont donné ?

Elle rougit de nouveau.

— Le poste de superintendant.

Il secoua la tête.

— Putain, Leah ! Je ne pensais pas qu'un jour je verrais ça !

— Moi non plus, murmura-t-elle. Même dans mes pires cauchemars.

Une troisième fois, le silence s'installa, aucun d'eux ne sachant trop bien où cette conversation les menait. Quelqu'un frappa à la porte.

— Plus tard ! cria Shalev.

Elle accrocha le regard de Ben-Roï.

— Penses-y, s'il te plaît. Penses-y vraiment. Pas pour moi, pas pour toi, mais pour Sarah, pour le bébé. On est échec et mat, là. Essaie au moins de sauver ce que tu peux.

— Et avoir l'impression d'être une merde pour le restant de mes jours ?

— Au moins, il te restera des jours.

Ils se dévisagèrent, les lèvres serrées, les épaules voûtées, comme les joueurs d'une équipe qui viendrait de subir une défaite particulièrement humiliante, puis Ben-Roï se leva.

— Je n'ai jamais bien senti cette affaire, dit-elle.

Il se retourna en atteignant la porte. Une pause, et à l'unisson ils s'exclamèrent :

— Un bouillon à couillons !

Il secoua la tête et sortit, écartant du bras le flic en uniforme qui attendait devant la porte.

LOUQSOR

— Vous voulez ma mort, Khalifa ? C'est ça ? Vous voulez ma mort ? Dans vingt-quatre heures, j'ai une inauguration de musée dans la Vallée des Rois, le téléphone sonne sans discontinuer, et vous, vous êtes allé faire une promenade au clair de lune pour le compte de ces putains d'Israéliens !?

Khalifa agita ses jambes, les mains serrées sur le carnet de Pinsker. Après cinq heures de marche dans le désert, il avait fait du stop. D'abord un pick-up de la police, ensuite une camionnette de la compagnie de téléphone Menatel, puis, ironie du sort, un camion de Zoser qui transportait des éléments de pipeline en béton. Il n'était arrivé à Louqsor que quarante minutes plus tôt. Après un détour par chez lui pour se doucher, se changer et rassurer Zenab, il avait foncé au bureau dans l'idée d'appeler Ben-Roï et d'informer ses supérieurs au plus vite.

Il montait vers son bureau lorsque Hassani l'avait croisé, lui ordonnant aussitôt de le suivre.

— Il m'a appelé chez moi ! reprit ce dernier, le visage couleur brique. Un arrogant *yehoudi* du quartier général de la police israélienne ! Au beau milieu de la nuit ! Chez moi, sur mon numéro privé !

Ce coup-ci, il ne prenait pas de gants avec son subordonné. Plus de prénom ni de langage fleuri. L'ancien Hassani avait refait surface – harceleur, belliqueux, volcanique.

— Il m'a demandé si je savais où vous étiez ! Je lui ai répondu : « Sans vous offenser, mon gars, qu'est-ce que ça peut bien vous foutre ? » Il m'a dit que vous aidiez un de ses collègues sur une enquête et que vous étiez peut-être en danger. Qu'est-ce que vous foutez, Khalifa ? J'exige une réponse !

Khalifa regarda le carnet de Pinsker. Cela faisait trente-six heures qu'il n'avait pas fermé l'œil, il était crevé. En même temps, curieusement, il se sentait plein d'énergie, comme si son corps abritait deux individus distincts. Son fils ! Il allait faire en sorte que justice soit rendue à son fils !

— Je vais taper un rapport…

— Comme vous dites, vous allez taper un rapport ! fulmina Hassani en fracassant son poing sur son bureau. Mais avant, vous allez me dire ce qui se passe, et tout de suite ! Je veux comprendre pourquoi des Juifs appellent sur mon téléphone privé !

— C'est en rapport avec les puits empoisonnés, monsieur.

— Quoi ?

— Les puits dont je vous ai parlé, dans le désert Arabique.

— Oh non ! Pas les satanés puits coptes ! Je croyais qu'on avait convenu de remettre ça à plus tard ?…

— Il y a une mine d'or, monsieur. Du côté du djebel El-Shalul. Une ancienne…

— Je l'attendais ! s'exclama Hassani. Je l'attendais ! « Ancienne » ! C'est marrant, mais je savais que ce mot allait surgir, tôt ou tard. Vous ne travaillez donc jamais sur la méprisable époque contemporaine ?

Khalifa résista à la tentation de lui balancer un synonyme d'« ancienne ». Lorsque Hassani était dans cet état d'esprit, ce n'était jamais une bonne idée de jouer au plus malin avec lui. Alors, il lui résuma l'affaire – Rivka Kleinberg, Barren, Zoser, la mine, la décharge clandestine – sans trop mettre l'accent sur le côté israélien de l'enquête, soulignant plutôt ses liens avec l'Egypte. Il aurait préféré se mettre d'accord avec Ben-Roï et prendre le temps de s'organiser avant de parler avec Hassani, mais celui-ci ne semblait pas disposé à attendre. Peut-être cela valait-il mieux. Plus vite il serait au courant, plus vite on arrêterait les coupables.

Son supérieur l'écoutait, le visage de marbre, les poings serrés, comme une sorte de statue de pharaon. Quand Khalifa se tut, Hassani se dirigea vers la fenêtre, les yeux fixés sur l'arrière du bâtiment qui abritait le ministère de l'Intérieur, à dix mètres de là. Il s'écoula presque une minute avant qu'il se retourne.

— Et alors ? demanda-t-il.

— Pardon ?

— Et alors ? répéta Hassani d'un ton étonnamment léger, comme si Khalifa venait de lui raconter une petite anecdote.

— Alors une multinationale américaine a balancé des déchets toxiques sur le sol égyptien, avec l'aide d'une des plus grosses compagnies nationales, déclara-t-il, surpris par la réaction de Hassani. Ces déchets fuient dans la nappe phréatique, ce qui est en train de provoquer un désastre écologique majeur.

Khalifa essayait de parler sans prendre un ton trop péremptoire, mais la réaction de son supérieur l'étonnait. Hassani se contenta de hausser les épaules en levant les bras au ciel. Khalifa commençait à perdre son sang-froid.

— Monsieur, c'est un scandale, un crime majeur… On parle de milliers, peut-être de dizaines de milliers de barils de déchets. J'y suis allé. Je les ai vus.

Des souvenirs de la mine lui revinrent à l'esprit : l'obscurité, la claustrophobie, l'étrange odeur d'ail, probablement liée à la contamination par l'arsenic.

— Ces gens-là ont enfreint la loi, reprit-il. Nous avons les preuves, il faut qu'on…

Hassani leva un doigt pour le faire taire. Un doigt raide et menaçant comme un gourdin.

— Laissez-moi vous rappeler une ou deux vérités, mon gars ! dit-il en luttant manifestement pour contenir sa colère. Nous sommes membres de la police de Louqsor. De Louqsor ! Nous opérons sur un territoire, nous nous occupons des crimes qui sont commis sur ce territoire. Une Juive se fait tuer à Jérusalem ? Cela ne nous concerne nullement, si ce n'est que la mort d'une sioniste est toujours matière à célébration. Une mine abandonnée au trou du cul de nulle part – cela ne nous concerne pas, quoi qu'on puisse trouver dedans. Un puits empoisonné juste à la limite de notre territoire – ça pourrait nous concerner… Mais comme je vous l'ai déjà dit, on y repensera après l'inauguration du musée. Quant aux proxénètes de Rosette, tout comme les mines en Roumanie et toutes les autres histoires à dormir debout, c'est du vent. Cela ne nous concerne pas !

— Je n'en crois pas mes oreilles ! murmura Khalifa, faisant sans le savoir écho à ce que Ben-Roï déclarait à son propre supérieur au même moment. Monsieur, je ne peux pas permettre…

— Quoi ? explosa Hassani. Qu'est-ce que vous ne pouvez pas permettre ? Que je vous explique les bases du fonctionnement de la police égyptienne ?!

— La Barren et Zoser…

— Sont respectivement une multinationale américaine sur laquelle notre putain de juridiction ne s'étend pas, et une des sociétés égyptiennes les plus puissantes et les mieux entourées !

— Qui a balancé cent mille barils de déchets toxiques…

— Il y a une minute, il n'y en avait que mille !

— Cent, mille ou cent mille, ce n'est pas ça l'important. Zoser a enfreint la loi !

— Et ils ont peut-être aussi volé le nez du Sphinx, mais je m'en fous ! s'exclama Hassani en frappant la vitre du poing. Aucun d'entre eux n'a commis de crime sur notre territoire, et quand il n'y a pas de crime, nous n'avons pas de raison de nous en mêler. Bon

Dieu, la prochaine fois vous allez me demander d'ouvrir une enquête parce qu'un gamin s'est fait chiper son vélo en Australie !...

Khalifa aussi serrait les poings en essayant de contenir sa propre colère.

— Alors vous allez faire celui qui n'a rien vu ?

— Mais on n'a rien vu ! Ce n'est pas notre territoire ! Ce ne sont pas nos affaires ! Vous le comprenez, ça ?

— Alors, j'irai voir plus haut. Ça intéressera peut-être le directeur de la police...

Il s'attendait à un nouvel éclat de rage, mais Hassani s'esclaffa.

— Ah ! Je vous en prie ! déclara-t-il. Faites donc. Je peux même vous donner son numéro personnel. Mais pourquoi vous arrêter en si bon chemin ? Appelez directement le ministre de l'Intérieur... A ce propos, j'y pense tout d'un coup, un de ses frères est le P-DG de Zoser, et il se prépare à serrer la main de celui de Barren Corporation demain soir, à l'inauguration du musée dans la Vallée des Rois... Barren Corporation, ça vous dit quelque chose ? Mais si, vous savez, cette boîte qui injecte des dizaines de millions de dollars dans l'économie locale... Alors, oui, allez-y, appelez-le ! Faites-vous plaisir ! Mais ne revenez pas me voir en pleurant lorsque vous vous retrouverez au chômage et à la porte de chez vous...

Khalifa se leva d'un bond, hors de lui.

— C'est une menace ? Vous êtes en train de me menacer ?

Hassani s'approcha, les épaules tendues, les bras courbés, comme un boxeur prêt à en découdre. Les deux hommes restèrent un instant face à face, puis subitement Hassani sembla se vider de sa furie. Il baissa les bras et retourna s'asseoir.

— Non, je ne vous menace pas. Je vous rappelle la façon dont les choses se passent dans ce pays. Révolution ou pas, certaines personnes sont intouchables. Si le gouvernement israélien veut présenter une requête officielle de coopération, cela mettra peut-être quelques rouages en marche, même si, vu ce que nous pensons tous des Israéliens, cela n'aura d'effet que si les Américains s'en mêlent. Alors, pourquoi n'iriez-vous pas causer avec votre petit copain juif pour lui proposer cette solution ? Et si on reçoit l'ordre d'enquêter, on enquêtera. Jusque-là, je ne toucherai pas ce dossier avec des pincettes. Et si vous savez ce qui est bon pour vous, vous devriez faire pareil. A présent, si cela ne vous ennuie pas, j'ai du travail. Et assurez-vous de bien refermer derrière vous.

Il prit son téléphone et fit pivoter son fauteuil, tournant le dos à Khalifa. L'inspecteur resta immobile pendant quelques instants, résistant à l'envie de se précipiter sur Hassani et d'enfoncer les poings dans ses épaules de buffle en criant : « Ils ont tué mon fils ! Ils ont tué mon fils ! » Il se rendait bien compte que cela ne menait nulle part. Il tenta de reprendre ses esprits, puis sortit de la pièce en mettant un point d'honneur à claquer violemment la porte. Si Hassani voulait une requête officielle du gouvernement israélien, c'était exactement ce qu'il allait avoir. Ben-Roï saurait quoi faire. Ben-Roï n'était pas juste un bon flic – un putain de bon flic –, il était aussi son ami. Un putain d'ami. Ensemble, ils allaient y arriver. Ils veilleraient à ce que justice soit faite. L'équipe de choc. Comme dans le bon vieux temps.

Il partit vers son bureau en dévalant l'escalier quatre à quatre.

JÉRUSALEM

Ce qui troublait Ben-Roï, ce n'était pas tant qu'ils aient tenté de le soudoyer, mais plutôt le fait qu'il étudiait sérieusement leur proposition.

Il aurait dû la rejeter d'emblée. Elle allait contre son éthique, contre tout ce pour quoi il s'était toujours battu. OK, il ne suivait pas toujours les principes du manuel, il jouait un peu trop facilement des poings et s'autorisait des libertés vis-à-vis des préceptes que la loi impose à ses forces de l'ordre, du moins en termes de comportement. Néanmoins, il faisait la différence entre le bien et le mal. Parfois – la veille, par exemple, dans la cellule de Kremenko – il avait peut-être un peu interprété les règles. Mais il y avait quand même des règles ! Une ligne claire entre les bons et les méchants. Or, malgré tous ses défauts, Ben-Roï était toujours resté du bon côté de cette ligne, sans jamais la traverser. Il s'était toujours battu pour que justice soit faite.

A présent, on lui fournissait une gomme, on lui demandait d'effacer cette ligne. De prétendre qu'elle n'avait jamais existé. De tourner le dos à tout ce en quoi il croyait.

Il aurait dû leur dire d'aller se faire foutre. Tout balancer à Nathan Tirat, qu'il mette ça en travers de la une de *Ha'aretz*.

Et pourtant…

L'aile des inspecteurs était déserte, étrangement tranquille. Il entra dans son bureau, se prépara du café, éteignit son portable et s'affala dans son fauteuil.

Il n'avait pas peur. Ce n'était pas ça. Il était dur, il pouvait assumer les conséquences de ses choix. La Barren et les politiciens ne l'impressionnaient pas.

Cependant, il n'était pas idiot non plus. La Barren avait de l'influence. Un paquet de relations. Les affronter ne serait pas sans risques. Pas seulement pour lui, mais pour Sarah aussi. Et pour le bébé, du moins potentiellement. Ils avaient déjà tué une personne, et peut-être même d'autres. « Si tu franchis la ligne, ils vont se jeter sur toi comme une meute de chacals autour d'une putain de carcasse. » Il n'était pas le seul concerné. Il fallait prendre en compte d'autres paramètres.

Il but une petite gorgée de café.

En admettant qu'il en parle à la presse, qu'allait-il se passer ? Il foutrait en l'air sa carrière, lui-même et ceux qu'il aimait se retrouveraient en première ligne. Tout ça pour quoi ? Certes, ils pouvaient coincer la Barren pour pollution sauvage par des déchets toxiques, mais il n'y avait pas de lien entre la société et le meurtre de Kleinberg, uniquement des preuves indirectes. Avec le genre d'avocats qui allait les défendre, les preuves indirectes ne servaient à rien. Ils parviendraient probablement à mettre ça sur le dos de quelqu'un d'autre, ou à faire croire que ça n'existait pas. Dans le pire des cas, ils écoperaient d'une amende et d'une tache sur leur réputation. Peut-être perdraient-ils même le contrat du gaz égyptien. Ennuyeux, certes, mais pas catastrophique, pas pour une aussi grosse boîte. Pour lui, en revanche... Il était juché sur une balance qui ne penchait pas du tout en sa faveur, bien au contraire.

« On est échec et mat, là. Essaie au moins de sauver ce que tu peux. »

Il but une autre gorgée de café, regardant distraitement la carte épinglée au mur en face de lui.

L'offre était alléchante, aucun doute. La carotte, le pot-de-vin, on pouvait appeler ça comme on voulait. Une putain d'offre pour le type qui savait faire taire sa conscience. Une nouvelle existence. Deux fois plus de fric, moins de boulot, un petit loyer, une retraite anticipée. En outre, avec le centre de Sarah sur le point de fermer, elle n'était plus obligée de rester à Jérusalem. Ils pourraient très bien déménager à Kiryat Ata, où se trouvait l'école de police, et se trouver un appartement au bord de la mer. Tout recommencer. Donner à leur enfant – à leurs enfants, peut-être – une bien meilleure qualité de vie que celle qui leur pendait au nez dans la cocotte-minute qu'était la ville sainte. Sarah et lui se rapprocheraient aussi de leurs familles respectives... Plus il y réfléchissait, plus il trouvait la proposition attrayante.

Il lui restait juste à faire taire sa conscience. Parce qu'il aurait laissé un assassin s'en sortir.

Néanmoins, le laissait-il vraiment s'en sortir ? Classer une affaire, ce n'est pas comme jeter le dossier à la poubelle. Comme Leah l'avait dit, les circonstances changent. Un jour, la Barren aurait peut-être moins d'influence. Il ne s'agissait peut-être que d'un délai avant que justice soit faite. Pour employer une métaphore de pêche, parfois il faut savoir laisser filer la ligne du poisson qu'on vient de ferrer. Finalement, ça revenait au même, dans un cas comme dans l'autre, on mangeait de la truite au dîner.

Ou alors, il se mentait, tout simplement. Il tentait de se faire à l'idée de vendre son âme au diable, tel un Faust moderne.

Il n'en savait rien. Il avait beau tourner l'affaire dans tous les sens, évaluer les différentes options, il ne savait plus rien. En outre, il entendait en permanence dans le fond de sa tête la phrase que Sarah lui avait dite le jour de leur séparation : « Le choix est inévitable, Arieh. » Jamais affirmation n'avait été plus vraie. Il devait faire un choix entre deux aspects fondamentaux de sa personnalité, dont l'un aurait à s'effacer, peut-être pour toujours. Le dilemme de ces quatre dernières années réduit à une équation des plus binaires : donner la priorité aux siens ou à sa conscience. Noir ou blanc. Pile ou face. Pas d'autre possibilité, juste pile ou face.

Pour autant, il ne parvenait pas à se décider. Il semblait d'abord pencher dans un sens, puis dans l'autre, sans être en mesure de trancher, jusqu'au moment où mécaniquement, comme si elle s'était lassée de toutes ses tergiversations, sa main prit la décision pour lui. Animée d'une vie propre, elle ralluma le téléphone et composa le numéro de Sarah. Messagerie. Il parut surpris, comme si on venait de lui tendre inopinément l'appareil.

— Sarah, dit-il après le bip. Salut. C'est moi. Je... Hmm... Je suis désolé pour hier soir... Je voulais...

Il bafouilla quelques instants encore, s'excusa à nouveau, souligna à quel point il avait apprécié ce dîner, à quel point elle était resplendissante. Puis, soudain, le barrage se rompit :

— Ecoute, Sarah, il faut qu'on parle. Pas au téléphone, les yeux dans les yeux. J'ai besoin de te consulter. On m'a proposé un boulot. Un bon boulot, à Haïfa. Je ne serais plus sur le terrain, ça pourrait signifier un nouveau départ pour nous deux. Pour nous trois. Je crois que je vais accepter. Je veux vivre avec toi, Sarah. Plus que toute autre chose au monde. Avec toi et Bubu. Une vraie famille. Rien d'autre n'est important à mes yeux. Rien ! Alors, est-ce que je peux passer tout à l'heure ?

Il hésita. Puis :

— Je t'aime vraiment, ajouta-t-il avant de raccrocher.

C'était la chose à faire, il s'en rendait compte à présent. Quelque chose en lui en souffrirait pour toujours, mais c'était le prix à payer. En fin de compte, Sarah et le bébé passaient avant tout le reste. Il faudrait qu'il apprenne à vivre avec son sentiment de culpabilité. Et puis, un jour, il parviendrait peut-être à coincer les gars de la Barren. Pas aujourd'hui, c'est tout. Comme disait Leah Shalev : « On est des drones, on exécute des ordres. » On lui en avait donné un, et il allait y obéir.

Il se sentait étrangement calme, comme si on l'avait soulagé d'un fardeau. Presque aussitôt, son portable sonna. Il répondit sans regarder l'identité de l'appelant, convaincu qu'il s'agissait de Sarah. A tort.

— Ben-Roï, c'est moi ! J'ai essayé de te joindre ! Il faut qu'on parle !

Soudain, le fardeau pesa à nouveau sur ses épaules. Il se serait bien passé de cette conversation-là.

LOUQSOR

Khalifa était une véritable boule de nerfs.

— Voilà quelle est la situation ici, annonça-t-il en rallumant une Cleopatra au mégot de la précédente. Pour agir contre ces boîtes, il faut que tu lances une requête de coopération formelle, et si les Américains pouvaient être dans le coup, ce serait encore mieux...

A l'autre bout du fil, Ben-Roï ne disait rien.

— Ça a l'air dingue, je sais ! poursuivit Khalifa, qui se trompait sur les causes de son silence. Mais c'est comme ça que ça marche en Egypte. Barren, Zoser, ils ont beaucoup de relations. Il faut qu'on les attaque sur deux fronts. Tu as une idée du temps que ça pourrait prendre ?

Toujours pas de réponse. Khalifa répéta la question en pensant que Ben-Roï était peut-être distrait par quelque chose. Il entendit une sorte de grognement, puis :

— Il faut qu'on en parle.

— Evidemment ! C'est même pour ça que j'ai appelé !

Khalifa éclata d'un rire étrange auquel Ben-Roï ne fit pas écho.
— Ben-Roï ?
— Ecoute, mon ami. Il y a eu quelques complications...
— Des complications ? Qu'est-ce que tu veux dire ?
— Juste ça...
Ben-Roï semblait choisir ses mots.
— Pour faire bref, l'affaire est transférée à un autre département. Parce que Barren est une boîte américaine et tout ça. Ils ont beaucoup de relations ici aussi, alors on marche sur des œufs.
Quelque chose dans le ton de Ben-Roï déclencha une alarme dans la tête de Khalifa.
— Je ne comprends pas...
— En fait, on m'a retiré l'affaire.
— Tu plaisantes ?!
— Comme dit mon boss, est-ce que j'ai l'air de plaisanter ?
— On te retire l'affaire, juste comme ça ?
— Il semblerait.
— Mais pourquoi ? Pourquoi feraient-ils un truc comme ça ? Ce matin, tu m'as affirmé que tu l'avais pratiquement résolue.
Ben-Roï marmonna dans sa barbe.
— Quoi ?
— Je dis que ce sont des choses qui arrivent.
— Ça t'ennuie ?
— Bien sûr que ça m'ennuie !
— A t'entendre, ça n'a pas l'air.
— Crois-moi, Khalifa, ça m'ennuie ! Mais je n'y peux pas grand-chose. Cela dit, je te serai toujours reconnaissant...
— Alors tu n'as qu'à demander à ce département de présenter la requête.
— Pardon ?
— Tu demandes à ce département de présenter la requête. Je ne peux rien faire sans aide de ton côté.
— Malheureusement, ce n'est pas aussi simple.
— Qu'est-ce qui n'est pas simple ? Tu les appelles, tu leur expliques la situation...
— Ce n'est pas aussi simple ! répéta Ben-Roï en laissant percer une légère irritation.
Autre chose aussi, pensa Khalifa. Il n'en était pas sûr, mais ça ressemblait à de la gêne. Il tira sur sa cigarette en fronçant les sourcils.
— Que se passe-t-il ? demanda Khalifa.
— Rien.
— On t'a évincé d'une enquête pour meurtre et il ne se passe rien ?

— …

— Quelqu'un est venu te parler, c'est ça ?

— Je ne vois pas ce que tu veux dire…

— Quelqu'un t'a menacé ?

— Personne ne m'a menacé.

— Alors pourquoi a-t-on confié ce dossier à un autre département ?

— Putain, mais je viens de te l'expliquer ! La Barren, c'est des Américains ! Ils ont des tas de relations, ici. On ne peut pas les approcher n'importe comment…

— Alors donne-moi un nom et un numéro de téléphone, que je contacte moi-même ce fameux département…

— Ça ne marche pas comme ça ! Tu ne peux pas les appeler comme une fleur…

— Comme toi quand tu m'as appelé ? Tu te souviens ? C'est comme ça que tout a commencé. Tu m'as appelé, « comme une fleur », et tu m'as demandé de t'aider. Maintenant, c'est moi qui te demande de l'aide. J'ai une mine pleine de déchets toxiques, des puits empoisonnés, des barges qui circulent sur le Nil… Je ne peux pas m'attaquer aux responsables à moins que ton gouvernement ne demande à mon gouvernement…

— Ne hausse pas le ton avec moi, Khalifa !

— Je ne hausse pas le ton !

— Si ! Et ça ne me plaît pas ! Je ne sais pas ce qui t'est arrivé hier soir…

— Hier soir, mon ami, j'ai failli mourir dans une mine parce que tu m'avais demandé…

— Je ne t'avais rien demandé !

— Tu m'as demandé de t'aider à résoudre une affaire de meurtre ! Je l'ai fait. Je continue à le faire. La Barren a tué une femme à Jérusalem…

— On ne sait pas s'ils l'ont tuée.

— Bien sûr qu'ils l'ont tuée ! Tu me l'as dit toi-même ce matin.

— Peut-être ! Ils l'ont peut-être tuée !

— Ils l'ont assassinée et tu le sais ! Elle avait découvert ce qu'ils fabriquaient dans la mine…

— On n'a pas de preuves directes…

— Mais qu'est-ce que tu racontes ?! J'ai une mine pleine de preuves ! Des millions de barils de preuves ! Je n'ai jamais travaillé sur une enquête où on en avait autant…

— Ce n'est pas ton enquête !

— Si ! C'est mon enquête ! Sans moi, tu ne saurais rien à propos de Samuel Pinsker, de la mine, de Zoser Freight…

— Et je t'en suis reconnaissant, comme je te l'ai dit. Mais maintenant, la balle est dans notre camp. C'est un dossier israélien et ce que je suis en train de t'expliquer, c'est qu'on n'a plus besoin de ton aide…

— Mais si, on en a besoin ! s'exclama Khalifa en tirant furieusement sur sa cigarette. On en a besoin parce qu'à l'évidence tu n'as pas les tripes pour…

— Quoi ? Qu'est-ce que tu viens de dire, là ?

— Que tu n'as pas les tripes pour aller au bout de cette enquête, pour arrêter les coupables.

— Comment oses-tu ?

— Quelqu'un est venu te parler, Ben-Roï.

— Si tu crois que je vais rester le cul sur ma chaise pendant que tu…

— Des gars de la Barren sont venus te parler.

— Tu racontes n'importe quoi !

— La Barren est venue te parler ! C'est pour ça qu'on te retire l'affaire. Je t'ai aidé, Ben-Roï. J'ai résolu l'affaire pour toi. J'ai risqué ma vie. Et maintenant, comme le Juif sournois que tu es…

— Quoi ? Quoi ? Comment oses-tu, sale petit enturbanné…

— Ils ont tué mon fils !

— Ne sois pas…

— Ils ont tué mon garçon ! beugla Khalifa. Une barge de Zoser Freight chargée de déchets toxiques… Ils ont tué Ali. Ils m'ont tué. Ils ont tué Zenab. Et aujourd'hui, tu refuses de m'aider à les traîner devant la justice parce que tu as trop peur. Salaud ! Salaud de Juif mort de trouille !

Il balança un grand coup de pied dans la corbeille à côté de son bureau, l'envoyant valser à travers la pièce. A l'autre bout du fil, il percevait le souffle lourd de Ben-Roï. Après un long silence, l'Israélien reprit la parole. Manifestement, il faisait tout pour se contrôler.

— Je suis désolé de ce qui est arrivé à ton fils, Khalifa. Vraiment désolé. Et je te suis reconnaissant pour tout ce que tu as fait. Mais tout cela s'arrête ici. C'est fini. Tu comprends ? C'est terminé.

Nouveau silence. Puis, surgie de nulle part, une autre voix. Une voix de femme :

— Non, ce n'est pas du tout terminé. En fait, ça commence à peine.

Jérusalem

— Qu'est-ce que…

Ben-Roï regardait son portable, horrifié. Il avait immédiatement reconnu la voix. Dinah Levi, la fille de Kleinberg, membre de Nemesis Agenda. Elle était sur la ligne. Elle était entrée dans leur conversation. Comme si Khalifa et lui parlaient dans une pièce et qu'elle avait soudain bondi hors d'un placard.

— Comment avez…

— On a mis un micro dans votre téléphone. A Mitzpe Ramon. Très pratique. Ça nous permet d'écouter non seulement vos appels, mais tout ce qui se dit dans un rayon de cinq mètres autour de l'appareil.

Il fallut un moment à Ben-Roï pour se pénétrer de toutes les conséquences que cela impliquait. Son visage s'assombrit.

— Raccroche, Khalifa. Raccroche tout de suite.

L'Egyptien n'en tint aucun compte :

— Qui êtes-vous ? demanda-t-il. Ça veut dire quoi « Ce n'est pas terminé » ?

Ben-Roï réitéra sa demande, mais plus personne ne faisait attention à lui. Comme un gamin qui vient de se faire renvoyer de sa bande, il ne pouvait qu'écouter, impuissant, la femme briefer Khalifa sur Nemesis Agenda et leurs activités.

— La Barren Corporation a tiré des ficelles, expliqua-t-elle. Les Israéliens enterrent l'enquête. Votre ami a accepté de laisser tomber en échange d'un pot-de-vin.

— Mais c'est un mensonge, putain ! Ne l'écoute pas…

— Comme je le lui ai dit quand nous nous sommes rencontrés, la loi ne peut rien contre des sociétés comme la Barren ou Zoser Freight. La seule façon de les coincer, c'est d'être aussi vicieux qu'eux…

— Alors dites-moi ! s'exclama Khalifa, de l'urgence dans la voix. Dites-moi ce que je peux faire !

— T'es dingue, Khalifa ? Tu ne vas pas…

— Dites-moi ce que je peux faire !

— Vous pouvez nous aider, répondit-elle.

— D'accord. Je ferai tout ce que je pourrai pour vous aider.

— Nom de Dieu, Khalifa !

— Nous avons piraté le réseau de Zoser Freight. Ce soir, vers minuit, un cargo chargé de déchets toxiques va accoster au nord de Rosette, dans un dock tout près de l'embouchure du Nil. On est en chemin. On va tout filmer, peut-être même interroger un ou deux membres de l'équipage. Ensuite, on ira à la mine. Pouvez-vous nous y emmener ?

— Bien sûr !

— Khalifa !

— On va vous envoyer un texto avec un numéro sécurisé. Appelez-nous et nous conviendrons...

— Je viens à Rosette ! s'écria Khalifa. Ils ont tué mon fils, je tiens à être présent.

— Désolée, mais nous ne travaillons pas...

— Je viens à Rosette ! C'est le marché. Je veux voir ça de mes yeux. Je viens à Rosette, et ensuite je vous emmène à la mine. C'est ça ou rien.

Il entendit des murmures étouffés, comme si elle consultait quelqu'un.

— OK. D'accord pour Rosette. Vous avez le carnet ? Celui sur la mine ?

— Le carnet de Pinsker. Oui.

— Apportez-le. On en aura peut-être l'usage. On vous envoie le numéro.

— Nom de Dieu, écoute-moi, Khalifa ! Ces gens sont...

— Quoi ? Ils sont quoi, ces gens ?

Pour la première fois depuis deux minutes, quelqu'un prenait acte de la présence de Ben-Roï.

— Dis-moi donc ce qu'ils sont, Ben-Roï.

— Des dingues ! Des terroristes !

— Et toi, tu es un menteur et un lâche ! Je sais bien avec qui j'ai envie de collaborer maintenant. Tu as eu ta chance, Ben-Roï, et tu as préféré accepter un pot-de-vin et te barrer. A présent, tout cela ne te concerne plus. Je vous appelle dès que je reçois le numéro, ajouta-t-il à l'intention de la femme.

Ben-Roï criait à Khalifa de n'en rien faire, que c'était dingue, qu'ils ne coinceraient jamais la Barren et qu'ils feraient bien de l'accepter. Il parlait tout seul. Les autres avaient raccroché.

Il balança son téléphone à l'autre bout de la pièce, puis remarqua que quelqu'un se tenait sur le seuil, sans savoir s'il devait entrer ou sortir. Ben-Roï serra les mâchoires.

— Alors, Dov, on écoute aux portes ?

LOUQSOR

Le SMS était déjà arrivé lorsque Khalifa raccrocha. Un numéro de portable. Egyptien, apparemment. Il appela, la femme répondit. Elle lui dit qu'ils étaient à environ deux heures de Rosette. Pas de problème, Khalifa pouvait se débrouiller pour les rejoindre à temps. Il y avait des vols réguliers vers Alexandrie via Le Caire.

— Mais je ne peux pas emporter d'arme dans l'avion, même avec mon insigne...

— Laissez tomber. On a toute la puissance de feu nécessaire. Envoyez un SMS à ce numéro dès que vous saurez quel vol vous allez prendre. Et n'essayez même pas de nous la faire à l'envers.

Bien qu'il ne connaisse pas cette expression, Khalifa la comprit et lui assura qu'il n'y songeait même pas, mais elle avait déjà raccroché. Il resta assis un moment... Une petite diode rouge clignotait dans son crâne comme un avertissement. Cependant, il était trop fatigué, trop à la merci du torrent d'émotions qui l'emportait, pour s'en soucier. Il ne voulait que la justice, rien d'autre. Que justice soit faite à son fils. Peu importaient les moyens. Il balaya ses doutes, prit son portable et appela Egypt Air pour réserver son vol.

JÉRUSALEM

— Tu écoutes aux portes ? répéta Ben-Roï, incapable de dissimuler les accents accusateurs dans sa voix.

Dov Zisky se contenta de le regarder à travers ses lunettes rondes, une liasse de feuilles dans les mains.

— Dov ?

— On va laisser Barren Corporation s'en sortir ?

— Alors, tu écoutes vraiment aux portes !

— J'attendais pour te donner ça, protesta Dov en désignant ses feuilles. Tu hurlais.

Un silence gêné s'installa. Ben-Roï, qui n'avait pas envie de se lancer dans une autre engueulade, balaya la chose de la main.

— C'est ma faute. Il faudrait que j'apprenne à parler moins fort.

S'il espérait désamorcer la situation, cela ne fonctionna pas. Zisky s'avança vers lui.

— Mais pourquoi ? Je croyais qu'on était…

— Leah Shalev va te mettre au courant, coupa Ben-Roï. L'enquête est transférée au département des investigations spéciales, et c'est tout. Ce sont des choses qui arrivent. Bon ! C'est quoi, ce que tu as là ?

Zisky ne se laissait pas démonter.

— On ne peut quand même pas…

— Ne me dis pas ce qu'on peut et ne peut pas faire !

Il avait été plus brusque qu'il ne l'aurait voulu, mais il était encore sous l'effet de la confrontation avec Khalifa et n'avait pas envie d'entendre tout cela de nouveau. « Menteur. Lâche. Pas assez de tripes. » Les paroles de l'Egyptien résonnaient encore à ses oreilles, d'autant plus dévastatrices que dans le fond Ben-Roï savait qu'elles disaient vrai. Certes, il faisait ça pour Sarah et le bébé et non parce qu'il avait peur, mais d'un point de vue factuel il avait laissé tomber l'enquête et accepté un bonbon pour faire passer la pilule. Vingt minutes plus tôt, il pensait pouvoir vivre avec ça. A présent, il n'en était plus si sûr. Et il n'avait vraiment pas besoin que Zisky vienne en rajouter une couche.

Le gamin fit un autre pas vers lui.

— Arieh, écoute…

— Pour toi, c'est « monsieur ».

— Mais je crois que j'ai trouvé un truc sur Barren, et je pense…

— Je ne veux plus entendre parler de Barren ! aboya Ben-Roï. Tu comprends ? On n'est plus sur cette enquête, c'est parti dans les étages, fin de l'histoire. Si tu as quelque chose, tu poses ça sur le bureau et tu te barres. J'aimerais qu'on me foute un peu la paix cinq minutes !

Zisky le toisa du regard, les lèvres pincées, comme si c'était désormais lui qu'on accusait. Puis il posa d'un geste brusque les papiers sur le bureau de Ben-Roï, fit demi-tour et sortit. Avant que l'inspecteur ne parvienne à s'en saisir, la pile de feuilles s'éparpilla par terre.

— Bordel ! s'écria-t-il. Putain de bordel !

Les poings serrés dans son fauteuil, il était mortifié de constater à quel point sa remarque sur le fait que Zisky devait l'appeler « monsieur » le faisait ressembler au superintendant Baum. Il se leva pour tenter de rattraper le gamin afin de s'excuser, mais au bout de cinq minutes, ne le trouvant nulle part, il regagna son bureau. Son téléphone était par terre, en pièces détachées. Il n'avait pas la moindre idée de ce à quoi pouvait ressembler un micro, et ne se fatigua pas à essayer de le deviner. Il prit la carte SIM, jeta le reste des pièces dans les toilettes et alla chercher le vieux Nokia que Yoni Zelba gardait dans un tiroir. Puis il inséra sa carte dedans et le mit à charger. Ensuite, il commença à ramasser les feuilles de Zisky, étant même obligé de se mettre à genoux pour récupérer celles qui s'étaient glissées sous les bureaux, génuflexion qui lui sembla de circonstance. Il les rassembla et s'apprêtait à placer ces putains de feuilles dans une chemise lorsqu'un nom en caractères gras lui sauta à la figure : *Dinah Levi*. Il se rappela qu'il avait demandé au gamin d'enquêter sur elle, deux jours plus tôt, après que les types de Nemesis l'avaient menotté dans le désert. Il s'agissait probablement de son rapport. Mais ne venait-il pas de dire…

Il s'assit en fronçant les sourcils. Les pages étaient dans le désordre, et il lui fallut un moment pour les classer. Il y avait un truc avec le logo de l'armée, la copie d'un e-mail de l'ambassade israélienne aux Etats-Unis, un article de journal à propos d'une fille arrêtée au cours d'une manifestation anticapitaliste à Houston – c'était bien à Houston que la Barren avait son QG, non ? Un dossier très complet, Zisky avait bien fait son boulot, et Ben-Roï se sentait d'autant plus merdique de lui avoir parlé comme il l'avait fait. Une fois les pages triées, il commença à lire. Lentement, au début. Puis de plus en plus vite, au fur et à mesure que les pièces du puzzle se mettaient en place et que le tableau lui apparaissait dans son ensemble. Lorsqu'il eut fini, son visage était couleur cendre.

— Oh, mon Dieu… murmura-t-il. Khalifa !

Louqsor

Ce soir-là, Egypt Air n'avait plus que des billets en première classe, alors Khalifa dut vider le maigre compte en banque familial pour s'en acheter un. En d'autres circonstances, il aurait été terrassé par la culpabilité, mais aujourd'hui il n'y songea même pas. Son fils assassiné – c'était tout ce qui comptait.

Il confirma ses vols – 19 h 05 vers Le Caire avec une correspondance à Alexandrie à 20 h 20, arrivée à 20 h 50. Comme on le lui avait demandé, il transmit ces infos à Nemesis. La réponse lui parvint aussitôt : *Appelez dès que vous serez au sol & nous vous donne-*

rons des instructions. A nouveau, la petite diode rouge s'alluma dans sa tête, mais il n'y prêta pas plus attention que précédemment. Il appela chez lui, se débarrassa de Zenab en lui racontant qu'il devait travailler tard. Puis, comme il avait un peu de temps à tuer avant de partir pour l'aéroport, il passa un quart d'heure à étudier une carte du delta du Nil, histoire de se familiariser avec les lieux où il comptait se rendre.

Rosette, qu'on appelle aussi Rachid, est une ville sur les berges du plus occidental des deux bras qui forment le delta du Nil. Non loin de la ville elle-même se trouve le fort médiéval de Qaitbay, où les forces d'invasion de Napoléon trouvèrent la fameuse pierre de Rosette. Rien de tout cela ne concernait Khalifa. En fait, il s'intéressait plutôt à un petit cap sablonneux juste au nord de Qaitbay, où le Nil achevait les six mille sept cents kilomètres de son parcours et se jetait dans la Méditerranée. D'après la carte, la zone était à la fois une réserve naturelle et une zone militarisée, ce qui voulait dire qu'on ne pouvait y accéder qu'avec une autorisation. Les docks de Zoser Freight se trouvaient là-bas, bien à l'abri des regards curieux. En outre, il n'existait qu'une seule route d'approche. Ils avaient le choix entre y aller à pied ou tenter un coup de bluff avec son insigne de flic. Il verrait bien une fois sur place.

Ben-Roï l'appela quatre fois pendant qu'il étudiait la carte. Il ne répondit pas et effaça les quatre messages sans même les écouter. L'Israélien avait ses propres objectifs et Khalifa n'avait pas envie d'entendre d'autres mensonges ou d'autres excuses. Il lui avait donné sa chance. Ce que Ben-Roï avait commencé, Khalifa comptait bien le finir, avec l'aide de Nemesis Agenda. Ben-Roï pouvait aller se faire foutre. Espèce de Juif sournois et lâche !

Il jeta un dernier coup d'œil à la carte et, juste avant 18 heures, s'engouffra dans l'escalier, non sans penser à prendre le carnet de Pinsker. En descendant, il entendit la voix de Hassani en train d'engueuler quelqu'un plus bas sur le palier inférieur, à propos des mesures prises pour l'inauguration du lendemain. Peu soucieux de réitérer leur précédente rencontre, Khalifa poireauta le temps que la voix de son supérieur s'éloigne. Il attendit une trentaine de secondes supplémentaires pour faire bonne mesure, puis descendit vers la sortie. A présent, il était presque en retard. Il s'apprêtait à héler un taxi lorsqu'une voix familière l'appela par son prénom.

Zenab.

Elle se tenait sur le trottoir d'en face, devant le terrain vague couvert de détritus. Il regarda sa montre – 18 h 10 – et traversa la rue en courant.

— Mais qu'est-ce que tu fais là ?

Son hijab avait glissé de ses cheveux et des gouttes de sueur perlaient à son front, comme si elle avait couru.

— Zenab ?

— Tu as dit que tu travaillerais tard.

— Je... Je sors juste chercher un truc.

En vingt ans de mariage, il ne lui avait jamais menti. Or, ces dernières trente-six heures, il ne semblait plus faire que ça. Elle lui toucha le bras, cherchant à croiser son regard. Elle n'avait pas besoin de dire quoi que ce soit. Ses yeux suffisaient. Elle savait qu'il mentait. Deux secondes s'écoulèrent, puis elle retira sa main et baissa la tête.

— Elle est belle ?

Khalifa mit un instant à comprendre ce qu'elle voulait dire.

— Oh ! Zenab ! s'exclama-t-il, partagé entre horreur et ironie morbide. Zenab !

Il la prit par le bras et l'emmena un peu à l'écart des passants.

— Comment peux-tu imaginer une chose pareille ?

— Je sais que je n'ai pas été une bonne épouse ces neufs derniers mois, Youssouf. Depuis...

Elle essuya une larme.

— Je ne te blâme pas. Non, vraiment, je ne te blâme pas.

— Arrête ça tout de suite, Zenab. Tout de suite !

Il glissa le carnet de Pinsker dans sa poche et prit les mains de Zenab dans les siennes. De longues et belles mains qu'il ne se lasserait jamais de tenir.

— Tu es l'amour de ma vie. Au cours des années que nous avons passées ensemble, pas une seule fois je n'ai regardé une autre femme. D'ailleurs, pourquoi le ferais-je alors que la plus belle femme du monde est juste à côté de moi ?

— Alors pourquoi me mens-tu, Youssouf ? Pourquoi me mens-tu comme ça ? Je l'entends dans ta voix, je le vois sur ton visage. Je te connais trop bien.

A présent, c'était Khalifa qui baissait les yeux.

— Où étais-tu, la nuit dernière ? demanda-t-elle. Tu ne m'as pas appelée. Quand tu es arrivé, tes vêtements étaient sales, tu n'avais pas dormi, il y avait du sang sur ton bras et tu avais l'air d'un fantôme...

Les mains de Zenab s'étaient mises à trembler.

— Que se passe-t-il, Youssouf ? Dis-le-moi !

— Des trucs… Ça fait partie du boulot d'un policier, marmonna-t-il en coulant un regard vers sa montre. L'inauguration, Hassani…

Elle posa les mains sur le visage de son mari.

— S'il te plaît ! Youssouf ! Assez de mensonges ! Je sais combien je me suis appuyée sur toi depuis que nous avons perdu Ali, quel fardeau tu as dû porter en plus de ton propre chagrin, quel boulet…

— Ne dis pas ça, Zenab ! Tu n'as jamais été un fardeau ! Jamais ! Tu es ma femme…

— Alors raconte à ta femme ce qui se passe ! S'il te plaît ! Je t'en supplie ! s'exclama-t-elle, les cils gonflés de larmes. Ces derniers jours, pour la première fois, j'ai senti… qu'il y avait peut-être une lumière au bout du tunnel. Mais je ne peux pas m'en sortir sans toi, Youssouf. Quelque chose ne tourne pas rond, je le sens ! Il faut que tu me parles. Parce que perdre mon mari en plus de mon… en plus de mon…

Elle ne put finir sa phrase. Khalifa la prit par les épaules et jeta ce faisant un coup d'œil à sa montre. Il se détesta pour cela, mais il avait tellement peu de temps, et tant de choses dépendaient du fait qu'il monte dans cet avion…

— Tu ne vas pas perdre un mari, Zenab. Je t'aime, je suis là pour toi, et je serai toujours là. Toujours ! Mais ce soir… Ce soir, il faut que j'aille à Alexandrie…

— Alexandrie !

— Rien de grave…

Elle retira ses mains, fit un pas en arrière.

— Tu ne me dis pas tout !

— Mais si…

— Qu'est-ce que tu me caches ?

— C'est compliqué…

— Alors explique !

— C'est quelque chose… Il y a des gens… En fait, c'est une enquête en rapport avec Ben-Roï…

— Dis-le donc enfin !

— C'est Ali ! J'y vais pour Ali !

Il avait parlé plus fort qu'il ne l'aurait voulu, poussant presque un cri. Dans la rue, les gens se retournaient pour les regarder. Khalifa les ignora.

— J'y vais pour notre fils, répéta-t-il en baissant la voix. Notre petit garçon. Je n'ai pas le temps d'entrer dans les détails, les détails n'ont pas d'importance. Tu as juste besoin de savoir que j'y vais pour que justice soit faite.

Zenab le dévisagea silencieusement, la main sur la gorge, ses yeux marron noyés par la peur.

— C'est eux qui l'ont tué, Zenab. C'est Zoser Freight, et une autre société du même genre. Ils l'ont assassiné, et je vais les coincer. Les punir. Certaines personnes vont m'aider. Des gens bien. Tu n'as aucune raison d'avoir peur. Tout va très bien se passer. On va faire justice pour Ali. On va coincer ces salauds !

— Je ne te reconnais pas, murmura-t-elle en secouant la tête. Au bout de vingt ans, subitement, je ne reconnais pas mon mari.

— Qu'est-ce que tu ne reconnais pas ? s'écria-t-il en haussant de nouveau la voix. Ils ont tué notre fils et je demande justice ! Qu'est-ce que tu ne reconnais pas là-dedans ?

— Cette colère. Cette... Cette folie !

— Demander justice, c'est de la folie ?

— Abandonner ta femme et ta famille pour une mission débile...

— Ce n'est pas une mission débile ! Ne dis pas ça ! La loi ne peut rien contre eux, alors je dois agir moi-même ! Tu devrais me remercier ! Tu m'entends ? Me remercier, espèce d'ingrate...

Il se tut subitement, horrifié de constater qu'il avait levé le poing devant Zenab. En vingt ans de mariage, une telle chose ne s'était jamais produite. Deux ou trois secondes s'écoulèrent. Khalifa regardait son poing comme s'il venait de se matérialiser devant lui, puis sa main retomba comme une pierre.

— Oh, mon Dieu, excuse-moi ! fit-il. Je ne voulais pas... Je suis désolé.

L'appel du muezzin relayé par les haut-parleurs de la mosquée Elnas résonna. Zenab était hagarde, choquée. Soudain, elle fit quelque chose qu'elle n'avait jamais fait en vingt ans de mariage. Elle s'agenouilla devant Khalifa et joignit les mains dans un geste de supplication.

— Mon époux, murmura-t-elle. Mon amour, ma lumière, ma vie. Jamais je ne me suis mise en travers de ton chemin. Jamais je n'ai rien exigé de toi. Mais ce soir, je te supplie. Je t'en supplie, laisse tomber ce projet quel qu'il soit. Je t'en supplie, laisse tomber.

Il se pencha afin de la relever, conscient des gens qui les observaient, les montraient du doigt. Elle repoussa sa main et lui saisit les jambes. Des larmes coulaient sur ses joues.

— Si tu pouvais ramener notre garçon, je te laisserais partir avec ma bénédiction, dit-elle en s'étranglant à moitié. J'irais même avec toi. Jusqu'au bout du monde et au-delà. Mais tu n'y vas pas pour ramener Ali. Tu y vas pour te venger, pour te venger d'un terrible accident...

— Ce n'était pas un accident, Zenab ! Ils l'ont assassiné, tu ne sais pas tout…

— Je sais que mon fils est mort ! Et que, s'il s'en va ce soir, mon mari va mourir aussi ! N'y a-t-il pas assez de souffrance dans cette famille ? Si tu ne restes pas pour moi, fais-le pour les enfants, pour Youssouf et Batah. Ils ont déjà perdu leur frère. S'il te plaît, n'ajoute pas le père à cette liste !

— Ils ne vont pas perdre leur…

— Si ! Je le sais ! Je le sens ! Je t'ai toujours soutenu dans tes projets – des projets fous, dangereux – parce que tu es l'homme le meilleur qui soit et parce que je savais que la bonté que tu as dans le cœur te motivait.

Elle se frappa la poitrine.

— Mais là, Youssouf… Ce que tu t'apprêtes à faire n'est pas fondé sur la bonté. Je le vois dans tes yeux. C'est la colère, la haine et la souffrance qui te motivent, et rien ne sortira de là, sinon davantage de souffrance. Si ce que tu dis est vrai, Allah jugera ces gens. C'est Lui qui doit se charger de les punir, pas toi. Sinon, ce sera une tragédie, Youssouf ! Je le sais ! Je le sais ! Et je ne pourrai pas en supporter une autre dans ma vie. Aucun de nous n'en est capable.

Elle pleurait à présent, agrippée à ses jambes comme un enfant effrayé.

— Je t'en supplie, Youssouf. C'est la femme qui s'adresse au mari, la mère qui parle au père, l'amie qui le demande à son ami : n'y va pas ! Je t'en supplie. N'y va pas. Ne m'abandonne pas. Reste ! Reste !

Un petit groupe de badauds s'était arrêté pour regarder la scène. Quelqu'un était même en train de les filmer avec son téléphone portable. Khalifa ne fit pas attention à eux. Il écarta les bras de Zenab, s'agenouilla et l'enlaça.

— Tout va bien, murmura-t-il. Tout va très bien se passer, ma chérie.

Elle se calma petit à petit. Khalifa lui essuya le visage avec son mouchoir. Ils restèrent un moment comme ça, à genoux, serrés l'un contre l'autre, isolés du monde, seuls dans leur bulle. Puis il l'aida à se remettre debout. Elle esquissait un sourire, supposant qu'il s'était rendu à ses suppliques, lorsqu'elle le vit consulter sa montre.

— Mon Dieu, Youssouf ! Mais je croyais…

Il leva l'index, le posa doucement sur ses lèvres, pour qu'elle ne parle plus. Au cours des vingt ans qu'ils avaient passés ensemble, si elle lui avait demandé quelque chose avec autant d'insistance, il aurait accepté, c'était sûr. Il aurait sauté du haut d'une falaise si elle l'en avait prié. Cependant, il lui était arrivé quelque chose dans la mine. Quelque chose en lui était devenu plus dur, plus rigide.

— Je t'aime, Zenab, dit-il d'une voix subitement monocorde et dénuée d'émotion. Plus que tout au monde. Toi et les enfants. Mais je dois le faire. Pour Ali. Et rien de ce que toi ou quiconque pourrez dire ne m'arrêtera. Je rentrerai demain matin. Je te le promets.

Il se pencha et déposa un baiser sur son front. Puis, après un nouveau coup d'œil à sa montre – 18 h 28 : il allait devoir la jouer fine –, il tira le carnet de Pinsker de sa poche et partit en courant. Derrière lui, le badaud qui filmait fit un gros plan sur Zenab, de nouveau à genoux, le visage enfoui dans les mains.

AÉROPORT INTERNATIONAL BEN-GOURION, JÉRUSALEM

« Salut, Arieh. J'ai eu ton message. Je suis attendue pour dîner chez Rinat, mais tu peux passer plus tard si tu as envie de parler. Ou alors, demain matin pour le petit déjeuner. Si tu comptes vraiment prendre ce nouveau boulot et déménager à Haïfa... eh bien, on peut en discuter. J'attends de tes nouvelles. *Shalom.* »

Ben-Roï écouta le message tout en cherchant ses plaques d'immatriculation rouges dans le coffre de la Toyota, puis passa au suivant.

« P-S : *Gam ani ohevet ot'cha.* Je t'aime aussi, mon grand. Malgré tous mes efforts. »

Il colla une des plaques aimantées à l'arrière en se demandant comment réagir. En dépit du fait qu'il l'aimait plus que tout, il allait encore la laisser tomber. Il ne savait pas comment lui annoncer cela, comment faire en sorte qu'elle ne croie pas qu'à nouveau il l'envoyait balader. Le temps pressait... Il décida de remettre sa décision à plus tard, quand il serait à bord. Il tenta une dernière fois de joindre Khalifa, mit en place la plaque à l'avant et partit à tombeau ouvert en direction de l'aéroport international Ben-Gourion.

C'était dingue, mais aucun autre plan ne lui était venu à l'esprit, étant donné le peu de temps dont il disposait. Khalifa ne répondait pas à ses coups de fil. Son ami Danny Perlmann, de la coordination interservices, non plus, ce qui signifiait qu'il n'avait aucun moyen de joindre les autorités égyptiennes. D'ailleurs, même s'il y parvenait, que pourrait-il leur dire ? Qu'un groupe d'anticapitalistes fans de hard rock préparait un attentat sur le sol égyptien ? Qu'un de leurs inspecteurs de police les encourageait et leur prêtait main-forte ? Il ne voyait pas bien comment cela pourrait aider Khalifa, même si ça lui sauvait la vie.

En fin de compte, à court d'alternative, il appela El-Al. Ils avaient un vol hebdomadaire vers Alexandrie, celui que Kleinberg avait pris, mais ce n'était que le lendemain, c'est-à-dire probablement trop tard ! Le piège se serait déjà refermé et son ami serait étendu quelque part, une balle dans la tête. Sa seule chance, une compagnie égyptienne, Air Sinaï, une filiale d'Egypt Air. Ben-Roï les contacta sans grand espoir, mais son pessimisme n'était pas justifié. Ils avaient un vol le soir même. Départ 19 h 10, arrivée à Alexandrie 20 h 45. Il hésita deux secondes, cherchant désespérément un autre moyen d'aider son ami, mais à part aller prier devant le Mur des lamentations, il ne voyait pas. Alors, il réserva un billet, passa chez lui prendre son passeport et conduisit comme un dément jusqu'à Lod. Il arriva dix-sept minutes avant le décollage. Finalement, ce n'était pas plus mal de foncer. Comme Khalifa dans la mine, s'il avait pris le temps de réfléchir, il n'aurait pas osé y aller.

Les guichets d'enregistrement d'Air Sinaï étaient déserts, le dernier appel à embarquer ayant été passé depuis longtemps. Ils n'auraient jamais laissé un civil monter à bord aussi peu de temps avant le décollage, mais Ben-Roï sortit son insigne et sprinta vers l'avion. Il était encore en train de boucler sa ceinture – coincé entre une dame âgée et un obèse avec le bras en écharpe – que l'appareil roulait déjà vers la piste d'envol.

Il prit son téléphone. Les choses risquaient d'être plutôt intenses une fois arrivé en Egypte et il voulait rester concentré. S'il devait répondre à Sarah, il fallait le faire maintenant. Discrètement, il commença à composer son numéro en espérant que les membres de l'équipage n'allaient pas le repérer, mais il changea d'avis et passa en mode texte. Sans qu'il sache pourquoi – peut-être le stress ? –, ce qu'il allait écrire prit soudain une énorme importance. Il y réfléchit tout le temps que durèrent les manœuvres du décollage, et ce n'est que lorsque le pilote mit les gaz que Ben-Roï se lança :

Je vous aime tous les 2 + que tout. Je serai tjrs là. Appellerai demain. Serons famille la + heureuse du monde. <3

Puis ils quittèrent le sol, le sol d'Israël.

— Vous devriez l'éteindre, dit l'obèse. Ça peut interférer avec les commandes.

— Oui. Désolé.

Il l'éteignit et s'adossa au siège, la tête penchée en arrière. Inexplicablement, quelques larmes perlaient à ses yeux.

William Barren avait lui aussi les yeux fixés sur le plafond d'un aéroplane, mais dans son cas il s'agissait d'un des Gulfstream G650 de la société, et absolument rien ne perlait à ses paupières. Loin de là. Il se sentait mieux que jamais. Le dénouement était imminent. Toutes ces années de préparation, de manœuvres, de ruses, d'approches subtiles... Ça allait vraiment être bandant ! Bien plus que n'importe quelle acrobatie qu'il avait pu faire avec ces jeunes putes noires à Houston. Quand on dit qu'il faut savoir se retenir !

Il fit tourner le bourbon dans son verre.

Se rendre là-bas avait été une décision spontanée. A strictement parler, sa présence n'était pas requise, mais il avait éprouvé l'envie de se rapprocher de l'action. Pas en plein cœur, non – d'autres s'occuperaient de faire le sale boulot –, mais pas trop loin. Quelques heures plus tôt, il était dans le salon de son penthouse. A présent, il était en route. C'était cela qui manquait depuis longtemps à Barren Corporation, un peu de spontanéité. Le processus de décision de son père était du genre glacial. Il n'agissait jamais sur un coup de tête. Tout cela allait changer lorsque lui, William, prendrait les commandes. Un peu plus d'intuition, un peu plus de flexibilité. Sous sa férule, la société serait très différente, tout en restant un prédateur redoutable. Certaines choses ne changent pas. Certaines choses sont inscrites dans notre ADN.

Il sirota une gorgée de bourbon en tapotant l'accoudoir avec son téléphone. Un membre d'équipage vint lui faire part des prévisions du pilote. Ils avaient de l'avance, et atterriraient probablement vingt minutes plus tôt qu'annoncé. William le remercia et se renfonça dans le cuir blanc de son fauteuil, l'œil fixé sur le téléphone. Le téléphone spécial. Celui sur lequel il allait bientôt recevoir l'appel.

Dans quarante-huit heures, toutes les affaires de la famille seraient réglées. Il sourit, but une autre gorgée. Autour de lui, la cabine vibrait doucement. Il ne s'était jamais senti aussi bien.

ALEXANDRIE

Si Khalifa avait levé les yeux en traversant le terminal de l'aéroport Nozha, à Alexandrie, il aurait vu une silhouette familière en train de s'expliquer avec les membres de la sécurité, à l'autre bout du hall. S'il s'était approché et lui avait parlé, tout le monde se serait évité bien des maux de tête.

Cependant, il ne le fit pas, trop occupé à écouter les instructions que la fille de Nemesis lui donnait au téléphone. Et lorsqu'il raccrocha en franchissant les portes de l'aérogare, une occasion fugace de prévenir la tragédie disparut.

Il arrêta un taxi et, comme on le lui avait ordonné, demanda au chauffeur de l'emmener à l'est de Rosette. L'homme tenta d'engager la conversation, lui posant des questions sur sa famille, sur ce qu'il faisait dans le coin ou ce qu'il pensait du nouveau gouvernement. Khalifa grommelait des réponses lapidaires et au bout de quelques kilomètres, fatigué de l'entendre, il sortit son insigne de policier. Dès lors, le trajet se poursuivit en silence.

Il leur fallut un certain temps pour sortir de la ville. Ce n'est qu'après avoir franchi un pont au-dessus d'un lac bordé de fleurs-du-Nil qu'ils laissèrent derrière eux les immeubles, les usines et les raffineries. A présent, le paysage était un patchwork d'étendues sablonneuses, de champs de coton, de palmeraies et de champs de citronniers. Khalifa fumait et regardait par la fenêtre en pensant à son fils.

A mi-chemin de Rosette, comme la femme le lui avait dit, ils passèrent devant une station-service Mobil, suivie de deux panneaux publicitaires géants : l'un pour les chaussures Pierre Cardin, l'autre pour KFC. Khalifa demanda au chauffeur de se ranger sur le bas-côté et lui paya la course. Puis il alla prendre position à une cinquantaine de mètres, à côté d'une pile de bottes de roseaux en forme de tipi.

Une demi-heure s'écoula, et soudain un Toyota Land Cruiser blanc s'arrêta à sa hauteur. Au même instant, il entendit des pas derrière lui et une jeune femme sortit de la palmeraie.

— Montez, dit-elle en désignant la portière arrière du véhicule.

Khalifa obtempéra. La femme s'installa à l'avant et le conducteur – un homme aux traits fins, probablement arabe, une cigarette aux lèvres – reprit la route.

— Je commençais à croire que vous n'alliez pas venir.

— On est prudents. On voulait être sûrs que personne ne vous suivait. Je m'appelle Dinah. Et voici Faz. Contente que vous nous ayez rejoints, ajouta-t-elle en lui tendant la main.

— Youssouf Khalifa, répondit-il en la serrant.

— Je sais. On a écouté vos coups de fil, souvenez-vous. C'est le carnet dont vous parliez ?

— Oui.

— Ne le perdez pas. On décidera ce qu'on en fait plus tard.

— Vous n'êtes que deux ?

— Les autres sont sur le dock, ils repèrent le terrain.

— Quel est le plan ?

— Pour l'instant, on n'en a pas vraiment, répondit-elle en haussant les épaules. Le cargo est censé arriver vers minuit. D'après ce qu'on a appris par l'intermédiaire du réseau informatique de Zoser, il décharge sa cargaison une fois par mois, et les barges font la navette sur le Nil pour l'emporter en attendant la livraison suivante. En revanche, on ne sait pas concrètement comment ça se passe sur le terrain...

Nouveau haussement d'épaules.

— Alors on verra au fur et à mesure.

Elle fouilla dans la boîte à gants et donna un pistolet à Khalifa.

— J'imagine que vous savez vous en servir ?

— Bien sûr !

— J'espère que nous n'en aurons pas besoin, mais nous ne prenons aucun risque. On ne sait pas sur quoi on va tomber, là-bas.

Khalifa soupesa l'arme. Apparemment, c'était un Glock. La fille le regardait. Son visage intense et pâle passait de l'ombre à la lumière au gré des lampadaires qui éclairaient la voie rapide. Le silence s'installa pendant quelques instants.

— Vous prenez un risque en venant ici, en côtoyant des gens comme nous. Comme votre ami le disait, on est dangereux. Dingues.

— Mon ex-ami, corrigea Khalifa en attrapant une Cleopatra. Et je n'ai pas peur des risques.

Ils échangèrent un long regard, puis elle se retourna vers l'avant. Khalifa baissa sa vitre et alluma sa cigarette. Plus un mot ne fut prononcé pendant le restant du trajet.

Ils arrivèrent à Rosette vingt minutes plus tard, juste après 22 h 30. Faz, le conducteur, semblait savoir où il allait, naviguant en confiance à travers un dédale de petites rues bruyantes et éclairées pour ressortir de l'autre côté de la ville, où il engagea la voiture sur une petite route goudronnée qui filait au nord, vers la côte. Ils épousaient le parcours du Nil, qui coulait à leur droite – large et sombre, parsemé de bateaux et des pontons des fermes à poissons flottantes. Ici et là, on voyait une maison ou une grange, et le long de la côte, des bâtiments en brique dont les cheminées noires de fumée s'élançaient vers le ciel comme les vestiges d'une forêt dévastée. Une fois passé le village de Qaitbay, les bâtiments cédèrent la place à des champs de maïs où surgissait de temps à autre une palmeraie, tandis qu'à l'horizon, non loin de l'embouchure du Nil, un halo lumineux un peu flou suggérait une concentration d'éclairages. Le dock de Zoser Freight, pensa Khalifa. Son pouls s'accéléra.

Ils poursuivirent sur plusieurs kilomètres, mais à présent, attentifs, ils roulaient lentement, tous feux éteints. Devant eux, le halo brillait de plus en plus. Puis, juste au moment où ils virent apparaître au loin les lumières d'un point d'accès, ils s'engagèrent sur un petit chemin qui, au bout de deux cents mètres, débouchait sur une clairière au centre d'une palmeraie. Deux personnes se trouvaient là, à côté d'un autre Land Cruiser : un homme athlétique et une femme aux cheveux frisés. Dinah Levi fit les présentations.

— A quoi ça ressemble ? demanda-t-elle ensuite.

— Ce n'est pas si mal, dit l'homme. Mais plus de temps, ce ne serait pas un luxe.

— On n'a pas plus de temps. C'est ce soir, ou on devra encore attendre un mois.

L'homme acquiesça et les entraîna devant l'ordinateur qu'il avait posé sur le coffre du Land Cruiser. Sur l'écran, on voyait une mosaïque de photos, peut-être une quarantaine, qu'ils avaient dû prendre pendant le repérage du site. Il agrandit la première : le point d'accès qu'ils venaient de voir. Un grillage surmonté de fil de fer s'étendait de part et d'autre de la route. A l'arrière-plan, sur les berges du fleuve, quelque chose qui ressemblait à une rangée de hangars et des grues.

— La grille fait tout le tour du site. Il y a trois gardes à l'entrée…

— Militaires ? demanda Khalifa.

— Oui.

— Sûrement des conscrits. Ils feront le minimum.

— C'est ce qu'on a cru comprendre, répondit l'homme. L'un d'eux dormait, les deux autres regardaient la télé. On a aussi vu deux hommes patrouiller à l'intérieur du site, mais ils n'avaient pas l'air de prendre ça très à cœur et ils sont très éloignés l'un de l'autre. Le grillage n'est pas électrifié, et on n'a vu aucune caméra. On est entrés sans aucun problème.

— Quelle distance jusqu'au dock ?

— Environ sept cent cinquante mètres. Le terrain est à découvert, mais il y a beaucoup de dunes et de broussailles qui permettent de se dissimuler. On est passés sans difficulté.

Il afficha une deuxième photo. Un grand quai de béton entre les hangars et le fleuve. A une centaine de mètres de la berge, on avait coulé d'énormes cubes de béton pour créer une digue artificielle. Sur le quai, trois grandes grues en porte-à-faux tendaient leurs bras au-dessus de l'eau.

— Comme vous le voyez, c'est très bien éclairé et il y a des gens sur le dock. Principalement des dockers, mais aussi quelques gardes...

Il cliqua de nouveau. La photo d'un gros baraqué vêtu d'une veste en cuir, une mitraillette Heckler & Koch MP5 dans les bras.

— Sécurité privée, d'après son look. Rien que nous ne puissions affronter. Il y a de bons endroits où poser les caméras, au bout du dock...

Il revint à l'image précédente.

— Et ici, entre ces hangars-là...

Il montra trois autres clichés : une grande pile de caisses stockée entre deux hangars ; un gros plan sur les caisses ; un plan de derrière, en regardant en direction du fleuve.

— C'est tout à fait faisable. Le problème, c'est de s'approcher du bateau. On peut filmer de loin, mais monter à bord pour éventuellement attraper un membre de l'équipage, ça risque d'être dur, étant donné la quantité de lumière. Ce sera peut-être possible, mais on ne le saura que lorsque le cargo aura accosté et qu'on verra précisément où il est. Jusque-là, il faudra se contenter d'hypothèses.

Dinah, qui semblait diriger le groupe, acquiesça. Après un coup d'œil à sa montre, elle se mit à passer les images en revue, histoire de se familiariser avec les lieux. Les autres la rejoignirent. Khalifa s'écarta un peu. C'étaient eux les experts. Il n'était là que pour les accompagner.

Plusieurs minutes s'écoulèrent. Une rafale agita les feuilles des palmiers, apportant une odeur de sel. Soudain, ils se levèrent comme un seul homme.

— OK, on y va ! s'exclama Dinah.

Elle se tourna vers Khalifa.

— On va avoir besoin de quelqu'un près de la grille, pour couvrir nos arrières si jamais ça barde. Vous voulez vous en charger ?

— Je viens sur le dock, répliqua Khalifa.

Ça ressemblait au caprice d'un môme, il en était conscient, mais il voulait se trouver au cœur de l'action. Il en avait besoin. A sa grande surprise, elle sourit.

— Je ne sais pas pourquoi, mais je pensais que vous alliez dire ça. OK, Faz, tu couvres nos arrières. Gidi, Tamar, vous vous positionnez au bout du quai. La nouvelle recrue et moi, on va se placer à côté du hangar. Pour l'instant, c'est tout ce qu'on peut prévoir. Ensuite, il faudra jouer sans partition.

Ils déchargèrent leur équipement – caméras, talkies, deux Uzi – et se le répartirent. Chacun enfila un sac à dos et se couvrit le visage avec un peu de boue en guise de camouflage sommaire. Khalifa aurait éclaté de rire si l'enjeu n'avait pas été aussi important. Ils verrouillèrent les voitures et s'éloignèrent à pied. Au loin, une sirène de bateau résonna. Khalifa posa l'index sur la détente du Glock en serrant les dents. Il savait qu'il avait raison de faire ce qu'il allait faire.

Vingt minutes plus tard, ils étaient à leur poste. Ils avaient franchi la grille sans aucun problème et étaient arrivés aux hangars par-derrière. Puis ils avaient grimpé en haut de la pile de caisses pour installer une caméra. Devant eux, le dock était baigné de lumière, mais les caisses demeuraient dans la pénombre. Curieusement, Khalifa se sentait en sécurité. Comme s'il regardait la scène en spectateur, à la télévision. Au talkie, les deux autres annoncèrent qu'ils étaient prêts, eux aussi. Il était 23 h 42 à la montre de Khalifa. Il ne leur restait plus qu'à attendre.

— Vous pensez vraiment qu'on peut les coincer ? demanda-t-il, les yeux fixés sur le quai. Que tout ceci va servir à quelque chose ?

— Je ne serais pas ici si je pensais le contraire.

Ils s'accroupirent, le temps de laisser passer un gigantesque chariot élévateur. En se relevant, il sentit la main de la femme sur son bras.

— J'aurais dû vous le dire plus tôt : je suis désolée pour votre fils.

L'espace d'un instant, elle parut s'adoucir, même si ses yeux restaient froids, implacables. Puis elle retira sa main et regarda ailleurs.

A l'embouchure du fleuve, le brouillard qui s'était levé dérivait au-dessus de l'eau tel un grand nuage de vapeur.

Un tunnel de lumière. Voilà à quoi ressemblent les derniers temps avant le nettoyage. Un long tunnel de lumière avec moi à un bout, la cible à l'autre et tout le reste à l'extérieur. Focalisation totale. Concentration totale. Jusqu'à ce que le travail soit fait et que je puisse revenir à la simple routine des choses.

Bien sûr, cette fois-ci, il y a des différences. Pour commencer, d'autres sont présents, contrairement à d'habitude. Et le nettoyage à faire est plus près de la maison. A la maison, dans un certain sens, malgré les distances qui interviennent. Et bien sûr, j'ai des tâches à accomplir, des choses qui me distraient, ce qui n'est pas le cas en général.

Malgré tout, dans ma tête, je suis dans le tunnel. Plus de doutes, plus de questions, plus de soucis. Je vois clairement ma cible – comment pourrais-je ne pas la voir, elle est juste à côté de moi ! Bientôt, elle sera nettoyée et je serai en sécurité de l'autre côté. Bien que ce qui se trouve de l'autre côté reste encore à voir. Un ordre nouveau, c'est sûr ; qui sait, peut-être même des enfants. Un bruit de petits pas. J'ai toujours aimé les enfants. Ils stimulent ce qu'il y a de bon en moi.

Je dois pourtant continuer encore un peu à jouer mon rôle. Poursuivre la mascarade. En regardant mon visage, vous ne pourriez jamais y lire ce que je m'apprête à faire. Pas même en un million d'années. Je suis un performeur de grande classe, et je l'ai toujours été.

Le bateau arriva finalement vers 1 heure du matin. Une série de coups de sirène retentirent et, subitement, l'activité devint intense sur le quai. Les dockers s'affairaient au milieu des bruits de moteur et des coups de klaxon.

Au large, le brouillard devenait de plus en plus épais. L'embouchure du fleuve était enveloppée d'un voile gris, dense et impénétrable, qu'ils regardaient approcher avec appréhension, car s'il atteignait le dock ils ne pourraient plus filmer. Heureusement, la nappe était restée confinée sur l'eau, n'envoyant qu'un ou deux tentacules paresseux traîner au pied des grues. Si le vent se levait, ce serait une autre histoire, mais pour l'instant ils avaient une vue dégagée sur la scène.

— Tout le monde est prêt ? demanda Dinah.

— Prêt ! répondit une voix dans l'appareil.

— Faz ?

— Un convoi de camions-citernes vient d'arriver par l'entrée principale, mais à part ça, tout est calme.

— OK. On y va !

Les sirènes continuaient leurs hululements plaintifs, comme si un monstre primitif s'apprêtait à surgir des flots dans le brouillard. Cinq minutes s'écoulèrent. Soudain, comme si une hache énorme l'avait fendue en deux, la nappe s'ouvrit sur une proue gigantesque, un mur d'acier qui glissait lentement vers le quai. Il semblait interminable, d'une longueur impossible, menaçante. Finalement, au bout de trois cents mètres de coque, la dunette finit par émerger, haute comme un immeuble, imposante, réduisant les dockers à de vulgaires fourmis. Sur la proue, une sirène dont les longs cheveux blonds flottaient dans le vent et un nom : *La Fiancée de l'Océan*.

Dinah commença à filmer.

Tiré par deux remorqueurs, le navire accosta, attacha ses amarres et déploya deux passerelles. Les bras des grues se mirent en position.

Quelques minutes s'écoulèrent, puis les barils commencèrent à sortir des soutes, par palettes de cent. Les grues les soulevaient dans le ciel nocturne et les posaient sur les chariots élévateurs géants qui les emportaient à l'autre bout du quai.

— Tu enregistres tout ça ? demanda la voix dans le talkie.

— Absolument ! Il faudrait juste que le brouillard nous laisse encore un peu de répit et qu'ensuite il envahisse le quai. Ça nous laisserait une chance de monter à bord !

Tandis qu'elle parlait, Khalifa sentit une rafale dans ses cheveux. Le vent se levait ! Rapidement, la nappe de brouillard se mit à dériver, recouvrant le cargo.

— Encore quelques minutes, murmura Dinah. Encore quelques minutes et on pourra...

Elle ne finit pas sa phrase. Subitement, elle disparut de la caisse sur laquelle ils se tenaient, comme aspirée vers l'arrière. Surpris, il se retourna. La pénombre l'empêchait de distinguer ce qui se passait exactement, mais un homme assez costaud avait saisi Dinah et la maintenait au sol. Khalifa leva son Glock pour asséner un coup de crosse sur la tête de l'agresseur, mais le son d'une voix familière interrompit son geste :

— Arrête, Khalifa ! C'est moi...

L'homme avait un visage émacié aux mâchoires carrées. Un visage que Khalifa n'avait pas vu depuis quatre ans, mais qu'il reconnut instantanément. Il baissa les yeux vers Dinah.

— Et maintenant, Rachel, je crois qu'il est temps de raconter à notre ami ce que tu fais vraiment ici !

Le plan de Ben-Roï – si on pouvait appeler ça comme ça – consistait à se rendre sur le dock aussi vite que possible, à localiser Khalifa et à l'exfiltrer avant qu'il ne lui arrive quelque chose.

Cependant, les services de sécurité de l'aéroport d'Alexandrie ne voyaient pas la chose du même œil. Ils le retinrent pendant plus de deux heures, intrigués par cet Israélien qui débarquait avec un billet de retour pour le lendemain, sans réservation d'hôtel et surtout sans visa. Il songea à leur dire la vérité, qu'il était un policier qui aidait un de ses collègues égyptiens à échapper au piège qu'on lui tendait, mais il sentit que cela ne ferait que compliquer les choses, qu'il allait s'embarquer dans un inextricable écheveau d'explications. Alors il s'en tint à une version plus simple : il était venu voir son vieux pote de Louqsor, les choses s'étaient décidées à la dernière minute, ledit pote allait l'héberger et on lui avait assuré qu'il pouvait obtenir un visa temporaire à l'atterrissage. C'était plutôt léger, d'ailleurs Ben-Roï craignait qu'ils ne tombent pas dans le panneau et le prennent pour une sorte d'espion, mais il se disait qu'en consultant leur ordinateur ils verraient qu'un Youssouf Khalifa était effectivement arrivé de Louqsor le soir même, corroborant du coup son histoire. Finalement, après une attente assez angoissante – un petit aperçu de ce que les voyageurs arabes pouvaient éprouver en arrivant en Israël –, ils tamponnèrent son passeport et le laissèrent entrer.

— Vous avez tout intérêt à prendre ce vol, demain ! lui lança un des gardes, l'air menaçant.

— Crois-moi, marmonna Ben-Roï dans sa barbe. Plus tôt je partirai, mieux ce sera.

A Alexandrie, il avait retiré du liquide à un distributeur. Il prit un taxi et se fit conduire à Rosette, aux docks à l'embouchure du Nil, se souvenant de ce que la fille de Nemesis avait dit. En approchant de la côte, le chauffeur avait commencé à baragouiner en arabe pour essayer de lui faire comprendre que cette route ne menait nulle part, que c'était une impasse et qu'il fallait faire demi-tour. Ben-Roï lui avait agité une liasse de billets sous le nez et lui avait demandé de continuer. Cependant, lorsqu'ils atteignirent l'endroit d'où l'on apercevait les lumières de l'entrée principale, le chauffeur refusa tout net d'aller plus loin.

— Fini ! dit-il. Soldats ! Pas bon !

Ben-Roï le paya et sortit. Le chauffeur fit demi-tour en secouant la tête, comme s'il avait affaire à un fou dangereux. A la lumière des phares, Ben-Roï aperçut un chemin qui menait vers une palmeraie au milieu de laquelle le faisceau accrocha quelque chose de blanc. Pris d'une intuition, il se dirigea vers le bosquet d'arbres, où il découvrit les deux Toyota garés dans une clairière, ceux-là mêmes qu'il avait vus à Mitzpe Ramon, mais qui arboraient à présent des plaques égyptiennes.

Nemesis était là.

— Dieu fasse que je n'arrive pas trop tard, murmura-t-il.

Il traversa la palmeraie et en ressortit à une vingtaine de mètres d'un grillage assez haut surmonté de fil de fer barbelé. Difficile à franchir. Les membres de Nemesis l'avaient probablement découpé quelque part, mais il lui faudrait chercher des heures avant de trouver où, et il avait déjà perdu trop de temps. Il longea la palmeraie en direction de l'entrée principale, en se disant qu'il parviendrait peut-être à se glisser à l'intérieur sans se faire repérer. Quand il arriva devant, un convoi de camions-citernes – c'était donc ça, ces bruits de moteur ! – se présenta devant la grille. Le dernier s'arrêta pratiquement sous son nez. Alors, sans hésiter, Ben-Roï tenta le coup. Il se glissa derrière la remorque, grimpa l'échelle à l'arrière de la citerne et s'aplatit dessus. Il entendit un coup de klaxon et le convoi s'ébranla.

Il était passé !

Quelques instants plus tard, les camions se garaient derrière une rangée de hangars. Ben-Roï redescendit du sien et se coula dans la pénombre. L'endroit était bien plus vaste qu'il ne s'y attendait. Il allait mettre des heures à retrouver Khalifa, et ce serait alors trop tard.

En fait, il ne lui fallut que vingt minutes. Après avoir exploré un bout du quai et observé les manœuvres d'accostage du bateau, il inspecta un premier hangar et se dirigeait vers le suivant quand il aperçut deux silhouettes perchées sur une pile de caisses dans l'espèce d'allée pleine de mauvaises herbes qui séparait les bâtiments. D'aussi loin, il était difficile d'être sûr à cent pour cent, mais Ben-Roï avait la conviction qu'il avait trouvé ceux qu'il cherchait. Il envisagea de crier pour prévenir Khalifa, mais il savait qu'elle était armée ; le risque était trop grand. Alors il s'approcha avec précaution, le bruit de ses pas couvert par les vrombissements des machines. Quand il se trouva à une vingtaine de mètres, une des silhouettes se tourna et il reconnut la fille. Ben-Roï se plaqua au mur du hangar. Dès qu'elle reprit position, Ben-Roï poursuivit sa progression. Pas de grand discours. Pas d'hésitation. Quand il fut à sa hauteur, il attrapa cette salope meurtrière par la ceinture et la flanqua par terre.

— Nom de Dieu, Ben-Roï ! Mais qu'est-ce que tu fais ? Laisse-la ! Laisse-la et dégage !

Khalifa tenta de griffer le visage de Ben-Roï, mais celui-ci le repoussa et, d'un même mouvement, arracha le pistolet des mains de la femme. Puis il la remit sur pied et l'entraîna dans l'allée entre les hangars, à l'écart des lumières du quai. Lorsque Khalifa, qui les suivait, essaya de le retenir, Ben-Roï lui donna un coup de pied dans le genou qui l'envoya au sol.

— Recule, imbécile ! Je vais tout t'expliquer ! Donne-moi juste deux secondes !...

La femme se débattait, mais Ben-Roï la tenait fermement, une main sur son cou, l'autre lui tordant le bras derrière le dos. Il la poussa sur une vingtaine de mètres, puis la força de nouveau à se coucher par terre. Quelques instants plus tard, Khalifa les rejoignit et posa le canon de son Glock sur la nuque de Ben-Roï.

— Lâche-la ! Tu m'entends ? Lâche-la, ou que Dieu m'en soit témoin, je tire !

— Elle n'est pas ce que tu crois, Khalifa !

— Lâche-la !

— Elle bosse pour la Barren !

Elle se débattait, même si Ben-Roï la maintenait par terre de tout son poids.

— Tuez-le ! cria-t-elle. Il va nous balancer, bon sang !

— C'est mon dernier avertissement, Ben-Roï !

— Ecoute-moi, siffla l'Israélien. Elle a trompé tout le monde ! Toi, les types de Nemesis... C'est une infiltrée ! C'est la taupe de la Barren !

— Il est dingue !

Elle essayait de repousser Ben-Roï, mais il était trop fort, trop lourd pour elle. Il tourna la tête. Le canon du Glock glissa le long de sa mâchoire et vint se poser sur son menton. Ses yeux semblaient briller dans la pénombre.

— On a déjà vécu ça, Khalifa, tu te souviens ? L'Allemagne ? Tu voulais me tuer, cette fois-là aussi. Et qui avait raison ?

Il défiait Khalifa du regard.

— Alors, écoute-moi. C'est tout ce que je te demande. Tu m'écoutes une minute, et tu sauras ce qu'elle est. Qui elle est ! Après, si tu veux me tuer, tu pourras.

Les mains de Khalifa tremblaient. Il ne baissa pas son pistolet, car il ne faisait plus confiance à l'Israélien. Ben-Roï avait laissé tomber l'enquête et accepté un pot-de-vin. D'un autre côté, quelque chose dans sa voix, dans l'expression de son visage exagérément grand, lui donnait à réfléchir. En outre, il était vrai qu'il avait eu raison, autrefois. Le silence s'installa. Tous trois étaient immobiles, comme prisonniers de l'instant. Puis, d'un signe de tête imperceptible, Khalifa indiqua qu'il écoutait.

— Tout est une question de famille, dit Ben-Roï. Depuis le début, je grimpe à un arbre généalogique, mais ce n'était pas le bon. Je la prenais pour la fille de Rivka Kleinberg. C'est un bien meilleur flic que moi qui a trouvé la vérité. Elle n'est pas du tout sa fille, mais sa filleule. C'est ça, hein, *Rachel* !

Il la secoua en insistant sur son prénom, mais sans quitter Khalifa du regard.

— Sa mère et Kleinberg étaient meilleures amies. Elles avaient fait leur service militaire ensemble, et elles étaient restées en contact, même quand sa mère est partie travailler à l'étranger, à l'ambassade d'Israël à Washington, au sein du département des affaires culturelles. C'est là-bas qu'elle a tapé dans l'œil d'un certain milliardaire, un capitaine d'industrie américain. Un homme plutôt désagréable qui s'appelle...

Il ménagea deux secondes de suspense.

— Nathaniel Barren !

Sous lui, la femme se tendit, puis, d'un coup, ses muscles se relâchèrent. Khalifa tentait quant à lui d'intégrer ce qu'il venait d'apprendre.

— Elle est...

— Exactement ! La fille de Barren ! Rachel Ann Barren, si tu veux connaître son véritable patronyme, même si, comme son frère, elle a été scolarisée sous un nom d'emprunt, bien à l'abri des projecteurs. Mais c'est quand même une Barren. Une fille obéissante, qui, comme toutes les filles obéissantes, veille sur les intérêts de sa famille.

Khalifa vit qu'elle serrait les poings, deux boules denses comme du silex.

— C'est vrai ? lui demanda-t-il.

Pas de réponse. Ce qui en valait bien une. Soudain, il eut la gorge sèche. Son index s'écarta de la détente. Ben-Roï détourna le canon du Glock d'un coup de menton, et Khalifa le laissa faire. Sur les quais, les bruits semblèrent s'étouffer, comme si quelqu'un avait subitement fermé une porte derrière eux.

— C'est curieux, vous ne trouvez pas ? poursuivit Ben-Roï en s'adressant aux deux autres. Toutes ces multinationales aux pratiques douteuses épinglées par Nemesis Agenda, tous ces piratages informatiques, tous ces raids de guérilleros, et la seule société sur laquelle ils n'ont jamais rien pu trouver, c'est la Barren Corporation... Comment vous expliquez ça, vous ? Sûrement pas parce qu'il n'y a rien à trouver, on a la preuve du contraire ! Alors pourquoi ? Comment se fait-il que Barren se sorte toujours de tout en sentant la rose ? Comment font-ils pour toujours avoir un coup d'avance ?

Aucune réponse. Comme si deux des trois acteurs sur la scène avaient oublié leurs répliques.

— D'accord ! Alors voici autre chose, reprit Ben-Roï. Comment la Barren a-t-elle appris que Rivka Kleinberg était sur ses traces ? Ça me travaillait depuis un bon moment. Kleinberg n'a pas contacté Barren, elle gardait profil bas et faisait son enquête dans son coin. Seules deux personnes savaient qu'elle avait commencé à établir des liens. L'une est le maquereau dont je t'ai déjà parlé, Genady Kremenko, qui jure qu'il n'a rien dit. J'ai tendance à le croire, étant donné qu'il avait la moitié du canon de mon Jericho enfoncé dans la bouche. Ce qui nous laisse… Mlle Rachel !

Il la secoua de nouveau.

— Elle est dedans jusqu'au cou, Khalifa. Je n'ai pas encore rempli toutes les cases, mais en gros, les gars de la Barren se sont débrouillés pour la faire entrer dans Nemesis, et depuis elle protège la société de l'intérieur. C'est pour ça qu'elle souhaitait tant te rencontrer. C'est aussi pour ça qu'elle voulait que tu apportes le carnet de Pinsker, parce que, sans toi et sans carnet, personne ne pourra jamais retrouver la mine. Et sans la mine, aucune preuve de ce qu'ils fabriquent. Elle allait se débarrasser de toi, Khalifa. Comme elle s'est débarrassée de sa marraine. Ce n'est pas vrai, Rachel ? Tu l'as assassinée. Tu as assassiné Rivka Kleinberg !

Elle parvint à tourner suffisamment la tête pour croiser son regard.

— T'es vraiment un connard ! cracha-t-elle. T'es encore plus con que je croyais ! Quand ils ont tué Rivka, j'étais à quatre mille cinq cents kilomètres de là, au beau milieu du Congo. Et si j'avais voulu tuer Khalifa, j'aurais pu le faire n'importe quand au cours des trois dernières heures. Tout comme j'aurais pu te mettre une balle dans la tête, à Mitzpe Ramon. Si tous les inspecteurs qui enquêtent sur la Barren sont aussi cons que toi, rien d'étonnant à ce que ces salauds s'en sortent toujours !

Un doute fugace effleura Ben-Roï, qui le chassa aussitôt.

— Comme je disais, je ne connais pas toutes les réponses, mais ça peut attendre. Pour le moment, il faut sortir d'ici. Et tu viens avec nous, ma belle…

Il fut interrompu par le crépitement du talkie qu'ils avaient laissé sur les caisses. Un son semblable à un coup de feu, puis une voix, une voix de femme. Frénétique, pleine d'urgence :

— Fuis, Dinah ! C'est un piège. Ils nous attendaient ! Va-t'en ! Va-t'en ! Ils savent qu'on…

Sa voix se noya dans le bruit d'une seconde détonation. Surpris, pas certain d'avoir compris ce qui se passait, Ben-Roï desserra momentanément sa prise. Cela suffit. Elle lui donna un coup de pied vicieux à la cheville et enchaîna avec une rotation et un coup de genou dans les parties, qui le plia en deux. Puis elle le frappa sous le menton du tranchant de la main et l'envoya au sol. Khalifa tenta de s'interposer, mais elle courait déjà vers les caisses au bout de l'allée.

— D… descends-la ! s'étrangla Ben-Roï. Descends cette salope !

D'instinct, Khalifa se mit en position de tir. La cible était facile, malgré la pénombre, parce que les murs des hangars réduisaient sa ligne de fuite et que sa silhouette se découpait sur les lumières du quai. Il n'avait plus qu'à presser la détente… ne put se résoudre à le faire. Elle atteignit l'angle du bâtiment, récupéra son Glock par terre et escalada les caisses comme les marches d'un escalier géant. Une fois en haut, elle se retourna vers eux. Un bref instant, son regard croisa celui de Khalifa. Il n'en était pas sûr, mais il lui sembla qu'elle avait secoué la tête, même s'il ne savait pas bien ce que cela pouvait signifier.

Ben-Roï s'était relevé.

— Putain, pourquoi tu n'as pas tiré ? demanda-t-il en toussant, comme si on lui avait enfoncé une éponge dans la gorge.

— Je n'ai pas pu, marmonna Khalifa. Pas une femme. Pas dans le dos.

Il resta immobile quelques secondes, les idées en pagaille. On entendit une autre détonation, derrière eux cette fois, du côté du grillage, et Khalifa sentit la main de Ben-Roï se poser sur son bras.

— Il faut qu'on sorte d'ici !

Khalifa se tourna vers lui. Il n'avait aucune idée de ce qui se passait ni de la raison pour laquelle des gens tiraient, et ne savait pas non plus si Ben-Roï avait tort ou pas. En revanche, il savait que l'Israélien avait fait un long chemin et pris de nombreux risques pour l'aider, et cela au moins méritait une certaine reconnaissance. Il commença à dire quelque chose et s'interrompit, incapable de trouver ses mots. Alors il essuya de sa manche le sang sur la joue de Ben-Roï.

— Tu as une sale tête, espèce de Juif arrogant.

— Toi, tu ressembles à ce que tu es vraiment… un connard de musulman joufflu.

Ils se serrèrent la main, puis s'éloignèrent en direction de la grille, mais ils n'avaient parcouru que quelques mètres lorsque des silhouettes apparurent devant eux. Une rafale de fusil-mitrailleur balaya le sol juste à leurs pieds.

— Jetez vos armes et mains en l'air ! ordonna une voix bourrue, avec un accent américain. Il n'y aura pas d'autre avertissement.

Les armes tombèrent et les mains se levèrent.

On les emmena sur le quai.

Au cours des vingt dernières minutes, le brouillard avait envahi les docks, et le cargo était à présent enveloppé d'un manteau dense et blanc qui estompait ses formes, comme s'il était en train de se dématérialiser. La scène semblait presque irréelle. Soudain, une sirène retentit, et le déchargement s'interrompit. Les moteurs se turent, les dockers disparurent et les lumières se mirent en veilleuse. Tout redevint étrangement calme.

Ben-Roï et Khalifa échangèrent un regard sans rien dire.

On les conduisit vers la poupe. Trois hommes baraqués au visage dur, habillés comme ceux qui les escortaient – jean, boots, gilet militaire –, se tenaient près d'une grande limousine garée au pied de la passerelle, armés de Heckler & Koch MP5 et de pistolets Sig Sauer. A en croire leur expression, ils ne portaient pas le moindre intérêt aux deux prisonniers qui passaient devant eux.

Ben-Roï et Khalifa montèrent à bord, puis les hommes les guidèrent sur une étroite coursive qui faisait le tour de la dunette, dont le sommet se perdait dans le brouillard. Ici, la nappe était beaucoup plus dense, ils eurent l'impression d'entrer dans un nuage. Ils entendaient quelqu'un parler dans une autre langue. Du russe, pensa Ben-Roï. Quelque chose lui effleura le visage – des cendres de cigarette qui tombaient de plus haut. Il jugea préférable de ne pas s'en plaindre.

Agitant leurs canons de façon suggestive, les gardes leur indiquèrent un container sur le pont arrière. Probablement celui dans lequel Vosgi avait voyagé, pensa Ben-Roï. Il faisait trop sombre pour distinguer vraiment ce qu'il y avait à l'intérieur, mais on voyait quand même un matelas par terre. Ça puait l'urine et le métal rouillé.

On les poussa sur le côté du container, à l'endroit où un projecteur dispensait un peu de lumière, puis une ou deux minutes s'écoulèrent. Khalifa et Ben-Roï échangeaient un regard de temps à autre, mais ne parlaient toujours pas, en attendant de mieux comprendre ce qui se passait. Soudain, ils entendirent quelque chose, un son ténu mais audible qui venait de devant, probablement de la passerelle métallique qui se trouvait face à eux et dont l'extrémité se perdait dans le brouillard. Un couinement répétitif, fantomatique. D'instinct, ils serrèrent les poings, les yeux plissés pour tenter de percer l'origine de ce son, dont le volume allait croissant. Il véhiculait quelque chose de maléfique, comme s'il était causé par la lente reptation d'un prédateur s'approchant d'eux avec des mauvaises intentions.

— Ce truc m'inquiète, murmura Khalifa en plaquant son dos à la paroi du container.

— Sans blague...

A présent, un bruit de pas se mêlait au premier son, tandis qu'une silhouette commençait à se dessiner sous leurs yeux, comme une ombre qui se solidifierait peu à peu. L'ombre d'un homme très grand, obèse, appuyé sur un déambulateur à trois roues.

Nathaniel Barren.

Il s'avança dans le cercle de lumière.

— Bonsoir, messieurs.

Il marqua une pause pour les dévisager.

— Un navire plutôt impressionnant, vous ne trouvez pas ? Je suis allé me promener sur le pont. Il faudrait que je fasse réparer cette roue, ajouta-t-il en montrant une de celles de son déambulateur. Je pense qu'un peu d'huile réglerait le problème...

Il leva la main pour indiquer aux gardes de se reculer. Ils obéirent, restant toutefois assez près pour tenir les prisonniers en respect.

— En général, nous déléguons les questions de sécurité à nos collègues égyptiens, dit le vieil homme. Mais ce soir, j'ai pensé qu'il valait mieux amener nos propres hommes, pour muscler un peu les choses... Ils font du très bon boulot.

Il eut un hochement de tête appréciateur. Un masque à oxygène pendait à son cou, relié à une bouteille fixée au déambulateur.

— De toute façon, je devais me rendre en Egypte, poursuivit-il en sortant un mouchoir pour s'essuyer les commissures des lèvres. Pour cette satanée inauguration, demain soir, à Louqsor. Il m'a paru raisonnable de faire un saut en chemin. Ou d'une pierre deux coups, si vous préférez.

Khalifa fixait Barren d'un regard plein de haine. L'expression de Ben-Roï était plus difficile à déchiffrer. Le flic en lui tentait de reconstruire le puzzle, de comprendre exactement ce qui se passait.

— On vient de rencontrer votre fille, lança-t-il en tâtant sa lèvre enflée.

— Tiens donc ! s'exclama Barren avec un sourire C'est une jeune femme extraordinaire, vous ne trouvez pas ?

— Elle travaillait pour vous depuis le début ?

Le sourire du vieil homme s'élargit.

— Extraordinaire... et courageuse, reprit Barren. Je suis très fier d'elle.

— C'est elle qui a monté tout ceci ? demanda Khalifa d'une voix blanche. C'est elle qui a attiré Nemesis ici pour que vous puissiez les tuer ?

Barren rajusta sa position sur le déambulateur.

— Disons qu'il est rassurant pour moi de savoir que quand je ne serai plus là, ma famille et ma société passeront dans de bonnes mains.

Il gloussa. C'était un son déplaisant, comme le halètement d'un chien. Il s'essuya à nouveau les commissures des lèvres. Ben-Roï réfléchissait toujours. Quelque chose ne collait pas vraiment. Des pièces refusaient de s'emboîter.

— Ces gens-là... ils ne sont qu'une partie de Nemesis, dit Ben-Roï. Une cellule isolée. Les tuer ne vous débarrassera pas de Nemesis.

Nouveau gloussement.

— Petit à petit, inspecteur. Pas à pas. Croyez-moi, nous maîtrisons la situation.

— Et Rivka Kleinberg ? s'enquit Ben-Roï, qui tant qu'à affronter l'inévitable préférait en savoir autant que possible. Qui l'a assassinée ? Rachel ?

— Quelqu'un qui prend à cœur les intérêts de la société, répliqua Barren en balayant la question d'un revers de la main. Etant donné les circonstances, je ne crois pas nécessaire d'entrer dans plus de détails, mais rendons à César ce qui lui revient, vous avez compris le reste de façon plutôt brillante. J'ai lu une copie de votre rapport. Un très bon travail d'enquêteur.

Il salua Ben-Roï d'une main couverte de taches de son.

— Comme vous l'avez pressenti, nous sommes tombés sur la mine en prospectant dans la région. A l'époque, cela ne nous a fait ni chaud ni froid. Ce n'est qu'en obtenant la concession de Drăgeş que nous avons compris que nous disposions déjà d'une zone de stockage toute faite pour les déchets que nous étions obligés d'exporter...

Une volute de brouillard masqua momentanément son visage.

— C'est le principal détail qui vous a échappé, poursuivit-il. Nous ne nous débarrassons pas de la totalité des déchets, mais simplement du quart. Le reste est effectivement emporté aux Etats-Unis pour traitement et stockage. Extrêmement coûteux, comme je vous le disais l'autre soir. Très pesant sur nos marges. Diminuer le volume de traitement de vingt-cinq pour cent nous fait économiser des centaines de millions de dollars. Ce qui veut dire que nous y gagnons des centaines de millions de dollars. Et en fin de compte, c'est le but du jeu, non ? Augmenter les marges. Gagner de l'argent.

Il haussa les sourcils, comme s'il s'attendait à ce que Ben-Roï et Khalifa reconnaissent le bien-fondé de son analyse. Ils n'en firent rien, se contentant de le dévisager en silence, ce qui ne sembla pas décontenancer Barren.

— Rivka Kleinberg... Je l'ai rencontrée plus d'une fois, d'ailleurs. C'était une amie de feu ma femme. Je ne l'ai jamais beaucoup appréciée. Je pense que c'était réciproque. C'est drôle, les petites coïncidences que vous offre la vie.

Il sourit, puis fut pris d'une quinte de toux. Les épaules agitées de soubresauts, les yeux exorbités, tandis que ses poumons luttaient pour aspirer un peu d'air. Devant lui, Ben-Roï coula un regard vers les gardes en essayant d'évaluer les chances que Khalifa et lui avaient de les vaincre. Minces. Très minces.

— Et maintenant ? demanda-t-il une fois que Barren se fut remis de sa quinte de toux.

— Maintenant ? Eh bien, je crois que nous allons attendre que le brouillard se lève pour finir de décharger ce bateau. Ensuite, en guise de premier dédommagement pour les soucis que leur petite entreprise de prostitution nous a causés, le capitaine Kremenko et son équipage vont vous emmener au milieu de l'océan, vous couper en morceaux et vous donner à manger aux poissons. Ils feront de même avec les corps de ces voyous de Nemesis, qu'on est en train de ramasser en ce moment même, si j'en crois les informations dont je dispose. Eux, je ne vais pas les pleurer, mais si cela peut vous consoler, tuer des policiers a toujours pesé sur ma conscience. Cependant, que puis-je faire d'autre ?

Il haussa les épaules avec un geste d'impuissance, comme si on lui avait imposé tout cela.

— Vous auriez dû accepter le pot-de-vin, inspecteur. C'est la règle numéro un dans le business : quand on vous propose une bonne affaire, il faut sauter dessus.

Khalifa évaluait les gardes, lui aussi, et, comme Ben-Roï, ne pensait pas avoir de grandes chances contre eux. L'homme qu'il tenait pour responsable de la mort d'Ali se trouvait juste devant lui, et il ne pouvait rien faire. Il écumait de frustration.

— Quoi qu'il en soit, messieurs, assez discuté. Je suis du genre direct, je voulais vous regarder dans les yeux et mettre au clair les questions que vous auriez pu vous poser. Maintenant que c'est fait, je ne vois pas de raison de prolonger cette entrevue, alors si vous voulez bien m'excuser…

Il fit un signe de tête aux gardes, qui s'avancèrent de deux pas, impassibles, prêts à faire feu. Ils indiquèrent à leurs deux prisonniers d'entrer dans le container.

— Je n'ai jamais été très doué pour le théâtre, déclara Barren en les regardant pénétrer dedans. Mais vous serez forcés d'admettre qu'il y a une sorte de… symétrie dans tout cela. Nos problèmes ont démarré avec ce container, et c'est là qu'ils vont se terminer. C'est carré, cela me touche.

Il sourit et fit signe aux gardes de fermer le container. Khalifa glissa son pied dans l'ouverture.

— Vous avez tué mon fils, dit-il, les yeux plantés dans ceux du vieillard. Vous avez tué mon fils et je vais vous tuer.

Barren fit la moue.

— Vous croyez ? Eh bien… commença-t-il en consultant ostensiblement sa montre, il vous reste environ quatre heures pour le faire, après quoi vous serez au fond de l'océan et les crabes vous mangeront les yeux. Si j'étais vous, je me dépêcherais.

Barren émit encore un de ses gloussements asthmatiques, puis les gardes repoussèrent Khalifa dans le container et refermèrent derrière lui. Le verrou fit un bruit métallique. Pour la deuxième fois en vingt-quatre heures, il se retrouvait prisonnier dans le noir. Le couinement de la roue du déambulateur s'estompait peu à peu. Au bout de quelques secondes, il cessa. Il y eut un silence, puis :

— Salut, papa. Ça faisait longtemps…

Khalifa se mit à tambouriner du poing contre la porte du container.

— Menteuse ! hurla-t-il. Menteuse ! Menteuse ! Menteuse !

Rachel

Dès qu'elle avait entendu les cris de Tamar dans le talkie, elle avait su qu'il était ici, sur ce quai. Elle ne pouvait pas l'expliquer rationnellement, elle le savait, tout simplement. Elle avait subitement pris conscience de sa présence, comme lorsqu'elle était enfant. Quand il empruntait les couloirs mal éclairés de la demeure familiale, fondait sur elle comme un orage. Toutes ces années et il était de nouveau là ! Cher papa. Venu chercher sa petite fille. Elle avait toujours su qu'il viendrait. Les familles se rassemblent toujours. Le labyrinthe vous emmène toujours en son cœur.

Après s'être débarrassée du flic israélien, elle avait franchi la pile de caisses et foncé vers le quai en ignorant les cris des dockers, agitant son Glock sous le nez de quiconque s'approchait trop près d'elle. Elle avait l'impression de flotter dans un rêve... A présent que les machines s'étaient tues, tout semblait vague et flou dans le brouillard. Sans cesse, elle appelait les autres dans le talkie :

« Gidi ! Faz ! Tamar ! »

Pourtant, elle savait que c'était inutile. Ils étaient morts, papa était là, et son passé venait finalement de la rattraper, comme elle s'y attendait depuis onze ans déjà. On ne peut écarter à jamais le passé... ni enfouir à jamais ce qu'on est vraiment.

Cachez-moi, que personne ne me voie.

Désormais, le passé était revenu. Il déroulait sa trame.

Par deux fois, des hommes avaient surgi de nulle part et l'avaient saisie, et par deux fois elle avait entendu des voix ordonnant qu'on la relâche.

« C'est elle. Laissez-la partir. »

Tu es l'élue, Rachel. Tu l'as toujours été.

Elle les avait repoussés, était repartie en courant.

Un brouillard épais comme du lait baignait l'extrémité du quai. Elle avait dévalé les rochers en contrebas pour tenter de retrouver l'endroit où ils étaient postés. Elle ne pouvait rien changer à leur sort, mais elle avait besoin de les voir. De leur dire au revoir. Surtout Tamar. Avec Tamar, elle avait enfreint la règle d'or. Elles étaient devenues proches. Avec Rivka aussi, et avec sa mère. Et chaque fois qu'on enfreignait la règle, les conséquences étaient terribles.

« Ce n'est pas de ma faute ! Ce n'est pas de ma faute ! »

Cependant, quelque chose au plus profond d'elle-même se demandait si c'était de sa faute. Si elle aurait pu mieux résister. Si Rachel était vraiment une putain.

« Je suis désolée. Je suis tellement désolée... »

Elle avait tourné en rond pendant un moment. Un moteur avait démarré devant elle, du côté du fleuve. Un moteur de camion. Elle avait vu des phares percer le brouillard. Elle s'était approchée en trébuchant sur les rochers, jusqu'à une langue de sable qui formait une sorte de piste. Rien ne semblait réel. Soudain, à cinq mètres, elle avait vu la plateforme d'un pick-up. Deux gardes étaient assis à l'arrière, vêtus comme les autres qu'elle avait croisés. A leurs pieds, tels des trophées de chasse, trois corps. Deux hommes et une femme. Les yeux ouverts. Couverts de sang. Elle avait entendu un long cri. Il lui avait fallu un certain temps pour comprendre qu'il sortait de sa propre gorge. Elle avait tenté de s'approcher, mais le camion démarrait déjà. L'un des hommes lui avait désigné le bateau en criant :

— Il est là !

Puis le brouillard avait tiré son rideau sur eux et elle s'était de nouveau retrouvée seule.

Elle était alors revenue sur ses pas, comme en pilote automatique. Tout semblait se dérouler au ralenti, comme si elle jouait dans un film. Elle était montée à bord par la passerelle de proue, s'était engagée sur celle qui traversait le château avant, au-dessus des cales béantes et noires comme des puits.

Pas après pas, sa présence se faisait plus forte. Une sorte de trou noir qui l'attirait inexorablement.

Soudain, il était apparu devant elle, de derrière un container, dans le brouillard. Une ombre voûtée et boursouflée, conforme au souvenir qu'elle en avait gardé.

Il avait dû ressentir sa présence également, parce qu'il s'était arrêté et retourné.

Leurs regards se croisèrent. Le visage d'ours grisonnant se fendit d'un sourire. Le film repassa en vitesse réelle, elle ne se sentait plus du tout comme dans un rêve. Elle eut un haut-le-cœur, ses tripes s'étaient nouées. La douleur entre ses cuisses, aussi.

— Salut, papa. Ça faisait longtemps.

Pour Ben-Roï et Khalifa, ces paroles avaient l'air d'être prononcées par une fille aimante. Le retour de l'enfant prodigue.

Ce qu'ils ne voyaient pas, c'était l'expression de son visage. Une expression de dégoût total. Un dégoût qui frisait la démence, comme si elle se trouvait face à quelque chose de tellement écœurant qu'elle était sur le point de vomir toutes ses tripes.

Elle entendait quelqu'un taper du poing contre les parois du container en criant « Menteuse ! ». Elle s'avança dans la lumière. Barren fit de même, tout en congédiant les gardes d'un geste. Ils se retrouvaient face à face. Le père et la fille. Après tout ce temps.

— Bonjour, Rachel ! Ma chérie !

Ses yeux chassieux clignaient, humides, et sa bouche se tordit dans un sourire d'adoration.

— Effectivement, ça fait longtemps, reprit-il. Tu m'as manqué. Plus que je ne pourrais le dire !

Il tendit une main tremblante vers sa fille, mais elle ne bougea pas. Après toutes ces années, l'horreur restait aussi intense.

— Tu es magnifique ! s'exclama-t-il en la regardant de pied en cap. Une vraie jeune femme. Je vois ta mère en toi. Beaucoup de choses de ta mère. Je suis si fier de toi !

Il voulut faire un pas vers elle.

— Non !

Elle avait pointé son Glock sur la tête de son père. L'espace d'un instant, une expression dure traversa le visage du vieillard, mais il se détendit presque aussitôt.

— Je suis désolé pour tes amis, dit-il avec un sourire qui se voulait compatissant. Je le suis vraiment. Je sais que cela doit être difficile pour toi, mais il fallait le faire. Il est temps, vois-tu ? Il est temps pour toi de rentrer à la maison. Ton papa a besoin de toi. Ta famille a besoin de toi.

Elle le dévisageait, aussi pâle que le brouillard. L'odeur de l'après-rasage de son père montait jusqu'à elle, dense, huileuse, vaguement métallique, lui rappelant tellement de choses. Des sons... Les pas sur le tapis, le grincement d'une poignée de porte. Des sensations aussi... Poids, pression, pénétration. Les choses dans ses cauchemars. Les choses qu'elle avait toujours fuies depuis.

— Ça n'a pas été facile, poursuivait-il. De ne pas t'avoir près de moi. La maison était vide. Surtout depuis que ta mère est décédée...

— Elle n'est pas décédée, rétorqua-t-elle d'une voix curieusement neutre. Elle s'est suicidée. Tu le sais bien.

— Oui, je le sais, Rachel. Bien que j'essaie...

— Elle s'est suicidée quand elle a appris la vérité. Parce que je lui ai dit ce qui se passait.

A nouveau, les traits du vieil homme se durcirent, plus longtemps cette fois.

— Tout ça, c'est du passé, Rachel. Il faut tourner la page, c'est le présent qui compte. Et l'avenir. L'avenir de notre famille. Voilà pourquoi il était temps de mettre un terme à tout ça...

Il fit un grand geste circulaire du bras.

— Pour te ramener à la maison. Je t'ai donné ta liberté, je t'ai laissée te purger de ta colère. A présent, il est temps que tu retournes à ta place. Que tu prennes tes responsabilités...

Pris d'une nouvelle quinte de toux, il plaqua son masque à oxygène contre son visage, les yeux tellement exorbités qu'on aurait dit des bouchons de bouteille. Il mit un certain temps à se remettre.

— Ton papa... ne va pas bien, Rachel, souffla-t-il d'une voix déformée par le masque. Les médecins me donnent six mois.

Douze au mieux. Je dois penser à ma succession. A qui va prendre la tête de la famille. Les commandes de l'affaire. William...

Le simple fait de prononcer son nom provoqua une autre quinte de toux.

— William... Bon, nous savons tous que ton frère est un drogué qui ne s'intéresse qu'à ses fantasmes avec ses putes. Il vit dans un monde imaginaire. Il se rêve en patron, il croit qu'il va prendre les rênes. Il fomente même son petit coup d'Etat ! Mais tout cela n'existe qu'ici ! s'exclama-t-il en se tapotant le crâne. Dans sa tête ! C'est un avorton. Il l'a toujours été, il le sera toujours. Je l'ai su dès que j'ai posé les yeux sur lui. Un invertébré débile. Toi, d'un autre côté...

Il baissa le masque, le souffle encore court.

— Toi, Rachel, tu as ce qu'il faut. Tu es une vraie Barren. Plus de tripes et de cerveau que ton merdeux de frère n'en aura jamais. Tu l'as prouvé, tout au long de ces dernières années. Tu as ce qu'il faut. Tu es l'élue. La véritable héritière. L'héritière légitime. Tout est à toi. Et maintenant, j'ai besoin que tu prennes les commandes. J'ai besoin que tu rentres à la maison pour faire ce que tu es née pour faire.

Barren tendit à nouveau la main vers sa fille, qui secouait la tête, le visage tordu d'incrédulité.

— Tu es fou, murmura-t-elle. Tu es fou !

Le vieil homme se redressa, écartant les épaules comme un cobra sa coiffe.

— Je sais que tu souffres, Rachel...

— Tu es complètement cinglé ! explosa-t-elle. Rentrer chez toi ! Après ce que tu as fait ! Après ce que tu faisais ! Pourquoi penses-tu que je suis partie ? Que je suis allée aussi loin que je pouvais ? Que j'ai changé de nom, d'identité, et que j'ai passé chaque minute à combattre les gens comme vous ? Que j'ai fait tout ce que j'ai pu pour baiser la Barren ? Tout comme tu baisais ta...

— Rachel !

— J'étais une enfant, espèce d'animal ! hurlait-elle, les yeux fous. J'avais dix ans ! Toutes les nuits ! Notre petit secret ! L'amour spécial de papa ! « Juste pour te montrer à quel point je t'aime ! Ne t'inquiète pas si ça te fait un peu mal ! C'est normal, c'est parfaitement naturel ! » Espèce de pervers...

— Ça suffit, Rachel !

— Rentrer à la maison !? Reprendre les commandes ! Après tout ça ? Après Rivka ? Après ce que tu as fait ce soir ? Tu es cinglé, espèce de mythomane...

Sa voix se brisa, les mots restèrent coincés dans sa gorge, l'empêchant presque de respirer.

— Je ne reviendrai jamais ! Tu comprends ? Jamais ! Jamais ! Je ne m'impliquerai jamais dans rien de tout ça. Je ne travaillerai jamais pour la Barren. Je ne ferai jamais partie de ton méprisable...

Elle commença à se tirer les cheveux de la main gauche, comme quand elle était petite. Quand il entrait en elle... Elle tirait sur ses cheveux comme si elle essayait de se traîner hors de sa portée.

De l'autre main, elle mit son père en joue. Après tout, elle n'était pas venue ici pour autre chose. Elle aurait même dû le faire bien longtemps avant. Ces onze dernières années, toutes les manifestations, les émeutes et les opérations de Nemesis n'avaient été qu'un transfert, un palliatif à l'inévitable dénouement.

A présent, il était temps. Comme disait papa.

Il était temps de passer aux choses sérieuses.

Temps de punir.

Barren avait remis son masque, mais ne la quittait pas du regard. Le plastique transparent se couvrait de buée tandis qu'il aspirait son oxygène. Il finit par l'enlever.

— Oh, ma Rachel ! Ma chère petite Rachel !

Aucune culpabilité dans sa voix, mais le contraire l'aurait étonnée. Son père n'était pas très porté sur l'autocritique ou sur l'examen moral. Aucune peur non plus, malgré le flingue pointé sur sa tête. Barren affichait juste une expression de reproche teinté d'indulgence, comme un père dont l'enfant s'est mal comporté, mais qui l'aime trop pour lui en tenir rigueur.

Elle sentit ses tripes se retourner.

— Je sais combien c'est difficile pour toi, Rachel. Je sais quel fardeau cela peut être. Le devoir. Le destin. Tu seras toujours un esprit libre. Personne n'a jamais prétendu que c'était facile, mais tu dois comprendre que prendre les commandes de la famille, c'est ton destin. Tu ne peux pas plus y échapper qu'au sang qui court dans tes veines. Tu es une Barren. Que cela te plaise ou non, tu en fais partie. Tu es impliquée. C'est ce que tu es. Quant à travailler pour nous...

Il sourit.

— Eh bien, c'est déjà le cas, alors ça ne va pas beaucoup te changer.

Elle ne voyait pas ce qu'il voulait dire. Il se pencha vers elle, rayonnant.

— Tu as reçu un message, fit-il doucement. « Proposition acceptée. Nous combattrons ensemble. »

Déjà livide, le visage de Rachel devint d'une pâleur mortelle. Il lui fallut quelques instants avant que sa gorge ne parvienne à produire un son.

— Qu'est-ce que tu… Comment…

— Oh, Rachel, mais tu ne vois donc pas ?

A nouveau, le reproche teinté d'indulgence.

— Nous sommes Nemesis Agenda. Nous, Barren Corporation. C'est nous qui le dirigeons.

— Non ! Tu mens ! Tu mens !

Cependant, elle voyait bien à son visage que ce n'était pas le cas. A son sourire charnu. A la dureté triomphante dans ses yeux. Comme quand il arrivait dans sa chambre, la nuit, qu'il repoussait ses couvertures, tel un maître absolu…

— Oh non, murmura-t-elle. Mon Dieu, pitié…

— C'est entièrement à nous, Rachel. Sous notre contrôle. Totalement. C'est ça, la Barren. Le contrôle.

— Oh, mon Dieu ! Non !

— Je n'ai jamais pensé que ça deviendrait aussi gros. Au début, c'était juste une petite opération. Un fusil à un coup. Un petit stratagème pour mettre des bâtons dans les roues d'un de nos concurrents. Un de nos gars a suggéré de créer un site Web, de fouiller un peu dans leurs placards et de publier ça à la face du monde en se faisant passer pour un de ces groupes de cinglés anticapitalistes…

Il secoua la tête.

— Le site a décollé. Il était l'objet d'un engouement extravagant. On a deux petits génies qui coordonnent toute l'opération à Houston, et un réseau international de militants qui nous envoient des informations en pensant qu'ils participent à la chute du système. On paye ces deux types une fortune pour qu'ils la ferment, mais, crois-moi, ça vaut le coup. Avec Nemesis, on peut se débarrasser de n'importe quel concurrent comme si on appuyait sur un bouton. C'est comme tirer sur une vache dans un corridor. Ahurissant !

Il avait la mine d'un gagnant du loto incapable de croire à sa bonne fortune.

— Bien sûr, il a fallu faire attention. Y mettre les formes. Ne pas s'attaquer uniquement à nos concurrents. La trace aurait été trop facile à suivre. Nous avons dénoncé la Barren une paire de fois, rien de trop grave, juste assez pour ne pas éveiller les soupçons. Ironiquement, Nemesis Agenda est devenu une sorte de parangon de la rigueur morale. Plus personne n'accorde la moindre confiance à ces crétins de régulateurs, mais Nemesis Agenda… ils siègent à côté des anges ! S'ils disent quelque chose, c'est forcément vrai. Et s'ils n'ont jamais rien trouvé sur Barren… *Hosanna !* C'est comme si Dieu lui-même nous adoubait ! Je ne m'étais jamais rendu compte à quel point Internet pouvait servir une bonne cause !

Son rire avait l'aspérité du papier de verre.

— Et soudain, surgi de nulle part, arrive sur le site un message de ma propre fille, de Rachel, ma princesse, qui nous demande si elle peut se joindre à nous, travailler avec l'Agenda. Si j'avais écrit le scénario moi-même, je n'aurais pas mieux fait. Un rêve ! Ça te permettait de lâcher un peu la pression, de vivre tes petites aventures et de livrer des combats justes... tout en travaillant pour Barren Corporation. Tu étais de retour au bercail. Chez les tiens.

Elle tremblait, le visage couleur cendre, le Glock au bout de son bras ballant, comme si elle n'avait plus la force de le soulever. Elle se retrouvait dans le même état que chez elle, lorsqu'elle était enfant. Petite, faible, sans défense, son père pesant de tout son poids sur elle, dans l'impossibilité de lui résister.

— Bien que tu puisses penser ce que tu veux, tu n'es jamais sortie du giron familial, poursuivit-il en avançant légèrement son déambulateur. Nous avons gardé l'œil sur toi en permanence. Depuis la seconde où tu as quitté la maison, il ne s'est pas passé une seule journée, pas un seul instant, où je n'ai su où tu te trouvais, ce que tu faisais et à qui tu parlais. Tous ces groupes que tu as rejoints, ces manifestations auxquelles tu as participé... J'avais toujours des gens qui te surveillaient. Tes petites aventures avec Nemesis : il y avait toujours quelques spécialistes dans le coin, prêts à intervenir si les choses tournaient mal. Votre planque dans le Néguev était truffée de caméras et de micros, du sol au grenier. C'est comme cela qu'on a su, pour Rivka Kleinberg. Tu n'as pas dit ou fait quelque chose sans que je le sache aussitôt. Tout, Rachel. Absolument tout ! Toi et ta petite lesbienne...

Sa poitrine se souleva, ses yeux papillonnèrent.

— Mon Dieu ! Tu es si belle. Si belle, ma chérie. Tu ne sais pas à quel point j'ai envie de te tenir...

Elle se pencha et se mit à vomir sur le pont métallique. Barren tenta de s'avancer encore un peu, mais elle le mit en joue.

— Recule ! hurla-t-elle. Recule, sale pervers !

Un nouveau haut-le-cœur la plia en deux.

— Laisse-moi t'aider, Rachel ! S'il te plaît...

— Recule !

Il secoua la tête, parodie grotesque d'un père chagriné.

— Je sais que c'est difficile, ma chérie, mais les choses sont ainsi. Comme je te l'ai dit, tout est à nous. Nous contrôlons tout ; ça ne sert à rien de te battre ou de résister. C'est ton destin. Tu n'as pas le choix. Tu rentres à la maison, Rachel. S'il te plaît, ne sois pas trop dure avec toi-même. Accepte ce que tu es. Embrasse ce que tu es !

Elle cracha le peu de bile qui lui restait encore dans le ventre et se redressa, s'essuyant la bouche au revers de sa manche. Ils restèrent un instant face à face, Barren, un sourire bénin aux lèvres, sa fille, les joues creuses, cassée. Puis elle hocha la tête, leva le Glock et tira.

Le métal du verrou claqua contre le container en explosant.

— Qu'est-ce...

Barren tenta de retourner son déambulateur, pour voir ce qui se passait. Elle le contourna, courut jusqu'à la porte du container, ôta les restes du verrou et ouvrit. Ben-Roï et Khalifa se tenaient devant elle. Ils avaient l'air stupéfaits.

— Sortez ! ordonna-t-elle.

Ils hésitaient, ne sachant trop quoi faire.

— Sortez !

— Rachel, mais qu'est-ce qui te passe par la tête ?

Ils entendirent les gardes qui se précipitaient vers eux, alertés par le coup de feu. Elle fit un pas de côté et visa dans la direction d'où provenait le son, puis les abattit l'un après l'autre au moment où ils sortaient du brouillard. Une balle dans le front pour le premier, une balle dans l'œil pour le second. Une précision redoutable. Elle prit les Heckler tombés à terre et les lança aux inspecteurs. On entendait des cris en dessous et des bruits de bottes dans la coursive.

— Fuyez par là, souffla-t-elle en désignant la proue. Il n'y a pas de gardes de ce côté...

— Venez avec nous ! s'écria Ben-Roï.

— Fuyez, imbécile ! Maintenant !

Elle l'attrapa par la chemise et le poussa sur le pont. Khalifa suivit. En passant devant Barren, il pointa instinctivement le Heckler sur le vieillard. Son esprit tournait à plein régime à l'idée de le tuer tant qu'il en avait la possibilité. Rachel comprit ce qu'il avait en tête et détourna le canon du Heckler.

— Je m'en occupe, dit-elle. Allez-y maintenant.

Leurs regards se croisèrent une fraction de seconde. Finalement, il hocha la tête.

— Merci, murmura-t-il.

Puis il suivit l'Israélien. Elle les regarda s'éloigner, disparaître dans le brouillard.

— Rachel, tu n'aurais pas dû...

— La ferme !

Elle vint vers lui, le Glock à bout de bras. Les pas étaient de plus en plus proches, mais elle ne s'en souciait pas. Elle était enfermée avec un monstre dans une bulle dont tout le reste était exclu. Elle posa le canon de son pistolet sur le front de son père, qui se contenta de la fixer, l'air plus amusé qu'effrayé.

— Oh, Rachel ! Est-ce vraiment ce que tu veux ?

Cette voix douce, apaisante. La voix qu'il avait quand il la violait. La bande-son de ses abus.

— Est-ce vraiment cela ? Alors, je t'en prie. Vas-y. Si cela peut te faire te sentir mieux, ma chérie. Si ça peut compenser les prétendus péchés que j'ai commis. Cela n'a pas d'importance. Aucune ! Comme je te l'ai dit, je n'en ai plus pour longtemps. L'important, c'est la famille. Et avec toi, elle est entre de bonnes mains. Les meilleures. Alors, vas-y, Rachel. Soulage ton cœur brisé. Exorcise tes démons. Quant à moi, je mourrai heureux de savoir qu'en ta personne je lègue un avenir glorieux au nom des Barren. Dieu, que je suis fier de toi !

Il était rayonnant.

Elle resta silencieuse, le temps de se reprendre. D'accepter l'absence de toute autre solution. D'accepter que pour se libérer de la toile d'araignée qu'il avait tissée autour d'elle il fallait que ce soit fait. Soudain, inopinément, elle le regarda, rayonnante à son tour.

Une lueur de doute s'insinua dans les yeux du vieillard.

— Rachel, qu'est-ce…

— Adieu, papa chéri.

L'espace d'un instant, il fut désorienté, puis soudain ses yeux s'agrandirent d'horreur en la voyant mettre le canon du Glock dans sa propre bouche.

— Oh ! Mon Dieu, Rachel ! Je t'interdis…

Sa phrase se perdit dans une détonation assourdissante, tandis qu'un jet de sang et d'os lui éclaboussait le visage.

Le corps de sa fille bascula en arrière et heurta le pont avec un bruit mat.

Ben-Roï et Khalifa

Dissimulés par la nappe de brouillard, ils traversaient le château avant lorsqu'ils entendirent le coup de feu, suivi d'un hurlement guttural, comme le cri d'un animal blessé à mort :

— Rachel !

Ils échangèrent un regard, sans trop savoir comment interpréter cela. Il y eut un autre cri, puis un ordre se répercuta dans les haut-parleurs partout sur le pont :

— Trouvez-les ! Trouvez ces assassins ! Trouvez ces animaux !

Ils se mirent à courir.

Ils arrivèrent jusqu'à la proue et se précipitèrent vers la passerelle qui menait sur le quai. A peine avaient-ils posé le pied dessus qu'ils entendirent des cris en contrebas. Rachel s'était trompée. Il y avait des gardes par ici. Et beaucoup, à en croire le bruit qu'ils faisaient en montant.

Ils firent demi-tour, s'enfonçant dans l'espace triangulaire entre la proue et les soutes béantes sur le pont. Avec le brouillard, on ne voyait pas à plus de deux mètres, mais ils n'avaient pas besoin de regarder pour comprendre qu'ils étaient coincés. Outre les hommes qui gravissaient la passerelle, deux groupes convergeaient vers eux par les coursives latérales.

— Trouvez-les ! Etripez-les !

Instinctivement, sans prononcer un mot, ils se séparèrent. Ben-Roï prit à gauche, pour couvrir le haut de la passerelle et le couloir étroit entre le bastingage et les soutes, toujours ouvertes. Khalifa prit de l'autre côté.

Le Heckler prêt à faire feu, la tête baissée, ils tendaient l'oreille et tentaient de percer la purée de pois. Vingt secondes s'écoulèrent, angoissantes, douloureuses. Ils entendaient leurs poursuivants s'approcher d'eux, le filet se refermer. Soudain, deux silhouettes apparurent en haut de la passerelle. Ben-Roï tira à bout portant et les deux hommes s'écroulèrent. De son côté, Khalifa lâcha une salve en direction de quelque chose qu'il avait vu bouger. La riposte, violente, ne se fit pas attendre. Autour d'eux, l'air vibrait du choc des balles contre le métal, provoquant des étincelles fugaces qui transperçaient le brouillard. Les deux inspecteurs avaient le dos plaqué contre les panneaux des soutes, pour l'instant relevés, et ne sortaient de leur abri que pour balancer quelques coups de feu à leurs assaillants. Comme ceux-ci ne pouvaient venir vers eux que par les coursives ou la passerelle, Ben-Roï et Khalifa étaient en mesure de tenir leur position, malgré la différence d'effectifs en faveur des hommes de la Barren. Du moins, tant qu'il leur resterait des munitions. Or, le nombre de celles-ci diminuait à vue d'œil.

— Couvre-moi ! cria Ben-Roï.

Khalifa lâcha une dernière rafale du côté où il se trouvait, puis rejoignit Ben-Roï et se remit à faire feu. L'Israélien s'accroupit, roula sur lui-même jusqu'aux deux corps tombés en haut de la passerelle et en traîna un derrière la protection des panneaux métalliques. Puis il récidiva avec le second, au milieu d'une pluie de balles. Ensuite, il les fouilla. Bingo ! Ils avaient un Sig Sauer, et dans les poches de leur gilet des chargeurs à trente coups pour les Heckler. Un vrai petit arsenal. Il fit glisser un des pistolets vers Khalifa, ainsi que plusieurs chargeurs, prit les autres et, pour faire bonne mesure, lâcha une nouvelle rafale vers la coursive.

Pour le moment, ils étaient en mesure de résister, du moins le temps de trouver un moyen de quitter le navire.

La fusillade se poursuivit pendant plusieurs minutes. Enfin, des cris vinrent l'interrompre, et il leur sembla que les gardes se retiraient un peu plus loin. Un étrange silence s'installa.

— Qu'est-ce qu'ils font ? demanda Khalifa.

Ben-Roï n'en avait pas la moindre idée.

— En tout cas, je ne crois pas qu'ils envisagent de nous laisser partir…

Ils essayaient désespérément de trouver une idée. Or les seules voies de repli étaient la passerelle et les deux coursives.

— Tu crois qu'on pourrait sauter ? demanda Ben-Roï.

— Tu es fou ? C'est un saut de quarante mètres. D'un côté, il y a le quai, de l'autre les rochers, et devant nous un remorqueur.

— On est dans la merde !

Le silence durait depuis dix bonnes minutes. Les gardes étaient probablement en train d'évaluer les options qui s'offraient à eux. Soudain, la voix grinçante de Barren retentit à nouveau :

— Je m'en moque ! Je veux qu'on les tue ! Immédiatement, vous entendez ? Faites-le ! Sortez-le ! Sortez-le ! C'est un ordre !

Ben-Roï et Khalifa échangèrent un regard. De quoi parlait-il donc ? La réponse leur apparut presque aussitôt. Ils entendirent un son lancinant, menaçant, et le sol se mit à vibrer, tandis que les moteurs du cargo revenaient à la vie. Des vérins hydrauliques se mirent en marche et le panneau de métal qui leur servait d'abri commença à se replier, de même que tous les autres sur le pont. Les deux hommes allèrent s'accroupir derrière la faible protection qu'offrait le mât de l'antenne satellite, à la proue. Entre eux et les hommes de la Barren, rassemblés au pied de la dunette, ne restait plus qu'un espace dégagé grand comme deux terrains de football, et seul le brouillard les masquait encore à leurs yeux.

— Ils nous emmènent au large, dit Ben-Roï. Dès que le brouillard va se dissiper, on sera comme deux pigeons sur un champ de tir. Ils pourront nous dégommer de la dunette, comme à la foire. Il faut qu'on prenne le risque… Il faut qu'on descende la passerelle !

Il se dirigea vers tribord. Tandis qu'il avançait, il entendit des cris et le vrombissement d'un moteur sur le quai en contrebas, suivis d'un vacarme assourdissant et d'un long crissement métallique. Quelque chose – difficile de dire quoi exactement – venait d'arracher la passerelle du bateau, et donc de couper leur unique voie de retraite.

— On est baisés, déclara Ben-Roï, revoyant à la baisse sa première estimation.

Le bruit des moteurs augmenta, de même que les vibrations du pont sous leurs pieds. Le brouillard était tellement épais que ce ne fut que lorsque le halo spectral des lumières du quai commença à s'estomper qu'ils comprirent qu'ils s'en éloignaient, que le navire faisait cap vers le large. La fusillade reprit, un flot régulier de balles arrosait toute la surface du pont. Même si les gardes tiraient au hasard, Ben-Roï et Khalifa étaient forcés de rester dans leur étroit sanctuaire à la proue du navire, derrière le mât de l'antenne satellite, cloués là jusqu'à ce que le brouillard se lève et qu'on vienne gentiment les cueillir.

— Il va jusqu'où, ce brouillard, d'après toi ? demanda Ben-Roï.

— Comment veux-tu que je le sache ?

Khalifa tira deux rafales avec le Heckler. Le cargo commençait à branler légèrement, ce qui signifiait qu'ils naviguaient à présent dans une mer plus formée. D'après le bruit des moteurs, ils prenaient de la vitesse. Le navire était toujours en marche arrière, et manifestement les hommes de la Barren n'allaient pas perdre de temps à manœuvrer pour le remettre dans le bon sens. Ben-Roï et Khalifa ne disposaient que de quelques minutes tout au plus.

— Il faut qu'on saute, dit Ben-Roï.

Pour toute réponse, Khalifa envoya une nouvelle rafale en direction de la dunette.

— Il faut sauter ! répéta l'Israélien. C'est notre seule chance.

— Il y a quarante mètres ! On va se tuer !

— Si on reste ici, c'est eux qui vont nous tuer. Il faut y aller !

— Pas question ! On va se débarrasser d'eux !

— T'es en plein délire, là ! Ils sont bien trop nombreux ! Trop de puissance de feu. Il faut qu'on saute avant que ce rafiot soit sorti du brouillard. Allez !

Il attrapa l'Egyptien par sa veste, mais celui-ci le repoussa.

— Saute si tu veux. Je tente ma chance ici.

— Khalifa !

— Je ne sauterai pas !

— Il le faut !

— Non !

— On est à moins de deux kilomètres de la côte. On y sera...

— Non ! Pas question !

— Il suffit de nager...

— Bon sang ! Mais je ne sais pas nager !! Tu m'entends ? Je ne sais pas nager, putain ! J'ai la phobie de l'eau, ajouta-t-il en jetant un regard humilié et rageur à Ben-Roï. Vas-y, moi je reste. Ne t'occupe pas de moi.

Ben-Roï le regarda pendant une ou deux secondes, puis lui arracha le Heckler des mains et le balança par-dessus bord.

— Nom de Dieu, qu'est-ce que tu fous ? cria Khalifa.

— On va sauter, tu m'entends ? s'exclama Ben-Roï en l'attrapant par le col. Je suis un bon nageur. Tu fais comme je dis, et on va s'en sortir. Si on reste ici, on est morts, alors c'est hors de question. En sautant, on a nos chances.

Khalifa ouvrit la bouche, comme pour protester, puis la referma. Une balle ricocha sur le mât, à quelques centimètres de sa tête.

— Tu me tiendras ? demanda-t-il au bout de quelques secondes.

— Comme si je te faisais l'amour.

Khalifa n'avait pas l'air très enthousiaste. Il réfléchit encore deux secondes, puis sortit le carnet de Pinsker et le tendit à l'Israélien.

— Prends ça... Juste au cas où... Tu sais... Ça montre où...

Ben-Roï prit le carnet et le fourra dans la poche de Khalifa.

— On va s'en sortir, Khalifa. Fais-moi confiance. On va rentrer tous les deux chez nous... Bon ! Quand on touchera la surface de l'eau, laisse-toi aller, d'accord ? Détends-toi et laisse-moi te guider. Enlève tes chaussures ! conclut-il en ôtant les siennes.

Puis, profitant d'une brève diminution de l'intensité des tirs, les deux hommes rampèrent jusqu'au bastingage et l'enjambèrent. A leurs pieds, ils ne voyaient que du brouillard, et n'entendaient que le grondement des vagues et des moteurs.

Ben-Roï se débarrassa de son propre Heckler et agrippa la veste de Khalifa.

— A trois, tu sautes aussi loin que possible. OK ?

— OK.

— Un...

— *Allah-u-Akhbar !*

— Deux...

— Trois !

La fusillade reprit.

Ils sautèrent. Ben-Roï sentit une brûlure à l'arrière de la cuisse gauche, entre l'aine et le bas des fesses. L'espace d'un instant, il crut qu'un gros insecte venait de le piquer, mais il n'eut pas le temps d'y réfléchir beaucoup parce qu'ils tombaient vers la mer à travers la purée de pois. Khalifa, de son côté, eut comme un flash. Il était encore dans la mine. Il avait raté son saut, et tout ce qui s'était passé depuis – le dock, le cargo, la femme de Nemesis, la Barren –, tout cela n'avait été qu'un rêve. Un dernier sursaut d'imagination avant de s'écraser au fond du puits et d'éteindre à jamais toute lumière.

Cependant, comme Ben-Roï, il n'eut pas beaucoup le temps d'y réfléchir. L'instant semblait totalement chaotique. Le brouillard, les vagues, le bruit des moteurs, les détonations, le vent sur leur visage, tout semblait se mélanger, sans qu'on puisse isoler un événement d'un autre.

Puis ils heurtèrent la surface. La violence de l'impact leur tordit les tripes, les secouant jusqu'aux os, et ils coulèrent, chacun de son côté. Un instant, l'Egyptien s'abandonna à la mer, étonné. Son corps fendait les flots comme une lance, l'eau l'enveloppait, s'enroulait autour de sa bouche, de ses yeux, tourbillonnait dans ses cheveux, aspirait ses vêtements, semblait le tirer et le pousser en même temps. Puis, malgré les injonctions de Ben-Roï, l'instinct reprit le dessus et il se mit à se débattre, agitant les mains, les pieds, essayant frénétiquement de trouver prise sur l'élément liquide pour s'en extraire, pour rejoindre la surface. Des bulles explosèrent dans sa bouche, ses poumons commencèrent à s'affaisser et la panique à l'envahir. Il s'entendait crier – un son étouffé qui lui remplissait la tête –, sentait ses forces l'abandonner avec chaque geste qu'il faisait. Du coup, ses mouvements devinrent plus lents, mais il se battait toujours, se tournant et se retournant à tel point qu'il perdit totalement le sens de l'orientation. Il ne savait plus où se trouvait la surface. Finalement, ses forces l'abandonnèrent et un calme étrange l'envahit. L'eau de mer pénétrait dans sa gorge, dans ses poumons, son esprit s'embrumait, ses yeux s'emplissaient de couleurs, il sentait ses mains et ses pieds s'éloigner de lui, comme s'il était en train de se dissoudre lentement, de tomber en pièces.

C'est ce qu'Ali a dû ressentir, pensa-t-il. Ce qu'il a vécu, je le vis à mon tour. Je vais rejoindre mon garçon. Nous allons de nouveau être ensemble…

L'idée lui procurait une étrange satisfaction. Il s'y abandonnait, se laissait couler dans le sanctuaire de ses pensées comme il coulait vers les profondeurs, lorsqu'il sentit quelque chose l'attraper, le tirer brusquement, comme si on le réveillait au milieu d'un bon somme. Soudain, sa tête émergea à l'air libre. Il se mit à tousser et à cracher de l'eau, cherchant désespérément à respirer.

— Arrête de te débattre, Khalifa ! Détends-toi ! Tout va bien ! Je te tiens !

L'Israélien semblait s'être débrouillé pour lui glisser un bras sous les aisselles et lui maintenir la tête hors des vagues, tandis que Khalifa vomissait de l'eau salée par la bouche et le nez.

— Calme-toi ! Laisse-moi te porter. Fais-moi confiance, je te tiens, ne t'inquiète pas !

La voix semblait plus réelle, à présent. Khalifa parvenait désormais à respirer et reprenait peu à peu ses esprits.

— Ne me lâche pas, Ben-Roï ! Ne me lâche pas ! s'écria-t-il en s'agrippant à lui sans se soucier du ridicule.

— Calme-toi, nom de Dieu ! Il faut que tu te calmes et que tu m'aides, sinon je n'y arriverai pas... Laisse-toi aller, je te tiens. Il ne peut rien t'arriver.

Ben-Roï l'allongea sur le dos et commença à le tracter. Sa grande taille et sa force avaient quelque chose de rassurant, et Khalifa se calmait peu à peu, ce qui facilitait la tâche de l'Israélien.

— C'est bien. Reste calme. Continue à respirer.

Ils entendaient encore le bruit des moteurs du cargo et des détonations, mais les sons s'estompaient petit à petit. Ben-Roï nageait dans l'autre sens. L'eau était fraîche mais pas trop froide, et la houle, bien que présente, n'était pas trop grosse non plus. Bizarrement, le brouillard les aidait. Si Khalifa avait pu distinguer les lumières sur la côte, s'il avait pu voir à quel point ils s'en étaient éloignés, il aurait paniqué. En revanche, la visibilité étant de quelques mètres à peine, il pouvait entretenir l'illusion qu'ils étaient près des rives.

— Je crois qu'on va y arriver... dit-il.

— C'est sûr ! Toi et moi ! L'équipe de choc !

— J'espère que le cargo ne va pas faire demi-tour et nous foncer dessus...

— Un problème à la fois, d'accord ?

Ils progressèrent pendant quelques minutes, puis Ben-Roï ralentit et finit par s'arrêter. Il avait de plus en plus de mal à maintenir son ami à flot.

— Ça va ? demanda celui-ci.

— Juste un peu essoufflé... Si tu pouvais remuer un peu les jambes, ça m'aiderait peut-être à soulager une partie de ton poids...

Khalifa essaya, mais ses mouvements désordonnés finirent par les entraîner tous deux sous l'eau.

— Ne t'inquiète pas ! s'écria Ben-Roï en recrachant la tasse qu'il venait de boire. C'est peut-être mieux que tu me laisses faire !

Il se remit à battre des jambes en tirant Khalifa. Quelques minutes s'écoulèrent, puis Ben-Roï s'arrêta de nouveau. A présent, il semblait vraiment avoir du mal à respirer.

— Ben-Roï ?

— Je crois que j'ai pris une balle quand on a sauté. Rien de grave, mais ça me fait un peu mal. Si je parviens à y aller petit à petit...

Il s'agita un moment sur place, luttant pour les maintenir tous deux à la surface, puis reprit sa progression. Cette fois-ci, il fut à bout de souffle au bout d'une minute à peine.

— Je suis désolé, Khalifa, j'ai juste besoin de...

Sa tête disparut un bref instant sous l'eau. Khalifa tentait de l'aider en remuant les jambes, mais cela ne faisait que rendre les choses encore pires. Les deux hommes toussaient et se débattaient. Ils finirent par se remettre sur le dos. Ben-Roï avait du mal, vraiment du mal.

— Laisse-moi, dit Khalifa. Sauve ta peau. Laisse-moi !

— Ne sois pas ridicule !

— Ça ne sert à rien, Ben-Roï. On est trop loin de la rive. Sauve au moins ta peau !

— Ça va. Il faudrait juste qu'on...

Khalifa essaya de le repousser, de le forcer à l'abandonner, mais Ben-Roï ne lâchait pas prise. Ils luttèrent ainsi quelques instants dans la houle, puis, soudain, Ben-Roï se raidit.

— Putain, c'est quoi, ça !?

Une grande masse sombre dérivait vers eux dans le brouillard. Une très grosse masse, qui glissait à la surface. Un bref et terrifiant moment, Khalifa pensa qu'il s'agissait d'un requin ou d'une baleine. Il tenta de lui donner un coup de pied, mais au même instant une vague souleva la chose et la projeta contre eux.

— Des fleurs-du-Nil ! s'écria-t-il, sa peur se muant en joie. Un banc de fleurs-du-Nil qui dérive !

Surgi de nulle part, un gros tapis de végétation s'était matérialisé devant eux. Un enchevêtrement dense de branches, de feuilles et de racines qui semblait tout à fait stable, comme ils purent le constater en s'appuyant dessus. Presque un radeau. Malgré la douleur dans sa jambe et son état d'épuisement, Ben-Roï parvint à hisser Khalifa dessus, puis, faisant le tour de l'autre côté, grimpa le rejoindre.

Pendant un long moment, ils ne dirent plus rien, se contentant de reprendre leur souffle. Sous eux, leur radeau de fortune ondulait comme un nénuphar géant. On percevait encore le bruit des moteurs du cargo, au loin, mais les détonations semblaient avoir cessé. Ben-Roï se tortilla pour examiner sa blessure. Son jean était troué, il sentait son sang qui coulait, mais pas trop fort, ce qui le soulagea. La balle n'était pas ressortie.

— Ça va ? demanda Khalifa.

— Beaucoup mieux, maintenant que la leçon de natation est finie.

— Ils t'ont touché, alors ?

— Oui. Mais ça n'a pas l'air trop grave. La balle est encore dedans, on dirait, mais je ne perds pas trop de sang et ça ne me fait plus aussi mal que tout à l'heure. Si je pouvais juste faire un garrot…

Il se tortilla de nouveau pour enlever sa ceinture, le nez plongé dans le matelas végétal, et la noua autour de sa cuisse. Quelques minutes plus tôt, il pensait qu'ils allaient y passer, mais maintenant qu'ils étaient sur le radeau, il se sentait beaucoup plus rassuré. Ils n'étaient certainement pas très loin de la côte, et dès que le brouillard se lèverait, ils pourraient tenter de pagayer tant bien que mal jusque-là, ou tout simplement attendre que quelqu'un les récupère. La seule chose qui le préoccupait vraiment, c'était que le cargo fasse demi-tour et leur passe dessus, mais la mer était grande, et cela avait peu de risques de se produire. Et puis, comme il l'avait dit à Khalifa, un problème à la fois. Pour l'instant, ils étaient en sécurité. Il se sentait étrangement détendu. Vidé, mais détendu. Presque la tête légère. Il serra la ceinture de son garrot un peu plus fort.

— L'histoire de Nemesis Agenda, c'était quelque chose, hein ? Je n'aurais pas pu me tromper plus que ça, même en le faisant exprès. Pas vraiment flatteur pour un futur prof en techniques d'investigation !

Khalifa ne savait pas de quoi il parlait et ne prit pas la peine de demander. Il se pencha vers Ben-Roï et lui saisit la main.

— Merci ! dit-il. Pour m'avoir sauvé la vie. Une nouvelle fois.

— J'ai mis la facture au courrier, répondit Ben-Roï en écartant ses remerciements d'un geste de la main.

— Je t'ai dit des trucs, au téléphone. Des trucs pas bien. S'il te plaît…

— On a tous les deux dit des trucs pas bien. C'est oublié.

Ils marquèrent une pause.

— Connard !

— Salaud !

Ils éclatèrent de rire, un rire qui leur montait du plus profond des tripes, le rire de deux vieux potes en virée. La jambe de Ben-Roï avait recommencé à l'élancer, vraiment douloureusement, mais cela n'avait pas d'importance. Il était heureux. C'était dingue, non ?

— Je ferai tout ce que je pourrai pour t'aider, reprit l'Israélien. Avec la Barren et Zoser. On les aura. Ensemble. Je te le promets. Pour Ali.

— Merci, Arieh, fit l'Egyptien en lui pressant la main. Tu es un véritable ami.

— Toi aussi, Youssouf. Le meilleur !

Depuis quatre ans qu'ils se connaissaient, c'était la première fois qu'ils s'appelaient par leurs prénoms. Ils ne s'en rendirent même pas compte.

Un long silence s'installa. Le vent semblait vouloir dissiper le brouillard. Soudain, pris d'une impulsion, Ben-Roï leva la tête.

— Ecoute, ce n'est probablement pas le meilleur moment pour ça, mais je voudrais te demander une faveur, quelque chose qui a à voir avec le bébé…

Il ne finit pas sa phrase. Devant lui, l'Egyptien ronflait.

— Bordel ! murmura Ben-Roï.

Secouant la tête, il donna une petite tape amicale à Khalifa et se remit sur le dos, les bras en croix, les jambes dans l'eau. Il avait l'impression de perdre plus de sang, malgré le garrot, mais il ne s'en préoccupait pas outre mesure. Pourquoi s'inquiéter ? Ils étaient en vie, sur le radeau, l'eau n'était pas trop froide et le mouvement des vagues le berçait agréablement. Pourquoi gâcher l'instant ?

D'autres minutes passèrent. Peut-être des heures, il n'en avait pas la moindre idée – il s'en foutait, d'ailleurs. Puis le vent s'intensifia, c'étaient presque des rafales. Il se mit à rire lorsqu'un trou s'ouvrit dans le brouillard et qu'il distingua les étoiles. Des amas joyeux et scintillants d'étoiles bleues, magiques, grosses comme des lucioles. La chose la plus belle qu'il avait jamais vue. Il tendit la main vers elles.

— Je serai là, murmura-t-il. Je te le promets. Je serai toujours là pour toi. Mon petit garçon. Ou ma petite fille. Je ne te laisserai jamais tomber. Je te le promets.

Il souriait en regardant le ciel se dégager petit à petit, révélant à chaque fois plus d'étoiles, un chemin de lumière qui lui montrait la voie pour retourner vers les siens.

Il se mit à fredonner.

Ce n'est que vers midi, le lendemain, que Khalifa finit par arriver à Louqsor.

Ben-Roï était directement parti à Houston pour commencer à faire bouger les choses avec la Barren, mais Khalifa avait voulu passer voir sa famille avant de le rejoindre.

Dès qu'il aperçut Zenab qui l'attendait devant leur immeuble, il sut que quelque chose s'était produit pendant son absence. Il tenta de la questionner, mais elle lui fit signe de se taire et le conduisit à l'appartement.

— Viens vite ! dit-elle. Il faut que tu voies ça !

Il la suivit à l'intérieur. On entendait le DVD de *Mary Poppins* qui passait dans le salon à plein volume. *Laissons-le s'envoler.* Avec ces terribles sous-titres. *On lance un cerf-volant dans le ciel.* Il s'apprêtait à lui dire de baisser le volume, parce que la voisine du dessus allait se plaindre, mais Zenab lui fit de nouveau signe de se taire.

— Il faut que tu voies ça ! Tu ne vas pas y croire !

Ils arrivèrent devant la salle de bains. Khalifa entendait de l'eau couler.

— Bon, Zenab ! Assez tourné autour du pot ! Que se...

Les mots lui restèrent dans la gorge quand elle ouvrit la porte. Sous la douche, au milieu d'un torrent d'éclaboussures, la tête jetée en arrière dans un grand éclat de rire...

— Ali ! s'étrangla Khalifa en s'appuyant sur le chambranle. Mon fils ! Mon garçon !

Il resta un moment à le regarder, puis, avec un hurlement de joie, il se jeta sous la douche pour le prendre dans ses bras en pleurant de bonheur. L'eau coulait sur ses cheveux et ses vêtements, lui entrait dans les yeux, le nez, la bouche, le faisait tousser. Mais il s'en moquait !

— Ali ! criait-il. Ali !

Il se réveilla.

Il faisait jour. Khalifa avait un goût de sel dans la bouche et ses vêtements étaient trempés. Autour de lui, la mer déployait ses tons bleu-vert dans toutes les directions. Une ou deux secondes, il fut interloqué, puis tout lui revint. Il se redressa et tendit le cou. Au même moment, une vague souleva le radeau et il aperçut la ligne jaune du littoral, à un kilomètre, peut-être moins. Aucun signe du bateau, ni du dock, d'ailleurs. Ils avaient dû dériver le long de la côte pendant la nuit, mais dans quel sens ? Khalifa n'en avait pas la moindre idée.

— Hé ! Arieh !

Il se tourna vers l'Israélien.

Qui n'était pas là.

— Arieh ?

Pas de réponse.

Il pensa que son ami s'était emberlificoté dans les branches des fleurs-du-Nil, tout comme Ali, et tenta de se hisser le plus possible pour embrasser du regard tout le matelas de végétation.

Aucun signe de lui. Khalifa sentit un frisson de panique.

— Arieh ! Ben-Roï !

Rien.

Il essaya de nouveau de prendre un peu de hauteur pour mieux voir, mais ses bras passèrent à travers le matelas végétal et il retomba vers l'avant. L'Israélien était peut-être parti à la nage jusqu'à la rive ? Chercher de l'aide, maintenant que le brouillard s'était levé. Oui, ça devait être ça. Quel dingue ! Soudain, il distingua quelque chose qui flottait sur sa droite, à environ vingt mètres. De prime abord, il ne vit pas ce que c'était, mais un nouveau mouvement de houle lui permit de reconnaître la veste et le jean de Ben-Roï. Il semblait flotter, les bras en croix, la tête tournée vers le bas, comme s'il contemplait le fond.

Khalifa n'était pas très bien réveillé. La première pensée qui lui vint à l'esprit, c'était que Ben-Roï cherchait des poissons. Il lui fallut quelques secondes pour comprendre. Alors, il poussa un long hurlement.

— Mon Dieu ! Pitié ! Non ! Arieh ! Arieh !

Il essaya de pagayer vers le corps de son ami, sans parvenir à s'approcher d'un pouce. Il fut donc obligé de rester là, à regarder flotter le corps de son ami en l'appelant inlassablement :

— Arieh ! Arieh !

Il se mit à appeler son fils aussi. Les deux tragédies se confondant en une souffrance insupportable.

— Arieh ! Ali ! Arieh ! Ali !

Il cria comme ça pendant près d'une heure, jusqu'à en perdre la voix. Soudain, un mouvement de houle plus prononcé ramena le corps de Ben-Roï près de lui, à guère plus de deux ou trois mètres. Il flotta un moment, presque à portée du radeau, le bras tendu vers Khalifa – « comme pour me dire au revoir », raconterait-il plus tard. Puis, tout doucement, comme en paix, son ami s'enfonça sous les vagues et disparut à jamais.

— Arieh ! Ali ! Arieh ! Ali !

Il fut secouru huit heures plus tard par un petit chalutier de Rosette. Les pêcheurs le pressèrent de questions, voulant comprendre ce qu'il faisait tout seul sur un banc de fleurs-du-Nil. Pour toute réponse, il leur agita son insigne sous le nez.

Les pêcheurs lui trouvèrent des vêtements secs et le laissèrent tranquille.

Le courant l'ayant fait dériver vers l'ouest, il leur fallut une heure pour rejoindre l'embouchure du Nil. Assis sur un tas de filets, Khalifa fumait cigarette sur cigarette en contemplant la ligne côtière, le carnet de Pinsker – dont les pages n'étaient plus qu'une bouillie indéchiffrable, à cause du séjour dans l'eau – sur les genoux. Il aurait dû se sentir coupable de l'avoir abîmé. Il aurait dû ressentir beaucoup de choses, mais ce n'était pas le cas. Il était vide. Comme si quelqu'un avait pris une brosse métallique pour le récurer de l'intérieur.

Une seule chose demeurait. Une certitude absolue, une certitude inébranlable concernant ce qu'il lui restait à faire.

« Je vous rappelle comment les choses se passent dans ce pays. Révolution ou pas, certaines personnes sont intouchables. »

Il comptait s'occuper de ça.

Ils atteignirent l'estuaire et mirent cap au sud, en restant au milieu du fleuve. Le dock de Zoser Freight était clairement visible. Sur la rive occidentale, en revanche, aucun signe du cargo. Les grues géantes chargeaient les barils sur deux barges fluviales rangées le long du quai. Il les observa un moment, curieusement détaché de tout ce qu'il voyait. Louqsor, c'était là qu'il fallait qu'il soit ! Il emprunta le téléphone d'un des membres de l'équipage et passa trois coups de fil.

Le premier à Zenab, pour l'informer que tout allait bien. Elle avait l'air furieuse à cause de la façon dont il l'avait traitée, mais soulagée de le savoir sain et sauf. Khalifa ignorait quel sentiment dominait l'autre, et ne chercha pas à le découvrir. Il dit à Zenab qu'il rentrerait dans l'après-midi et raccrocha.

Le deuxième coup de fil, anonyme, fut pour l'ambassade d'Israël. Il leur raconta qu'un de leurs ressortissants, un policier qui s'appelait Arieh Ben-Roï, était mort dans un accident. Il précisa qu'il rappellerait ultérieurement pour donner plus de détails.

Le troisième s'adressait au caporal Ahmed Mehti, du centre de tir de la police de Louqsor. Il lui expliqua ce dont il avait besoin et lui dit qu'il passerait chercher son équipement vers 19 heures. Si Mehti pouvait lui fournir un sac pour le transporter, ce serait mieux.

Il ruminait tout cela dans sa tête, essayant de se souvenir des cartes que Hassani leur avait montrées au cours de ces dernières semaines, et sur lesquelles la répartition précise des forces de sécurité était indiquée. Il y avait un angle mort. Il en était sûr. Du côté de la tombe de Thoutmosis III. Et il savait comment s'y rendre, en passant par le sud du massif. Il n'était pas impossible qu'ils aient comblé cette faille à la dernière minute, mais il fallait qu'il prenne le risque.

« La loi ne peut rien contre des sociétés comme Barren ou Zoser. La seule façon de les coincer, c'est d'être aussi vicieux qu'eux. »

Que le spectacle commence !

Ils accostèrent à Rosette peu avant 15 heures. Il ne conserva que les chaussures qu'ils lui avaient prêtées, mais récupéra ses anciens vêtements, qui étaient secs à présent, et débarqua sans même se donner la peine de remercier l'équipage. Il était en pilotage automatique. Il acheta un paquet de Cleopatra à un vendeur ambulant et se dirigea vers le centre-ville, où il prit un taxi pour Alexandrie. Une heure plus tard, il était à l'aéroport, et trois heures après à Louqsor.

Tout au long du trajet, il avait pensé à Ali, à Ben-Roï, à la mine pleine d'arsenic et à l'angle mort près de la tombe de Thoutmosis III.

Comme prévu, il arriva au stand de tir peu après 19 heures.

— A strictement parler, ces armes ne devraient pas sortir d'ici sans autorisation officielle, lui lança le caporal Mehti en lui tendant un sac en toile bien plein. Mais étant donné que c'est vous…

Khalifa s'en saisit et glissa le carnet de Pinsker dans une des poches latérales, puis signa les documents nécessaires. Il ne fournit aucune explication à sa demande, et Mehti ne lui posa pas de questions. Ils se connaissaient depuis suffisamment longtemps, le caporal lui faisait confiance. Khalifa espérait que ce brave type n'aurait pas trop d'ennuis, mais si c'était le cas… eh bien, on n'y pouvait rien. On ne pouvait plus rien à rien. Plus rien n'avait d'importance. Excepté l'angle mort. Plaise à Dieu qu'ils n'aient pas comblé cette faille.

Il prit un nouveau taxi pour rejoindre le fleuve, un bateau à moteur pour traverser, puis encore un taxi jusqu'au pied des collines thébaines, à l'autre bout desquelles la Vallée des Rois pénétrait dans le massif comme un sillon tracé par une fourche géante. Avec l'inauguration du musée, qui aurait lieu le soir même, toutes les autres voies d'accès à la vallée étaient bien éclairées et truffées de policiers, mais en suivant à pied le flanc sud du massif, par-delà Médinet-Habou et les ruines regorgeant de poteries de Malquatta, en laissant derrière lui le monastère de Deir el-Muharrib avec ses dômes en nids-d'abeilles et ses murs en torchis, il pensait pouvoir traverser le cordon de sécurité. Ce fut le cas. Il emprunta un sentier peu connu derrière les collines, fit un large détour et se fraya un chemin à travers les lignes des gardes jusqu'aux falaises en haut de la Vallée des Rois. Il se dirigea vers la faille où se trouvait la tombe de Thoutmosis III. Là, juste à gauche, dépassant de la paroi comme la patte énorme d'un éléphant, un promontoire dont le sommet plat offrait une vue imprenable sur la vallée et le musée qui en occupait le centre. Le point faible. L'angle mort. L'endroit dont personne ne s'était soucié parce qu'en barrant l'accès de tous les chemins dans les collines on pensait qu'il était inaccessible. Mais Khalifa était passé. Et il comptait mettre ce fait à profit.

Il scruta les alentours pendant quelques instants, pour s'assurer que personne ne surveillait les lieux. Un long muret de pierre se déployait en courbe au bord du promontoire – un coupe-vent dont se servaient les anciens soldats égyptiens pour se mettre à l'abri, il y a trois mille ans ? Il s'accroupit pour le longer. Devant lui, à moins de trois cents mètres, des batteries de projecteurs illuminaient la façade de pierre et de verre du nouveau musée. Le musée Barren de la nécropole de Thèbes.

Juste en face, bien en vue sur une estrade en bois, tous les notables qui étaient venus assister à la cérémonie d'inauguration.

Et quelque part au beau milieu de ces personnalités...

Khalifa sortit le fusil du sac en toile. Un Dragunov SVD 7,62 mm. Une arme de sniper, design russe, fabrication égyptienne. Portée effective, mille trois cents mètres, soit mille de plus que nécessaire. Il inséra un chargeur à dix coups – neuf de plus que nécessaire – et se mit en position de tir, le bras gauche posé sur le haut du muret, la crosse en bois évidé bien calée contre son épaule droite. Il posa l'index sur la détente, approcha l'œil de la lunette. Soudain, toute distance avait disparu. Il voyait les notables comme s'il était juste à côté d'eux.

Hassani, tout d'abord, gras et en sueur, perché sur un siège à l'arrière de l'estrade, les plis de son cou de taureau débordant du col trop serré de sa chemise blanche. En grommelant, Khalifa se demanda sans humour s'il devait le dégager aussi, tant qu'il en avait l'occasion. Il fit glisser le fusil vers la droite, balayant l'estrade, et reconnut quelques visages du Département des antiquités : Moustapha Amine, le directeur du Conseil suprême des antiquités, le Dr Masri al-Masri, l'indéboulonnable directeur des antiquités pour la rive occidentale du Nil, à Thèbes. Quelques autorités locales, aussi. Cependant, c'était surtout le premier rang qui l'intéressait, le ministre de l'Intérieur, le gouverneur régional, le maire de Louqsor, l'omniprésent Zahi Hawass, un ou deux étrangers, dont probablement l'ambassadeur des Etats-Unis…

Et au milieu de la rangée, énorme, ombrageux, vêtu d'un costume de tweed malgré la chaleur, son masque à oxygène plaqué sur le visage… Nathaniel Barren. Khalifa craignait qu'après les événements de la nuit précédente il ait décidé de ne pas faire acte de présence, mais il était là, dominant la scène comme une statue pharaonique usée par le temps.

Dans la lunette de visée, la tête aux cheveux blancs se trouvait pile au centre de la croix. Khalifa raidit son doigt sur la détente.

Il se ferait prendre, bien sûr. Cela ne faisait aucun doute. Dès que le coup de feu claquerait, le cordon de quatre cents policiers se resserrerait sur lui comme la corde sur le cou d'un pendu. S'ils ne l'abattaient pas tout de suite, ils le feraient peu après, ou bien ils le pendraient. A moins qu'ils ne le condamnent à casser des cailloux dans les carrières de Tura pour le restant de ses jours, ce qui revenait au même. Sa famille aussi, Zenab, Batah, le petit Youssouf… Ils allaient subir de plein fouet le retour de bâton. Ils seraient mis à la porte de l'appartement, ostracisés. En tant que membres de la famille d'un meurtrier, leur vie serait foutue.

Il s'en moquait. Il n'y pensait même pas. Il ne pensait qu'à une chose, tuer l'homme qui avait tué son fils. Et son ami. Et lui-même, d'une certaine façon. Cet homme avait fini par représenter tous ses semblables : les riches insouciants, les corrompus intouchables, les tyrans bardés de privilèges, les créateurs de misère… Comme pour un junkie sur le point de se faire son fixe, la descente, qui ne manquerait pas de se produire, ne signifiait rien pour Khalifa. Il se focalisait sur le moment essentiel, quand le doigt presse la détente, quand l'aiguille perce la veine… Quand la noirceur du monde disparaît et que tout redevient bien.

« Youssouf… C'est la colère, la haine et la souffrance qui te motivent, et rien ne sortira de là, sinon davantage de souffrance. »

Pourtant, comment imaginer plus de souffrance… La sienne était déjà si grande. Un labyrinthe de souffrance. Et il n'y avait qu'une seule voie de sortie.

« … être aussi vicieux qu'eux. »

Son doigt jouait avec la détente, la pressait doucement, tandis que la croix dans le viseur restait centrée sur la tête de Barren. Khalifa entendait qu'on jouait l'hymne égyptien. Puis, à l'avant de l'estrade, un homme vint vanter les mérites de la Barren Corporation et souligner ses vertus, avant de la remercier pour son extraordinaire générosité.

« Allah jugera ces gens. C'est Lui qui doit se charger de les punir, pas toi. »

Ce n'était pas vrai. C'était un mensonge. Même Allah le Tout-Puissant ne pouvait rien contre Barren et ses semblables. De même que la loi. Les Barren de ce monde s'en sortaient toujours en vainqueurs ! Ils piétinaient les Khalifa, les Ben-Roï, les Rivka Kleinberg, les Attia, les Samuel Pinsker, ils les enfonçaient dans la merde et poursuivaient leur route sans un regard en arrière. Alors, que pouvait-il faire d'autre ? Comment pouvait-il redresser les torts ?

« S'il le faut, je me battrai. Je suis peut-être pauvre, mais je suis un homme… »

Il essuya une goutte de sueur qui lui tombait dans l'œil et enfonça la détente d'un quart de millimètre supplémentaire. C'était comme se tenir devant un panneau de verre ultra-fin, que le moindre souffle risquait de briser.

A présent, sous les applaudissements, Barren lui-même se déplaçait vers l'avant de la scène avec son déambulateur. Un larsen retentit lorsqu'il ajusta la position de son micro, puis il se mit à parler.

Mais ce n'était pas sa voix que Khalifa entendait.

« Attrape-moi, papa ! Jette-moi en l'air et rattrape-moi ! »

Il cligna des yeux, essaya de se concentrer sur les trois cents mètres qui le séparaient de Barren, pourtant si proche dans sa lunette.

« Fais-moi tourner ! Fais-moi tourner ! »

Il secoua la tête pour chasser cette voix qui le déconcentrait.

« Je vais au goal, papa ! Tu tires ! »

Impossible de la faire taire.

« S'il te plaît ! Est-ce qu'on peut aller au McDo ? S'il te plaît ! S'il te plaît ! »

Il baissa la tête, déplia son index, prit un instant de répit. La sueur lui piquait les yeux, son cœur battait à tout rompre, sa respiration était saccadée. Au bout de quelques secondes, il se remit en position de tir.

« J'ai gagné un prix à l'école ! »

Son corps semblait pris de spasmes.

« Tu es le meilleur policier d'Egypte, papa ! »

Quelque chose lui pressait la poitrine et la gorge. Un son qui venait du plus profond de lui-même. De son noyau central. Il tenta de le combattre, de s'y opposer. De se reconcentrer sur Barren. Mais d'autres voix se firent entendre ; elles lui remplissaient la tête, l'interpellaient.

« Je ne te reconnais plus. Vingt ans de vie commune et je ne reconnais pas mon mari. »

« Pour protéger ma famille, mes enfants. C'est le plus grand devoir d'un homme… »

« Tu es le meilleur, papa. »

« Mon amour, ma lumière, ma vie… »

« Attrape-moi ! »

« Le meilleur des hommes… »

« Fais-moi tourner ! »

« La bonté que tu as dans le cœur te motive… »

« Je peux manger deux Big Mac ? »

Puis plus forte que toutes les autres, tranchant sur la cacophonie :

« Il est en paix. Il y a une lumière dorée, et Ali s'y trouve en paix. Ne l'oubliez jamais. »

Quelque chose bougea à l'intérieur de lui. Encore ce son ? Pourtant, ce n'était pas vraiment un son… plutôt… une émanation ? Une noirceur, d'un noir aussi noir que les ténèbres du Labyrinthe, qui le traversait tout entier. Son corps se tordit, sa bouche s'ouvrit comme pour vomir, même s'il n'en sortit rien de tangible. En même temps, il avait l'impression que tout en sortait. Des tonnes et des tonnes de noir, un flot inépuisable, comme un geyser de pétrole à la bouche d'un puits…

Puis ça s'arrêta, aussi subitement que ça avait commencé. Il était toujours à genoux, la tête de Barren se trouvait toujours au milieu du viseur, mais rien n'était plus comme avant. Il s'était purgé de quelque chose.

Il ôta le doigt de la détente et posa délicatement le fusil par terre en clignant des yeux, comme s'il émergeait d'un rêve particulièrement vivace, incapable de savoir si ce qu'il venait d'expérimenter s'était vraiment produit. Il demeura quelques instants dans la même position, tandis que les échos de la voix amplifiée de Barren se répercutaient dans la Vallée des Rois, sous la lumière de la lune. Alors, lentement, il démonta le fusil et le rangea dans le sac de toile.

Des crimes terribles avaient été commis. Il y avait peu de chances que justice soit faite, à moins qu'Allah ne sorte de sa manche un rebondissement spectaculaire. Le monde allait rester un endroit aussi glauque qu'il l'avait toujours été.

Cependant, surgie de nulle part, comme le radeau de fleurs-du-Nil qui lui avait sauvé la vie – mais pas celle de son ami –, l'idée lui vint qu'il y avait peut-être une étincelle d'espoir. Une torche pour le guider dans la nuit. Et il savait où la trouver.

Prenant son sac à l'épaule, il tourna le dos à la vallée et entama le long trajet de retour jusqu'à chez lui.

JÉRUSALEM

Joel Regev s'adossa à son siège en attendant que le logiciel de récupération de mot de passe lui crache celui dont il avait besoin, ce qu'il fit en moins de cinq minutes : *Menorah3*. Extrêmement faible. On aurait pu croire qu'un policier serait plus attentif à ce genre de détails, mais ce n'était pas le problème de Regev. En fait, rien de tout ceci n'était son problème. Il ne faisait ça que parce que Dov l'avait supplié de trouver ce mot de passe. Il tapa sur le clavier et appuya sur « entrer ».

— C'est bon, tu es dedans ! s'exclama-t-il.

Zisky sortit de la cuisine, où il préparait du café. Regev lui céda la place.

— Je n'ai pas besoin de te dire que pirater l'ordinateur d'un flic, c'est carrément illégal.

— C'est juste pour quelques minutes. Il faut que je vérifie un truc...

— Eh bien, dépêche-toi de le vérifier. J'ai tout fait pour qu'on ne puisse pas nous retracer, mais il vaut mieux ne pas prendre de risques.

Zisky leva le pouce vers son ami et se pencha sur l'écran.

Ben-Roï était mort. La nouvelle était parvenue au poste dans l'après-midi. Pas de confirmation définitive, aucun détail, mis à part un coup de fil anonyme en provenance d'Egypte. Zisky n'avait pas besoin de détails. Cela était en rapport avec l'affaire Kleinberg. Aucun doute là-dessus. Le mot « Egypte » clignotait comme un néon dans cette enquête, qui avait d'ailleurs subitement été transférée à un autre département, la veille. Pourquoi ? Zisky n'en savait rien, mais il pensait pouvoir deviner. Une rumeur avait couru, selon laquelle Ben-Roï aurait envoyé un e-mail qui aurait tout déclenché.

Il fallait qu'il lise ce message ! Voilà pourquoi il avait demandé à Joel de faire usage de ses talents en matière de sécurité informatique pour pirater la boîte mail de Ben-Roï. Il cliqua sur « Messages envoyés ». C'était le premier de la liste. Le dernier que Ben-Roï avait envoyé avant de mourir. A Leah Shalev, avec le commandant Gal et le superintendant Baum en copie. L'intitulé : *Affaire résolue.*

Il se mit à lire.

La façon dont Ben-Roï s'était adressé à lui au cours de leur dernière rencontre l'avait blessé – « Pour toi, c'est "monsieur" ! » –, mais n'avait en rien diminué son admiration pour lui. Dans un corps où les bigots et les connards étaient légion, Ben-Roï faisait partie des gentils. Un mec bien. Voilà pourquoi il avait été aussi excité à l'idée d'être son partenaire (« Oui, mais pas dans ce sens-là ! » pouvait-il presque l'entendre dire).

C'était aussi pour ça qu'il avait le sentiment que Ben-Roï approuverait ce qu'il était en train de faire. Qu'il l'y incitait, même. Zisky partageait avec Ben-Roï une façon personnelle d'interpréter les règles. Ils avaient formé une bonne équipe. Ils auraient pu devenir une équipe exceptionnelle.

Zisky lut le rapport de bout en bout, dans un étonnement croissant. Son admiration grandit en constatant comment Ben-Roï avait établi les liens entre les faits. Puis, tout en tripotant l'étoile de David à son cou, il se demanda ce qu'il pouvait faire. Car il fallait faire quelque chose. Il le fallait ! On ne pouvait pas juste laisser tomber, Zisky devait bien ça à Ben-Roï. A sa propre mère, aussi.

« Je serai un bon policier, lui avait-il promis sur son lit de mort, en caressant sa tête prématurément chauve. J'essaierai toujours de faire ce qui est juste, d'amener les malfaiteurs devant la justice... »

Il réfléchit pendant deux minutes, puis, avec un sourire, se mit à chercher deux noms sur Google. Les ayant trouvés, il mit leur adresse en copie sur l'e-mail que Ben-Roï avait envoyé à Leah : nathan-tirat@haaretz.co.il, et mordechaiyaron@gmail.com. Il changea l'intitulé du message en « SCOOP » et cliqua sur « Envoyer ». Il s'assura que le message était bien parti, puis se déconnecta et retourna dans la cuisine, en se demandant quelle sorte de bombe il avait bien pu amorcer.

— Tu veux une bière ? demanda-t-il.

Louqsor

Nathaniel Barren se trouvait sur le balcon de sa suite, au dernier étage du Winter Palace Hotel, lourdement appuyé à la rambarde de pierre, les yeux fixés sur les collines thébaines de l'autre côté du Nil.

Il avait fait le nécessaire dans la Vallée des Rois, puis, rentré à l'hôtel, avait dîné seul. S'il éprouvait quoi que ce soit, cela ne se lisait pas sur son visage. Seules ses mains indiquaient un tourment plus profond, un dialogue intérieur tempétueux. Elles étaient serrées comme des griffes, et ses longs ongles jaunes s'enfonçaient dans la pierre comme des crocs de boucher dans une carcasse.

Il resta là pendant une bonne demi-heure, à se balancer d'avant en arrière dans le vacarme incessant du boulevard en contrebas : coups de klaxon, conversations des familles qui se promenaient sur la Corniche, taxis… Puis il fit demi-tour en soupirant et rentra dans la pièce.

— Je vais me coucher, Stephen.

Son majordome sortit de la pénombre et, après s'être incliné avec déférence, commença à préparer son maître pour la nuit. Il l'aida à se déshabiller, à se mettre en pyjama et à entrer dans son lit, puis il lui apporta le plateau avec ses médicaments, un assortiment de pilules de différentes couleurs bien alignées, que Barren faisait passer avec un verre de lait à peine tiède. Quand il eut tout avalé, Stephen le débarrassa du plateau, l'installa confortablement sur ses oreillers, lui tendit son masque à oxygène en vérifiant sur le réservoir que le débit était correct. Enfin, il éteignit toutes les lumières sauf la veilleuse sur la table de chevet et, après avoir souhaité bonne nuit à son maître, se retira.

Resté seul, Barren regardait le plafond. Sa poitrine se soulevait comme un soufflet de forgeron, et la chambre tout entière résonnait du bruit qu'il faisait en respirant. Une minute s'écoula, ses yeux commençaient à se fermer. Quand il ne resta plus qu'une toute petite fente, ses mains agrippèrent subitement ses draps et il murmura quelque chose, un seul mot, étouffé par le plastique du masque à oxygène. Ça ressemblait à « racial ».

Puis ses yeux se fermèrent et il s'endormit.

Je laisse passer une demi-heure avant de retourner à la suite. Comme prévu, il dort à poings fermés. Le sédatif que j'ai ajouté au lait n'était probablement pas nécessaire – il a toujours eu un sommeil lourd –, mais dans ce cas précis je dois prendre plus de précautions que d'habitude. Je ne supporterais pas de le voir se réveiller au milieu du nettoyage pour me jeter un de ses regards ! Cela serait extrêmement irritant. Impensable !

Je reste quelques instants devant lui. J'éprouve moins d'émotion que je ne le pensais. J'ai servi pendant presque trente ans, tout comme mon père avant moi. On aurait pu croire qu'après autant de temps – presque la moitié de ma vie – j'aurais éprouvé des sentiments plus forts. En fait, je ne sens pratiquement rien. Toutes mes angoisses sont parties. Mes doutes, envolés. A présent, je suis dans le tunnel. Le tunnel de lumière. Une seule chose me préoccupe, le nettoyage. Faire mon travail au mieux de mes capacités.

Je vais prendre un oreiller dans le placard. Les oreillers sont très jolis dans cet hôtel, fermes et doux à la fois. Ensuite, je lui ôte son masque à oxygène, je le mets de côté, je m'assure d'avoir une prise ferme de part et d'autre de l'oreiller, puis sans plus attendre je le plaque sur son visage. Suffisamment fort pour l'étouffer, mais pas assez pour laisser des marques.

La famille s'est toujours servie de nous pour ses nettoyages, du moins pour ceux qui requièrent de la délicatesse et de la discrétion. Pour ceux qui sont particulièrement essentiels au bien-être de la famille (et qu'y a-t-il de plus essentiel !). Mon père, d'après ce que l'on m'a dit, était un maître nettoyeur. Je le suis moi aussi, à ma manière. J'ai perdu le compte du nombre de fois où l'on a fait appel à moi pour éradiquer une menace potentielle.

« J'ai un autre petit travail pour vous, Stephen. Les détails sont dans l'enveloppe. »

En réalité, je n'ai pas du tout perdu le compte. J'en suis à trente-deux. Trente-trois en incluant ce soir. Ce que je ferai, bien sûr. Les affaires de la famille sont les affaires de la famille, indépendamment de la personne qui donne l'ordre.

Il se débat moins que je ne l'aurais cru. Il lutte à peine, en fait. Un soubresaut, quelques tremblements, et au bout de vingt secondes il se fige. Je ne prends aucun risque, et compte jusqu'à deux cents en maintenant la pression, juste pour être sûr. Ensuite, j'enlève l'oreiller. Il a une expression que je qualifierais de surprise, il semble presque vexé, mais cela est surtout dû au fait qu'il a la bouche et les yeux ouverts. Je les lui ferme, et il est transformé. Il semble paisible, à présent. Serein, même. Tout comme on s'y attendrait de la part de quelqu'un qui est mort dans son lit.

Je n'ai aucun chagrin, de quelque sorte que ce soit. Pas de regrets, pas de tristesse. Le témoin est passé, et avec lui ma loyauté. Finalement, les mouchoirs n'ont pas été nécessaires.

Je remets en place le masque à oxygène, rajuste les oreillers et range celui que j'ai utilisé dans son placard, non sans l'avoir brossé. Un dernier coup d'œil, puis je prends le téléphone portable, compose le numéro et annonce la bonne nouvelle.

J'ai toujours vu quelque chose en maître William. Quelque chose que son père semblait faire exprès d'ignorer. Un talent. Un potentiel. Maîtresse Rachel était une femme valable, à sa manière, mais elle ne représentait pas l'avenir. Dans mon esprit, seul maître William constituait une solution viable pour aller de l'avant.

Voilà pourquoi, lorsqu'il m'a approché pour m'expliquer qu'il était temps d'ouvrir un nouveau chapitre et qu'il m'a demandé mon aide, la décision n'a pas été très difficile à prendre. La famille, voyez-vous, est tout ce qui importe. Bien plus que la somme de ses différentes parties. C'est ce que mon père m'a appris. Et j'ai vécu toute ma vie dans le respect de cette idée. Lorsque les forces de maître Nathaniel ont décliné, il fallait assurer sa succession. Protéger l'avenir de la famille. Et maître William est l'avenir de la famille.

Une décision pas du tout difficile à prendre. « Du gâteau », comme on disait dans le temps.

Lorsque je lui annonce que c'est fait, le maître – le nouveau maître – me félicite avec effusion. Je ne devrais pas m'enorgueillir d'une telle chose – c'est mon travail, après tout –, mais je ne peux m'empêcher de ressentir une certaine satisfaction. Il me suggère de partir en vacances, à l'endroit de mon choix, tous frais payés, mais pourquoi ferais-je cela ? Ma place est au sein de la famille. Au cœur de la famille. A servir du mieux que je peux.

Je jette un dernier regard à la pièce – en matière de nettoyage, on n'est jamais trop prudent – puis je me retire dans ma chambre. Je ne suis pas quelqu'un d'extravagant, mais en cette occasion je pense que je pourrais commander quelque chose au service d'étage. Une bonne tasse de thé, peut-être. Avec un biscuit, pour l'aider à passer.

L'avenir, me semble-t-il, s'annonce radieux.

ÉPILOGUE

TROIS MOIS PLUS TARD

L'inspecteur Arieh Ben-Roï de la police de Jérusalem tint sa promesse.

Comment y parvint-il ? Personne ne le saurait jamais. Les courants de la Méditerranée auraient dû le pousser dans la direction opposée. Peut-être fut-il porté par une vague excentrique ? Peut-être se prit-il dans les filets d'un chalutier ? Peut-être – et c'est ce que Khalifa choisit de croire –, peut-être qu'Allah, Yahvé ou Dieu avaient donné un coup de main à Ben-Roï, parce que malgré ses dehors agressifs il était bon, bon et juste. C'était le meilleur ami que Khalifa ait jamais eu. Allah voit ces choses-là.

Allah voit tout.

Quoi qu'il en soit, vers 6 h 30, par un matin ensoleillé, au moment même où des cris résonnaient dans la maternité de l'hôpital Hadassah à Jérusalem, un homme qui promenait son chien sur une plage au sud de Bat Yam vit quelque chose dans l'eau, que les vagues apportaient peu à peu vers la rive. Plus la chose approchait, plus les cris s'intensifiaient, jusqu'à ce que dans un dernier hurlement guttural un garçon sain de corps et d'esprit voie le jour et aspire son premier souffle d'air. Au même moment, une vague déposait gentiment le corps de Ben-Roï sur le sable, et, en dépit du temps qu'il avait passé dans l'eau, il était parfaitement conservé. Un grand sourire lui barrait le visage.

Arieh Ben-Roï était rentré chez lui.

Khalifa avait appris tout cela par l'intermédiaire de Sarah, la compagne de Ben-Roï. Ils étaient restés en contact au cours des derniers mois, depuis que Khalifa lui avait écrit pour lui faire part des circonstances de la mort de son ami. A l'occasion de la naissance du bébé, elle était un peu trop débordée pour rester longtemps au téléphone, mais elle l'avait tout de même appelé pour le mettre au courant des derniers développements et lui demander deux faveurs. Voulait-il venir aux obsèques de Ben-Roï ? Et accepterait-il d'être le parrain de leur bébé ?

Khalifa avait accepté aussitôt, précisant qu'il considérait l'une et l'autre chose comme un honneur.

Les vols et les hôtels avaient été réservés rapidement, et Khalifa, malgré ses protestations, n'avait pas pu payer quoi que ce soit.

Voilà pourquoi il se trouvait en compagnie de sa famille sur un flanc de colline au-dessus de la vieille ville de Jérusalem, tandis qu'un simple cercueil de bois était mis en terre et qu'un rabbin entonnait d'une voix chaude le kaddish des endeuillés :

— *Yisgadal v'yiskaddash sh'mey rabboh...*

Tout en l'écoutant, tête baissée, une main dans celle de Zenab, un bras protecteur autour de Batah et Youssouf, Khalifa pensait aux événements de ces trois derniers mois. A tout ce qui avait changé.

L'histoire des déchets toxiques de la Barren avait fait la une des journaux israéliens, puis celle de leurs homologues du monde entier. Contrairement à ce qui se passait d'habitude en de telles circonstances, William Barren, le nouveau dirigeant de la société, n'avait pas essayé de noyer le poisson. Il s'était publiquement excusé pour la façon dont son père avait conduit certaines affaires, et avait promis que dorénavant les choses allaient changer. A commencer par la mise en place d'un fonds pour nettoyer les dégâts que son père avait laissés derrière lui. Les barils allaient être récupérés et la nappe phréatique dépolluée. Toutes les personnes lésées par cette pollution seraient substantiellement indemnisées. Khalifa ne savait pas si ces remords étaient sincères, ou s'il ne s'agissait que d'une manœuvre cynique pour replâtrer la réputation de la multinationale. En revanche, il savait que la famille Attia n'allait pas avoir de problèmes d'argent pendant un bon bout de temps.

La société Zoser Freight avait écopé d'une amende record pour le rôle qu'elle avait joué, et l'ensemble de son conseil d'administration – y compris le frère du ministre de l'Intérieur – faisait l'objet d'une enquête criminelle. Khalifa ne saurait jamais si la barge qui avait tué son fils transportait effectivement des déchets toxiques, mais il trouvait quand même un certain réconfort à l'idée que si l'on permettait qu'une société aussi grosse et avec autant de relations que Zoser soit ainsi humiliée, il restait encore de l'espoir pour la nouvelle Egypte.

Zenab et lui pleuraient encore leur fils défunt, ils le feraient toujours, mais en même temps – et c'était difficile à expliquer à quelqu'un qui n'avait pas connu une telle expérience – leurs vies s'étaient enrichies au cours des derniers mois. Le chagrin restait aussi aigu qu'auparavant, mais l'espace semblait se dégager tout autour pour laisser la possibilité à d'autres sentiments de s'enraciner. Ils avaient même parlé d'avoir un quatrième enfant, mais pour l'instant rien ne s'était produit de ce côté-là. *Inch Allah*, le temps viendrait.

Après la nuit sur le cargo, une de ses priorités avait été de rendre le carnet de Pinsker à Iman el-Badri, et à la première occasion il était descendu la voir, le cœur lourd d'avoir abîmé l'objet malgré la promesse qu'il lui avait faite. En arrivant, il avait appris que la vieille femme était morte dans son sommeil, paisiblement, la semaine précédente. Précisément le soir où il était venu la voir, comme si elle n'avait vécu tout ce temps qu'afin d'être en mesure de transmettre le carnet. Il s'était rendu sur sa tombe pour réciter le *Salat al-Janazah* et, à l'abri de tout regard, avait creusé un trou et enfoui le carnet à côté d'elle. Une semaine plus tard, ayant déniché la sépulture de Samuel Pinsker au Caire, il avait vidé un mouchoir rempli d'un peu de terre qu'il avait ramassée près de la tombe d'Iman. C'était un petit geste, mais il espérait que cela signifierait quelque chose pour ces deux-là. Comme Zenab le rappelait tout le temps, dans le fond Khalifa était un tendre.

Quoi d'autre ?

La concession gazière dans le Sahara fut oubliée sans tambour ni trompette, et, pour des raisons que personne ne s'expliquait, le site de Nemesis Agenda disparut mystérieusement. Sur Internet, les forums bruissaient de rumeurs impliquant la CIA, le Mossad ou un complot des forces capitalistes, mais rien ne fut jamais prouvé. D'ailleurs, sur le long terme, cela n'avait pas grande importance. Nemesis Agenda avait servi de phare et d'exemple pour une ribambelle de gens qui croyaient en la possibilité d'un monde plus équitable. D'autres groupes reprendraient le flambeau. Les fraudeurs auraient à répondre de leurs actes.

Rien ne filtra jamais de la triste histoire de Rachel Barren. Du moins Khalifa n'en entendit-il jamais parler. Il priait pour qu'elle repose en paix, où qu'elle fût.

Le hasard avait voulu qu'en l'espace de deux jours Khalifa reçoive deux e-mails. Le premier lui était adressé par Mohamed Abdullah, son ami d'enfance qui avait réussi dans l'industrie du logiciel, le second par Katherine Taylor, la romancière à succès américaine avec qui il s'était lié d'amitié quelques années plus tôt, à l'occasion des recherches pour un nouveau livre qu'elle menait à Louqsor. Il avait complètement oublié les e-mails qu'il leur avait envoyés, aussi fut-ce une bonne surprise quand tous deux se déclarèrent prêts à contribuer au financement de l'orphelinat de Demiana Barakat. Mohamed alla même plus loin en offrant à tous les enfants un séjour au Caire, pour qu'ils visitent Dreampark, le théâtre de marionnettes et la reconstitution d'un village de l'époque des pharaons, une attraction proposée par le Dr Ragab. Khalifa avait toujours trouvé ce village plutôt kitsch, mais étant donné le contexte il aurait été grossier de le dire.

Quant à Rivka Kleinberg, c'était une affaire israélienne, et Khalifa ne savait que ce qu'il glanait sur Internet. L'implication de la Barren ne faisait aucun doute, mais les Israéliens n'avaient pas fait de progrès dans leur enquête sur l'identité de l'assassin. La dernière fois qu'il avait regardé, ils suivaient une nouvelle piste – un tueur à gages turc. Khalifa attendait avec intérêt les futurs développements.

Le murmure des conversations qui reprenaient le tira de sa rêverie. Devant lui, les hommes formaient une file et, un par un, jetaient une pelletée de terre sur le cercueil. En tant que musulman, Khalifa ne savait pas s'il devait prendre part à ce rituel, mais il y avait une sorte de prêtre dans la file – un petit homme replet vêtu d'une soutane noire, une grosse bague violette à la main –, alors il se dit qu'il pouvait probablement y aller. Il prit place derrière un jeune homme à lunettes rondes, qui portait une kippa bleue.

— *Ma'a-s salaama, sahebi*, murmura-t-il en jetant sa pelletée de terre.

A la fin de la cérémonie, la foule commençait à se disperser – il y avait beaucoup de monde, vraiment – lorsqu'une femme vint vers lui, un bébé dans les bras. Le vol de Khalifa avait été retardé et il n'était arrivé au cimetière que juste avant la cérémonie, alors c'était la première occasion qu'il avait de parler de vive voix avec la compagne de Ben-Roï, Sarah.

— Dites bonjour à votre filleul ! s'exclama-t-elle en lui montrant le bébé.

Zenab, Batah et Youssouf s'agglutinèrent autour de Khalifa, qui avait pris le bébé dans ses bras.

— Il est beau !

C'était vrai. Il avait quelque chose de sain dans les traits, une lumière dans les yeux qui rappelait sa mère, et Ben-Roï lui-même aurait admis sans peine que ce n'était pas plus mal.

— Je ne sais même pas comment il s'appelle, dit Khalifa.

— Eli. Eli Ben-Roï.

La gorge de l'Egyptien se serra.

— C'est une coïncidence extraordinaire ! s'écria-t-il. Mon fils... Nous avons perdu notre fils... Il s'appelait Ali. Eli, Ali. C'est pratiquement le même nom.

Avec un grand sourire, Sarah lui posa la main sur le bras, comme pour dire : « Ce n'est pas une coïncidence. »

Khalifa, qui sentait ses yeux s'embuer, détourna la tête. Au bout de quelques secondes, Zenab lui murmura quelque chose à l'oreille.

— Bien sûr, bien sûr... répondit-il.

Se reprenant, il embrassa le bébé sur le front et le rendit à sa mère, puis sortit une petite boîte en plastique de sa poche.

— Il y a quelques années, la première fois que j'ai rencontré Arieh, il m'a donné ceci. Depuis, j'ai toujours chéri cet objet, mais à présent je pense qu'il peut trouver un meilleur usage...

Il ouvrit la boîte. A l'intérieur, posée sur une étoffe, il y avait une petite ménorah en argent au bout d'une chaîne, que Ben-Roï lui-même avait portée. Khalifa la glissa doucement autour du cou du bébé.

— Voilà ! Tout comme son père !

Le bébé se mit à crier.

— Oui ! Tout comme son père ! s'exclama Sarah.

Ils discutèrent un moment avec elle, tandis qu'elle calmait l'enfant, puis, sentant qu'elle avait besoin de rester seule avec Eli et Ben-Roï, les Khalifa s'excusèrent avant de s'éloigner. Le long du cimetière, une route montait vers le sommet de la colline, d'où l'on avait une vue spectaculaire sur la vieille ville. Ils décidèrent de la suivre. En chemin, Batah et Youssouf s'arrêtèrent pour admirer des oiseaux dans une grande volière au milieu d'un parc. Khalifa et Zenab allèrent s'asseoir sur un muret un peu plus loin. Devant eux, la coupole dorée du Dôme du Rocher scintillait au soleil, tandis que tout autour, entourés par d'énormes murailles en pierre, les toits, les dômes, les tours et même quelques cyprès étaient tellement serrés qu'il semblait impossible de dire où finissaient les uns et commençaient les autres, comme si on les avait jetés là en désordre.

Il y avait beaucoup de tensions, là-bas, Khalifa en avait bien conscience. De la colère, du ressentiment, de l'amertume et de la haine. Il avait son opinion sur la situation, sur ses tenants et ses aboutissants. Cependant, vu d'ici, tout avait l'air calme et paisible, comme des jouets dans la malle d'un enfant.

Et quoi qu'il en soit, Ben-Roï avait été son ami. Un excellent ami. On pouvait peut-être tirer une leçon de cela. En tirer de l'espoir, aussi.

Ils restèrent silencieux pendant plusieurs minutes, assis sur leur muret, les jambes pendantes, à regarder des silhouettes vêtues de noir se balancer d'avant en arrière devant une tombe. Puis Khalifa passa un bras autour des épaules de Zenab et l'attira contre lui.

— Il me manque, dit-il tout doucement. Ali. Je l'aimais tellement.

— Tu l'aimes tellement, le corrigea-t-elle en se lovant contre lui. Il est là. Il sera toujours là.

Khalifa acquiesça et la serra un peu plus fort.

— On est OK, non ?

— Bien sûr que oui. On est la *team* Khalifa.

Il sourit et se pencha pour l'embrasser, mais, voyant Batah et Youssouf approcher, se contenta de souffler dans l'oreille de Zenab. Les enfants les rejoignirent sur le muret et ils se donnèrent tous la main. Le silence s'installa de nouveau, aucun d'entre eux n'éprouvant le besoin de parler. Ils étaient simplement heureux d'être ensemble, en famille. Soudain, Youssouf désigna quelque chose dans le ciel.

— Regarda, papa ! Un cerf-volant !

Au-dessus des toits de la vieille ville, un petit triangle rouge virevoltait avec grâce. Ils le contemplèrent un moment. Puis, comme un seul homme, ils se mirent à chanter :

On lance un cerf-volant dans le ciel,
On l'envoie vraiment haut…

La traduction des paroles était tellement nulle qu'ils éclatèrent de rire dès la moitié du premier couplet.

Remerciements

Bien que tirer des mots de sa tête et les coucher sur le papier puisse se révéler une activité solitaire, écrire un roman est une entreprise collective, tributaire du talent, des connaissances et de la générosité d'un grand nombre d'individus. Le livre que vous avez entre les mains ne fait pas exception à la règle. Sans le soutien des personnes suivantes, je ne serais jamais parvenu à sortir de ce labyrinthe.

D'abord et avant tout Alicky, ma femme, sans qui rien n'est possible. Sa patience, ses conseils et ses commentaires pertinents ont joué un rôle central dans la conception de cette histoire. Comme c'est le cas pour chacun de mes livres, je ne pourrai jamais lui rembourser tout ce que je lui dois.

Il en va de même pour Laura Susijn, mon agent, une femme hors du commun qui m'a toujours soutenu et encouragé bien au-delà de ce que son travail exige, et pour Simon Taylor, qui n'est pas seulement un grand éditeur, mais aussi un ami.

Le Pr Stephen Quirke et le Dr Nicholas Reeves m'ont fourni de précieux conseils sur différents aspects historiques et linguistiques de l'Egypte ancienne. Stuart Hamilton et Simon Mitchell ont joué un rôle similaire, respectivement en matière de médecine légale et de sécurité informatique. Le Pr Jan Cilliers s'est révélé – excusez le jeu de mots – un riche filon pour tout ce qui concerne l'industrie minière et l'extraction de l'or. Rasha Abdullah a corrigé mon arabe affligeant, Nava Mitzrahi et Iris Maor m'ont donné un coup de main avec mon hébreu, qui l'est encore plus.

Je tiens aussi à remercier le sergent Moeen Saad, du poste de police David à Jérusalem, Rachel Steiner et Asher Kupchik, de la Bibliothèque nationale d'Israël, l'Association du Bon Samaritain pour les enfants handicapés, à Louqsor, la direction et le personnel du Winter Palace Hotel, à Louqsor, David Pratt, Jorge Pullin,

David Blasco, Lisa Chaikin, Leah Gruenpeter-Gold, George Hintalian, Kevin Taverner et Rishi Arora.

Enfin, trois mercis en particulier :

Premièrement, au Dr Avi Zelba, de la police israélienne, pour ses conseils, sa disponibilité et son hospitalité.

Deuxièmement, à Son Eminence l'archevêque Aris Shirvanian, du patriarcat arménien de Jérusalem, qui a bien voulu partager son expérience et sa connaissance de la communauté arménienne.

Troisièmement, à Rinat Davidovich ainsi qu'au personnel et aux résidents du centre Maagan, à Petah-Tikva. Le problème posé par les trafiquants de sexe est des plus bouleversants, et le centre accomplit un travail aussi extraordinaire que courageux en portant secours aux victimes. Sans leur aide et leurs conseils, ce roman n'aurait jamais pu voir le jour. Vous pouvez en apprendre plus sur le travail qu'ils font à l'adresse suivante :

http://www.maagan-shelter.org.il/English.html

Composé par Nord Compo Multimédia
7, rue de Fives, 59650 Villeneuve-d'Ascq

Achevé d'imprimer en septembre 2013
par Normandie Roto Impression s.a.s.
61250 Lonrai
N° d'impression : 133437
Dépôt légal : octobre 2013

Imprimé en France